KU-135-860

ENGLISH SUITS BEFORE THE PARLEMENT OF PARIS 1420–1436

Edited for the Royal Historical Society

by

C. T. ALLMAND

M.A., D.Phil., F.S.A., F.R.Hist.S.

and

C. A. J. ARMSTRONG

M.A., F.S.A., F.R.Hist.S.

CAMDEN FOURTH SERIES
VOLUME 26

LONDON
OFFICES OF THE ROYAL HISTORICAL SOCIETY
UNIVERSITY COLLEGE LONDON, GOWER STREET
LONDON WC1E 6BT
1982

211915
DA 20 CAM/4/26

QUEEN MARY
COLLEGE
LIBRARY

© Royal Historical Society

ISBN: 0 86193 095 9

QUEEN MARY
UNIVERSITY OF LONDON
LIBRARY

Printed in Great Britain by Butler & Tanner Ltd
Frome and London

CONTENTS

ACKNOWLEDGEMENTS

We wish to thank a number of persons for assistance given us in our work.

Mr Stephen Ryle rendered valuable help with problems of Latinity, while Dr Pierre Chaplais read most of the Latin texts and helped locate some of the legal references, in which work we also received assistance from Professor Peter Stein, Professor Jack Watt and Dr J. P. Canning. Madame Françoise Autrand, Monsieur Jean Favier, the staff of the Archives Nationales and the Directeurs of the Archives Départementales of the Calvados and Manche, in France, and Sir Anthony Wagner, Dr Roger Highfield, Dr Tony Pollard, Dr Roger Little, Miss Anne Curry, Mr Guy Thompson and Mr Robert Massey, in this country, have all given much practical assistance.

We are happy to acknowledge substantial financial help from the British Academy, the Leverhulme Trust, the Wolfson Foundation and the Research Fund of the University of Liverpool.

C. T. A.
C. A. J. A.

ACKNOWLEDGEMENTS

ABBREVIATIONS

Add. Ch.	Additional Charter
Add. MS	Additional Manuscript
A. N.	Archives Nationales
Arch. Seine-Mme.	Archives de la Seine-Maritime, Rouen
Arch. Vat.	Archivio Vaticano
B. I. H. R.	*Bulletin of the Institute of Historical Research*
B. L.	British Library
B. N.	Bibliothèque Nationale
Bréquigny,	'*Rôles normands et français¹ et autres pièces\ tirées des*
Rôles normands	*archives de Londres par Bréquigny, en 1764, 1765 et 1766*',
	Mémoires de la Société des Antiquaires de Normandie, 3ᵉ
	sér., xxiii (1858).
Cal. Pap. Lett.	*Calendar of Papal Letters*
Cal. Pat. R.	*Calendar of Patent Rolls*
Dict. Biog. Fr.	*Dictionnaire de Biographie Française*
Dict. Nat. Biog.	*Dictionary of National Biography*
D. K. R.	*Annual Report of the Deputy-Keeper of the Public Records*
E. H. R.	*English Historical Review*
Foedera	T. Rymer, *Foedera* (London edn., 1704-17)
Lib. Annat.	Liber Annatarum
MS fr.	manuscrit français
MS lat.	manuscrit latin
n. a. fr.	nouvelle acquisition française
n. a. lat.	nouvelle acquisition latine
P. R. O.	Public Record Office
Reg. Lat.	Lateran Regesta
RS	Rolls Series
SHF	Société de l'Histoire de France
T. R. Hist. S.	*Transactions of the Royal Historical Society*
V. C. H.	Victoria County History of England

INTRODUCTION

At the sealing of the treaty of Troyes on 21 May 1420 England undertook her most serious external obligation prior to entry to the European Economic Community five hundred and fifty years later, while the kingdom of France received a written 'constitution'.[1] The treaty pronounced the 'union of the two crowns' through the marriage of Henry V to Catherine, daughter of Charles VI, and in concluding the treaty the English and Franco-Burgundian negotiators had at least two things in common, the achievement of perpetual peace between the kingdoms and the preservation of the sovereign independence of each.[2] Under the treaty, the Parlement was constituted the single supreme court of the French monarchy; and the *baillis* and other officers of the crown, who traditionally took an oath in the Parlement before assuming office, between now and 1436 also swore to the 'traité de la paix', as it came to be known.[3]

The treaty, or 'paix finale', upheld the jurisdiction of the Parlement throughout the kingdom 'en tous et chascun lieux subgez a nous, maintenant et ou temps avenir';[4] from 1420 until the eve of the Valois reconquest of Paris in April 1436, the Parlement clung unswervingly to the letter of the treaty. The court's decision was sensible in so far that it demonstrated the determination of the Parlement to remain, whoever might be king, the sovereign central court of the crown based on Paris. The treaty afforded the Parlement a means of constitutional resistance to claims that lawsuits arising in Normandy or in the *pays de conquête* (lands outside the Norman duchy occupied by Henry V prior to the treaty) should be heard at Rouen.[5] The Lancastrian government was brought to work with the Parlement by a common

[1] Printed by E. Cosneau, *Les grands traités de la guerre de Cent Ans* (Paris, 1889), pp. 102-15.

[2] For England, Henry V renewed, in December 1420, the statute of 18 Edward III safeguarding common law against any rights which the crown might acquire abroad (*Rotuli Parliamentorum*, iv, 127b).

[3] The four new *baillis* (Melun, 27 December 1420, Vermandois, Amiens and Meaux, 30 December 1420) besides taking the traditional oath also swore in the Parlement to keep and enforce by punishment the peace between the kings and kingdoms of France and England (*Journal de Clément de Fauquembergue, greffier du Parlement de Paris, 1417-1435*, ed. A. Tuetey, (SHF., 3 vols., Paris, 1903-15), i, 390-1).

[4] Cosneau, *Grands traités*, p. 105 (article 8).

[5] The confrontation between Paris and Rouen was first explored by A. Bossuat, 'Le Parlement de Paris pendant l'occupation anglaise', *Revue Historique*, 229 (1963), 19-40. The Gaucourt *v* Handford case (n° **III**), utilized by Bossuat, emphasizes the treaty as the justification claimed by Paris for retaining the case.

regard for the preservation of the 'dual monarchy',[6] and to rally to save it by means of an oath of allegiance to the treaty whenever the regime was in danger.[7] There was the fear within the Parlement and in Paris that the re-entry of the Valois would be followed by murders and pillage such as had followed the entry of the Burgundians in 1418. Each time, then, that Lancastrian rule was in doubt the Parlement became the centre for an official swearing of obedience to the treaty of Troyes.

The Parlement was a lay court. When a litigant invoked the supremacy of canon law, the *procureur du roi* retorted, on 4 October 1422, 'est ce proces en court laye *et non in ecclesiastica*'.[8] This was the case in spite of the 'mixed' character of the personnel. For the court had among its members ecclesiastical peers of France such as the bishops of Langres and Noyon, and the bishop of Paris and the abbot of Saint Denis, the two leading prelates within the Parlement's direct jurisdiction, were *conseillers*. The supreme chamber, the *conseil*, was indeed made up of both clerical and lay members, and the *greffier* of the Parlement *civil*, Clément de Fauquembergue, was a cleric. Yet it was a secular court, not an ecclesiastical one, in which they served, and it was the king's authority which they exercised. As was stated in a pleading on 8 March 1425, 'la court de ceans ... represente sans moyen la personne du roy, et a bien acoustumé de faire justice qui est neccessaire en toute pollice et en tout regime et gouvernement.'[9]

The term 'Lancastrian Parlement' requires justification, although it is a valid historical designation. Under the treaty of Troyes Henry V acquired a wholly partisan Parlement staffed, since 1418, by officers trained in the service of John, duke of Burgundy. In June 1420 Eustace de l'Aitre, the chancellor, died; as a placeman of the duke of Burgundy he had occupied the office since 1418.[10] Seeking to have its opinion consulted in the appointment of his successor, the Parlement wrote to

[6] The formula 'union des deux royaumes' was noted once by Bossuat in a pleading of 5 December 1424 (Bossuat, 'Parlement de Paris', 25 and n. 3).

[7] On 11 April 1421, following the defeat at Baugé (*Fauquembergue*, ii, 14–15); on 19 November 1422, on the acceptance of Bedford as regent for Henry VI (*ibid.*, ii, 72–5). On this occasion the oath was taken by all the notables of Paris, lay and clerical; but on 21 December Philippe de Morvilliers, first *président*, and Simon de Champluisant, also a *président*, were empowered to receive the oath from the lesser clergy, and in February the lower ranks of lay society were required to swear to the treaty (*Journal d'un bourgeois de Paris, 1405–1449*, ed. A. Tuetey, (Paris, 1881), pp. 182–3 and note). On 26 August 1429, following the coronation of Charles VII at Reims, a large assembly of laymen swore the oath to the treaty before the dukes of Bedford and Burgundy within the Parlement (*Fauquembergue*, ii, 319–20; *Bourgeois*, p. 241). Finally, on 15 March 1436, this was done 'a huis ouvers publiquement' so desperate was the situation (*Fauquembergue*, iii, 188–92).

[8] A.N., X1a 8302, fo. 127v.

[9] See below, Gaucourt *v.* Handford (n° **III**), p. 49.

[10] *Fauquembergue*, i, 141, 372–3.

Henry V, as regent and heir of France, and to Philip, duke of Burgundy, but ignored the king of France.[11] The new chancellor, Jean le Clerc, another Burgundian placeman, arrived in Paris on 20 November 1420 with Pierre Cauchon, bishop of Beauvais, in time to deal with the Armagnac prisoners recently taken at Melun.[12] Henry V recognized the exceptional value of the Parlement in the administration of France, and some days after the conclusion of the treaty of Troyes the *conseillers* of the court received their outstanding wages.[13] During his lifetime members of the Parlement had no serious complaint over retarded payment, and in 1430 were to remind the government of Henry VI of the late regent's care.[14]

In a different context Henry V, as 'roi régent', protested 'qu'il avoit serement a conserver, augmenter et non diminuer les droiz de la couronne de France'.[15] Within the Parlement he implemented this policy by appointing, on 21 February 1422, a new *procureur du roi* and a new *avocat du roi* whose duties were exclusively to look after royal interests inside the court.[16] The *procureur* had to scrutinize civil and criminal cases coming before the Parlement to decide whether they affected royal rights. If they did, even only indirectly, he was required to intervene on the crown's behalf. The *avocat* was bound to plead in the court whenever the crown needed to be represented there.[17] Both offices had long existed; but in 1422 the *avocat*, Jean Rapiout, had to take a revised oath binding him to represent none but the monarchy and to accept wages from no other source. Both the *procureur du roi*, Guillaume Barthelemy, and Rapiout served the Lancastrian monarchy until its expulsion from Paris in April 1436, the *procureur* proving to be a vigilant custodian of the crown's prerogatives.

After the successive deaths of the regent, Henry V, on 31 August 1422, and that of the king of France, Charles VI, on 21 October following, the Parlement must be credited with smoothing rather than hindering the Lancastrian succession. John, duke of Bedford, brother of the late king Henry, was in Normandy. Although, by 27 October

---

[11] *Ibid.*, i, 374-5.

[12] *Ibid.*, i, 387.

[13] *Ibid.*, i, 369.

[14] On 5 October the court sent a delegation to Henry VI and his council complaining over the delay in paying wages; 'et especialment pourront remonstrer comment le feu roy Henry, cui Dieu pardoint, estoit soingneux de leur paiement' (*ibid.*, ii, 365).

[15] J. Ferguson, *English Diplomacy, 1422–61* (Oxford, 1972), p. 230.

[16] *Fauquembergue*, ii, 38–9.

[17] F. Aubert, *Histoire du Parlement de Paris de l'origine à François I*er, *1250–1515*, (2 vols., Paris, 1886–90), i, 143; E. Lefèvre, *Les avocats du roi depuis les origines jusqu'à la Révolution* (Paris, 1912), pp. 68–9. In the early fifteenth century the Parlement elected both the *procureur* and the *avocat du roi* (Aubert, *Histoire du Parlement*, i, 143-4, 170), but Charles VII resumed complete control following the example of Henry V (F. Lot & R. Fawtier, *Histoire des institutions françaises au moyen âge*, ii (Paris, 1958), 402).

1422, Bedford had written to the chancellor, Jean le Clerc, informing him that the Council of Normandy was of the opinion that Henry VI, son of the late Henry V, should be styled 'king of France and England', the Parlement preferred to await the appearance of Bedford, who arrived in Paris on 5 November.[18] A week later, on 12 November, the day after the burial of Charles VI, the Parlement began and thus continued the tradition which required the yearly session to open as soon as convenient after Martinmas. On 19 November the court recognized Henry VI as king of France and England, while the duke of Bedford was, for the first time in the Parlement's registers, styled regent of France.[19] Before an exceptional assembly, which included virtually all the heads of official society in Paris, the new regent seated himself in the chair of the first *président* of the Parlement, while the chancellor addressed the gathering in his name.

On the regent's behalf the Parlement was informed that he intended to reunite the duchy of Normandy with the crown.[20] Perhaps this concession was the condition which the Parlement exacted for the recognition of Henry VI as king of France. Be that as it may, this was a momentous declaration which upheld the unity of France in accordance with the terms of the treaty of Troyes, and maintained the juridical supremacy of the Parlement as the sovereign court of the kingdom. Directly following this statement the entire assembly swore to observe the treaty between the two kingdoms.[21] The Parlement, indeed, had seized the opportunity to protect the indivisibility of the realm, and the court's later opposition to the exercise of an autonomous jurisdiction based upon Rouen was to arise from this public manifestation of its own right to represent French unity.

Thus the Parlement indubitably became a Lancastrian institution and remained so until 1436. During those thirteen and a half years the *arrêts* (*arresta*) of the court were issued in the name of King Henry, who personally held the Parlement on 21 December 1431 and addressed it in English.[22] In the meanwhile, the regent Bedford had kept on civil terms with the court, although he continued to affirm the royal authority, reintroduced by his late brother, Henry V, as regent

---

[18] *Fauquembergue*, ii, 67.

[19] Since 9 November 1422 letters sent out by the chancery had been in the name of Henry, king of France and England, under the seal of the *prévôt* of Paris on white wax (*ibid.*, ii, 70, 74).

[20] '. . . ledit regent avoit intention de faire reunir et revenir la duchié de Normendie à la couronne' (*ibid.*, ii, 74).

[21] *Ibid.*, ii, 75.

[22] *Ibid.*, iii, 26–9. The earl of Warwick announced the words of the boy king, presumably in French.

for Charles VI. Thus, on 1 December 1422, and within only a few weeks of being recognized as regent, the duke of Bedford simply appointed to a presidency in the Parlement, there being no election by the court itself.[23]

To what extent the Lancastrian regime may have intended to restrict the jurisdiction of the Parlement, or can be said to have succeeded in doing so, is hard to estimate, apart from the well-known case of the Council of Normandy sitting in Rouen. The Lancastrian government certainly appointed judicial commissioners whose sentences were not subject, *appellatione remota*, to the normal right of appeal to the Parlement as the sovereign court. One such tribunal was the commission set up by the government of the king-regent, Henry V, to adjudicate on confiscations made against enemies and those absent in Valois-held France. On 16 March 1422 the Parlement had been obliged to publish the royal letters instituting this commission, although one of the articles did arouse opposition.[24] It is significant that counsel on behalf of Sir John Handford, desiring to establish a well-known court, other than the council at Rouen, judging without appeal to the Parlement, should have cited the commissioners for confiscations.[25] The date at which the commission 'sur le fait des conspirateurs et adversaires' was instituted is not so certain; but on 10 March 1423 the Parlement considered the petition of certain prisoners who wished to appeal from the commission and had been prevented from doing so by the chancellor who had refused them the royal letters which were indispensable for their appeal to be submitted to the court. The chancellor persisted in his refusal because the duke of Bedford had ordered that the appeals were to be dealt with by the *grand conseil*, the royal council of the French crown. Although the case clearly concerned security and possibly treason, the Parlement, insisting that it belonged to the court's criminal jurisdiction, decided to receive the appeals under letters sealed with its own signet.[26] Nothing more is heard of the matter, and the duke of Bedford almost certainly had his way. Besides these commissioners it may be noted that Thomas, earl of Salisbury, as the king's governor and lieutenant in Champagne,

---

[23] Simon de Champluisant, previously *prévôt* of Paris, 'fu par le conseil du roy, tenu par le duc de Bedford, fait quart president' (*ibid.*, ii, 76).

[24] 'Ce jour ont esté publiees ceans les lettres de la commission pour congnoistre et ordonner des confiscacions et des biens des adversaires et absents ... et a protesté le procureur du roi au giron de la court et au registre de debattre une clause desdictes lettres (A.N., X^{1a} 4793, fo. 160v). The commissioners were regularly mentioned in grants of confiscated property (e.g., in that made to Ralph Parker on 13 March 1425 (A.N., JJ 173, n° 100)).

[25] See Gaucourt *v.* Handford (n^o **III**), p. 50.

[26] *Fauquembergue*, ii, 91–2.

received powers to act authoritatively, *appellatione remota*.[27] In spite of these instances, it can scarcely be maintained that the Lancastrian government seriously interfered with the judiciary, although Bedford intimated to the Parlement, through the intermediary of the chancellor, his displeasure at the delay in collecting a subsidy, raised for the recovery of fortresses held by the enemy, through the diligence of the court in listening to appeals against the assessment on which the tax was based.[28]

The court's anxiety to bring within its authority the jurisdiction claimed by Rouen over the duchy of Normandy and the lands within the so-called *pays de conquête* is obvious from the evidence of the Gaucourt *v.* John Handford suit (n° **III**). If it wished to extend that authority further, then some innovation would be necessary. Progress might be made through those great fiefs of France held by princes more or less committed to the Lancastrian monarchy. A trickle of suits came from Brittany to Paris;[29] and the attempt of an Englishman, William Huschier, to cite Thomas, Lord Scales, his captain at Domfront before the council of the duke of Brittany, was firmly dealt with.[30] If Gascons did not bring their appeals to Paris,[31] there was the unusual spectacle of Pons de Castillon appearing in person in the Parlement, on 24 October 1425, to take the oath as 'seneschal d'Agenois et de Gascoigne',[32] as any *bailli* might do.

This policy could be further pursued with regard to the two great fiefs, Flanders and Burgundy, whose lords were peers of France, now both held by the same prince, Philip 'the Good', bound by oath to the Lancastrian obedience. Flemish appeals constituted an important proportion of the Parlement's business; between 1420 and 1436 the court delivered ninety-one *arrêts* on appeals emanating from Flanders, besides those suits not heard but returned to local courts.[33] The inhabitants of the county were the only true subjects of the 'dual

---

[27]On 20 June 1424 an appeal was brought against a decision of the earl, on whose behalf it was stated that 'l'appellacion n'est point recevable au regard de la commission du conte, duquel on ne pouvoit appeler veue la teneur de la commission et des lettres de son pouvoir'. The *procureur du roi* sided with the earl and demanded damages against the plaintiffs (A.N., X¹ᵃ 4793, fo. 440r).

[28]One of the four places mentioned (*Fauquembergue*, ii, 127, n. 1) was Passy-en-Valois, the capture of which gave rise to the Sauvage *v.* Fastolf suit (n° **II**).

[29]Some came through the *bailliage* of Avranches; e.g., on 13 November 1424 (A.N., X¹ᵃ 4794, fo. 1r), and thereafter until November 1433 (A.N., X¹ᵃ 4797, fo. 117v).

[30]For this suit, see appendix I.

[31]An exception was Gaston de Foix, *captal* de Buch, count of Longueville, who appealed against the *Chambre des Comptes* for restricting his exercise of 'haute justice' as count in April 1429 (A.N., X¹ᵃ 4796, fo. 81r).

[32]*Fauquembergue*, ii, 186.

[33]*Les arrêts et jugés du Parlement de Paris sur appels flamands conservés dans les registres du Parlement*, ed. R. C. van Caenegem, *I. Textes 1320–1453* (Brussels, 1966).

monarchy', since Flanders lay within the kingdom of France yet had, since 17 July 1426, been the recipient of the English king's special protection, Flemings being regarded as his own subjects.[34] In the Parlement Flemish interests were represented by Evrart Gherbode, a lay *conseiller*, while one, or possibly two, ushers undertook official translations from Flemish.[35]

Most effective, however, was the authority which came to be exercised over Burgundy, both duchy and county, although the latter was not a fief of France. The duke of Bedford, in the name of the crown, might seek to limit the independence of Philip of Burgundy,[36] but the Lancastrian Parlement cultivated the duke[37] and remained on friendly terms with his officers in Burgundy. This was not surprising, since influential members of the court, notably Jean Aguenin, the second *président*, were of Burgundian origin. The duchy's highest court, the 'Parlement de Bourgogne' centred on Dijon, became, on occasions, an extension of the Parlement of Paris, as when Aguenin left the capital in January 1429 'aler tenir le Parlement de Bourgoingne avec autres des conseilliers de ceans'.[38] After the coronation of Henry VI in Paris in December 1431, Richard de Chancey who before becoming the fourth *président* of the Parlement in November 1428[39] had been *bailli* of Dijon and a member of the ducal council, was almost continuously detached from the court for duties with the duke of Burgundy, or to attend on strictly juridical matters, such as holding the Parlement at Dôle for the county of Burgundy, or receiving the oath of the royal *bailli* of Saint-Gengoux, a royal enclave within the duchy.[40]

On the other hand, the Parlement was not out to extend its authority at any price. When the Lancastrian Parlement faced the same problem as was later to confront the Parlement of the restored Valois monarchy on the issue of judging appeals or returning them to the local courts of first instance, the court in fact returned many such appeals to the courts of the *baillis* from whose sentence a case had been carried to Paris. It was undesirable that royal officers should be compelled to attend, at crown expense, upon the Parisian court, and

---

[34] *D.K.R.*, xlviii, 242.

[35] *Fauquembergue*, ii, 170; iii, 161.

[36] C. A. J. Armstrong, 'La double monarchie France-Angleterre et la maison de Bourgogne (1420-1435). Le déclin d'une alliance', *Annales de Bourgogne*, xxxvii (1965), 81-112.

[37] Especially in times of crisis; e.g., October 1422 (*Fauquembergue*, ii, 67) and January 1436 (*ibid.*, iii, 181).

[38] *Ibid.*, ii, 294.

[39] *Ibid.*, ii, 290.

[40] *Ibid.*, iii, 30, 44 and n. 1, 132-3.

only if the direct interests of the king indicated that a suit should be taken to the Parlement was it to be received there.[41]

Yet the franchise rights of seignorial courts were severely restricted. On 4 January 1429 the *procureur du roi* demanded that the feudal jurisdiction of Jean de Luxu, lord of Livry-Gargan, be taken into the king's hands on account of the imprisonment, 'en prison privée', of one of his tenants suspected of stealing a silver cup from an Englishman in the retinue of Sir John Grey.[42] These private prisons were not uncommon, and the Parlement, either directly or by supporting the local *bailli*, sought to curb them.[43] Again, the *procureur du roi* demanded the suppression of the judicial powers exercised on behalf of the queen of England, Catherine of France, by her officers within her dower lands around Pontoise.[44] To ensure its authority the Parlement was even prepared to accept an appeal from a judgment given under the household of the regent himself.[45]

Clerical immunity invoked by individuals and the extent of ecclesiastical jurisdiction over clerks were also reduced to the minimum which could not be disallowed. The temporalities of the bishop of Le Mans were taken into the king's hands in a case not without political overtones. The bishop, Adam Châtelain, was suspected of having helped the Dauphinists who seized Le Mans for a few days in May 1428; he had also claimed from prison one Martin Reverien, tonsured and in clerical habit, who had been incarcerated by the *bailli* of Alençon for co-operating with the enemy who had made a surprise attack on Domfront in 1425. The bishop, when the royal officers refused to release Reverien, excommunicated them, resulting in the confiscation of the temporalities of his see.[46] Two decades later Juvénal des Ursins might deplore the encroachment by royal officers on the liberties of the Church,[47] but much of his complaint applied equally to the attitude of the Lancastrian Parlement, which almost made

[41] The *procureur du roi* was sometimes perplexed whether to retain a suit in Paris because it concerned the royal domain, or to send it back, in accordance with his own preference, to the *bailliage*. See Courcelles *v.* FitzWalter (n° **XVIII**), pp. 211–12.

[42] A.N., X^{1a} 4796, fo. 26v.

[43] An instance of the first is the suit involving Pierre Larchevesque and Thomas Harling in June 1435; of the second, the suit between Sir John Fastolf and Thomas Gerard in March 1436. For both, see appendix I.

[44] A tenant farmer had appealed against distraint made on him for a debt of 20 francs owed to the queen, 21 August 1432 (A.N., X^{1a} 4797, fos. 31v–32v, 34r).

[45] The suit between Jean du Puis and William Kirkeby, July–September 1435. See appendix I.

[46] The bishop appealing from the *bailli* of Alençon, April 1431 (see appendix I). For the bishop's dauphinist sympathies, see *Bourgeois*, p. 225 and n. 1.

[47] *Écrits politiques de Jean Juvénal des Ursins*, ed. P. S. Lewis, (SHF., Paris, 1978), i, 500.

a practice of refusing the requests of the bishop of Paris for clerks held in royal prisons to be handed over to him for trial in church courts, and applied the most rigorous tests in the matter of tonsure, clerical garb, celibacy and ability to speak Latin on those claiming benefit of clergy.[48] In addition the Parlement was strict in defending the crown's right of presentation to benefices, even if this was seemingly no more than a dutiful preservation of an essential part of rights pertaining to the royal domain.

After the English defeat at Patay in June 1429, and the coronation of the dauphin as Charles VII at Reims in the following month, the finances of Henry VI's government, never good, rapidly deteriorated.[49] Consequent upon the difficulties of paying the wages of its members, the government was obliged to reduce the Parlement and to treat it more imperatively. If there had been a long gap in replacing Simon de Champluisant as a *président* after his death in December 1426,[50] there was an even longer interval after the death of Jean Aguenin, who died on 15 August 1429,[51] until Guillaume le Duc was received as third *président* on 28 February 1432.[52] He had been chosen a month earlier by four bishops, all members of the court, but publication of his appointment had been withheld since the chancellor wished to refer back to the regent.[53] Since 1431 there had been only one effective *président* to conduct business, namely Philippe de Morvilliers, since his colleague, Richard de Chancey, was absent acting as a go-between with Philip, duke of Burgundy. As a consequence Jacques Branlart, a *président* of the *chambre des enquêtes* since 1418, had been obliged to take over the duties of a *président en conseil*, notably for the preparations for the impending entry of Henry VI as king of France into Paris.[54]

The disgrace of Philippe de Morvilliers, first *président* since July 1418, was symbolic of the troubles besetting the Lancastrian Parlement in its decline. The reasons for his fall are obscure, but according to the record he was the defendant in a suit brought by the *procureur du roi* and, what is more significant, the proceedings were not heard in the Parlement but were taken, in February 1433, before the chancellor, Louis de Luxembourg, in the *grand conseil* which retained for itself matters in which politics counted most.[55] Although he was never dismissed, Morvilliers was replaced on 9 February 1433, when the

---

[48]See the evidence of the suit between Thomas Overton and Sir John Fastolf (n° **XX**).

[49]R. Doucet, 'Les finances anglaises en France à la fin de la guerre de Cent Ans', *Le Moyen Age*, 2e sér., xxvii (1926), 265-332.

[50]*Fauquembergue*, ii, 220.

[51]*Ibid.*, ii, 318.

[52]*Ibid.*, iii, 40.

[53]*Ibid.*, iii, 30-1.

[54]*Ibid.*, iii, 21.

[55]*Ibid.*, iii, 84, 87; *Bourgeois*, p. 292 and n. 3.

chancellor entered the Parlement to read out royal letters appointing Robert Piedefer in his place.[56] The appointment of Piedefer to a presidency, without any semblance of election, was perhaps the most authoritarian act of the Lancastrian monarchy towards the Parlement since the death of Henry V, but it was none the less a sound choice based on the professional record of the new first *président*.[57]

After 1432, in a crisis which meant that even parchment needed for the regular writing-up of the pleadings became increasingly difficult to procure,[58] relations between the crown and the Parlement were soured by the inability of the government to pay fully or punctually wages due to members of the court; on 17 September 1432 the Parlement had threatened a strike if payment were not made.[59] But however much the court might threaten, as it did more than once,[60] it did not finally dare strike under the Lancastrian regime, and reserved this ultimate sanction for the equally penurious but weaker government of Charles VII.[61] The conquests by the Valois crown in *bailliages* such as Troyes and Vermandois from June 1429 lost the Parisian court much business; but, as the pleadings from the last Lancastrian registers indicate, litigation was active between 1432 and 1435, not least because of the querulous English and Flemings.[62] It seems that the cost of running the court, rather than the lack of suitors, caused the chancellor, on 14 November 1432, to invite the Parlement to restrict pleadings to twice a week.[63]

After the failure of the congress of Arras, in the summer of 1435, to produce an alternative peace between England, Burgundy and Valois-France to replace that of Troyes (the so-called 'paix finale' of 1420 which no longer corresponded with the reality of 1435) the Parlement, although fully operational, ran down rapidly, even if subjects of the duke of Burgundy, including the duke's personal servants, still re-

---

[56]*Fauquembergue.*, iii, 84–5.

[57]The index to Piedefer is perhaps the best evidence of this (*ibid.*, iii, 276–8). See the plea made by Jean Juvénal des Ursins that in future 'on fist les presidens et conseilliers par election' (*Écrits politiques*, i, 542).

[58]'Hic et sepius istis temporibus defecit pergamentum pro registris curie' (A.N., X^{1a} 4796, fo. 324v). By 24 March 1432 shortage of parchment, which had been noted more than a year earlier (*Fauquembergue*, iii, 1) was so serious that it stopped the regular writing-up of the pleadings delivered to the court.

[59]*Fauquembergue*, iii, 70–1. The situation was already acute on 25 January 1430 (*ibid.*, ii, 333–4).

[60]It had done so most vehemently on 10 November 1432, but the court opened two days later (*ibid.*, iii, 72, 74). See also iii, 85–7.

[61]The strike lasted from December 1441 to 19 February 1442, when the demands of the court were granted (A.N., X^{1a} 1482, fo. 49v).

[62]Cases from A.N., X^{1a} 4797 and 8302 (*Les arrêts ... sur appels flamands*, ed. van Caenegem, i, 340–83).

[63]Aubert, *Histoire du Parlement*, i, 184, n. 2.

sorted to it for justice.[64] In the circumstances it may seem strange that so many people, undoubtedly at one time or other authentic members of the Parlement, should have presented themselves on 15 March 1436 to take a public oath, 'a huis ouvers', of loyalty to the Lancastrian crown. Of these, a large number were to take service under Charles VII at the first possible opportunity after that king's forces had entered the capital on 13 April 1436.[65] For many the oath must have been a piecrust promise made to be broken, a form of insurance for the future; if the Lancastrians survived, it was proof of devotion; if the Valois prevailed, then membership offered an individual some degree of protection for coming to terms with the new authority.

The period within which the Lancastrian Parlement fell was known to contemporaries and remembered as 'le temps des divisions'.[66] Yet, like its opposite number in Poitiers, though with more inherited authority in Paris, the Parlement maintained established legal procedure, preserved the sovereign judicial power of the crown, and fulfilled its duty to provide legal remedy for the pleas of the king's subjects.

Between 1422 and November 1435 the Parlement punctually renewed its annual sessions on the traditional date of 12 November, with the exceptions that the 1430-31 session opened on 9 December, and that for 1431-32 began only on 21 December 1431.[67] In both cases the delay was directly attributable to the presence of Henry VI in France: in the autumn of 1430 the court was negotiating, mainly about its wages, with the *grand conseil* then with the king at Rouen; in 1431 the opening was delayed until 21 December when Henry VI, who had been crowned king of France in Notre-Dame five days before, held a *lit de justice*. It should be remembered that, despite the precarious military situation of Paris in the autumn of both 1429 and 1435, the annual Parlement re-opened on 12 November in each of those years.[68]

---

[64] See *Les arrêts . . . sur appels flamands*, ed. van Caenegem, i, 383. On 28 November 1435 Jean Damon, pursuivant 'Zuillant' to the duke of Burgundy, started an important suit (A.N., X¹ᵃ 4797, fos. 302v-303r).

[65] E.g., the first *président*, Robert Piedefer, and *conseillers* such as Jean Vivian, Hue de Dicy, Barthelemi le Viste and Thomas de la Marche (E. Maugis, *Histoire du Parlement de Paris de l'avènement des rois Valois à la mort d'Henri IV* (3 vols., Paris, 1913-16), iii, 61-4). See Jean Favier, *Nouvelle Histoire de Paris: Paris au xvᵉ siècle* (Paris, 1974), p. 238.

[66] Already mentioned in a suit on 31 July 1414: 'avant les divisions qui sont en ce royaume' (*Journal de Nicolas de Baye, greffier du Parlement de Paris, 1400-1417*, ed. A. Tuetey (SHF., 2 vols., Paris, 1885-88), ii, 189) and not infrequently afterwards; e.g., on 1 June 1428 it was stated on behalf of Jean de Paris that Jean de Bantalu 'trespassa . . . par avant cez divisions' (Paris v. Huytin, n° **X**, p. 139).

[67] *Fauquembergue*, ii, 372 (1430); iii, 26 (1431).

[68] The restored Valois Parlement was also to be erratic, and the 1438-39 sitting did not start until 12 January 1439 (Aubert, *Histoire du Parlement*, i, 178, n. 1).

By and large, then, the evidence shows that between 1420 and 1436 the Parlement served its government dutifully and maintained adequate standards in administering law. The court developed an unenviable reputation for delay, of which it produced throughout the fifteenth century and later some startling examples.[69] Yet, if the legal cases here published be considered, the record is not revealed as so dilatory. The officially-authorized delays to which litigants were entitled could not be denied to them; and as the English, whether a butcher such as William Zeman, or a peer like Lord FitzWalter, lived on active service, their movements were subject to military and political necessity, even if delays (*e.g.*, *lettres d'état*) were exploited.

For almost all the Lancastrian period the registers of the Parlement *civil*, for non-criminal cases, were in the custody of Clément de Fauquembergue, *greffier civil*, who was a meticulous curator.[70] The civil registers are complete save for a gap, from 20 March to 23 June 1432,[71] in the *matinées*, the principal series recording actual pleadings of cases before the court. The loss for the second quarter of 1432 is mitigated by the survival of the *après dinées* for those months,[72] but at least one case involving an Englishman is short of an entry which should have been in the missing *matinées*.[73] The five registers of the *matinées* spanning the Lancastrian period constitute by far the greatest quantity of information concerning cases heard before the court, including those in vacation.[74] The *après dinées*, of which there is but a single register for this period, were ancillary, intended to finish cases left over from the *matinées* or to deal with those pending or beginning in vacation.[75] Unlike the other registers, all of them of parchment, that of the *après dinées* was written, often carelessly, in poor ink on paper. It may be noted that when the Lancastrian Parlement started on 19 August 1421, with Henry V as regent in full control, this series had been in abeyance since November 1419, and that when the Lancastrian register petered out on 9 September 1435, the *après dinées* did not recommence under the Valois until 7 July 1439.[76]

Most valuable, both from an historical and legal standpoint, are

---

[69]See Richard Heron's case (Sir John Fortescue, *De Laudibus Legum Anglie*, ed. S. B. Chrimes (Cambridge, 1942), pp. 132, 207-10).

[70]He entered office on 27 January 1417 and fled to Cambrai on 3 October 1435 (*Fauquembergue*, i, 1; iii, 166).

[71]'Nota quod invenies residuum registri in principio registri subsequentis' (A.N., X^{1a} 4796, fo. 324v). The beginning of X^{1a} 4797 is also missing. Bibliothèque Sainte-Geneviève, Paris, MSS 14 and 15 contain seventeenth-century transcripts including extracts from the *matinées* missing from this register; but none of the material applies to this edition.

[72]A.N., X^{1a} 8302.

[73]In the case involving William Zeman (n° **XXI**).

[74]A.N., X^{1a} 4793-97.

[75]A.N., X^{1a} 8302.

[76]A.N., X^{1a} 8303.

the two registers of the *conseil seul*.[77] Besides extraneous matter regarding state entries and oaths of loyalty to the treaty of Troyes, they contain the resolutions taken by the *conseillers* after the pleadings on cases had been considered by them. Here can be found indications of the court's policy, ecclesiastical and lay, and of its dealings with the entire administration of the crown, from local officers to members of the royal council. The names of those who, from the chancellor downwards, attended the renewal of the annual Parlement in November, are recorded; equally valuable are the names of the *conseillers* and others in attendance on a working day.[78] In summing up each case, as it was submitted to them, the *conseillers* had to state the essentials of the *arrêt* (*arrestum*) but not of a *jugé* (*judicatum*) needed to bring the case to a provisional or final close.[79] These two volumes, of better prepared parchment than the other records, are also notable for their clear, regular script, anticipating the *lettres batardes* of proto-typography; they were certainly the work of clerks under the immediate supervision of Clément de Fauquembergue. Who was responsible for the pen and ink sketches is an unanswerable question;[80] but these marginalia could not have been introduced save by the hand or on the authority of Fauquembergue. The quotations from the *Aeneid* must also be attributed to him.[81]

The *arrêts* were the most solemn legal pronouncements made by the Parlement on behalf of the crown.[82] Not surprisingly, therefore, they are the least informative of the series of registers already considered. Admittedly, *arrêts* and *jugés* state finally which of the parties won the case, or why the proceedings had been halted; but they add little to what the *conseil seul* had briefly indicated and only provide a condensed

[77]A.N., X[1a] 1480-81. The first was begun on 12 November 1414 under the supervision of the *greffier*, Nicolas de Baye; the first entry after the treaty of Troyes was dated 31 May 1421 (fo. 215r), and the volume was closed on 1 October 1428 (fo. 413r); the second volume was begun on 12 November 1428 and was closed on 18 April 1436, six days after the recapture of Paris by the armies of Charles VII. It contains 121 folios.

[78]It may be emphasized that most of the material in *Fauquembergue* is taken from these two registers.

[79]'If . . . a judgement had been framed in the chambre des enquêtes, it was technically termed a jugé (*iudicium*); if in the grand' chambre—whether proceeding from an inquest or not—it was termed an arrêt (*arrestum*).' (H. G. Richardson, 'Illustrations of English history in the mediaeval registers of the Parlement of Paris', *T.R.Hist.S.*, Fourth series, x (1927), 81). Only the *conseil*, in session in the grand' chambre, could pronounce *arrêts*.

[80]They merit a separate study. The most famous is that of Joan of Arc (A.N., X[1a] 1481, fo. 12r).

[81]*Fauquembergue*, i, 327; ii, 217, 372; iii, 136. At his death, Fauquembergue possessed a manuscript copy of the *Aeneid* valued at 6 sols parisis (*ibid.*, iii, p. lxxxvii).

[82]A.N., X[1a] 63-68 cover the years 1420 to 1436. *Arrêts* were published by being read out to the public, and 'leakage' of their contents prior to publication was regarded as a most serious matter (*Fauquembergue*, ii, 195).

and not always clear abridgement of the pleadings submitted by the
parties. They are overburdened with repetitions of stock legal formulae; yet the respect in which they were held is clearly evidenced by the
attempt, not systematically carried out, to erase the king's name, and
to substitute for 'Henricus' the form 'Carolus' or 'Universis'.[83]

The records of the Parlement *criminel* amount to no more than
ninety-eight folios of *arrêts* and associated material; on the criminal
side, the Parlement of Poitiers is three or four times better docu-
mented.[84] Had the Parisian criminal archives been preserved, we
should have been in possession of much information regarding the
criminal involvement of Englishmen in France. A glance at the par-
dons granted by the regent's council to Englishmen for a range of
offences extending from garrison brawls ending in death or mutilation
to forgery of royal letters and conniving in the making of false money
gives some idea of the material which the Parlement *criminel* could
have provided were its records extant.[85]

Finally, the *accords*, settlements out of court between civil litigants,
are particularly interesting, since they are original documents, au-
thenticated by signatures and seals of the parties, and registered by
the Parlement.[86] The court was anxious to provide facilities for such
accords; on 8 August 1432 it requested one of its *présidents* to lobby the
chancellor who was refusing certain litigants the right to settle their
dispute in this way.[87]

The texts included in this collection have been chosen to illustrate
the historical importance of certain aspects of the presence of the
English in France between the treaty of Troyes in 1420 and their
expulsion from Paris in the spring of 1436. They constitute a valuable
source of information which, as Mr H. G. Richardson pointed out in

[83]Charles VII none the less acknowledged the validity of enactments by Lancastrian
courts (C. T. Allmand, 'The aftermath of war in fifteenth-century France', *History*, lxi
(1976), 346).

[84]A.N., X^{2a} 20 covers the period 31 July to 19 September 1433. Within this register
only folios 111r-209v (November 1425 to September 1433) belong to Paris, the rest of
the material being from the Parlement of Poitiers. X^{2a} 18, 19 and 21, which cover the
period March 1423 to November 1436, are exclusively from Poitiers.

[85]Letters of remission to William Wastwood (A.N., JJ 173, n° 565); to Thomas
Kirkby (*ibid.*, 172, n° 492); and to John Harduit and his wife, native of Normandy
(*ibid.*, 173, n° 656).

[86]Sir John Handford's signature is preserved (see below, p. 61); but there are no
English seals. The series of *accords* (X^{1c}) contains relatively few made by Englishmen.
But in addition to those listed in appendix I Thomas Maisterson, chamberlain to the
duke of Bedford, concluded such an agreement with Jean Dole, royal councillor, on 29
April 1427 (A.N., X^{1a} 4795, fo. 85v), and William Zeman with Pierre Pitouette,
referred to on 6 September 1434 (n° **XXI**, p. 275); neither has been found in the
appropriate files.

[87]*Fauquembergue*, iii, 61-3.

1927, does not appear to have been known to the Reverend Joseph Stevenson when he was gathering material for his collection of *Letters and Papers* published well over a century ago.[88] In more recent times, however, the registers of the Parlement have been extensively used as evidence for events in France during the Hundred Years War. Professor Pierre-Clément Timbal's volume illustrates aspects of life (above all military life) in France during the time of the war against the English in the fourteenth century,[89] a work complemented by the research of Dr Maurice Keen on military laws and conventions during that period.[90] André Bossuat also used the registers, of which he had an unrivalled knowledge, to shed much light on the social, economic and legal history of France during the fourteenth and fifteenth centuries;[91] and, most recently, Madame Françoise Autrand has worked on the Parlement and, above all, on its personnel, producing an important contribution to our understanding of late medieval society.[92]

Mr Richardson may have given the wrong impression why the suits heard by the Parlement can be of interest to the English historian. He wrote of 'the side-lights they cast on the wars with France', a phrase which somewhat unhappily tends to belittle the importance and value of the evidence. In this volume the editors have chosen to publish suits in full (with all the repetitions this may on occasion imply) so that the reader may appreciate both how the suits proceeded through the court, with all the delays and frustrations this could mean, and the lines along which legal arguments, together with the exchanges between the parties or those who represented them, developed.

On the delays in obtaining justice, as already indicated, there is evidence, but it is evidence which exonerates the court. Some litigants, notably Lord FitzWalter, Sir John Fastolf and William Zeman were away in England when their suits came to be heard (n[os] **XVIII**, **XX** & **XXI**); others were held prisoner by the enemy, Richard Handford ('qui a longuement delayé soubz umbre de ce qu'il dist qu'il avoit esté prisonnier des ennemis') and Thomas Dring both pleading that they could not appear in person to further their suits (n[os] **IV** & **XIV**); others still sent messages that their absences from court were the direct result of their having to serve under arms in defence of the *respublica* (n[os] **XIV** & **XX**). Whether merely practical, or both practical and high-

[88]*Letters and Papers illustrative of the wars of the English in France during the reign of Henry the sixth, king of England*, ed. J. Stevenson (RS., 2 vols in 3, London, 1861–4).

[89]P.-C. Timbal, *La Guerre de Cent ans vue à travers les registres du Parlement (1337–1369)*, (Paris, 1961).

[90]M. H. Keen, *The laws of war in the late middle ages* (London, 1965).

[91]See, for instance, his article cited p. 1, n. 5, above.

[92]F. Autrand, *Naissance d'un grand corps de l'Etat: les gens du Parlement de Paris, 1345–1454* (Paris, 1981).

sounding, such excuses, especially those evoked in the suit between
Dring and Dynadan, constitute evidence, some of it striking, of the
war directly impeding the administration of justice.

At another level, in relation to the general matter of the problems
faced by the English in ruling much of northern France during these
years, the texts have a good deal to say. As already argued, English
rule was founded upon the 'constitution' of the treaty of Troyes. On
one practical point of its interpretation evidence is offered by the
records of the Parlement. The challenge to the authority of the Parlement constituted by the suit between Jean de Gaucourt and Sir John
Handford (n° **III**) was a very considerable one, for Handford claimed
that, since his dispute with Gaucourt was over a grant of land made
to him by Henry V, the Parlement was not competent to settle the
matter, a claim which undermined both the jurisdiction of the Parlement itself and the moral and legal authority of the 'constitution', the
treaty of Troyes, which had specifically confirmed the Parlement in
its former jurisdiction. Likewise, two suits of ecclesiastical patronage
(n^os **XV** & **XVIII**) which raised, among other issues, that of the ancient
privilege of those studying in Paris not to have to answer the summons
of any court outside the capital, were also implicit attacks on two
clauses of the treaty of Troyes by which the privileges of the university
had been confirmed.[93]

The other matter which threatened to constitute division between
the crown's French subjects and those from England to whom confiscated lands had been given by the king centred around the obligation
of the new owners to pay accumulated debts and fixed rent-charges
('charges réelles') on their new lands and estates. Without a doubt,
part of the trouble lay in the assumption, on the part of the English,
that their lands had been granted free of obligations: Edward Russell,
Sir John Handford, Thomas Dring and William Zeman all thought,
or pretended to think, this to varying degrees (n^os **I**, **III**, **XIV** & **XXI**).
If such situations led to lawsuits, it was because the interests of all
parties could often only be settled in court. No claimant could afford
to abandon rights to a *rente*; if he did so, even a good legal claim, as
was said on more than one occasion, eventually lost all force by not
being pursued; no beneficiary of an ancient rent-charge could act as
if nothing had happened in recent years, for rights did not necessarily
mean wealth to their owners unless they could be actively and peace-
fully exercised. Likewise, the too-ready acknowledgement of a claim
for payment of arrears or *rente* on the part of a new owner implied a
financial obligation which could be crippling and which, in the difficult and uncertain economic conditions of these years, it was better

---

[93]Cosneau, *Grands traités*, pp. 105-6, 108-9 (articles 9 and 17).

not to acknowledge too readily. These difficulties were compounded by the lack of clear direction by the crown and the uncertain ruling of local custom on these matters, especially when grants were made of confiscated lands. The ordinance established by Henry V does not appear to have been widely known, nor was it clear in its meaning.[94] The result was that when William Zeman found himself faced with demands for the payment of arrears of a rent-charge going back a decade or more, he naturally had to oppose the demand; when he lost his case, as he did on two occasions, the decision against him made legal history as it meant a change in the custom of the *prévôté* of Paris (n° **XXI**).

The profits of war could come to a man in a number of ways. Land was one potential source of wealth and, through the use of a title which it often accorded, a sign of advancement as well. Prisoners, too, might bring financial windfalls which should not be relinquished or renounced without a struggle. The suits between Denis Sauvage and Sir John Fastolf (n° **II**), the earl of Salisbury and Pierre le Verrat (n° **XII**), Henry Brancaster and Sir Alan Buxhill (n° **XVI**) and the dispute between Lord Talbot and others regarding events surrounding the recapture of Le Mans in May 1428 (n° **XVII**) all resulted from an understandable reluctance of men of the profession of arms to lose control of prisoners whose ransom could mean financial enrichment. To others, offices in the service of the crown were a potential source of regular income; Henry Tilleman sought, unsuccessfully, to prove to the court that the grant of the office of verderer of the forest of Valognes, made to him by Henry VI after the battle of Verneuil, should be his (n° **VI**); while churchmen such as Thomas Key (n° **VII**), John Chepstowe, John Bury, Alan Kirketon and others were all in litigation over benefices and cathedral prebends.[95]

The registers of the Parlement throw considerable light upon the problems experienced by the English administration and its military commanders in keeping the peace in Normandy. Thomas Overton may not have been quite the villain depicted by Sir John Fastolf; none the less, the excesses of which he was accused, that he oppressed the people of Maine, that he failed to maintain the required number of soldiers in his retinue, and that he forged returns for his own financial

[94]It is quite clear from a brief, but undated document concerning one John Malton, to whom a claim for arrears had been made in these circumstances, that Englishmen could inherit very considerable legal difficulties with the land grants which were made to them (B.N., MS fr. 26063/3267).

[95]See C. T. Allmand, 'Alan Kirketon: a clerical royal councillor in Normandy during the English occupation in the fifteenth century', *Journal of Ecclesiastical History*, xv (1964), 33–9; 'Some effects of the last phase of the Hundred Years War upon the maintenance of clergy', *Studies in Church History*, ed. G. J. Cuming (Leiden, 1966), iii, 179–90, and Appendix I.

advantage (n° **XX**) are statements which could be made of almost any occupying force; yet they underline how much has gone, doubtless for ever, with the disappearance of the *registres criminels* of the Parlement. Yet the credibility of, for instance, the evidence presented by Fastolf against Overton is supported by that of the suit between Sir Alan Buxhill and Thomas Lound in which Lound could also be accused of similar excesses ('Thomas faisoit moult d'oppressions a ses subgiéz'), or by the evidence of the suit between Robert Stafford and Lord Talbot in which Talbot, trying to place the responsibility for the loss of La Ferté-Bernard upon his subordinate, could pinpoint more specifically Stafford's alleged failure to maintain his garrison at full strength and in an adequate state of armed preparedness (n° **XIX**). An excellent example of the pot calling the kettle black is to be found in independent evidence that Fastolf, together with his people at Alençon, had oppressed the local population with such excessive financial demands that the wages of Fastolf and his men had, for a while in 1429, been stopped by the central authority until proper reparation had been made.[96]

Such excesses were closely related to certain military problems, both of discipline and loyalty. Once again the suit between Buxhill and Lound is evidence of some of the problems of control faced locally by captains and, more generally, by the Lancastrian administration as a whole.[97] The parlous state of defence of certain strategic places is also amply underlined by some of the allegations made on behalf of Lord Talbot against Robert Stafford (n° **XIX**): the absence of the artillerist of La Ferté with one cannon which was being repaired; the lack of the more traditional forms of weaponry, with only one crossbow, not in working order, available; the captain away from the place of his command at a time when the enemy could have been expected to attack; the doubtful fidelity of the defending troops—all this is something of an indictment of the English war effort in France and of the level of morale in garrisons in the late fourteen-twenties, just before the crisis provoked by the failure before Orléans and the defeat at Patay in the spring and early summer of 1429.

Finally, some of these suits provide valuable evidence of what contemporaries regarded as social status, and how some managed to better themselves through war. It has been shown how counsel in the Parlement attempted to draw as favourable a picture as possible of their clients and how, through the use of set formulae, social position and respectability were emphasised before the court.[98] It is not without

---

[96]Arch. Orne, A 416.

[97]B. J. H. Rowe, 'Discipline in the Norman garrisons under Bedford, 1422-35', *E.H.R.*, xlvi (1931), 194-208.

[98]F. Autrand, 'L'image de la noblesse en France à la fin du moyen âge. Tradition et nouveauté', *Comptes-rendus de l'Académie des Inscriptions et Belles-Lettres* (1979), 340-54.

interest that a good dozen of the men whose suits are included in this collection had been present at the battle of Verneuil (some receiving lands as rewards of the valour they had shown there) as if service on behalf of the king were, in itself, a high mark of social and military acceptability. Equally interesting, and more explicit, were the remarks regarding the social progress made by Sir John Fastolf's receiver, Thomas Overton, whom the duke of Bedford described as having become 'enrichi ou service du roy et du regent et des autres segneurs, et a esté eslevé en estas', promotion which, as Bedford was quick to point out, implied greater responsibility towards the ruler whom Overton stood accused of having insulted (nº **XX**). In both this suit and that between Stafford and Lord Talbot, honour was at stake. Bedford (a royal duke, 'fils et frere de roy'), Fastolf (a Knight of the Garter) and Stafford (an esquire) all had honour; but Overton, it seemed, had none.

There is evidence of more than eighty civil suits concerning one or more Englishmen in northern France during the period of Lancastrian rule. Although the majority are incomplete or offer little or insufficient evidence beyond the names of the persons concerned, about a third provide a complete, or almost complete, record which permits one to follow suits through the various stages from introduction to *arrêt* which formed the culmination of the judicial process. As the content of appendix I shows, the subjects dealt with were varied. But they complement the information, already long in print, contained in the so-called *Journal* of Clément de Fauquembergue, *greffier* of the Parlement *civil* during these years.

The edition contains the records of twenty-one suits, mostly complete, which, seen as a whole, illustrate aspects of Lancastrian rule in France. In addition it provides information regarding the personal interests and activities of certain Englishmen, some, such as the earl of Salisbury or Sir John Fastolf, already widely known to history, others less well-known or not known at all, but men who contributed to the maintenance, and suffered the decline, of the Lancastrian conquest in France.

TEXTS

I

Hugues Ferret *v.* Edward Russell

This suit, in which Ferret made use of the terms of the treaty of Troyes, concerned part of the revenues which came to Edward Russell, captain of Gisors, from certain confiscated lands granted to him in the bailliages of Gisors, Vernon and Senlis. Russell claimed that his grant included no obligation on his part to pay rent-charges upon the lands he had received, a point of view challenged by Ferret, a priest, who retorted that, if this were admitted, the church would be the loser, something which Henry V had never intended to happen. The court ruled in favour of Ferret, while moderating the value of the arrears which he claimed were due to him.[1]

The suits between the religious communities of Senlis, the Sainte Chapelle and Handford (n° III) were to be concerned with this issue.

[6 July 1423]   [X¹ᵃ 4793, fo. 318v]

Messire Hugues Ferret, prestre,[2] a baillié ceans sa requeste a l'encontre de Edouart Roussel,[3] et dit que a cause d'une chapelle qu'il tient il a obtenu certain arrest ceans pour certaine rente qu'il a droit de prendre a cause de sadite chappelle dont lui sont deuez environ viij*ˣˣ* livres d'arrerages, et pour ce a obtenu lettres royaux portans son cas, lesquelles il ramaine a fait; et conclud pour les arrerages a fin qu'il soit paié, et en action ypotheque, et demande despens.

Les parties revendront jeudi.

[15 July 1423]   [X¹ᵃ 4793, fo. 324r]

En la cause d'entre messire Hugues Ferret, presbtre, demandeur, d'une part, et Edouart Roussel, defendeur, d'autre part, qui demande delay pour jour de conseil qui lui a esté octroié a xvⁿᵉ; et *interim* le demandeur lui monstrera ce que devra.

---

[1] The suit was referred to by H. G. Richardson, 'Illustrations of English history in the mediaeval registers of the Parlement of Paris', *T.R.Hist.S.*, Fourth series, x (1927), 66.

[2] Nothing is known of Hugues Ferret other than that he was a priest and chaplain of the chapel of St. Anne in the church of St. Yves in Paris (see p. 25).

[3] For Edward Russell, see appendix II.

[29 July 1423]   [X^la 4793, fo. 330v]

En la cause d'entre messire Hugues Ferret, presbtre, demandeur, d'une part, et Edouart Roussel, anglois, defendeur, d'autre part.

A lundi revendront.

[3 August 1423]   [X^la 4793, fo. 332v]

En la cause d'entre sire Hugues Ferret, presbtre, demandeur, d'une part, et Edouart Roussel, anglois, capitaine de Gisors,[4] defendeur, d'autre part, qui demande garand.

Ferret dit qu'il n'y chiet point de garand, attendu que Edouart ne tient mie ladite terre ypothequee pour la fondacion de sa chappelle a tiltre onereux, mais a voulu maintenir Edouard que le feu roy d'Angleterre derrain trespassé lui avoit donné.[5]

Edouard dit que le roy lui donna ladite terre quicte et franche de ladite ypotheque.

Appoinctié que le defendeur aura delay de garand a trois sepmaines.
        Delay. Garand[a]

[7 December 1423]   [X^la 4793, fo. 354v]

En la cause d'entre messire Hugues Ferret, demandeur, d'une part, et Edouard Roussel, anglois,[b] qui s'ayde de lettres d'estat jusques a la Chandeleur prochain venant,[6] lequel estat il monstrera au jour d'uy a Ferret; et *alia die* revendront.

[2 March 1424]   [X^la 4793, fo. 388v]

En la cause d'entre messire Huguez Ferret, prestre, demandeur, d'une part, et Edouard Roussel, anglois, defendeur, d'autre part, qui defend et dit que le feu roy d'Engleterre aquesta entre autres terres la terre de Margny[7] et autres,[c] et maintenoit a lez tenir franchement et a lui appartenir franches et quictez de toutes charges et rentes,[8] et que

---

[a] *In the margin*
[b] Roussel, anglois, *in a different hand*   [c] et autres *interlined*

---

[4] Gisors, Eure, arr. Les Andelys. He is not indicated as captain in *Gallia Regia*, iii, 403-4.

[5] Henry V, who died on 31 August 1422.

[6] Candlemas, 2 February 1424.

[7] It is not clear where this land was situated; possibly in the modern *département* of the Oise, where three *communes* of that name exist.

[8] See part of the text of an ordinance of Henry V, issued in the form of letters patent (no date), copied into a fifteenth-century manuscript of Norman customs: 'Item, le roy n'entent point avoir deschargié les terres que il a donnees des rentes hereditelles dont elles estoient chargiees en paravant, se sur ce n'est faicte mention es dictes lettres de don, mais ils sont quites des arrierages et obligacions et debtes mobiliaires que on prenoit avant sur iceulx qui possidoient lesdis heritages donnes.' (B. N., MS fr. 5964, fo. 207r. See other copy in B. L., Add. MS 21411, fo. 9r).

pour lez bons et agreables services qu'il lui avoit fait, le roy lui donna vj^c livres de rente a lez prendre sur lez terres de la dame de Boulay[9] estans en Normendie et en sa conqueste es bailliages de Gisors, Vernon[10] et Senlis,[11] et en a lettres verifieez dont recite le contenu; et dit que la terre de Margny, sur qui Ferret poursuit sa rente, ne vault mie xx livres de rente; dit oultre que ladite terre de Margny^a a esté baillee quicte et deschargee de toutes charges si comme il appert par lez lettres de son infeudacion, et en doit demourer quicte desdites charges attendu qu'il doit au roy a cause de ce pluiseurs services; et dit que Ferret ne doit prendre aucunez rentes sur lesdites terres, et seroient mises au neant s'aucunes en y avoit eu, dont il n'appert point, et ne puet on poursuir [fo. 389r] Edouard personnelment, qui n'est point obligié; aussi il n'y a point d'ypotheque, et si ne pourroit on poursuir ypothecairement oultre la valeur de la terre. Si conclud a fin d'absolucion et a despens *premissa sommacione*, et a sommé le procureur du roy qui revendra *alia* [*die*].

[6 March 1424]   [X^{1a} 4793, fo. 391v]

En la cause d'entre maistre Hugues Ferret, demandeur, d'une part, et Edouard Roussel, qui somme le procureur du roy qui a respondu qu'il se gardera de mesprendre et lire a la charte. Et oultre Ferret replique et dit que ladite terre de Margny est chargee, affecte[e] et ypothequee pour ladite rente et fondacion d'icelle chappelle par l'arrest dont recite le contenu, et dit qu'il n'est mie vraissemblable que le roy d'Angleterre eust voulu oster et abolir les rentes et revenues des eglises, mais par exprez volt ainsi que raison est que les rentes feussent sauveez aux eglises, par especial audit Ferret; et s'ayde dez ordonnances de la paix;[12] et y a assiz a Margny de la terre que tenoit Boulay pour paier ladite rente et fondacion, et quoy que soit, Roussel tient la terre obligee et ypothequee a ladite rente; si paiera, et mesmement paiera entierement depuis qu'il a sceu ladite charge, supposé orez que la terre de Margny ne vaulsist mie ladite rente; et dit Ferret qu'il ot especiale delivrance de ladite rente par le feu roy d'Angleterre.

Les parties revendront *alia die* et *interim* Roussel verra ladite delivrance faite a Ferret.

---

^a *Followed by* est, *struck out*

---

[9]See A. Charma, 'Parties des dons faits par Henri V, roi d'Angleterre, lorsqu'il se fut rendu maître de la Normandie', *Mémoires de la Société des Antiquaires de Normandie*, xxiii (1858), 4; *D.K.R.*, xli, 771. The grant was dated 19 April 1419.
[10]Vernon, Eure, arr. Evreux—not officially a *bailliage*.
[11]Senlis, Oise.
[12]See the text of the treaty of Troyes, article 17 (Cosneau, *Grands traités*, pp. 108–9).

[13 March 1424]   [X¹ᵃ 4793, fo. 395r]

En la cause d'entre messire Hugues Ferret, prestre, demandeur, d'une part, et Edouard Roussel, anglois, defendeur, d'autre part, qui duplique et dit que par la teneur de l'arrest donné contre Santueil, il n'y a point d'ypotheque expresse ne taisible, et ne scet point Edouard que Santueil ne que Boulay en feussent onquez segneurs de la terre de Margny; aussi Edouard n'en est point segneur, mais a sur ladite terre et autres vjᶜ livres de rente, et ne vault mie xx livres de rente la terre de Margny dont le roy est segneur, et se devroit Ferret adrecier contre le roy premierement, et n'en est point tenu*a* Edouard qui a seulement sur lesdites terres rente infeodee; et si sont lesdites terres franches, et les a baillees franchez le feu roy d'Angleterre, deschargeez de toutes charges faites sans son consentement; et de ce y a arrestz en l'Eschiquier;¹³ et se Ferret avoit restitucion ou delivrance, ce seroit *sine prejudicio juris alieni*¹⁴ et sans prejudice du droit d'Edouard qui precedoit ladite restitution dont la lettre [de] Ferret ne fait aucune mencion et seroit surreptice; et ne puet estre Edouard poursuy personelment car il n'est point obligié, et n'est point detenteur dez terres comme dit est, et n'est point tenu ypothecairement; et quoy que soit, il ne seroit mie tenu oultre la valeur de Margny qui ne vault mie xx livres de rente; et dit que il avoit son don avant le traictié de la paix.

Ferret dit que Edouard est detenteur desdites terres, et se paie par sa main; aussi le roy d'Angleterre ne maintint onques que les terres de l'eglise fussent confisqueez; et emploie le traictié de la paix; et conclud comme dessus.

Appoinctié que la court [verra] lettres, ordonnances, arrestz, et ce que les parties vouldront monstrer au conseil, et fera droit.

Au conseil. Aguenin¹⁵ᵇ

[12 July 1424]   [X¹ᵃ 1480, fo. 302r]

A conseillier l'arrest d'entre messire Hugues Ferret, presbtre, demandeur, d'une part, et Edouard Roussel, defendeur, d'autre part, sur le plaidoié du vjᶜ jour de jullet m cccc xxiij.

Il sera dit que la court declare ladite terre de Margny estre chargee et ypothequee de ladite rente de quarante livres parisis, et pour les arrerages d'icelle rente escheuz *a tempore litis contestate*, et sans despens et pour cause; et seront les arrerages dessusdis moderéz par la court.

Pronunciatum xv [die] julii. Champluisant¹⁶ᶜ

---

a Followed by Fer, *struck out*   *b In the margin*   *c In the margin*

¹³The Norman *Échiquier* was the highest court in the duchy.
¹⁴Article 17 of the treaty of Troyes contains the words '... saufves les droiz de la couronne de France et de tous autres' (Cosneau, *Grands traités*, p. 109).
¹⁵Jean Aguenin was second *président* of the Parlement.
¹⁶Simon de Champluisant was named fourth *président* on 1 December 1422.

[15 July 1424]   [X^{1a} 64, fo. 64v]

Cum magister Hugo Ferreti, presbiter, capellanus capellanie sancte Anne in ecclesia sancti Yvonis Parisius fundate, nobis exponi fecisset quod cum per certum arrestum seu decretum nostre Parlamenti curie, sexta die maii anno domini m° ccc septuagesimo nono, prolatum seu datum ad utilitatem curatorum liberorum annis minorum defuncti magistri Gueni Dol et contra defunctum Rolandum de Sanctolio,[17] dictum fuisset quod de bonis et hereditagiis ipsius Rolandi dicta capella fundaretur et dotaretur quadraginta libris parisiensibus redditus admortisati, necnon calice, missali et aliis decentibus ornamentis pro salute anime dicti defuncti Gueni quem dictus Rolandus peremerat seu occiderat, cuius quidem arresti seu decreti ac etiam certi accordi inter partes in eo nominatas facti et initi et in dicta nostra curia passati virtute plura hereditagia quondam dicto defuncto Rolando spectancia in loco de Margnyaco et territoriis propinquis situata, cridata et per dictam curiam dicto anno ccc° lxxix° defuncto Hugoni de Boulayo quondam militi[18] tanquam plus offerenti et ultimo incariatori adiudicata^a ad onus dictarum quadraginta librarum parisiensium redditus admortisati pro fundacione et dotacione dicte capelle et ornamentorum ipsius extitissent, de quo redditu dicto exponenti et suis predecessoribus bene et debite satisfactum fuisset usque ad terminum nativitatis Domini anni domini m^i cccc^i xvj^i. Et licet juxta tenorem tractatus pacis inter defunctos predecessores nostros Francorum et Anglie^b reges facte et confirmate dictus exponens, qui ipsam pacem tenere juramento suo mediante promiserat, dicto redditu xl librarum parisiensium quem dictus genitor noster eidem exponenti restituerat et deliberaverat uti et gaudere debuisset et deberet, nichilominus Eduardus Rousselli, de regno nostro Anglie oriundus, dictam terram de Margnyaco detinens et occupans^c, predicto exponenti dictum redditum et arreragia inde debita solvere renuerat. Et ob hoc dictus exponens certas litteras a nobis obtinuisset quarum vigore preceptum fuisset dicto Eduardo ut dictum redditum et arreragia solveret exponenti antedicto. Adversus quod preceptum idem Eduardus se opposuisset; propter quod fuisset in dicta nostra curia ad certam diem preteritam adiornatus causas sue opposicionis dicturus ulteriusque processurus et facturus quod jus esset. Constitutis propter hoc in dicta curia die videlicet vj^a julii, anno domini m° cccc° xxiij°, partibus antedictis aut earum procuratoribus, cum dictus exponens premissis et aliis

---

^{a} *MS* adiudicari ^{b} et Anglie *interlined* ^{c} *MS* occupens

[17]The *arrêt* involving Roland de Santueil does not appear to have been registered.
[18]Hugues du Boulay had been captain of Montlhéry in 1365 and 1384 (*Gallia Regia*, iv, 392).

latius recitatis conclusisset ad finem quod dictus Eduardus ad
reddendum et solvendum eidem exponenti dictum redditum et arreragia condempnaretur, dictaque terra de Margnyaco ad hec obligata
et ypothecata declararetur, et in ipsius exponentis expensis dictus
Eduardus condempnaretur. Pro parte dicti Eduardi, defensoris, postmodum die videlicet secunda marcii dicto anno m° cccc° xxiij°, habitis
prius nonnulis dilacionibus per eum petitis, ex adverso propositum
fuisset quod dictus genitor noster dictam terram de Margny conqui-
siverat et eam medio sue conqueste tamquam francam et liberam a
quocumque onere et redditu manutenuerat; necnon pro bonis et
gratuitis serviciis eidem genitori nostro per dictum Eduardum impen-
sis, ipse genitor noster [fo. 65r] vjᶜ libras redditus super terris domine
de Boulay in patria Normanie et bailliviatis Gisorcii, Vernonis et
Silvaneti situatis, et in dicta conquesta comprehensis, eidem Eduardo
dederat. Dicebat insuper quod dicta terra de Margny, super qua
dictus exponens dictum redditum xl librarum prosequebatur, quamvis
ipsa viginti libras redditus non valeret dicto Eduardo quicta et libera
ac omnibus quibuscumque exonerata preterquam quibusdam serviciis
dicto genitori nostro et suis successoribus impendendis tradita fuerat.
Et esto quod dictus exponens aliquem redditum super dicta terra de
Margny habuisset, de quo non apparebat, idem tamen redditus ad-
nullatus erat. Dictus eciam Eduardus, qui minime obligatus erat in
actione personali nec eciam ypothecaria ultra valorem dicte terre
prosequi poterat ad finem quod ipse Eduardus summato prius per
eum procuratore nostro, a peticione seu demanda dicti exponentis
absolveretur, ac in eius expensis idem exponens condempnaretur concludendo. Prefato exponente summato eciam per eum procuratore
nostro, replicante et dicente quod dicta terra de Margny pro dicto
redditu et fundacione dicte capelle per dictum arrestum seu decretum
obligata et affecta erat, quodque dictus genitor noster expresse voluerat quod redditus ecclesiarum salvi remanerent, et quod [per] dicte
pacis tractatum, quo dictus exponens se juvabat, id appunctatum et
ordinatum fuerat; dicta eciam terra de Margny sufficiens erat pro
solucione dicti redditus et quicquid sit dictus Eduardus eam ad hec
obligatam et ypothecatam detinebat, et per consequens ipse dictum
redditum et arreragia integraliter presertim a tempore quo dictam
terram sic esse oneratam sciverat; esto quod ipsa dictum redditum non
valeret, solvere tenebatur; ad hec et ut supra concludenda. Duplicante
prefato Edouardo et dicente quod per tenorem predicti arresti seu
decreti non constabat dictam terram de Margny ad dictum redditum
ypothecatam esse; neque de ea dictus Edouardus erat dominus nec
detentor, sed solum super ipsa et aliis terris in litteris doni sui declaratis
vjᶜ libras redditus habuerat et habebat; et sic dictus exponens contra
eum se dirigere non debebat, sed contra nos, attento quod

dictus genitor noster ipsam francam et liberam cum aliis terris predictis pro dictis vj^c libris redditus eidem Edouardo tradiderat, dicente ulterius quod, licet dictus exponens de dicto redditu xl librarum restitucionem seu deliberacionem habuisset, id factum fuerat sine preiudicio juris alieni et maxime dicti Edouardi, cuius donum seu jus restitucionem ipsam nullam de jure seu dono dicti Eduardi mencionem facientem necnon tractatum dicte pacis precedebat, et quicquid sit idem Edouardus ad solvendum ultra valorem dicte terre de Margny, que xx^{ti} libras redditus non valebat teneri non poterat; ex hiis et aliis ad finem quod littere restitucionis dicti redditus per dictum exponentem obtente surrepticie dicerentur; et ut supra concludendum. Predicto exponente triplicando dicente quod dictus Eduardus dictam terram de Margny detinebat et super ea per manum suam solucionem dicti redditus vj^c librarum recipiebat; dictus eciam genitor noster numquam fuerat intencionis suam conquestam faciendo quod terre seu redditus ecclesiarum confiscarentur; concludendo prout supra. Tandem auditis partibus in omnibus que circa premissa, tam replicando quam duplicando, dicere et proponere voluerint, et ad tradendum penes dictam nostram curiam acta et munimenta quibus se juvare vellent in hac parte ac in arresto appunctatis; necnon visis per dictam nostram curiam dictis litteris tractatus pacis et aliis actis et munimentis per dictas partes hinc inde traditis; consideratis insuper et attentis diligenter omnibus circa premissa considerandis et attendendis, et que dictam nostram curiam in hac parte movere poterant et debebant, prefata curia nostra, per suum arrestum, dictam terram de Margny oneratam et ypothecatam esse de et pro redditu predicto quadraginta librarum parisiensium, et eciam de arreragiis ipsius redditus a tempore litis contestate, et huiusmodi causa obventis declaravit et declarat, et sine expensis et ex causa. Et per idem arrestum dictum fuit quod arreragia predicta per eandem curiam nostram moderabuntur ut decebit.

Pronunciatum xv^a [die] julii, anno domini m^o cccc^o xxiiij.[19]

[19]In the autumn of 1427 Jacques Bourges, chaplain at St. Anne in place of Hugues Ferret (by now deceased) brought a similar suit against Jacques de Trye, husband and heir of Marguerite du Boulay, who had died in 1419 before Henry V had made the grant to Edward Russell. By 1427 Russell was said to have abandoned the fief of Margny, described as being 'de present ... de non valoir' (A.N., X^{1a} 8302, fos. 202v, 205v). Ferret's will was produced in court on 21 May 1428 (A.N., X^{1a} 1480, fo. 420v) and his successor won the case, 29 July 1429 (A.N., X^{1a} 1481, fo. 16v).

II

Denis Sauvage *v.* Sir John Fastolf

This important suit, the first of a number involving Sir John Fastolf,[1] *concerned the complexities surrounding the compensation claimed by Fastolf for the release, without obligation to pay any ransom, ordered by the duke of Bedford, of Guillaume Remon, a prisoner taken by Fastolf at Passy-en-Valois in 1423. The case was made doubly difficult by the fact that some of Remon's own prisoners had been freed under the same circumstances in order to enable the regent to recover Compiègne late in 1423. By this act, Fastolf claimed to have lost 'grosses finances' which he had reasonably expected to obtain from them.*

The regent's right to act as he did was never in question, but his failure to compensate his 'grand maître d'hôtel' was. Two of those whom Fastolf was able to sue for the value of the sureties they had promised to pay were Henry de Lidan and Denis Sauvage, both of them merchants, Sauvage at least coming from Hainault. Fastolf claimed them both as prisoners of war. Each merchant said that the other was, in this affair, more financially liable than himself, and the suit turned into one between the two merchants. As no progress appeared to be made, late in November 1424 Fastolf tried to advance matters by taking the law into his own hands by summoning Lidan to appear before the regent. Soon afterwards, however, the Parlement decided in favour of Lidan against Sauvage, who now became legally obliged to pay the whole ransom money to Fastolf. Finally, Lidan sued Sauvage for losses incurred while the suit was being decided. In these rather unsatisfactory conditions, and after almost four years of litigation, the suit came to an end. Years later, in January 1433, having in the meanwhile received no satisfaction, Fastolf was to be rewarded for losses incurred in the case whose details are set out below.[2]

---

[1]See also Overton *v.* Fastolf (n⁰ **XX**) and appendix I. This suit has been described by C. A. J. Armstrong, 'Sir John Fastolf and the Law of Arms', *War, Literature and Politics in the Late Middle Ages*, ed. C. T. Allmand (Liverpool, 1976), pp. 46-56.

[2]See the grant in A.N., JJ 175, n⁰ 203.

[28 February 1424]   [X^{1a} 4793, fo. 384v]

Entre Denis Sauvage,[3] appellant du prevost de Paris,[4] d'une part, et messire Jehan Fastot,[5] chevalier, maistre d'ostel du duc de Bedford,[6] et de Jehan Sac, soy disant son procureur,[7] d'autre part.

L'appellant dit qu'il est bon et loial marchant, et a acoustume d'amener vivres et denrees en la ville de Paris; et autresfois en venant lui et autres marchans furent rencontréz, et menéz prisonniers et ostagiers pour eulz et leurs compagnons par les ennemis de la garnison de Pacy.[8] Et envoierent aucuns d'eulz pour faire leur finance; et sceurent aucuns d'eulz que on mettoit le siege a Pacy, et pour ce se trayerent devers le duc de Bedford et ledit Fastot pour savoir s'ilz porroient finer d'aucuns desdis ennemis de la Folie[9] pour la delivrance desdis prisonniers. Et puet estre que on dit que on donroit volentiers cent escus que ont esté paiéz pour ung roncin. Et soubz umbre de ce Denis Sauvage,^{a} en faisant ladite poursuite, a esté emprisonné au Chastellet.[10] Et tantost Fastot [ou] au moins Jehan Sac, son procureur, a requis ledit prisonnier a fin qu'il lui fust rendu comme son prisonnier de guerre, ou que la cause fust renvoiee devant lez Mareschaux;[11] et lors le prevost dist qu'il renvoioit la cause, dont Sauvage appela; qui conclud en cas d'appel et a despens, et dit qu'il est bien veullant, obeissant subjet, et ne doit estre prisonnier de guerre; si requiert estre delivré [ou] au moins eslargi a bonne caucion.

Fastot dit que voirement lesdis marchans furent prins par la garnison de Pacy, et depuis furent transportéz a la Folie quant on volt mettre le siege a Pacy; et lors lesdis marchans firent traictier a Fastot pour leur delivrance et pour paier leur finance qui montoit a V^c escus; et en demoura Fastot et fist delivrer lesdis marchans qui s'obligerent

---

^{a} *Followed by* a depuis esté, *struck out*

[3]Denis Sauvage, merchant of Hainault.

[4]The *prévôt* of Paris, Simon Morhier, was the judicial and administrative officer of Paris and its *prévôté*, appointed by the crown.

[5]For Sir John Fastolf, see appendix II.

[6]John, duke of Bedford, was regent of France for his nephew, Henry VI.

[7]Jean Sac, who acted as Fastolf's *procureur*, was an Italian merchant banker, not a member of the court, which may explain the phrase 'soy disant'. In his will Fastolf referred to him as 'John Sak, marchaunt of Parys, my trusty frend & seruaunt'. See K. B. McFarlane, 'The investment of Sir John Fastolf's profits of war', *T.R.Hist.S.*, Fifth series, vii (1957), 100–1; Armstrong, 'Sir John Fastolf and the Law of Arms', p. 51.

[8]Passy-en-Valois, Aisne, arr. Château-Thierry, c. Neuilly-Saint-Front.

[9]Probably La Folie, in the *commune* of La Ferté-Milon, Aisne, arr. Château-Thierry, c. Neuilly-Saint-Front, quite nearby.

[10]Châtelet, the tribunal of the *prévôt* of Paris.

[11]A reference to the military court of the marshals, who would have dealt with cases arising out of prisoners of war (Keen, *Laws of War*, pp. 26–7).

envers lui en ladite somme; et en furent pleges Henry de Lidam,[12] qui
est prisonnier en la Bastide;[13] aussi Denis Sauvage s'obliga, qui a esté
depuis emprisonné au Chastellet. Et ce pendant, aucuns desdis marchans ont obtenu[a] des bonnes [villes] de Henault[14] ou Brabant[15] lettres
adrecans au duc de Bedford pour estre quittez, mais le duc de Bedford
a sur ce donné sa sentence, et a dit qu'ilz paieroient et aquiteroient
ladicte obligacion, et ainsi ilz tendront prison, et sera Denis renvoié
devant lez Mareschaux, attendu que ce depend de fait de guerre, et
que Fastot a le droit sur eulz[b] tel que avoient les ennemis. Et si y a mis
la main le duc de Bedford par sa sentence.[c] Si conclud en cas [fo. 385r]
d'appel, et a despens.

L'appellant dit qu'il est bon marchant du pais de Henault, et les
autres aussi, et sont estrangiers, et leur doit on administrer bonne
justice, et n'y a point de sentence du duc de Bedford contre Denis ne
contre les autres, et n'est Denis obligié a Fastot ne a Henry de Lidan,
et n'a riens promis; et se Henry a promis aucune chose pour son
nepveu, si en responde. Si conclud comme dessus.

Appointié que la court verra ce que les parties vouldront monstrer
au conseil, et fera droit; et enjoint la court aux parties[d] qu'ilz mettent
au jour d'uy ce qu'ilz vouldront devers la court.

        Au conseil. Aguenin[16e]

[29 February 1424]   [X[1a] 1480, fo. 290v]

A conseillier l'arrest ou appoinctement d'entre Denis Sauvage, appellant du prevost de Paris, d'une part, et messire Jehan Fastot,
chevalier anglois, maistre d'ostel du duc de Bedford, et Jehan Sac, soy
portant procureur dudit Fastot, sur la provision d'eslargissement requis par ledit appellant en jugement le jour precedent, xxviij[e] jour de
ce mois.

Il sera dit que ledit appellant sera eslargi en baillant caucion de la
somme de iiij[c] escus dont il est poursuy.

    Dictum hodie partibus. Aguenin. Eslargissement[f]

---

[a] *Followed by* lettres, *struck out* [b] *Followed by* et, *struck out* [c] par sa sentence *interlined*
[d] aux parties *interlined*   [e] *In the margin*   [f] *In the margin*

[12]Henry de Lidan, probably from Brabant, was said to be acquainted with Fastolf
and the regent's household. He and Denis Sauvage were the two merchants with whom
this suit was concerned.

[13]La Bastide, or Bastille, built in the 1370s, was a royal fortress which became a
central point of the defences of Paris. It was also used as a prison.

[14]Hainault, county, outside the kingdom of France.

[15]Brabant, duchy, also outside the kingdom.

[16]Jean Aguenin was second *président* of the Parlement.

[6 March 1424]   [X^{1a} 4793, fo. 390r]

Henry de Lidam a baillié ceans sa requeste par escript a l'encontre
de Denis Sauvage, et dit qu'il a plege envers le grand maistre d'ostel^a
du duc de Bedford [et] Denis Sauvage de la somme de iiij^c escus, et
l'en promist desdommagier; et pour ceste occasion Lidan a esté et est
prisonnier en la Bastide, et pour ce s'opposa a l'eslargissement de
Sauvage par devant le prevost de Paris et ceans. Si requiert qu'il soit
contraint et condempné a paier ladicte somme et l'aquittier et desdommagier de ladicte plegie. Propose et conclud selon sadite requeste dont
recite le contenu, et la remaine a fait, et que Sauvage soit retenu
prisonnier, et dit que sa caucion n'a mie vaillant lx livres.

[fo. 390v] Sauvage dit qu'il n'est obligié a Lidan et ne l'a point plegié,
et ce que Lidan a fait, il l'a fait pour son nepveu qui estoit prisonnier;
et s'il l'a plegié, si le poursuive. Et dit que sa caucion et ses pleges sont
soufissans.

Henry dit qu'il appert par la quittance de Sauvage que ledit Denis^b
est son plege.

Les parties revendront *alia die*, et se Denis veult *interim* baillier autres
pleges, il lez amenera devers la court; *alias* la court y fera ce qu'il
appartendra.

[9 March 1424]   [X^{1a} 4793, fo. 394v]

Denis le Sauvage, prisonnier en la Conciergerie du Palais,[17] a la
requeste de messire Jehan Fastol, chevalier, est eslargi jusques a ce que
autrement en soit ordonné par la court a la caucion de Jehan de
Laneur, dit Savoye, marchant demourant [fo. 395r] a Paris en la rue
Saint Jaques de la Boucherie, et Josset Deschamps, pasticier et bou-
lengier, demourant a Paris en la rue des Oes,[18] lesquelz ont caucionné
ycellui Denis chascun jusques a la somme de deux cens escus d'or et
ont promis le ramener a toutes les journeez qui lui seront assigneez ou
pour lui paier et fournir droit jusques a ladite somme chascun de deux
cens escus d'or. Et il a promis ester a droit et comparoir a toutes
journeez qui lui seront assignees, et a esleu son domicile en l'ostel de
maistre Jehan Bailli, son procureur, et oultre a promis a desdommagier
sesdis pleges et venir proceder en la cause d'entre lesdites parties, et
aussi a la demande ou requeste de Henry de Lidan, qui s'estoit opposé
a sa delivrance en ladite Conciergerie, et sur tout faire a l'ordonnance
de ladite court.

              Eslargissements. Pleges^c

---

^{a} maistre d'ostel *interlined* ^{b} *MS* Henry ^{c} *In the margin*

[17]Conciergerie du Palais was the prison in which those arrested within the area of the
Palais were confined.

[18]Rue aux Ours (?).

[13 March 1424]   [X^{1a} 4793, fo. 397r]

Denis Sauvage a baillié ceans sa requeste par escript pour estre mis
au saufconduit de la court, lui et ses biens selon la teneur de sa requeste
dont recite le contenu; et dit que *ipso jure* il est au saufconduit de la
court et^a ne reste que de le signifier a partie.

Henry de Lidan dit qu'il s'estoit opposé a la delivrance et eslargissement de Denis Sauvage, et toutesvoiez le geolier l'a delivré. Si requiert
adjornement contre le geolier.

Les parties revendront demain.

[14 March 1424]   [X^{1a} 4793, fo. 398r]

Denis Sauvage requist hier et encorez requiert estre mis au saufconduit de la court comme dessus a l'encontre de messire Jehan Fastol,
chevalier.

Le procureur de Fastol s'en rapporte a l'ordonnance de la court et
a raison, mais pour ce que Fastol est absent requiert avoir delay pour^b
lui signifier l'appel^c a fin qu'il n'entrepreigne a l'encontre.

Henry de Lidan s'est opposé et s'oppose que Sauvage ne soit eslargi
s'il ne lui baille caucion de le desdommagier attendu qu'il est plege et
prisonnier pour le fait de Sauvage.

Sauvage dit qu'il est au saufconduit de la court, et prengne le
procureur [de] Fastol si bel delay qu'i[l] vouldra signifier ledit saufconduit a son maistre, mais neantmoins pendant le delay il sera et
demourra au saufconduit. Et dit qu'il a baillié caucion et que Henry de
Lidan tient prison pour son nepveu qu'il plega, et n'a point plegié
Sauvage qui a baillié caucion de iiij^c escus que demandoit Fastol.

Appoinctié que Sauvage est et^d sera en saufconduit de la court, et
enjoint la court a maistre Jehan Paris[19] qu'il le signifie^e le plus tost
qu'il pourra audit messire Jehan Fastol. Et au seurplus en tant que
touche l'opposicion de Henry de Lidan, la court verra ce que les
parties veuldront monstrer au conseil, et fera droit; et a la court
interrogué le capitaine de la Bastide Saint-Anthoine[20] pour quelle cause
Henry de Lidan est detenu prisonnier en ladite bastide, et il a respondu
qu'il est detenu prisonnier pour ce qu'il a plegié ledit Denis Sauvage.

[31 March 1424]   [X^{1a} 1480, fo. 293r]

A conseillier l'arrest d'entre Henry de Lidan, d'une part, et Denis
Sauvage, d'autre part, sur le plaidoié du vj^e jour de ce mois.

---

^{a} *Followed by* le, *struck out* ^{b} *Followed by* s, *struck out* ^{c} l'appel *interlined*
^{d} est et *interlined* ^{e} *Followed by* q, *struck out*

[19]Jean de Paris, one of the most sought-after *procureurs* between 1419 and 1435.
[20]i.e., the Bastide, at the Porte and at the end of the rue Saint-Antoine. The captain
was John Midelstrete (*Gallia Regia*, iv, 376).

Il sera dit que les parties ne pevent estre delivre[e]s sans fais, et sont contraires; si feront leurs fais par une lettre. Et prefige la court ausdites parties temps pour faire leur enqueste a lendemain de Quasimodo[21] prochain venant; et ladite enqueste rapportee, la court fera droit aux parties.

Pronunciatum prima die Aprilis m cccc xxiii. Aguenin[a]

[4 May 1424]   [X[la] 4793, fo. 417r]

L'enqueste d'entre Henry de Lydan, d'une part, et Denis Sauvage, d'autre part, est recue pour jugier sauf que dedens ung mois chacune desdites parties pourra faire examiner tant de tesmoins que bon lui semblera.

Henry de Lidan a requis et requiert que pendant[b] le proces d'entre le sire de Fastol et Denis Sauvage [il] soit eslargi a bonne caucion bourgoise, et requiert qu'il ne soit point transporté ce pendant, et se mestier est [qu'il] soit mis en la Conciergerie attendu qu'il n'est point prisonnier de guerre et n'est poursuy que pour plegerie.

Appoincté que les parties revendront lundi, et *interim* tout demourra en estat et parlera maistre Jehan Paris[c] a messire Jehan Fastol.

Enqueste recue[d]

[11 May 1424]   [X[la] 4793, fo. 421r]

Henry de Lidan, prisonnier en la Bastide, requiert comme dessus estre eslargi en baillant caucion bourgoise de la somme de iiij[c] livres pour laquelle il tient prison etc.

A lundi revendront les parties dire ce que vouldront, *alias* la court pourverra audit de Lidam ainsi qu'il appartendra.

[16 May 1424]   [X[la] 4793, fo. 424v]

Henry de Lidan, prisonnier en la Bastide, sera eslargi en baillant caucion souffisant jusques a la somme de quatre cenz escus d'or.

Eslargissement[e]

[30 May 1424]   [X[la] 4793, fo. 431v]

Maistres Thomas Tresart et G[aucher] Jaier, conseillers du roy, sont commis sur la recepcion des pleges et caucions que offre a baillier Henry de Lidan.

[2 June 1424]   [X[la] 4793, fo. 432r]

Ce jour Henry de Lidan, prisonnier en la Bastide Saint Anthoine

---

[a] *In the margin*   [b] *Followed by* d, *struck out*
[c] *Followed by* parlera, *struck out*   [d] *In the margin*   [e] *In the margin*

[21]The day after the Sunday after Easter, 1 May 1424.

a Paris, a esté eslargi par la court jusques a ce que autrement en soit
ordené a la caucion de Robin Ph[ilipp]e, baudroier demourant en la
rue de la Boucherie, et de Henry Castille, corduoanier demourant en
la grant rue Saint Denis prez de la Fontaine-la-Roynne,[22] a l'enseigne
de l'Image Notre Dame, qui l'ont caucionné chacun de cent escuz d'or;
et aussi a la caucion de Robin d'Orliens, merchant patinier, Baudet
de Colomby, horologeur, Jehan Clement, orfevre, Colin de Mondi-
dier, orfevre, Rolet Aubert, pignier, touz cinq demourans sur le pont
Notre Dame a Paris, de Jehan le Mercier, oilletier, et de Jehan
Baquelin, faiseur d'aneaux de leton, demourant au Palais a Paris,
lesquelz sept derrain nomméz ont caucionné ensemble et chacun pour
le tout ledit Henry jusquez a la somme de cent escuz d'or, present a ce
maistre Jehan Paris, procureur de messire Jehan Fastol, chevalier,
grant maistre d'ostel du duc de Bedford, qui n'a sceu ou voulu contredire lesdites caucions. Et ledit Henry a promis garandir et desdommagier sesdites pleges et caucions, et chacune d'eulz, et ester a droit a
l'ordenance de la court.

Eslargissement[a]

[26 June 1424]   [X[la] 4793, fo. 442r]

Henry de Lidan et Denys Sauvage ont requiz delay et prorogacion
de jour a rapporter l'enqueste d'entre eulz, d'une part, et le sire
de Fastol, d'autre part, qui leur a esté octroyé *hinc inde* a trois
sepmaines.

[17 July 1424]   [X[la] 4793, fo. 453v]

Denis le Sauvage a baillié ceans sa requeste par escript pour avoir
commission a examiner ung tesmoing qui s'en est alé a Nogent depuis
qu'il a esté adjorné.

Appoinctié que Sauvage aura commission pour examiner ledit tesmoing jusques au premier jour d'aoust; et est receu l'enqueste, et sera
examiné par le bailli de Meaulz[23] ou son lieutenant, ou le bailli de
Nogent,[24] *de consensu partium*, et a lendemain de la mi-aoust bailleront
lettres et reproches.

---

[a] *In the margin*

---

[22]On the right bank of the Seine. The fountain was 'en la rue Saint-Denis' (A.
Longnon, *Paris pendant la domination anglaise (1420–1436)* (Paris, 1878), p. 252), 'au bout
de la rue Dernetal où il a une fontaine que on dit la Fontaine de la Royne' (*Bourgeois*, p.
275).

[23]Meaux, Seine-et-Marne. The *bailli* was Jean Choart (*Gallia Regia*, iv, 96).

[24]It is not clear which of a number of places named Nogent is being referred to here,
as there was no 'bailli de Nogent'. However, since the place mentioned was probably
near Meaux, it is perhaps Nogent-sur-Marne which is meant.

[2 September 1424]   [X^{la} 1480, fo. 307r]

A conseillier l'arrest d'entre Henry de Lidan, demandeur, d'une part, et Denis Sauvage, defendeur, d'autre part, veu le proces en la chambre des enquestes.

Il sera dit que le proces ne puet estre expedié sans premierment enquerir la verité de et sur les fais des reprouches bailliees par ledit Sauvage, defendeur, contre ledit Lisdan, demandeur, lesquelz fais seront bailliéz par declaracion aux commissaires qui par la court seront ordonnéz a faire l'enqueste sur lesdites reprouchez; et pour rapporter ladite enqueste, ladite court prefige temps et delay audit defendeur aux jours de Vermendois prochain venant[25] pour tous delays; laquelle enqueste faicte et jointe au proces, la court fera droit sur ycellui.

       Dictum hodie partibus. Morvilliers[26a]

[5 September 1424]   [X^{la} 4793, fo. 478v]

Ce jour Jehan le Mercier, faiseur d'oeilles au Palais a Paris, Rolet Aubert, faiseur de pignes d'yvoire sur le pont Notre Dame, et Jehan Bequelin, faiseur de seaulz et d'aneaux audit Palais, ont caucionné pour la somme de cent escus d'or, et chacun pour le tout, Henry de Lidan au lieu de Robin Ph[ilipp]e, baudroier de cuirs, qui pour ce demeure deschargié de la caucion par lui autresfois bailliee. Et ledit Henry a promis desdommagier lesdis Mercier, Aubert et Bequelin, et chacun d'eulx present a ce, et consentant maistre Jehan Paris, procureur de messire Jehan Fastol, chevalier, partie adverse dudit Henry en ceste partie.

       Pleges[b]

[20 November 1424]   [X^{la} 4794, fo. 2v]

En la cause d'entre Henry de Lidan, demandeur, d'une part, et Denis Sauvage, d'autre part, Lidan requiert que certain instrument soit receu et joint au proces, sauf contredit et salvacions.

Appoincté que Sauvage verra ledit instrument et *alia die* revendront les parties.

[27 November 1424]   [X^{la} 4794, fo. 6v]

En la cause d'entre Henry de Lidan, d'une part, et Denys Sauvage,

---

    a In the margin   *b In the margin*

---

[25] It was customary to hear the suits from the *bailliage* of Vermandois at beginning of each sitting of the Parlement in November.

[26] Philippe de Morvilliers, a former *avocat* who served as first *président* between 1418 and 1433 when he fell into disgrace and was effectively replaced by Robert Piedefer. See the introduction, pp. 9-10.

d'autre part, Henry de Lidan a requis que on recoive certaines*a* lettres*b* en ceste cause pour valoir ce que raison donra selon la teneur de sa requeste par escript; ledit Sauvage disant au contraire a fin que sa requeste ne soit faite.

Appoinctié que lesdites lettres seront jointes au proces pour valoir ce que raison donra; et a l'encontre partie baillera une cedule, se bon lui semble, qui semblablement sera jointe au proces.

Arrest. Aguenin*c*

[28 November 1424]   [X¹ᵃ 4794, fo. 7v]

Henry de Lidan recite*d* le contenu en l'appointement par lequel il a esté eslargi a caucion; et neantmoins messire Jehan Fastol, pour l'emprisonner, le fait querir par Biscaye, sergent d'armes,[27] qui a aresté son cheval. Pour ce requiert que defense soit faicte a Fastol, Biscaye et a Paris, procureur de Fastol, qu'ils ne facent aucune chose contre ledit appointement.

Biscaye, interrogué sur serment, a dit qu'il n'avoit point aresté ledit cheval mais seulement avoit dit a l'ostesse qu'elle lui dist qu'il estoit aresté a fin que Lidan parlast a lui pour l'adjorner a comparoir devant monseigneur le regent.

Appoinctié que la court fera et fait defense audit Fastol, a la personne de maistre Jehan Paris, son procureur, sur paine de ij^m livres, et aussi audit Biscaye, qu'ils ne facent aucune chose contre la teneur et au prejudice dudit appoinctement de la court.

Defense*e*

[4 December 1424]   [X¹ᵃ 4794, fo. 9r]

Henry de Lidan requiert comme autres fois que on face de rechief defense a messire Jehan Fastolf et au capitaine de la Bastide et autres*f* qu'ils ne lui mesfacent a lui ne a ses pleges au prejudice de l'appoinctement de ceans.

Appoinctié que lesdites defenses seront reiterees *sub magnis penis* a ceulx a qui elles ont esté faictes et a tous autres ainsi qu'il appartendra.

[5 January 1425]   [X¹ᵃ 1480, fo. 313v]

A conseillier l'arrest d'entre Denis Sauvage, appellant du prevost de Paris, d'une part, et messire Jehan Fastol, chevalier anglois, maistre

---

a Followed by en, *struck out*   *b* Followed by po, *struck out*   *c* In the margin
d Followed by si, *struck out*   *e* In the margin   *f* et autres *interlined*

[27]Like the name given to a pursuivant. The *sergent* was called Chrétien Colart (Armstrong, 'Sir John Fastolf and the Law of Arms', p. 53).

d'ostel du duc de Bedford, intimé, d'autre part sur le plaidoié du xxviij^e jour de fevrier m cccc xxiii.

Il sera dit, veu ycellui proces en la chambre dez enquestes, que la court met au neant sans amende ladite appellacion et ce dont a esté appellé, et demourra ceans la cause; et sur le principal sont les parties contraires. Si feront leurs fais.

Pronunciatum xx [die] januarii cccc xxiiij^a

[20 January 1425]   [X^{la} 64, fo. 226v]

Lite mota in nostra Parlamenti curia inter Henricum de Lidam, actorem, ex una parte, et Dyonisium Sauvage, defensorem, ex altera, super eo quod dicebat dictus actor quod in reddicione castri de Paciaco, per inimicos nostros detenti, qui in eo dictum Sauvage defensorem et alios prisionarios detinebant dilecto et fideli consiliario nostro Johanni Fastot militi facta, dictus de Lidam eundem defensorem ac ceteros prisonnarios de summa que eidem Fastot solvere tenerentur ad ipsius defensoris instanciam et requestam erga eundem Fastol fidejusserat. Qui quidem defensor predictum actorem ad hoc garandisare et indempnem reddere in presencia plurium fidedignorum promiserat hujusmodique fidejussionis occasione dictus Fastot eundem actorem in fortalicio Sancti Anthonii Paris'[28] longo temporis spacio prisionarium detinuerat et detinebat, in quo dictus actor magnas expensas, dampna et interesse sustinuerat. Dicebat ulterius predictus actor quod, licet dictus defensor plures pecuniarum summas a diversis personis occasione premissorum in solucione et acquitamento dictorum prisionariorum convertendas recepisset, nichilominus idem defensor premissa adimplere recusaverat et recusebat. Et ob hoc idem actor ad expedicionem seu elargamentum dicti defensoris qui in Castelleto nostro Parisius[29] [fo. 227r] prisionarius erat se opposuerat; quare petebat prefatus actor predictum defensorem ad ipsum actorem acquittandum, exonerandum et dedampnificandum de dicta fideiussione seu plegeria et ad tenendum prisionam usque ad premissorum complementum ac in suis dampnis, interesse et expensis condempnari ipsumque defensorem ad caucionem per eum requisitam tanquam minus sufficientem minime elargari.

Dicto defensore ex adverso dicente et proponente quod ipse dicto actori supradicta per eum pretensa minime promiserat, ipseque in nullo erga prefatum actorem obligatus extabat nec pro eo et aliis, saltim ad ipsius defensoris requestam fideiusserat; et si dictus actor aliquam fideiussionem fecerat seu dederat, hoc pro nepote ipsius

---

^{a} *In the margin*

[28] The Bastide Saint-Antoine.
[29] The Châtelet.

actoris et non pro aliis erat et fuerat, quodque si dictus defensor occasione premissorum ab aliquibus personis aliquas summas pecunie receperat, hoc non pro ipso actore nec ob causam predictam erat et fuerat.

Dictus etiam defensor summam centum et quatuor scutorum pro se et suis sociis antedicto Fastot, vel ejus gentibus, pro supradictis solverat, qua summa mediante dicti defensor et ejus socii quicti et liberi remanserant et remanere debebant.

Dicebat ulterius dictus defensor quod ipse plures misias et expensas in prosecucione per ipsum ad requestam sociorum suorum occasione premissorum, que predictam centum quatuor scutorum summam ascendebant, fecerat. Prefatusque actor dictum defensorem ne dictam centum [quatuor] scutorum summam predicto Fastot apud Paciacum solveret, inhibuerat, dicendo quod ipse ling[u]am anglicam intelligebat magnamque noticiam cum sepedicto Fastot et eius gentibus ac etiam cum gentibus carissimi patrui nostri Johannis regnum nostrum Francie regentis habebat, tantumque fecerat quod dictus defensor et ejus socii ac nepos ipsius actoris pro quinquaginta scutis dumtaxat quicti et liberi remanerent. Qui quidem defensor credens eidem actori, licet antea ipsum non novisset, solucionem dictorum centum [quatuor] scutorum pro tunc distulerat, et eo quod antedictus actor pro dicto defensore et eius sociis de supradictis nichil fecerat, prefatus defensor dictam summam centum quatuor scutorum predicto Fastol vel eius gentibus tradiderat fideiussoresque per dictum defensorem in dicta nostra Parlamenti curia datos sufficientes [?de]^a bene solvendo erant et fuerant. Quare petebat dictus defensor prefatum actorem causam seu actionem dictas suas requestas et conclusiones faciendi non habere dici et pronunciari, et si causam seu actionem habebat, ab eisdem absolvi ac eundem actorem in ipsius defensoris expensis condempnari.

Super quibus et pluribus aliis hinc inde propositis, inquesta facta et ad judicandum salvis reprobacionibus testium per utramque dictarum partium ac contradictionibus litterarum per dictum defensorem traditis, recepta, ea visa et diligenter examinata, dicta curia nostra per suum judicium predictum processum absque inquisicione veritatis certorum factorum reprobacionum per dictum defensorem contra testes predicti actoris traditorum judicari non poterat, pronunciaverat, et inquesta super eisdem facta ac dicte curie nostre reportata, eadem curia nostra faceret jus partibus antedictis. Facta igitur dicta inquesta ac predicto processui juncta, omnibus visis et diligenter examinatis, prefata curia nostra per suum judicium predictum defensorem ad exonerandum et indempnem reddendum dictum actorem de supradicta fideiussione seu plegeria pro porcione eundem defensorem contingente, ac in expensis huiusmodi processus condempnavit

^{a} MS et

et condempnat, earundem expensarum taxacione predicte curie nostre reservata.

J. Branlardi[30]

Pronunciatum xx^a die januarii anno domini m^o cccc^o xxiiii^{to}

R. Agode[31]   Longueil[32]

[17 December 1426]   [X^{1a} 4795, fo. 15v]

Henry de Lisdan, marchant, a baillié ceans sa requeste par escript a l'encontre de messire Jehan Fastolff, chevalier, et Denis Sauvage^a a fin qu'il ait delivrance et provision de la somme qu'il a consignee a cause d'une plegerie par lui faite devers Fastolff en faveur de Denis Sauvage; et requiert que Denis le desdommage et le face delivrer de ceste plegerie, ou que Sauvage et Fastolff procedent en la cause en laquelle ilz sont ceans appointiés en fais contraires; et requiert au regard de Fastolff que par le moien de la caucion que Sauvage a baillié, il soit delivré de la plegerie qu'il avoit baillié par avant.

Denis Sauvage dit qu'il n'empesche point mais est d'acord que Henry soit delivré de ladite plegerie, et a baillié Sauvage bonne caucion a Fastolff.

Appoinctié que lesdictes parties bailleront leurs escriptures au premier jour de fevrier pour tous delais, et a ce jour responderont Fastolff et Sauvage a ladite requeste.

[6 February 1427]   [X^{1a} 4795, fo. 39v]

En la cause d'entre Henry de Lidan, demandeur, d'une part, et messire Jehan Fastolff, chevalier, et Denis Sauvage, defendeur, d'autre part. Henry a autresfois baillié sa requeste par escript a fin que il soit mis hors de la plegerie envers Fastolff qui a bonne caucion de Denis Sauvage.

A lundi revendront les parties.

[10 February 1427]   [X^{1a} 4795, fo. 42r]

En la cause d'entre Henry de Lidan, demandeur, d'une part, et messire Jehan Fastolff, chevalier, et Denis Sauvage, d'autre part, Fastolf dit que Henry s'est constitué plege et caucion a sa seurté de ce

---

^{a} et Denis Sauvage *interlined*

[30]Jacques Branlart, *conseiller* in the Parlement, was *président* of the *Chambre des Enquêtes* by January 1418. He attended the Council of Siena as a clerical representative, and also represented the Parisian chapter at the Council of Basel (A.N., LL 113, pp. 290, 347–8).

[31]Robert Agode was an *avocat*, and then *conseiller* in the Parlement from 1418 until 1450.

[32]Jean de Longueil, *conseiller* then third *président* of the Parlement.

que Sauvage lui doit, et pour ce n'en sera deschargié Henry pour l'autre caucion que auroit baillé Denis Sauvage *quia interest creditoris habere plures debitores*,[33] et ne scet on si l'autre caucion est bien seure.

Appoinctié que chacune desdites parties baillera une sedule de ce que dire vouldra a la court et monstreront ce qu'elles vouldront monstrer au conseil, et fera droit.

Au conseil. Morvillier[a]

[29 April 1427]   [X[1a] 4795, fo. 85v]

Henry de Lidan requiert estre mis hors de la caucion de Denis Sauvage envers messire Jehan Fastol, chevalier, car les autres caucions bailliees par Sauvage sont assez souffisans sans celle de Lidan.

Appoinctié que la requeste [de] Lidam ne lui sera pas faicte, et est donnee prefixacion[b] a la Magdelaine prochain venant[34] a rapporter l'enqueste d'entre lesdis Fastol et Sauvage; et au surplus verra Lidan l'arrest d'entre lui et ledit Sauvage, et revendra quant bon lui semblera requerir ce que vouldra contre ledit Sauvage.

Prefixacion[c]

[22 August 1427]   [X[1a] 8302, fo. 198r]

Denis Sauvage, instant Henry de Lidan, requiert contre messire Jehan Fastol, chevalier, l'enqueste d'entre eulx estre receue.

Fastol dit que encores ne sont pas les articles accordéz.

Appoinctié est que Denis et Fastol feront leurs enquestes entre ci et Vermandois,[35] *alias* Lidan sera delivré de caucion envers Fastol.

[25 November 1427]   [X[1a] 4795, fo. 173v]

En la cause d'entre Henry de Lidan, d'une part, et messire Jehan Fastolff, chevalier, et Denis Sauvage, d'autre part, Henry de Lidan recite le demené du proces et des appoinctements et arrestz sur ce fais et donnéz, et requiert qu'il[d] soit deschargié de la cause et plegerie.

A jeudi revendront.

[27 November 1427]   [X[1a] 4795, fo. 174r]

Henry de Lidan a baillié autresfois sa requeste contre le sire de Fastolf pour estre deschargié de la plegerie dont sa requeste par escript fait mencion.

---

[a] *In the margin*	[b] *MS* prefixicion
[c] *In the margin*	[d] *MS* ils

[33]'Interesse enim creditoris duos reos habere' (*Dig.*, XXXIV, iii, 3, §5).
[34]22 July 1427.
[35]i.e., before the beginning of November (see n. 25).

Fastolff dit qu'il est prest d'entendre a l'avancement du proces, et vuelt bien prendre droit par l'enqueste de tesmoins vielz valitudinaires qui sont trespasséz.

Appoinctié que Denis Sauvage et Henry de Lidan verront l'enqueste hors le secret, c'est assavoir le proces verbal dez commissaires, et *alia die* revendront.

[1 December 1427]   [X¹ᵃ 4795, fo. 176v]

En la cause d'entre Denis Sauvage et le sire de Fastolf et Henry de Lidan qui a baillié ceans sa requeste pour estre deschargié de la plegerie selon la teneur de sa requeste.

Denis Sauvage a dit qu'il est d'accord que Henry de Lidan soit deschargié de la caucion; et quant est de l'enqueste que Fastolff requiert estre receue, il ne scet se l'enqueste est faicte ou non, et n'a point veu le proces verbal; et si ne sont mie les articles accordéz, si ne puet estre receue l'enqueste.

Appoinctié que la court verra la requeste et l'appoinctement, et ferra droit au conseil.

Au conseil. Morvillier*ᵃ*

[21 January 1428]   [X¹ᵃ 1480, fo. 393r]

A conseiller l'arrest ou appointement d'entre Henry de Lydan, d'une part, et messire Jehan Fastolff, chevalier anglois, et Denis Sauvage, d'autre part, sur le plaidoié du xxvᵉ jour de novembre m cccc xxvii derrain passé.

Il sera dit que les pleges dudit Henry seront deschargiez, et lez descharge la court de ladite caucion ou plegerie.

[31 January 1428]   [X¹ᵃ 66, fo. 61v]

Cum post obsidionem et capcionem factas auctoritate nostra per dilectum et fidelem nostrum Johannem Fastolf, militem, magistrum superiorem hospicii carissimi patrui nostri Johannis Bedfordie ducis, regnum nostrum Francie regentis, de castro seu fortalicio Paciaci in Valesio ab hostibus seu quibusdam adversariis nostris antea occupato, Henricus de Lidam, mercator, qui erga dictum militem fideiussorem seu plegium pro Dyonisio Sauvage eiusque nepote et certis aliis sociis suis mercatoribus benivolis et amicis nostris, et qui merces et victualia Parisius adducendo in dicto loco Paciaci a dictis adversariis nostris prisionarii detinebantur, se constituerat de seu pro summa vel usque ad summam quadringentorum scutorum auri, quam tamquam promissam sibi a dictis mercatoribus, eius auxilio liberatis, solvi debere

---

ᵃ In the margin

dicebat miles prefatus, prisionarius apud Bastidiam Sancti Anthonii
Parisius de mandato dicti militis adductus fuisset.

Ac ibidem postmodum longo tempore detentus quamvis postmodum ad eiusdem militis requestam predictus Dyonisius Sauvage
carceri mancipatus extitisset in Castelleto nostro Par[isiensi] audiens-
que idem Henricus quod causa dictorum militis et Dyonisii Sauvage
occasione dicte summe in dicto Castelleto incoata ad curiam nostram
Parlamenti medio cuiusdam appellacionis ad eam pro parte ipsius
Dyonisii a preposito nostro Par[isiensi] seu quodam suo appunctamento emisse devenerat quandam requestam seu supplicacionem in
scriptis ad finem quod a dicta Bastidia, in qua prisionarius spacio
triginta novem septimanarum vel circa steterat, et summam centum
scutorum auri dicto militi jam solverat liberari, aut saltem elargari
valeret[a] porrexisset, qua judicialiter presentibus dictis milite et Dyon-
isyo vel eorum procuratoribus ad factum deducta; ac ipsis auditis
partibus, dicta curia eundem Henricum mediante caucione quam
traderet de summa aut usque ad summam tringentorum scutorum
auri a carceribus dicte Bastidie quibus detinebatur elargari donec
aliud foret ordinatum jussisset.

Et insuper in quantum dictos militem et Dyonisium concernebat
appellacione ipsius Dyonisii et eo de quo fuerat appellatum adnullatis
sine emenda, ipsos militem et Dyonisium super suo principali in factis
contrariis et in inquesta appunctasset, ac eundem Dyonisium mediante caucione per eundem tradita de summa totali quadringentorum scutorum cuius occasione dumtaxat contendebatur in hac parte
a carceribus quibus etiam ea propter detinebatur, elargasset.

Quod videns predictus Henricus, ac premeditans quod nichil in hac
parte nisi pro dicto Dyonisio et in eius favorem fecerat, quodque idem
Dyonisius fideiussores alios sufficientes dicto militi tradiderat in manibus curie nostre predicte, nec iidem miles et Dyonisius inquestam
suam super dictis factis suis contrariis facere curaverant neque cura-
bant, ut videbatur, et nichilominus ipsum Henricum et plegios impe-
ditos tenebant certam aliam requestam in scriptis dicte curie ad finem
presertim, quod dicti plegii sui in quorum manibus ob sue fideiussionis
[fo. 62r] securitatem summam trecentorum scutorum aureorum posuerat, ut dicebat, a dicta fideiussione seu plegeria exonerarentur ac
liberarentur, tradidisset et eam sibi fieri presentibus dictis milite et
Dionisio, vel eorum procuratoribus, postulasset, dicta vero curia nostra, xxij[a] die augusti ultimo preteriti, appunctasset quod dicti miles et
Dyonisius infra tunc instantes et novissime lapsos dies ordinarios
baillive Viromandensis nostri presentis Parlamenti inquestas suas
fieri et dicte curie reportari facerent, alioquin dictus Henricus a caucione

_____
[a] MS veleret

erga dictum militem exoneraretur; lapsis autem dictis diebus Viro-
mandensibus, et dictis inquestis nondum factis seu reportatis, prefatus
Henricus requestam suam reiterasset. Quo facto, dictus Dyonisius
quod dicti Henricus et plegii sui a caucione sua erga dictum militem
exonerarentur consensisset seu concordasset. Prefatus vero miles cui-
dam inqueste testium alias pro ipso per modum senum et valitudinariorum aut affuturorum facte se in hac parte referre et jus per eam
capere obtulisset.

Auditisque dictis partibus, predicta curia nostra eas ad tradendum
penes ipsam requestas, appunctamenta et alia munimenta quibus se
juvare vellent ac in arresto appunctasset. Visis igitur requestis, ap-
punctamentis, inquestis et aliis munimentis eidem curie exhibitis, ac
consideratis considerandis in hac parte, per arrestum eiusdem curie
nostre dictum fuit quod fidejussores seu plegii dicti Henrici exonera-
buntur ac eos exoneravit et exonerat dicta curia a caucione seu plegeria per eos et quemlibet[a] ipsorum in hac parte dicto militi pro eodem
Henrico tradita seu prestita.

Pronunciatum ultima die januarii anno domini millesimo cccc°
xxvij°.

Aguenin

[a] *MS* quamlibet

III

Jean de Gaucourt *v*. Sir John Handford

This suit, really three in one, concerned primarily the attempt by Jean de Gaucourt, archdeacon of Joinville at Châlons, to obtain seisin ('dominium rei') of the lordship of Maisons-sur-Seine which straddled the river a few miles below Paris, and which had been granted to the Cheshire knight, John Handford, probably (but not certainly, for the point was disputed) by Henry V who had confiscated it from Raoul de Gaucourt. The secondary suits were those brought by a religious community of Senlis first against Jean de Gaucourt, then against Handford, and by the chapter of the Sainte Chapelle in Paris against Handford, to secure the payment of rent-charges with which the lordship was burdened.

Important as these issues were, the main historical significance of the suit lay in the lengths to which Handford went to deny Gaucourt his claim and, arising from this action, his argument that since the dispute concerned a grant of land in the 'pays de conquête' and all litigation arising from such grants should, by order of Henry V himself, be heard in Normandy, this case should be heard, not in Paris, but before the royal council in Rouen. The 'political' implications of such a claim were clear: both the king's 'procureur' and the court saw it as their duty to 'garder l'auctorité de ceste court qui est souveraine et capital de ce royaume', and both spoke out in defence of that authority. The legal argument thus came to transcend the original issue, and soon took on a 'constitutional' dimension, the Parlement attempting to prevent Handford from having the matter considered by the rival tribunal in Normandy.

This is, therefore, a crucial suit as it raised sensitive political matters such as the status of the duchy of Normandy and its legal relationship with the remainder of France both before and after the death of Henry V, matters which were fundamental in establishing the legality of English rule in those parts of northern France which they controlled.[1]

*Like those involving Edward Russell and William Zeman (n[os] **I** and **XXI**) this suit concerned claims for arrears of rent-charges, and the obligation of the English grantee to pay them. On this point, as his 1424 grant implied he should, Handford, 'chevalier d'onneur et de conscience', finally gave in, although it required three agreements for the plaintiffs to obtain the moneys which they had been seeking.*

[26 September 1424]   [JJ 172, no. 641]

Henry, par la grace de Dieu, roy de France et d'Angleterre. Savoir faisons a tous presens et a venir que pour consideracion des bons,

---

[1] The background of this suit was discussed by A. Bossuat, 'Le Parlement de Paris pendant l'occupation anglaise', *Revue Historique* 229 (1963), 19-40, and particularly 27 seq.

notables et aggreables services que nostre amé Jehan de Hanforde,[2] chevalier, nous a fait ou temps passé, fait encore de present, et esperons que face au temps a venir, a icellui, par l'advis et deliberacion de nostre treschier et tresamé oncle Jehan, regent nostre royaume de France, duc de Bedford, avons de nostre grace especeal, plaine puiss-ance et auctorité royal, donné, cedé, transporté et delaissié, donnons, ce-dons, transportons et delaissons par ces presentes toutes les terres, revenues, possessions, seigneuries et autres prouffis quelzconques, en-semble tous les acquis, droiz, et autres prouffiz quelzconques appar-tenans au travers de Maisons sur Seine[3] qui furent et appartindrent, tant a vie comme a heritaige, a Raoul de Gaucourt[4] et a Philippe de Leurs, chevaliers, a Hutin d'Aunoy et a maistre Nicole Pitement,[5] prestre, situees et assises es bailliages de Rouen,[6] Chartres[7] et Meaulx[8] et prevostéz de Paris et de Poissy,[9] jusques a la valeur de mil livres parisis de revenue par an, se elles ne excedent ladite somme, en regard a ce qu'elles valoient au temps de l'an mil iiij^c et dix.[10] Lesquelles terres, revenues, possessions, seigneuries, acquiz, droiz et autres prouf-fiz dessudiz sont a nous escheues, forfaictes et confisquees par la rebellion et desobeissance des dessusdiz Raoul de Gaucourt, Philippe de Leurs, Hutin d'Aunoy et maistre Nicolas Pitement, pour d'icelles joir et user plainement et paisiblement, c'est assavoir de celles qui sont a vie a vie, et des autres a tousjours mais perpetuelment et heredi-tablement par ledit Jehan Hanforde et ses hoirs masles legitimes venans de lui en directe ligne, pourveu qu'elles ne soient de nostre ancien demaine ne donnees a autres par feu nostre treschier seigneur et ayeul, par ladvis et deliberacion de feu nostre treschier seigneur et pere, ou nous par l'advis de nostredit oncle, et parmi ce qu'il en fera les devoirs et paiera les charges pour ce deues et acoustumees. Si donnons en mandement a noz améz et feaulx gens de noz comptes, tresoriers et generaulx gouverneurs de toutes noz finances, les com-missaires par nous ordonnéz et a ordonner sur le fait des confiscacions et forfaictures, aux bailliz de Rouen, Chartres et Meaulx, aux prevosts de Paris et de Poissy, et a tous noz autres justiciers et officiers ou a

---

[2] For Sir John Handford, see appendix II.

[3] Maisons-Laffitte, Yvelines, arr. Saint-Germain-en-Laye.

[4] Raoul de Gaucourt had played an important part in trying to resist the English. He was *bailli* of Rouen, where he was assassinated on 23 July 1417.

[5] For Nicole Pitement, M.A., M.Th., of the diocese of Rouen, see H. S. Denifle and E. Châtelain, *Chartularium Universitatis Parisiensis*, iv (1394-1452) (Paris, 1897), n°s 1763, 1786 etc. Curiously, a man of this name was appointed to a prebend in a church at Mantes by Henry V in February 1421 (*D.K.R.*, xlii, 396).

[6] Rouen, Seine-Maritime.

[7] Chartres, Eure-et-Loir.

[8] Meaux, Seine-et-Marne.

[9] Poissy, Yvelines, arr. Saint-Germain-en-Laye.

[10] The value of land was frequently estimated by the value of the year 1410.

leurs lieuxtenans presens et a venir, et a chascun d'eulx sicomme a lui
appartendra, que ledit Jehan Hanforde et sesdis hoirs masles legitimes
facent, seuffrent et laissent joir et user plainement et paisiblement de
noz presens don, cession et transport, a tousjours mais perpetuelment
par la maniere que dit est, sans leur faire ou donner, ne souffrir estre
fait ou donné, ores ne pour le temps a venir aucun destourbier ou
empeschement au contraire. Et afin que ce soit ferme chose et estable
a tousjours, nous avons fait mectre nostre seel a ces presentes, sauf en
autres choses nostre droit et l'autruy en toutes.

Donné a Paris le xxvjᵉ jour de septembre, l'an de grace mil cccc xx iiij,
et de nostre regne le second. Ainsi signé, par le roy a la relacion de
monseigneur le regent, duc de Bedford.   J. de Rinel.[11]

[23 November 1424]   [X¹ᵃ 4794, fo. 4v]

Entre maistre Jehan de Gaucourt,[12] archidiacre de Jonville[13] en
l'eglise de Chaalons,[14] demandeur, d'une part, et messire Jehan de
Honneford,[a] chevalier anglois, defendeur, d'autre part. Le demandeur
dit que de son heritage il est segneur de Maisons sur Seyne que detient
de fait ledit defendeur, et s'esforce de prendre les fruiz, prouffis et
revenuez; ramaine a fait le contenu en son impetracion, et selon ce
conclu a despens, fruis, dommages et interestz, et que le defendant soit
condempné a cesser de touz empeschemens.

A lundi revendront.

[27 November 1424]   [X¹ᵃ 4794, fo. 6r]

En la cause d'entre maistre Jehan de Gaucourt, archidiacre de
Jonville en l'eglise de Chaalons, demandeur, d'une part, et messire
Jehan de Honneford,[b] chevalier anglois, defendeur, d'autre part, le
demandant recite sa demande autresfois faicte, et ramaine a fait le
contenu en son impetracion, et selon ce propose et conclud, et demande despens *cum fructibus*.

Les religieux de Saint Morice de Senlis[15] dient contre Gaucourt et
contre Honneford,[c] et dient que le feu roy, saint Loys,[16] fonda pieca
au chastel et maison royal a Senlis une chappelle de saint Morice, et
par certains moiens ont droit les dis religieux et sont en possession et
saisine d'avoir, prendre et percevoir sur le port et terre de Maisons sur

---

[a] *MS* Hongreford   [b] *MS* Hongreford   [c] *MS* Hongreford

[11] Jean de Rinel, an anglophile who served as the leading royal secretary for many
years.
[12] Jean was the brother of the late Raoul de Gaucourt; he died in 1435.
[13] Joinville, Haute-Marne, arr. Saint-Dizier.
[14] Châlons-sur-Marne, Marne.
[15] The community of St. Maurice de Senlis (Oise).
[16] Louis IX, king of France 1226–70.

Saine chacun an de rente c neuf livres parisis; proposent en oultre et concluent selon la teneur de leur impetracion afin qu'ilz soient tenuz et gardéz en possession de prendre la rente et drois dessusdis; et se mestier est, concluent en ypotheque, et demandent despens etc.

Appoinctié que les parties revendront a viij^c dire ce qu'il appartendra.

[4 December 1424]   [X^{1a} 4794, fo. 9r]

En la cause d'entre maistre Jehan de Gaucourt, archidiacre de Chaalons, demandeur, d'une part, et messire Jehan de Honneforde, chevalier, defendeur.

Les parties revendront demain et *interim* s'entremonstreront estat et contrestat impetrés en ceste matiere. Et sera Honneforde adjorné a demain pour donner asseurement audit de Gaucourt a sa requeste.

[5 December 1424]   [X^{1a} 4794, fo. 10r]

En la cause d'entre maistre Jehan de Gaucourt, demandeur, et messire Jehan de Honneforde, chevalier angloiz, defendeur, d'autre part, et les religieux, abbé et couvent de Saint Morice et le procureur du roy, les parties revendront jeudi.

[19 December 1424]   [X^{1a} 4794, fo. 15r]

En la cause d'entre messire Jehan de Honneford, chevalier, d'une part, et maistre Jehan de Gaucourt, qui dit que veuez ses lettres Honneford procedera et n'obeyra la court aux estatz et lettres par lui impetreez, attendu qu'il se tient a^a [Saint] Germain en Laye^{17} et n'est point alé au voyage dont ses lettres font mencion.

Honneford dit qu'il a lettres d'estat et secondes lettres par lesquelles le roy veult qu'il joysse des premieres lettres d'estat, dont recite le contenu et requiert.

Les religieux de Saint Morice de Senlis dient qu'ilz ont fait leur demande a l'encontre desdictes parties, et n'ont de quoy vivre ne de quoy faire le service divin, et ne leur doivent prejudicier lesdictes lettres d'estat en ceste matiere; concluent a ce et a provision de vivre.

Le procureur du roy dit que les religieux font poursuite d'une rente que lez roys de France leur ont baillié et laissié pour leur premiere fondacion et pour leur vivre, et dit que *in materia alimentorum* on ne doit obeir a telz estas.

Gaucourt dit qu'il n'empesche point que on ne face ce que requierent lesdis religieux.

---

^{a} *Followed by* Honnef, *struck out*

---

^{17} Saint-Germain-en-Laye, Yvelines, of which Handford was captain.

Appoinctié que la court verra lesdictes lettres au conseil et fera droit.
Au conseil. Morvilliers[18a]

[5 January 1425]   [X[1a] 1480, fo. 313v]

Item, a conseillier l'arrest d'entre maistre Jehan de Gaucourt, demandeur, d'une part, et messire Jehan de Honneford, chevalier, defendeur, d'autre part, veuz lez estas et contrestas.

Il sera dit que les parties vendront proceder en ceste cause au
premier jour de mars prochain venant sans prejudice des lettres d'estat
dudit chevalier en autres causes.

> *Dictum partibus xij[a] [die] januarii[b]*

[6 March 1425]   [X[1a] 4794, fo. 45r]

En la cause d'entre maistre Jehan de Gaucourt, demandeur, d'une
part, et messire Jehan de Honneforde, chevalier anglois, segneur de
La Riviere et capitaine du Bois de Vinciennes, defendeur, d'autre
part, qui dit que[c] depuis la conqueste du pais de Normendie par le feu
roy regent,[19] il ot don de la terre et segnorie de Maisons sur Seyne.[20]
Et pour ce requiert la cause estre renvoiee par devant le conseil du roy
a Rouen[21] selon la teneur dez lettres royaulz dont il requiert
l'enterinement.

A jeudi revendront, et *interim* Gaucourt verra lesdictes lettres.

[8 March 1425]   [X[1a] 4794, fo. 47r]

En la cause d'entre maistre Jehan de Gaucourt, archidiacre de
Jenville en l'eglise de Chaalons, demandeur, d'une part, et messire
Jehan de Honneforde, chevalier, defendeur, d'autre part, qui a requiz
l'enterinement dez lettres royaulz par lui impetreez pour renvoier la
cause devant le conseil du roy a Rouen.

---

[a] *In the margin*   [b] *In the margin*   [c] *MS* qu'il

[18] Philippe de Morvilliers was first *président* of the Parlement 1418–33.
[19] Henry V.
[20] That Handford had a grant earlier than that of 26 September 1424 (the one printed
at the beginning of this record and referred to in the re-grant of 31 October 1429
(below, pp. 71–2) is likely. On 23 March 1423, the lieutenant of the *bailli* of Rouen ordered
the *vicomtes* of that *bailliage* to allow Sir John Handford all the profits of the crossing at
Maisons-sur-Seine to the value of 500 *livres parisis*, half the value allowed in the grant of
26 September 1424 (Arch. Seine-Mme, Fonds Danquin, doss. 'Capitaines', H).
[21] Handford was doubtless basing his demand upon an ordinance of Henry V,
probably the one copied into a fifteenth-century Norman *coutumier*: 'Item, en consel a
Rouen le chancellier de Normendie presidera et fera court souveraine, et congnoistra
de tous les dons fais ou a faire par le roy tant en regalles que heritages et autres dons, et
en sera defendue la cognoissance a tous baillis et aultres quelxconques, et seront leurs
proces nulz se il[s] les font' (B.N., MS fr. 5964, fos. 207v–208r: B.L., Add. MS 21411,
fo. 9v. See above, p. 22, n. 8).

Le demandeur dit que le defendant s'est aidié de lettres d'estat et a prins pluiseurs delais en ce proces, dont recite le demené; et depuis nagaires a obtenu lettres royaulx pour renvoier ceste cause en Normendie, qui n'y sera point renvoiee mais demourra en la court de ceans qui represente sans moyen la personne du roy, et a bien acoustumé de faire justice qui est neccessaire en toute pollice et en tout regime et gouvernement. Car sans justice*a* la chose publique ne se puet soubstenir, et n'est durable aucune puissance sans justice; et est la chose qui plus entretient une puissance et segnorie que justice qui est souveraine bien *quia si rex justus sederit, super sedem non adversabitur sibi quidquid malignum.* Et pour ce au traictié de la paix d'entre les royaumes de France et d'Angleterre, juré entre lez princeps et subgiéz d'iceulz royaumes, a esté expressement traictié et ordonné entre autrez choses que justice seroit faicte en ce royaume en la maniere acoustume[e];[22] et seroit la court de ceans tenue en ses souveraineté et ressort,[23] et si est contenu audit traictié que ceulx qui ont esté continuelment en l'obeissance du roy seroient tenuz et maintenuz en leurs heritages mesmement au regard de celles qui n'estoient point donneez au temps du traictié dessusdit;[24] or est ainsi que le demandant a esté continuelment resident a Chaalons au lieu de son benefice, et doit joir du benefice de ladicte paix et traictié et avoir la delivrance de ses terres qui sont assisez en la prevosté et viconté de Paris, et doit demourer la cause ceans, attendu qu'il y a autres parties qui sont en proces ceans, a l'encontre de lui et de Honneforde a cause de ladicte terre de Maisons sur Seyne. Si demourra la cause ceans et ne seront lesdictes lettres qui sont sureptices enterineez car on a teu l'estat du demandeur.

Les religieux de Senlis dient qu'ilz sont de fondacion royal, et lez doit defendre et leurs causes*b* poursuir ceans; et a voulu le roy que la court congnoisse de leurs causes et especialment de ceste cause qui y*c* a esté long temps demenee; et auront provision pour vivre sur leur rente dont ilz ont fait et font demandes; et emploient le propoz Gaucourt et *contra.*

Le procureur du roy dit que justice est neccessaire en toute pollice, et a ce principalment ont voulu entendre et pourveoir les empereurs et haults princes temporelz *quia res militaris legibus in tuto posita est etc.* Dit oultre que par le traictié de la paix dez deux royaumes toutes universités, cités, colleges et singuliers*d* doivent demourer en leurs

---

a followed by null, *struck out*   *b* Followed by prevo, *struck out*
c y *interlined*   *d* et singuliers *interlined*

[22] See the treaty of Troyes (Cosneau, *Grands traités*, pp. 105, 106), articles 7 and 10.
[23] *Ibid.*, p. 105 (article 8).
[24] *Ibid.*, pp. 108-9 (articles 15, 16 and particularly 19).

drois et prerogatives,[25] et ainsi ceste terre de Maisons, qui est en la
prevosté de Paris, soubz le ressort de la court,[a] demourra en la congnoissance dez juges de par deca pour garder lez drois et prerogatives
de ladicte prevosté et de la court de ceans; et au regard desdis religieux,[b]
qui sont de fondacion royal et ont leurs privileges et prerogatives, ne
yront mie plaider en Normendie pour leurs rentes et privileges, ne
le procureur du roy n'y yra mie pour y plaider; si s'oppose a
l'enterinement desdictes lettres et au renvoy; et emploient lez parties
le propos l'une de l'autre contre le dit defendant.

[fo. 47v] Honneforde dit que le roy est empereur en son royaume,[26] et
puet en son royaume ordonner, instituer et commettre juges et mesmement gens clers et notables pour congnoistre d'aucunes causes singu-
lieres entre aucunes personnes, et lez oster de leur ressort ordinaire etc,
appellacione remota; ainsi que fait a esté en matiere dez commissions
donnees sur lez confiscacions;[27] toutesvoiez, il ne dit mie que ceste
cause par lesdictes lettres soit ostee de son ressort, mais doit ressortir
devant le conseil de Normendie, et est vray que le roy regent volt et
ordonna conseillers notables et sages hommes juges ou pais de Normendie pour congnoistre dez dons par lui fais. Et depuis son trespas,
le roy par son conseil,[c] en la presence du duc de Bedford, regent, a
voulu et ordonné que lesdis juges et conseillers de Normendie aient la
congnoissance de tous les dons fais par le feu roy regent durant sa
conqueste. Emploie le contenu esdictes ordonnances et dit qu'il est en
ces termes et que le dit[d] regent lui donna ladicte terre de Maisons qui
n'est mie grant chose eu regard aux charges, et la porcion dont ledit
de Gaucourt pourroit faire demande; et pour ce la cause et la congnoissance de ceste matiere yra en Normendie devant le conseil a Rouen
ou il y a pluiseurs ordonnances enregistreez, coustumes et usages
selon lez quelles il convient jugier; et ne veult point Honneforde
contredire que justice ne soit faicte, mais ne requiert que justice, et
qu'elle soit faicte par lesdis conseilliers a Rouen ausquelz appartient
de ce faire; et se Maisons sur Seine estoit de la prevosté de Paris,

---

[a] soubz le ressort de la court *interlined*
[b] *Followed by* do, *struck out*
[c] son conseil *written in another hand over an erasure*
[d] dit *written in another hand over an erasure*

[25] Cosneau, *Grands traités*, pp. 105-6, 108-9 (articles 9 and 17).
[26] For the fifteenth-century application of the much older maxim 'Rex est imperator
regni sui', see A. Bossuat, 'La formule "Le roi est empereur en son royaume"' *Revue
historique de droit français et étranger*, 4e sér., 39 (1961), 371-81.
[27] A number of references to commissioners for confiscations are to be found in these
texts, e.g., Rose *v.* R. Handford (X[1a] 4795, fo. 237r); Sens *v.* Suffolk (X[1a] 4794, fo. 35r).
In 1423 Pierre Baille was appointed 'receveur des confiscations dans la prévôté de Paris'
(*Gallia Regia*, iv, 372).

neantmoins seroit de ladicte conqueste, ainsi comme Pontoise,[28] Mante[29] et Gisors,[30] et en doit ressortir la congnoissance a Rouen; et ne touche point la cause d'entre lui et Gaucourt, lesdis religieux qui poursuivent se bon leur semble ou ceans ou a Rouen lui ou ledit de Gaucourt, ainsi qu'ils verront expedient; et n'a point impetré lesdictes lettres pour renvoier a Rouen la cause desdis religieux pour ce qu'elle touche en riens *dominium rei*, mais seulement a impetré les lettres pour renvoier la cause d'entre lui et Gaucourt qui regarde *dominium rei* et les ordonnances, usages et coustumes de ladicte conqueste, dont la congnoissance appartient, et doit appartenir, ausdis conseilliers de Normendie, et ainsi la contiennent lesdictes ordonnances, et le veult le roy; si seront ses lettres entereinez, et requiert l'adjunction du procureur du roy.

Gaucourt dit que on ne doit renvoier ceste cause dont la court a commencié a congnoistre, et n'a point acoustumé et n'en doit faire aucun renvoy, mais doit le roy tenir ceste court[a] en l'auctorité, ses prerogatives, preeminences et drois[b] anciens et acoustumés, et ainsi a esté traictié et accordé par la paix juree,[31] et n'est mie vraissemblables que le duc de Bedford, ne autre prince, ait voulu ou veulle faire aucune chose contre ses promesses et seremens si solempnelment fais et deliberés comme a esté le traictié et accord de la paix final, et ne doit mie doubter le defendeur qu'il n'ayt ceans bonne justice et briefve expedicion de ce que lui devroit appartenir, se droit avoit, et si ne se dit avoir don desdictes terres de Maisons que depuis le trespas du roy Charles.

Les religieux requierent que leur cause demeure ceans, et que Honneforde procede ceans, et qu'il prengne jour a defendre, et que ce pendant on leur face provision de vivre sur la rente et arrerages dont autresfois ilz ont fait et font demande.[32]

Le procureur du roy dit que le roy ne doit donner commissaires *appellacione remota*, car il n'a que une souveraine justice, sa court de parlement, qui represente *immediate* sa personne, et se on l'avoit fait, le procureur du roy si seroit opposé combien que en telles commissions on y ait acoustumé de commettre dez gens et dez plus notables de la court; ainsi la cause dessusdicte demourra ceans, et n'y a ordonnance contraire, et ne seroit point publiée *nec ligaret nisi a tempore* [fo. 48r] *publicacionis*; aussi ne pourroit ycelle ordonnance prejudicier audit traictié de la paix.

Appoinctié que la court verra lesdictes lettres et ce que lesdictes

---

[a] court *written over an erasure*   [b] drois *written over an erasure*

[28] Pontoise, Val d'Oise.   [29] Mantes-la-Jolie, Yvelines.

[30] Gisors, Eure, arr. Les Andelys.

[31] See the treaty of Troyes (Cosneau, *Grands traités*, p. 105 (article 8)).

[32] A similar argument was used in Dring *v.* Dynadam; see below, pp. 183–4.

parties vouldront monstrer au conseil; et au regard desdis religieux, lesdictes parties vendront ceans lundi dire l'une contre l'autre ce que vouldront.

Au conseil. Aguenin[33][a]

Ce jour ledit messire Jehan de Honneforde, chevalier, a assenté ledit maistre Jehan de Gaucourt.

Asseurement[b]

[12 March 1425]   [X^{1a} 4794, fo. 50v]

En la cause d'entre les religieux de Saint Morice de Senlis, demandeurs, d'une part, et messire Jehan de Honneforde, chevalier anglois, defendeur, d'autre part, les demandeurs ont autresfois fait leur demande a cause de cent neuf livres de rente qu'ilz se dient avoir droit de prendre sur l'aquict ou terre de Maisons sur Seyne et sur le port de ladicte terre de Maisons, dont ledit de Honneforde est detenteur; qui demande delay de sommer, et requiert a veoir le tiltre des demandeurs.

Appoinctié que Honneforde vendra defendre a la xvme aprés Pasquez et a ce jour sommera ceulx que vouldra, et *interim*, au jour d'uy ou demain, les demandeurs lui monstreront leur tiltre.

Delay. Gar[and.][c]

[27 March 1425]   [X^{1a} 4794, fo. 62v]

Messire Jehan de Honneforde, chevalier anglois, capitaine du Bois de Vinciennes, a baillié ceans sa requeste par escript a l'encontre de maistre Jehan de Gaucourt, archidiacre de Jonville en l'eglise de Chaalons, pour avoir delay de baillier ses lettres et ordonnances devers la court selon la teneur de sadicte requeste.

Gaucourt dit que ladicte requeste est incivile veuz lez delais donnés en ceste matiere.

Appoinctié que ledit chevalier aura delay jusquez a lendemain de Quasimodo[34] pour baillier sesdictes lettres devers la court.

Arrest. Aguenin[d]

[17 July 1425]   [X^{1a} 1480, fo. 328v]

{ Ce jour survindrent audit conseil en la chambre de parlement le chancelier de France,[35] l'evesque de Beauvais,[36] m. Ph[ilipp]e de

---

[33] Jean Aguenin was second *président* of the Parlement.
[34] 16 April 1425.
[35] Louis de Luxembourg, bishop of Thérouanne, appointed chancellor of France for Henry VI on 7 February 1425.
[36] Pierre Cauchon, bishop of Beauvais since August 1420.

Rully,[37] m. P. de Marigny,[38] le sire de Courcelles,[39] m. Q. Massue,[40] m. H. Rapiout,[41] les presidens et conseillers dez enquestes et des requestes du palais, pour deliberer sur le renvoy de certaines causes pendans ceans que on requeroit estre renvoyeez par devant les gens du conseil du roy a Rouen, especialment de la cause touchant maistre Jehan de Gaucourt, chanoine et archidiacre de Joinville, demandeur, d'une part, et messire Jehan de Honneforde, chevalier anglois, capitaine du Bois de Vinciennes,[42] defendeur, d'autre part. Et sembla a tous lesdis conseillers, veuez les lettres et impetracions desdis de Gaucourt et de Honneforde, que la court ne devoit faire aucun renvoy de ladite cause, et en devoit congnoistre. Mais pour ce que aucuns doubtoient par ce le duc de Bedford, regent, estre irrité, ne fu pour lors prise conclusion arrestee sur le fait desdis renvoys, et sembla a aucuns que premierment la court et le conseil devoient envoier aucuns d'eulz devers le dit regent pour lui exposer et declairer a plain les causes et raisons pour lesquelles on ne devoit faire aucun renvoy de ladite cause ne dez autres dont a ladite court appartenoit la congnoissance, afin que de la denegacion dudit renvoy il ne fust irrité ou mal content. Les autres disoient[a] que premierment on devoit faire droit aux parties sur lesdis renvoys, et remonstrer aprés[b] ce audit regent les causes et raisons dessusdites.[43]

[15 January 1426]   [X¹ᵃ 4794, fo. 176v]

Entre les religieux de Saint Morice de Senlis, demandeurs, d'une part, et messire Jehan Honneforde, defendeur, d'autre part; les religieux recitent leur demande autresfois faicte[c] a cause de cix livres de rente et dez arrerages escheuz depuis l'an cccc xviij a l'encontre de messire Jehan de [fo. 177r] Honneforde, chevalier, qui s'est bouté de fait en la terre de Maisons sur Seyne appartenant a maistre Jehan

---

[a] disoient *interlined*   [b] *Followed by* ad, *struck out*
[c] *Followed by* a leur, *struck out*

---

[37] Philippe de Ruilly (or Rueil), *conseiller clerc* at the Parlement.

[38] Pierre de Marigny, *avocat du roi* in 1418, *prévôt* of Paris, royal councillor and master of requests in 1421 (See R. Delachenal, *Histoire des avocats au Parlement de Paris, 1300–1600* (Paris, 1885), pp. 364–5).

[39] Jean, *sire* de Courcelles, member of the court of requests, had been present at the duke of Bedford's marriage at Troyes in May 1423.

[40] Quentin Massue, *conseiller* in the Parlement in 1410, master of requests in 1422.

[41] Hugues Rapiout, formerly lieutenant to the *prévôt* of Paris; *avocat du roi* at the Châtelet in 1421; commissioner for confiscations and forfeitures; master of requests (See *Bourgeois*, p. 284, n. 1).

[42] Bois de Vincennes, Val-de-Marne, arr. Nogent-sur-Marne. It was here that Henry V had died on 31 August 1422.

[43] A wavy line in the margin draws attention to the importance of this text, which is printed in *Fauquembergue*, ii, 178–80.

de Gaucourt, qui en est vray seigneur, qui a consenti qu'ilz soient paiéz; si concluent comme dessus et demandent provision.

Honneforde demande delay pour venir defendre.

Le procureur du roy dit qu'il y a bien prez d'un an que ceste matiere a esté ceans ouverte, qui touche fondacion royal, sur quoy Honneforde a longuement delayé; si requiert le procureur du roy que on face provision ausdis religieux.

Appoinctié que Honneforde revendra lundi dire ce qu'il appartendra; *alias* on fera ausdis religieux telle provision qu'il appartendra.

[28 January 1426]   [X¹ᵃ 4794, fo. 182v]

En la cause d'entre les religieux de Saint Morice de Senlis, demandeurs, d'une part, et messire Jehan Honneforde, chevalier anglois, capitaine du Bois de Vinciennes, defendeur, d'autre part, qui revendra demain pour tous delaiz.

[29 January 1426]   [X¹ᵃ 4794, fo. 183v]

En la cause d'entre les religieux de Saint Morice de Senlis, demandeurs, d'une part, et messire Jehan de Honneforde, chevalier, defendeur, d'autre part, les demandeurs recitent leurs demande autrefois faicte en cas de simple saisine, et requierent que leurs conclusions pertinens soient a eulz adjugés par defaulte de defenses, et que on leur face provision.

Appoinctié que les parties metteront devers la court ce que vouldront a fin de provision, et la court fera [droit], et a viijᵉ pour tous delais*ᵃ* vendra Honneforde defendre sur le principal; *alias* on adjugera aux demandeurs leurs conclusions.

[5 February 1426]   [X¹ᵃ 4794, fo. 187v]

Messire Jehan de Honneford, chevalier, revendra jeudi pour tous delais defendre contre les religieux de Saint Morice.

[7 February 1426]   [X¹ᵃ 4794, fo. 188v]

En la cause d'entre les religieux de Saint Morice, demandeurs, d'une part, et messire Jehan de Honneforde, qui defend et dit que le feu roy Henry, ou temps de sa conqueste, conquesta ladicte terre de Maisons sur Seyne franche et quite de toutes charges, et depuis la donna a Honneforde franche et quite, et en a lettres verifieez et expedie[e]z en la chambre des comptes de Normendie;[44] et l'a tenu

---

ᵃ pour tous delais *interlined*

[44] An ordinance of Henry V stated that all grants made by him were 'chargees' by debts, unless otherwise stated. They were, however, quit of 'debtes mobiliaires' (B.L., Add. MS 21411, fo. 9r; B.N., MS fr. 5964, fo. 207r. See Ferret *v.* Russell (nᵒ **I**), n. 8).

par lui et ses devanciers franche et quite de ladicte redevance par l'espace de x ans, voire par l'espace de xx, xxx et xl; et quoy que soit, les religieux n'ont percepcion ne possession depuis x ans; si ne seront receuz a intenter simple saisine, et ne scet riens de la redevance, et l'a baillié le roy a Honneforde franche et quicte de ladicte redevance; et aura la procureur du roy adjoint avec lui, et en requiert l'adjonction; et si estoit la terre conquesté devant le traitié de la paix et donné a Honneforte, et n'en ont point les religieux de patent [de] delivrance; et se delivrance, ce seroit ou cas que la terre n'auroit esté donnee; si conclud afin de [fo. 189r] non recevoir, *alias* que les religieux n'ont cause ne action, et y a prescripcion, et demande despens, et n'y chiet provision ne restablissement car la matiere n'y est point disposee.

Le procureur du roy et les religieux requierent a veoir les lettres et tiltres de donacion dont se vante Honneforde.

Lundi revendront les parties, et *interim* le procureur du roy verra lesdictes lettres; aussi les verront les religieux.

[14 February 1426]   [X^{1a} 4794, fo. 192v]

En la cause d'entre les religieux de Saint Morice de Senlis, demandeurs, d'une part, et messire Jehan de Honneford, chevalier anglois, defendeur, d'autre part, les demendeurs repliquent et dient que l'an m ij^{c}xxiiij [? leur] fu donné leur tiltre ancian et ont droit *in re*; recitent en oultre le contenu es lettres de leur fondacion et dotacion, par lesquelles appert que le defendeur n'est recevable a nyer leur demande, et n'est point la terre de Maisons, ne le peage ou rente dessusdis, de la conqueste de Normendie, mais sont lesdictes terres et peage de la chastellerie^a de Poissy en la visconté de Paris, et quoyque die Honneford, le roy d'Angleterre ne lui donna onquez ladicte terre, et n'en appert point par son tiltre mais appert de contraire; mais est son don fait par le duc de Bedford en octobre iiij^{c}xxij a Rouen,[45] et lors le roy d'Angleterre estoit trespassé et vivoit le feu roy Charles, et estoit Bedford lieutenant en Normendie, et ne povoit donner ladicte terre qui n'est mie assises es marches dont lesdictes lettres font mencion, mais est situee en la chastellerie de Poissy; et si n'estoit mie la terre a Raoul de Grancourt qui tenoit belles terres en Normendie, et s'il avoit donné la terre de messire Raoul de Gaucourt, il n'auroit mie donné la rente dez. religieux, et ne lui auroit donné la terre de Maisons, ne le peaige, et n'en a don ne verificacion; et si est bouté de fait, lui estant capitaine de Saint Germain en Laye, et si devroit paier et faire lez. charges par le texte de sa lettre ou y a escript, entre autres choses, *proviso quod non sit de dommanio*, et est ladicte rente *de dommanio*, qui

---

^{a} chastellerie *written over an erasure*

[45] This is likely to be the earliest grant referred to in n. 20, above.

l'acheta [fo. 193r] de son argent, et par le traictié de la paix les
demandants qui sont et ont esté en l'obeissance du roy doivent demourer en leurs drois, rentes et revenues, et doivent joir au moins par
provision ou par maniere d'estat par main souveraine, attendu que
Honneforde est *violentus possessor*; et l'an cccc xv[-]xvj et autres, Roch-
ete, receveur de Gaucourt, a paié lesdis religieux de leur rente ou d'une
partie; et l'an cccc xvij Senlis fu assiegee[46] ou lez religieux estoient
encloz et ne leur povoit on riens imputer de negligence; non feroit on
en l'an cccc xviij que la ville de Rouen fu assiegee,[47] et ne leur convenoit
ne convient point avoir de patent, car la terre de Maisons n'est pas de
la conqueste de Normendie; aussi ne fault il point de patent aux gens
d'eglise, et si y a a Maisons pluiseurs seignories et*a* appartient ausdis
religieux ladicte rente qui est partie de la segnorie et estoit le droit
qu'ilz ont constitué avant ce que la terre venist a Gaucourt. Et volt le
roy d'Angleterre qu'i[ls] joyssent de tous leurs drois et de ladicte rente
qui leur fu baillee par*b* le roy [et] par*b* ses predecesseurs et successeurs,
et n'a Honneford aucun don du roy d'Angleterre qui volt par tout
reserver le droit des eglises; et s'il monstroit autre don, proteste de le
debatre; et pour ce requiert a fin d'estat que la chose soit mise en la
main du roy et soient paiéz de leur rente, et que soient maintenuz, et
Honneforde condempné es arrerages depuis l'an cccc xviij; et conclud
comme a l'estat ou provision telle que la court regardera; et emploie
l'arrest d'entre messire Huguez Ferret et Edoard Roussel,[48] et l'arrest
d'entre la Houssaie et Conflans, et a fin d'estat requiert examen de vj
tesmoins ou cas que par les tiltres on ne lui pourroit faire provision;
et requierent l'adjonction du procureur du roy; et dient qu'ilz
s'opposerent autresfoiz a la verificacion du don du defendant.

La procureur du roy dit que la fondacion desdis religieux est an-
ciennement faicte par le feu roy Saint Loys; si requiert que la court
leur pourvoie selon la teneur de leur tiltre.

Les parties revendront lundi.

[16 February 1426]   [X¹ᵃ 1480. fo, 340r]

Ce jour oudit conseil en la chambre de parlement survindrent et
furent assembléz les presidens et conseilliers dez chambres des enquestes et des requestes du palais pour avoir advis et deliberacion
ensemble se on prununceroit l'arrest ou appoinctment d'entre maistre
Jehan de Gaucourt, archidiacre de Joinville, demandeur, d'une part,

---

a Followed by enf, *struck out*
b MS pour

---

[46] A reference to the siege of Senlis by Charles VI in February 1418.
[47] The siege of Rouen by Henry V began at the end of July 1418 and ended on 13
January 1419.
[48] See above, pp. 25–7.

et messire Jehan de Honneforde, chevalier anglois, capitaine du Bois de Vinciennes, defendeur, d'autre part, ou se l'en delayeroit a le pronuncier au moins jusquez a ce que on eust premierment parlé de ce au chancelier de France, veu ce qui avoit esté advisé et deliberé cy dessus ou registre du xvij^e jour de jullet derrain passé, en la presence dudit chancelier. Et finablement fu conclu que le dit arrest ou appoinctment seroit pronuncié, et que on ne devoit delaier la pronunciacion d'icellui arrest qui a esté conclu ainsi qu'il s'ensuit.

Il sera dit que ladite cause demourra ceans, et y procederont en oultre les parties, ainsi qu'il appartient par raison.[49]

Pronunciatum xxiij^a [*die*] *huius mensis*. Aguenin^a

[18 February 1426]   [X^{1a} 4794, fo. 195v]

En la cause d'entre les religieux de Saint Morice de Senlis, demandeurs, d'une part, et messire Jehan de Honneforde, chevalier, defendeur, d'autre part, qui duplique et dit que les demandeurs ne furent onquez paiéz de ladicte rente depuis x ans, non mie depuis xx, ne depuis xxx, et n'en furent onques paiéz, et y a prescription de x ans en ypotheque *respectu tercii possessoris*; or est Honneforde ung tiers possesseur bien fondé en ses defenses, et *revera* les demandants n'y ont point d'ypotheque, et seroit prescripte par x, par xx, par xxx ans et par tant souffisant; et n'est mie compatible action ypothequee avec simple saisine; et a Honneforde bon tiltre, et n'est besoing d'en monstrer car il est defendeur, *et actore non probante, reus absolvitur*,[50] et ne sont lez religieux recevables, et a tiltre du feu roy d'Angleterre, et estoit la terre de sa conqueste, et la^b donna franche et quicte de ladicte rente, et y a ordonnances devers le conseil de Normendie a Rouen, et ne valent les argumens que font lez demandants pour impugner son tiltre qui est bel et bon, et en a d'autrez paravant et depuis que lez religieux n'ont mie veu; et ne s'ensuit mie se Maison est en la chastellerie de Poissy que ce ne fust de la conqueste, car le roy d'Angleterre tenoit et tient Poissy et Saint Germain en Laye qui sont de la conqueste, et sont tenuz du bailliage de Mente, ne onques puis la conqueste, ne ressortirent par deca mais ont ressorti par de la a Mente et en Normendie; et est vray que le roy d'Angleterre tint ladicte terre de Maisons, et en a esté rendu le compte a Rouen, et y commist premierment feu messire Jehan Grey,[51] et depuis le bailla a messire Hemon Heron,[51a]

---

^a *In the margin*   ^b *MS* le

[49] This text is printed in *Fauquembergue*, ii, 193–4.
[50] 'Actore nihil probante … reus tamen absolvitur' (*Libri Feudorum*, lib. II, tit. xxxiii). Also cited n° **XVIII**, n. 20.
[51] Probably John Grey of Heton, count of Tancarville, killed at Baugé in March 1421.
[51a] He was dead by 19 August 1427 (A.N., X^{1a} 8302, fo. 195v). See appendix I.

apres a Guillaume Huru et autres; et quoy qu'il die au regard de
Grancourt ou de Gaucourt, il l'entend a dire pour servir a ses defenses
et en ceste cause sans prejudice; et dit que on ne scet qui est Grancourt
et y devroit avoir Gaucourt, et ne seroit que l'erreur de*a* cellui qui
escript la lettre, *et constat de persona*, et y a escript Gaucourt en la
visitacion, et s'il y avoit Grancourt, pour neant se seroient lez religieux
a ce opposéz, et se ou don de Honneforde y avoit escript *faciendo debita*
etc, ce seroit a entendre *de oneribus et debitis feudalibus*; si ne sont a
recevoir, et n'ont action, et sera Honneforde absolz et ne sera faicte
provision aux religieux en matiere de cessacion, et n'est point la
matiere privilegiee; et confessent*b* en prenant simple saisine que
Honneforde est possesseur. Et pour ce ne sera fait a ceste fin examen
de tesmoins *quia frustra fieret*, et n'y chiet provision; et quant vendra au
principal et seront appointciés en fais contraires*c* ou autrement lors
pourront selon leur semble faire leur requeste.

Appoinctié que la court verra ce que les parties vouldront monstrer
au conseil et fera droit.

      Au conseil. Aguenin*d*

[4 March 1426]   [X¹ᵃ 4794, fo. 204r]

Les religieux de Saint Morice de Senlis ont baillié ceans par escript
leur requeste a l'encontre de messire Jehan de Honneforde, chevalier,
a fin qu'il soit decheu de baillier lettres, ou qu'ilz aient provision.

Appoinctié que Hanforde baillera dedens viij jours ses lettres et ce
que vouldra baillier, *alias* on jugera le proces en l'estat qui sera.

[7 March 1426]   [X¹ᵃ 4794, fo. 207v]

En la cause d'entre maistre Jehan de Gaucourt, archidiacre de
Jenville en l'eglise de Chaalons, demandeur, d'une part, et messire
Jehan Hanforde, defendeur, d'autre part, le demandeur fait sa demande et conclud comme dessus a cause de la terre de Maisons sur
Seine, et a demandé default et provision de la court. Apréz ce que
maistre Jehan Paris⁵² a dit que ledit de Hanforde lui a defendu, passéz
trois mois et depuis, qu'il ne s'entremist plus pour lui en ceste cause; et
requiert que ce soit enregistré.

Appoinctié que lundi revendront les parties, et *interim* Honneforde et
Paris adviseront ce que devront ou vouldront dire.

---

    a Followed by le *struck out*
    b Followed by a word erased
    c Followed by l, *struck out*
    d In the margin

    ⁵² Jean de Paris was one of the leading *procureurs* to serve in the Parlement in these
years. He also represented Sir John Fastolf against Denis Sauvage.

[12 March 1426]   [X¹ᵃ 4794, fo. 208v]

Les religieux de Saint Morice requierent que messire Jehan de Hanforde, chevalier, soit decheu de baillier selon la teneur de sa requeste.

Maistre Jehan Paris dit que Hanforde s'en est alé, et ne sauroit que baillier.

Appoinctié que Honneforde baillera dedens samedi ce que vouldra, *alias* on jugera le proces par ce qui sera devers la court.

[19 March 1426]   [X¹ᵃ 4794, fo. 215v]

En la cause d'entre maistre Jehan de Gaucourt, archidiacre de Jenville, demandeur, d'une part, et messire Jehan de Honneforde, chevalier, capitaine du Bois de Vinciennes, defendeur, d'autre part, maistre Jehan Paris dit que autresfois ledit chevalier lui avoit mandé qu'il ne s'entremeistre plus pour lui en ladicte cause, et depuis lui a escript ses lettres closes, et lui defend qu'il ne s'en entremette plus; et pour ce [fo. 216r] le demandeur a fait appeller ledit chevalier, qui avoit esté appellé a la fenestre au matin;[53] et pour ce qu'il n'a comparu, ne autre pour lui, a demandé ycellui Gaucourt default contre ledit chevalier, lequel default a esté octroié en la presence dudit Paris, et a ordonné la court que ce qu'il avoit dit fust enregistré.

Deffault.[a]

[18 April 1426]   [X¹ᶜ 131, no. 58]

Comme proces soit meu et pendant en la court de Parlement entre les religieux, prieur et couvent de la chappelle royal de Saint Maurice fondee ou chastel de Senlis, et le procureur du roy nostre sire adjoinct avecques eulx, demandeurs, d'une part, et noble homme messire Jehan de Henneforde, chevalier, seigneur de Marly le Chastel[54] et de Maisons sur Seine, deffendeur, d'autre part, a cause et pour raison de cent neuf livres parisis de rente annuele et perpetuele que les dis religieux dient avoir droit et estre en possession et saisine de prendre et percevoir par chacun an, c'est assavoir cent livres parisis aux octaves de Noel et neuf livres parisis le jour de la mikaresme,[55] en et sur le port, peage et travers dudit lieu de Maisons sur Seine dont ledit chevalier est seigneur, proprietaire et detenteur, de laquele[b] rente lesdis religieux dient les arrerages leur estre deues de neuf annees dont ils font demande et requierent estre maintenuz et gardéz en possession

---

[a] *In the margin*
[b] de laquele *interlined over* desqueles, *struck out*

---

[53] This was the formal manner of publication of a summons.
[54] Marly-le-Roi, Yvelines, arr. Saint-Germain-en-Laye.
[55] Mid-Lent.

et saisine d'icelle rente, avecques condempnacion de despens, dommages et interests. A quoy de la partie dudit deffendeur a esté dit et respondu que le roy nostre sire, pour consideracion des bons et agreables services qu'il lui a fais, lui a donné ladite terre, peage et travers de Maisons sur Seine, et de ladite charge et rente que demandent lesdis religieux, ne savoit riens ne n'avoit onques oy parler. Et s'aucune rente y avoient lesdis religieux, sy l'avoient ilz perdue par la conqueste faicte par le roy nostredit seigneur que aussy bien avoit il conquesté ladicte rente qu'il avoit la terre. Et pour ce et autres raisons par lui alleguees, nyoit icelle rente estre deue, en proposant positions^a contraires a celle desdis demandeurs. Sur quoy parties oyés, elles ont esté appoinctees a mettre devers la court leurs lettres et tiltres, et en arrest. Et ont lesdis religieux mis et produit leurs lettres et tiltres^b de leur costé, lesquelz le dit deffendeur a fait veoir par son conseil; et iceulx veus, pour ce qu'il appert lesdis religieux, qui sont gens d'eglise, avoir droit de prendre et percevoir ladicte rente, le dit deffendeur, qui est un chevalier d'onneur et de bonne conscience, n'a plus voulu ne veult soustenir ledit proces. Et sont les dictes parties d'acord, s'il plaist a la court, en la maniere qui s'ensuit. C'est assavoir que lesdis religieux soient maintenuz et gardéz en possession et saisine de prendre et percevoir, doresenavant, par chacun an lesdictes cent neuf livres parisis de rente en et sur ledit port, peage et travers de Maisons sur Seine aux termes et par la maniere que dit est. Et au regard des arrerages escheuz d'icelle rente, ledit deffendeur sera tenu ^{c}de leur presentement payer la somme de vj^{xx}x livres parisis pour tout le temps passé jusques aux octaves de Noel^{56} et la micaresme prouchain venant, ausquelx termes de Noel et micaresme prouchain venant ledit defendeur sera tenu de payer ladite rente et la continuer de la en avant par chacun an ausdis termes des octaves de Noel et micaresmes; et par payant ladite somme de six vins dix livres parisis, lesdis^c religieux ont quicté et quittent icellui deffendeur, ses heritiers et ayans cause de tout ce dont ilz lui povoient faire demande a cause desdis arrerages, sauf toutesvoyez et reservé ausdis religieux d'en faire poursuite et demande contre autres se ladite terre et seigneurie venoit en leurs mains autrement que par le transport que en pourroit faire ledit deffendeur. Et par tant se departent lesdictes parties de court et de tout proces sanz despens d'une partie et d'autre; fait du consentement de maistre Hebert Camus, procureur desdiz religieux et du procureur du roy, d'une part, et de maistre Jehan Paris, procureur dudit deffendeur,

---

^{a} MS possessions ^{b} et tiltres *interlined*
$^{c...c}$ *The text* de leur ... lesdis *is in the margin, in place of another, struck out. About four lines long, it shows signs of having been drawn up as a draft of terms acceptable to both parties*

^{56} Eight days after Christmas.

d'autre part, le xviij^e jour d'avril, l'an mil quatre cens vint six, apres
Pasques.

Maistre Jehan Paris, je consens que vous passez cest acord selon la
forme et teneur de ceste cedule, escript ce xvij^e jour d'avril m.cccc
xxvj^e.

Handforde [autograph]

Non ponatur hoc in accordo.

[On dorse]

Henricus etc. universis etc. Notum facimus quod de licencia et auctoritate nostre Parlamenti curie, inter partes infrascriptas tractatum,
concordatum et pacificatum extitit, prout in quadam cedula eidem
nostre curie tradita continetur, cuius tenor talis est. Comme, etc. Ad
quod quidem accordum ac omnia et singula in eo contenta tenenda,
complenda et exsolvenda ac firmiter et inviolabiliter observanda dicta
nostra curia partes predictas et earum quamlibet quatenus unamquamque ipsarum tangit et tangere potest, ad requestum et de consensu
quibus supra in scedula condempnavit et condempnat per arrestum.
Et ea ut arrestum eiusdem curie teneri, compleri, observari et exsolvi
et execucioni demandari voluit et precepit, partes predictas ab eadem
nostra curia licenciando, et abire impune permittendo. In cuius rei
testimonium presentibus litteris nostrum jussimus apponi sigillum.
Datum Parisius in Parlamento nostro, xviij^a die aprilis, anno domini
m° cccc° xxvj°, et regni nostri quarto post Pascha.

De Parlamento m° cccc° xxv°
  Concordia inter religiosos priorem et conventum capelle sancti
Mauricii fundate in claustro Silvanetensi, ac procuratorem regis, et
dominum Johannem Honneforde, militem anglicum.

[27 April 1426]   [X^{1a} 1480, fo. 346v]

  Item, a conseillier l'arrest d'entre maistre Jehan de Gaucourt, archidiacre de Jeinville en l'eglise de Chaalons, requerant le prouffit
d'un default a l'encontre de messire Jehan de Honneforde, chevalier.

  Il sera dit que ledit de Gaucourt aura adjornement contre ledit de
Honneforde pour veoir adjugier le prouffit du default contre lui obtenu.

[12 June 1426]   [X^{1a} 1480, fo. 350v]

  Item, a conseillier l'arrest d'entre maistre Jehan de Gaucourt, archidiacre de Jeinville en l'eglise de Chaalons, requerant le prouffit de
deux defaulz a l'encontre de messire Jehan de Honneforde, chevalier
anglois, defendeur.

Il sera dit que le dit de Gaucourt aura, et lui adjuge la court, tel prouffit par vertu desdis defaulz, c'est assavoir que ledit de Honneforde est decheu de toutes defenses et n'aura que une litiscontestacion, et baillera ledit de Gaucourt sa demande articulee par devers la court, et fera ses fais sur lesquelz sera la verité enquise; et l'enqueste faite et rapportee, jointe ladite litiscontestacion, la court fera droit aux parties. Et condempne ycelle court ledit Honneforde es despens desdis defaulz, la taxacion reservee.

Pronunciatum xxij^a die huius mensis. Morvilliers^a

[22 June 1426]   [X^{1a} 65, fo. 53r]

Cum in certa causa mota et pendente in nostra Parlamenti curia inter dilectos nostros Johannem de Gaucuria, canonicum et archidiaconum de Joinvilla in ecclesia Cathalaunensi, actorem, ex una parte, et Johannem de Honneforde, militem, defensorem, ex altera, racione vendicacionis ville, terre et dominii de Domibus supra Secanam ad dictum actorem, ut dicebat, spectantium, in tantum processum extitisset quod, dictis partibus in prefata curia comparentibus, supranominatus defensor, post aliquas dilatorias impetraciones status per ipsum defensorem et alteras exadverso dictum actorem a nobis obtentas, dictam causam coram dilectis et fidelibus nostris consiliariis apud Rothomagum iuxta tenorem certarum a nobis litterarum super hoc ab ipso defensore impetratarum ex causis in dictis litteris declaratis remitti requisiisset. Dicto actore ex adverso causam predictam in prefata nostri Parlamenti curia absque remissione quacumque determinari et decidi requirente, demumque super hoc antedictis partibus auditis et, in arresto appunctatis, per arrestum predicte curie dictum fuisset quod de dicta causa nulla remissio fieret, et quod dicte partes in predicta curia procederent. Post cuius arresti pronunciacionem, dictus actor suam demandam in causa dicte rei vendicacionis in predicta curia recepiisset [fo. 53v] seu proposuisset, ad quam^b demandam defendere magister Johannes Paris', in dicto Parlamento procurator, qui pro dicto defensore prius occupaverat, defendere seu ulterius in dicta curia nomine dicti defensoris procedere recusasset; propter quod prefata curia dicto actori requirenti defectum contra predictum defensorem concessisset, et ipsum defensorem dicti defectus utilitatem per dictum actorem in scriptis penes dictam curiam traditam adiudicari, visurum ad instanciam ipsius actoris ad certam diem competentem tunc sequentem adiornari mandasset. Qua die aut alia ex ipsa dependente seu continuata, prefatus actor se debite presentasset, et defectum contra dictum defensorem in presencia supranominati magistri Johannis Paris obtinuisset et utilitatem dictorum defectuum sibi

^a *In the margin*   ^b *MS* quem

adiudicari requisiisset; propter quod dicta curia utilitatem dictorum defectuum in scriptis litteras ac munimenta et ea quibus in ea parte dictus actor se iuvare vellet, penes dictam curiam tradere appunctasset seu ordinasset. Visis igitur per dictam curiam antedictis utilitate et munimentis, ac cum matura deliberacione attentis atten[den]dis, prefata curia per suum arrestum talem supranominato actori, ex dictis defectibus adiudicans utilitatem predictum defensorem a suis defensionibus cecidisse, et solam litis contestacionem in ea parte habere declaravit et declarat. Ordinavitque insuper et ordinat dicta curia quod dictus actor suam demandam antedictam articulatam tradet in scriptis, ac super factis in ea contentis inquiretur veritas, et inquestaque*a* facta et penes dictam curiam reportata juncta predicta litis contestacione ipsa curia partibus antedictis faciet jus, dictumque defensorem prefata curia in expensis antedictorum defectuum condempnavit et condempnat, earumdem expensarum taxacione dicte nostre curie reservata. In cuius etc. Datum Parisius, in Parlamento nostro, xxij*a* die junii anno domini millesimo cccc° vicesimo sexto, et regni nostri quarto.

[5 August 1426]   [X¹ᵃ 4794, fo. 295r]

Maistre Jehan de Gaucourt dit qu'il a fait adjorner ceans messire Jehan de Honneforde, chevalier, pour veoir*b* taxer les despens esquelz il est condempné envers lui; si demande default.

Appoinctié au conseil.

      Au conseil. Aguenin*c*

[27 May 1427]   [X¹ᵃ 4795, fo. 101v]

Entre les tresorier et chanoines de la Sainte Chappelle, demandeurs, d'une part, et messire Jehan de Honneforde, chevalier, defendeur, d'autre part, les demandeurs dient qu'ilz ont droit de prendre rente sur la terre, port et peages de Maisons sur Seine dont appert par sentence des requestes donnees a leur prouffit contre feu messire Raoul de Gaucourt, lors segneur et detenteur de ladite terre, ville et peage de Maisons, et de ce sont en possession et saisine, et en ont joy jusquez a l'an cccc xvij que les debas et empeschemens sont parvenuz; proposent et concluent tout pertinent en matiere de simple saisine,*d* et que le defendeur soit condempné a paier les arrerages escheus et qui escherront pendant le proces et a paier doresenavant tant qu'il en sera detenteur, et despens, dommages et interestz.

Le defendeur demande delay pour sommer ses garans qui lui a esté octroié au xv*e* jour de juing prochain venant.

---

a MS inquestamque   *b* veoir *interlined*
c *In the margin*   *d* saisine *interlined*

[27 May 1427]   [X¹ᵃ 65, fo. 155r]

Notum facimus quod super peticione seu demanda in nostra Parlamenti curia die date presencium per dilectos nostros thesaurarium
et canonicos Sacre Cappelle nostre Parisius,[57] actores, contra dilectum
et fidelem nostrum Johannem de Hanforde, militem, defensorem,
ratione vel occasione duodecim librarum turonensium redditus quem
dicti actores de et super Domibus supra Secanam habere pretendebant
ac nonnullorum arreragiorum inde obventorum de quibus antedicti
actores prefato defensori peticionem faciebant edita. Prefata curia
nostra dicto defensori dilationem pro summando garandos suos hinc
ad quindecimam diem instantem mensis junii dedit et concessit, datque
et concedit per presentes. Quocirca primo dicti Parlamenti nostri
hostiario vel servienti nostro super hoc requirendo committimus et
mandamus quatinus omnes illos quosᵃ dictus defensor sibi duxerit
nomi[n]andos ad dictam decimam quintam junii in dicta nostra Parlamenti curia comparituros adiornet summationes requestas et conclusiones quas contra eos circa premissa dictus defensor facere voluerit
audituros ulteriusque processuros et facturos quod fuerit rationis, de
adiornamento hujusmodi dictam nostram [fo. 155v] curiam debite
certificando ab omnibus autem justiciariis et subditis nostris dicto
hostiario vel servienti in hac parte pareri volumus et jubemus. Datum
Parisius in Parlamento nostro vicesima septima die maii anno domini
mº ćcccº vicesimo septimo.

[1 July 1427]   [X¹ᵃ 4795, fo. 116r]

Messire Jehan de Honneforde, chevalier anglois, revendra lundi a
l'encontre des tresorier et chanoines de la chappelle du palais, s'ilz ne
sont d'accord.

[1 August 1427]   [X¹ᵃ 1480, fo. 380v]

Ce jour maistre Jehan de Gaucourt, archidiacre de Jeinville en l'eglise
de Chaalons, a baillié ceans une requeste par escript a fin qu'il puist faire
examiner tesmoins en la cause pendans ceans entre lui, demandeur,
d'une part, et messire Jehan de Honneforde, chevalier, defendeur,
d'autre part, selon la teneur de sadite requeste. Sur quoy la court a
deliberé, et octroye audit de Gaucourt que, appellé ledit de Honneforde,
il puist faire faire sur l'intendit par lui bailléᵇ examiner tesmoings pour
valoir en ladite cause ce que raison donra.

ᵃ MS que
ᵇ sur l'intendit par lui baillé *interlined*

---

[57] The Sainte Chapelle, or Chapel Royal, in Paris.

[13 August 1427]   [X¹ᶜ 134, no. 51]

Comme certain proces feust meu et pendant en la court de Parlement
entre messire les tresorier et chanoines de la Sainte Chappelle du palais
royal a Paris, demandeurs, d'une part, et messire Jehan de Hanneford,
chevalier, seigneur de Maisons sur Seine, defendeur, d'autre part, sur
ce que lesdis demandeurs disoient et maintenoient que a cause de ladite
Sainte Chappelle et de la fondacion, dottacion ou augmentacion d'icelle,
ils ont droit et sont en possession et saisine de prendre, avoir et percevoir,
par chacun an au terme de Noel, en et sur le peage et travers de la
riviere de Seine audit lieu de Maisons sur Seine lez Sartrouville⁵⁸ et sur
toutes les autres rentes et revenues de la terre et seigneurie de Maisons,
dont ledit defendeur est seigneur, proprietaire et detenteur, la somme
de douze livres parisis de rente annuelle et perpetuelle rendables et
paiables audit terme de Noel, dont plusieurs arreraiges leur estoient
deubz. Et pour ce que ledit defendeur avoit esté refusant de les en paier
et satisfaire, ils avoient obtenu certaines lettres royaulx par vertu
desquelles ilz le avoient fait convenir et adjourner en ladite court de
Parlement ou le proces est pendant. Si requeroient et concluoient lesdis
demandeurs^a que, par arrest de ladite court, ilz feussent maintenuz et
gardéz en possession et saisine de prendre et percevoir, par chacun an
au terme et par la maniere que dit est, ladite rente de xij livres parisis
en et sur lesdis peage, travers et seigneurie et sur toutes les rentes,
revenues et appartenances d'iceulx; et que ledit defendeur, comme
seigneur et proprietaire et detenteur d'iceulx peage, travers et seignourie
de Maisons, feust condempné et contraint a leur rendre et paier lesdis
arrerages escheuz de ladite rente qui sont de dix annees, montant
a la somme de vj^xxiiij livres parisis. Et avec ce feust condempné a leur
rendre, paier et continuer doresenavant ladite rente par chacun an
audit terme de Noel tant et si longuement comme il sera seigneur, proprietaire et detenteur desdis peage, travers et seignourie de Maisons.
Et en oultre soient iceulx peage, travers et seignourie, et les rentes, revenues, prouffiz et emolumens d'iceulx, declairéz, affectéz,^b ypothequéz
et obligéz a ladite rente et arreraiges paier et continuer doresenavant pour chacun an au terme dessusdit. Et fust icellui defendeur
condempné en leurs despens, dommaiges et interestz, en laquelle cause
tant a esté procedé que ledit defendeur a eu jour de garant, et depuis
a veu et fait veoir par son conseil les droiz, tiltres et enseignemens
desdis demandeurs avecques plusieurs sentences sur ce par eulx

---

^a *Followed by* que ledit defendeur, comme seigneur, proprietaire et detenteur d'iceulx
peage, travers et seigneurie, *struck out*
^b affectéz *interlined over* et faiz, *struck out*

⁵⁸ Sartrouville, Yvelines, arr. Saint-Germain-en-Laye. It is opposite Maisons, on the
right bank of the Seine.

obtenues et comptes ancians de ladite eglise; et depuis n'a aucunement
esté procedé en ladite cause. Finablement les dites parties, pour bien de
paix et eschever tous proces, fraiz, missions et despens, sont d'accord,
s'il plaist a ladite court de Parlement, en la maniere qui s'ensuit.
C'est assavoir que lesdis demandeurs sont maintenuz et gardéz
en lesdites possessions et saisines de prendre et percevoir, par chacun
an, ladite rente de xij livres parisis audit terme de Noel en et sur ledit
peage, travers et seignourie de Maisons sur Seine, et sur toutes les
rentes et revenues d'iceulx; et pour tous les arrerages escheuz de ladite
rente depuis le temps que ledit defendeur*a* en est detenteur paiera
icelui*b* defendeur ausdis demandeurs la somme de xxiiij livres parisis
pour une foiz au terme de Saint Remi prouchain venant[59] *'sans ce que
pour cause desdis arrerages ilz lui puissent plus riens demander;'c* et
paiera et continuera icelle rente doresenavant par chacun an audit
terme de Noel tant et si longuement comme il sera proprietaire et
detenteur desdis peage, travers et seignourie de Maisons, lesquelz
peage, travers et seignourie et les prouffiz, rentes et revenues d'iceulx
demourront*d* affectéz, ypothequéz et obligéz a icelle rente paier et continuer doresenavant, sauf*e* toutesvoies*f* ausdis demandeurs la poursuite
des arrerages escheuz par avant que ledit Hanneforde feust detenteur
desdites seignouries*g* contre autre que contre icelluy Hanneforde. Et
pour tant se departent lesdites parties de court et de tous proces sans
despens d'une partie et d'autre. Fait du consentement de maistre*h*
Jehan Paris, procureur desdis tresorier et chanoines, d'une part, et de
maistre Gervaise de Meserettes, procureur dudit defendeur, d'autre
part, le xiij*e* jour*i* d'aoust mil cccc vint et sept.

[On the dorse]   De Parlamento m° cccc° xxvi°

Concordia inter thesaurarium et canonicos Sacre Capelle palacii
Parisiensis et dominum Johannem Hanforde, militem, dominum
de Domibus supra Secanam

Henricus etc, universis presentes litteras etc, notum facimus quod
de licencia et auctoritate nostre parlamenti curie inter partes infrascriptas tractatum, concordatum et pacificatum extitit prout in quadam accordi cedula eidem nostre curie tradita continetur, cujus tenor

---

a que ledit defendeur *written over* qu'il, *struck out*
b icelui *written over* ledit, *struck out*
c Passage sans . . . demander *interlined*
d demourront *written over* sont declairés, *struck out*
e sauf *interlined*
f Followed by sauf, *struck out*
g desdites seignouries *interlined*
h maistre *interlined*
i Followed by de juillet, *struck out*

---

[59] 1 October 1427.

talis est. Comme etc. Ad quodquidem accordum ac omnia et singula in eo contenta tenenda, complenda et exsolvenda ac firmiter et inviolabiliter observanda, dicta nostra curia partes predictas et earum quamlibet*ª* quatenus unamquamque ipsarum tangit et tangere potest ad requestam et de consensu quibus supra in cedula condempnavit et*ᵇ* condempnat per arrestum; et ea ut arrestum ejusdem curie teneri, compleri, observari et exsolvi ac execucioni*ᶜ* demandari voluit et precepit partes predictas ab eadem curia licenciando et abire impune permittendo. In cujus rei testimonium etc. Datum Parisius in Parlamento nostro decima tercia die augusti, anno domini m° cccc° vicesimo septimo, et regni nostri quinto.

Pour la Saincte Chapelle du Palais*ᵈ*

[2 September 1427]   [X¹ª 8302, fo. 207r]

Messire Jehan de Hanforde, chevalier, a presenté certaines lettres contre maistre Jehan de Gaucourt que la court a ordoné estre mises devers ycelle court.

[1 September 1428]   [X¹ª 1480, fo. 410r]

Item, a conseillier l'arrest d'entre maistre Jehan de Gaucourt, requerant le prouffit d'un default a l'encontre de messire Jehan Hanneforde, chevalier anglois.

Il sera dit que le dit de Gaucourt aura encorez ung adjornement au quel sera incorporé le prouffit par lui requiz, pour veoir adjugier ycellui prouffit et proceder en oultre ainsi qu'il appartendra *cum intimacione* etc.

[23 November 1428]   [X¹ª 4796, fo. 6v]

Maistre Jehan de Gaucourt a demandé default contre messire Jehan de Hanforde, chevalier, comme *non presente*, qui dist qu'il s'est presenté. *Ob hoc videant partes registrum presentacionum.*

[13 December 1428]   [X¹ª 4796, fo. 18r]

En la cause d'entre maistre Jehan de Gaucourt, demandeur, d'une part, et messire Jehan de Hanforde, chevalier, defendeur, d'autre part, qui s'ayde d'unes lettres d'estat presenteez par maistre Jehan Paris, son procureur.

Gaucourt dit que la court n'obeyra point ausdictes lettres car l'estat est general, et tayt l'estat de ce proces et qu'il est decheu de defenses, et tayt lez defaulz, delays et contumaces; et si est vray que au contempt de ce proces il a fait proces a Rouen, et se dit avoir obtenu defaulz qui seront tous mis au neant et le proces, et le devroit amender au roy veu le demené de ce proces, et requiert que la court lui pourvoie.

ª Followed by quate, *struck out*   *ᵇ Followed by* co, *struck out*
ᶜ Followed by demand, *struck out*   *ᵈ Written on a fold*

Le procureur du roy dit que ce n'est une illusion de la maniere de proceder de Hanforde qui envoye Paris pour empeschier le proces, qui avoit paravant dit qu'il estoit revoqué; si le devroit amender Paris et mettre sa procuracion devers la court, et que on face commandement a Hanforde a la personne de maistre Jehan, son procureur, qu'il se desiste du dit proces et qu'il le face mettre au neant, et a ce soit contraint par prise de temporel et de corps, se mestier est, et en amende de iiij^m saluz ou autrement selon l'ordonnance de la court.

Paris dit qu'il ot par cy devant exprez mandement de non occuper, et s'excuse de ce que on lui a fait presenter ledit estat pour Hanforde, qui lui a envoyé procuracion.

A jeudi revendront les parties.

[16 December 1428]   [X^{1a} 4796, fo. 20v]

En la cause d'entre maistre Jehan de Gaucourt, demandeur, et messire Jehan de Hanforde, chevalier, defendeur, d'autre part, a lundi revendront.

[30 December 1428]   [X^{1a} 4796, fo. 24r]

En la cause d'entre maistre Jehan de Gaucourt, demandeur, d'une part, et messire Jehan de Hanforde, chevalier, qui soubstient ses lettres d'estat, et dit qu'il est bon chevalier et a bien servi le roy, et est mareschal de l'oost devant Orliens,[60] et pour ses bons et agreables services le feu roy regent lui donna la terre de Maisons sur Seine, et fu ordonné que des dons du roy fais devant le trespas du^a feu roy Charles seroit discuté devant lez gens du conseil de Rouen et non ailleurs; et depuis ceste ordonnance a esté confermee par le roy et renouvellee. Et neantmoins Gaucourt a fait ceans contre lui proces dont recite le demené et dit qu'il a obtenu lettres d'estat bien cansléz, et a certificacion, et est la cause de grant chose, et n'est mie le proces du tout parfait; et suppose qu'il feust decheu de defenses, si pourroit il baillier contrediz et dire tant ce qu'il vouldroit par escript, et pourroit bien estre relevé a proposer defenses; et puet revoquer ung procureur et constituer ung autre ou le continuer; et ne sceuent riens du proces de Rouen, et ne s'en seroit mie conseilliéz a ceulz qui demainent ceans son proces; et ne sceuent point qu'il ait autresfois requis enterinement d'autres lettres d'estat.

Gaucourt dit que Hanforde procedera et aura delay competent pour baillier contredis ou reproches, se baillier lez veult, et s'est autresfois aidé d'estat en ceste cause et a teu lez appoinctemens de la court; et si a autresfois proposé le don et ordonnance dessusdis pour

---

^{a} trespas du *interlined*

[60] The siege of Orléans was begun in October 1428.

faire remener la cause a Rouen dont il a esté debouté par arrest, et a esté dit qu'il procedera ceans; si conclud comme dessus, et requiert comme dessus que le proces de Rouen cesse, et que on face defense a Hanforde qu'il n'y procede plus avant.

Hanforde dit qu'il n'a jour ne terme sur ladicte requeste.

Appoinctié que Hanforde mettera les lettres du don qu'il se dit avoir devant le trespas du roy Charles[61] devers la court dont sera fait vidimus collacionné a l'original *parte vocata* pour valoir en ceste cause original ou ce que raison donra; et sera ycellui original rendu audit de Hanforde qui en fera ce qu'il vouldra. Et sur l'enterinement dudit estat, et aussi sur la requeste touchant le proces de Rouen, la court fera droit au conseil.

[10 June 1429]   [X¹ᵃ 1481, fo. 13r]

A conseillier l'arrest d'entre maistre Jehan de Gaucourt, demandeur, d'une part, et messire Jehan Hanforde, chevalier, defendeur, d'autre part, sur le plaidoié du [   ].ᵃ

Il sera dit que ledit de Hanforde vendra jeudi prochain ceans dire et proposer au surplus ce qu'il appartendra par raison.

Dictum hodie partibus. Agueninᵇ

[4 July 1429]   [X¹ᵃ 4796, fo. 117r]

Maistre Jehan de Gaucourt a baillié ceans sa requeste par escript a l'encontre de messire Jehan de Hanforde, chevalier, a fin que on lui face defense de rechief qu'il ne le traictie a Rouen et qu'il ne face aucune chose au prejudice de l'arrest; et le devroit amender Hanforde.

Le procureur du roy recite le demené du proces, etᶜ est enᵈ grant irrision de la court la maniere que tient Hanforde; si requiert que de rechief on lui face defenses a grans peine.

A demain revendra ledit de Hanforde.

[5 July 1429]   [X¹ᵃ 4796, fo. 117r]

En la cause d'entre maistre Jehan de Gaucourt, d'une part, et messire Jehan de Hanforde, chevalier, qui dit pour respondre a la requeste dudit de Gaucourt qu'il ne scet riens du proces de Rouen, et ne scet que ses gens en font par dela. Et dit que nagaires, en la presence d'aucuns du grant conseil, il parla au duc de Bedford, regent, de ce proces, qui lui defendi qu'il ne procedast par deca, et que en ceste matiere il ne feroit aucune immutacion jusquez a ce qu'il eust parlé aux gens du conseil de Rouen; et pour ce Hanforde ne ozeroit desobeir,

---

ᵃ *Blank space in the MS*   ᵇ *In the margin*
ᶜ *Followed by* fe, *struck out*   ᵈ en *interlined*

---

61 Charles VI died on 21 October 1422.

et convient qu'il obeisse a ladicte defense, et ne puet autre chose dire de present; et ce signifie a partie.

Gaucourt recite le demené du proces et l'arrest par lequel a esté dit que la cause demourroit ceans *partibus auditis*; et se Hanforde eust donné a entendre la verité a monseigneur le regent qui est prince juste et raisonnable, jamais n'eust fait ladicte defense, ne souffert que les arrestz de ceans feussent illusoires; si requiert comme dessus, et l'adjunction du procureur du roy, et dit que on doit garder l'auctorité de ceste court qui est souveraine et capital de ce royaume. [fo. 117v] Hanforde dit que ceste matiere touche les dons de la conqueste, et a bon droit et le poursuivroit ceans volentiers s'il lui estoit permiz, mais il y a ordenance au contraire, et si y a defense *de super*; si supplie Hanforde que la court le tiengne pour excusé, et que de ce on parle a monseigneur le regent.

Gaucourt dit que veu le demené du proces on puet assez congnoistre que la defense faite a Hanforde a esté faite a son instance, apréz ce qu'il a esté debouté et decheu de toute defense, et qu'il a perdu sa cause.

Le procureur du roy dit qu'il est question de terres assisez en la viconté de Paris dont on ne puet ne doit congnoistre en Normendie, quoy qu'il soit dez terres aquisez en la duchié de Normendie durant le temps de la conqueste, dont on congnoist en Normendie par l'ordenance, et ne doit mie estre entendue ycelle ordenance des terres assisez en la viconté de Paris ou es bailliages de Senlis ou de Meaulz. Et se l'ordenance estoit generale on la[a] devroit entendre selon raison, et n'est mie vraissemblable que le feu roy regent eust voulu oster aux ordinaires leurs jurisdicions ordinaires; puet bien estre que en la duchié de Normendie il y volt pourveoir pour tenir entier la duchié, et[b] il suit *aliqua singularia*; et y a chartre normande d'ancienneté,[62] mais que toutes autres causes de conquestes es bailliages hors Normendie deussent estre determineez en Normendie seroit une chose desraisonnable; et quant a la defense faicte a la complainte de Hanforde, il a mal fait, et n'a mie adverty le prince de l'estat du proces ne de l'arrest; et est vraissemblable que s'il eust esté bien adverty, que il n'eust jamais fait ladite defense et seroit venu contre l'auctorité de la court, contre le bien de justice, contre le traictié de la paix; et a mal fait Hanforde de faire telles complaintes[c] au prince qui a grans affaires, et doit garder justice; si seront faictes lez defenses a Hanforde.

---

[a] *MS* le
[b] *Followed by* y, *struck out*
[c] *Followed by* ca, *struck out*

[62] A reference to the *Charte aux Normands* of 1315 which limited appeals outside the duchy of Normandy. The *procureur du roi* was emphasizing that the lands in question were outside the duchy.

Gaucourt emploie le propos du procureur du roy.
Appoinctié au conseil
    Au conseil. Morvilliers*a*

[6 July 1429]   [X¹ᵃ 1481, fo. 14v]

A conseillier l'arrest ou l'appoinctment d'entre maistre Jehan de
Gaucourt, demandeur, d'une part, et messire Jehan de Hanforde,
chevalier, defendeur, d'autre part, sur la requeste dudit de Gaucourt
hier faicte en jugement. Sur quoy a esté deliberé et conclu que premierement lez procureur et advocat du roy, presens deux ou trois des
conseilliers de ceans, se mestier est, yront devers monseigneur le regent
pour lui remonstrer et advertir de la situacion des terres contencieuses
entre lesdites parties que le dit demandeur dit a lui appartenir par
succession et hoirrie et par le traictié de la paix final dez deux royaumes,
et lui remonstrer en oultre l'estat et demené du proces d'entre lesdites
parties, et lez causes justes et raisonnables qui ont meu ou doivent
mouvoir la court de non faire aucun renvoy, et que grant esclande et
grant inconvenient s'en pourroit ensuir se ladite cause estoit renvoiee
a Rouen, et que ce seroit injustice et chose de perilleux et de mauvais
exemple d'en faire renvoy. Et que neantmoins la court, pour l'onneur
et reverence dudit monseigneur le regent, a sursey de proceder en
oultre en ycelle cause depuis certain temps jusquez a ce qu'il eust esté
adverty dez choses dessusdites a fin qu'il soit plus content de ce que
ladite court a fait et fera en ceste cause par grant et meur deliberacion,
selon raison et bonne justice, et lui supplie qu'il lui plaise a en estre
content, ou par*b* autres paroles semblables en effect et substance soit
remonstré ce que dit est. Et ce fait, la court a deliberé et conclu de faire
en ladite cause et proces ce qu'il appartendra par raison sans en faire
aucun renvoy.⁶³

[31 October 1429]   [Collection Lenoir, 22, p. 221]⁶⁴

Lettres patentes données a Rouen le 31 octobre 1429, par les quelles
le roy d'Angleterre, en consideracion des bons et notables services que
son amé Jehan Hanforde, chevalier, lui a fais, à icelui de nouvel et de
rechief, en confirmant et augmentant ses autres lettres patentes données
à Paris le 26 septembre 1424, donne, cede, transporte, et delaisse
toutes les terres, revenues, possessions, seigneuries, acquis, drois et
autres prouffis quelconques appartenans au travers de Maisons sur

---

    a In the margin   *b par interlined*

⁶³ This text is printed in *Fauquembergue*, ii, 314-15.
⁶⁴ On this collection, see C. T. Allmand, 'The Collection of Dom Lenoir and the
English Occupation of Normandy in the Fifteenth Century', *Archives*, vi (1963-64),
202-10.

Saine, qui furent et appartindrent, tant à vie comme à heritage, à Messire Raoul de Gaucourt et Philippe de Leurs, chevaliers, à Hutin d'Aunoy et à maistre Nicolas Pitement, prestre, avec 350 livres parisis que Charles de Vendosmes souloit prendre et avoir chacun an sur lesdites terres, seigneuries et pocessions dessusdites appartenans audit travers; et aussi 30 livres parisis que Hue de Villeperreur souloit avoir et prendre chacun an sur icelles, ensemble toutes les terres, rentes et possessions quelconques qui furent et appartindrent à Jehan de Sahurs; pour du tout assis es baillages de Rouen, Chartres et Meaulx et es prevostés de Paris et de Poissy, et advenu audit seigneur roi par la rebellion et desobeissance de tous les dessusdis, joir et user plainement et paisiblement, savoir de celles à vie a vie, et de toutes les autres à tous jours mais perpetuelment et hereditablement par ledit Jehan Hanforde et ses hoirs masles legitimes venans de lui en directe ligne, jusqu'à la valleur de mil livres parisis de revenue par chacun an.

Ensemble, mandement de Jehan Salvain, chevalier, bailli de Rouen et de Gisors,[65] donné a Rouen le 14 fevrier 1431, par lequel il commet Henry Lancestre, son lieutenant commis,[66] pour faire la prisée et evaluation de toutes les terres, rentes et pocessions quelconques qui furent à Jehan de Sahurs, lesquelles le roy entr'autres terres et seigneuries a données par ses precedentes lettres patentes à messire Jehan Hanforde, chevalier.

Le tout vidimé le 17 fevrier 1431 par Rogier Mustel, viconte de l'Eaue de Rouen.[67]

[28 March 1432]   [X¹ᶜ 143A, no. 67]

Henricus, Dei gracia, Francorum et Anglie rex, universis presentes litteras inspecturis, salutem. Notum facimus quod de licencia et auctoritate nostre Parlamenti curie inter partes infrascriptas tractatum, concordatum et pacificatum extitit prout in quadam accordi cedula eidem nostre curie tradita continetur, cujus tenor talis est:

Comme certain proces feust meu et pendant en la court de Parlement entre messeigneurs les tresorier et chanoines de la Saincte Chapelle du palais royal a Paris, demandeurs, d'une part, et messire Jehan de Hanneforde, chevalier, seigneur de Maisons sur Seine, defendeur, d'autre part, sur ce que lesdis demandeurs disoient et maintenoient que a cause de ladite Saincte Chapelle et de la fondacion, dotacion ou augmentacion d'icelle ilz ont droit et sont en possession et saisine de prendre, avoir et parcevoir par chacun an, au terme de Noel, en et sur le peage et travers de la riviere de Seine audit lieu de Maisons sur Seine lez Sartrouville et sur toutes les autres rentes et revenues de la

---

[65] See *Gallia Regia*, v, 108-10; iii, 366-7.   [66] See *Gallia Regia*, v. 125-7.
[67] He held this office from 1427 to 1442 (*Gallia Regia*, v, 187-8). This letter constitutes an exercise of the crown's prerogative power. See also p. 196, n. 53.

terre et seigneurie de Maisons dont ledit defendeur est seigneur, proprietaire et detenteur, la somme de douze livres parisis de rente annuelle et perpetuelle rendables et paiables audit terme de Noel, dont
pluseurs arreraiges leur estoient deubz au terme de Noel mil cccc
trente et ung*a* et derrain passé, ycelui terme incluz, montans a la somme
de lxij livres parisis. Et pour ce que ledit defendeur avoit esté refusant
de les en paier et satisfaire, ils avoient obtenu certaines lettres royaulx
par vertu desquelles ilz le avoient fait convenir et adjourner en ladite
court de Parlement ou le proces en est pendant. Si requeroient et
concluoient lesdis demandeurs que par arrest de ladite court ils feussent maintenus et gardéz en possession et saisine de prendre et percevoir
par chacun an, au terme et par la maniere que dit est, ladite rente de
douze livres parisis en et sur les peage, travers et seigneurie, et sur
toutes les rentes, revenues et appartenances d'iceulx, et que ledit
defendeur, comme seigneur, proprietaire et detenteur d'iceulx peage,
travers et seigneurie de Maisons, feust condempné et contrainct a leur
rendre et paier lesdis arreraiges escheuz de ladite rente, montans a
ladite somme de soixante deux livres parisis, et avecques ce feust
condempné a paier et continuer doresenavant icelle rente par chacun
an audit terme de Noel tant et si longuement comme il sera seigneur,
proprietaire et detenteur desdis peages, travers et seigneurie de Maisons. Et en oultre feussent iceulx peage, travers et seigneurie de Maisons, et les rentes, revenues, proufis et emolumens d'iceulx, declairéz
estre affectéz, ypothequéz et obligiez *b* a la dite rente et arrerages payer
et continuer doresenavant par chacun an au terme dessus dit; et feust
ycellui defendeur*b* condempné en leurs despens, dommaiges et interestz. En laquelle cause n'a encores aucunement esté procedé, fors seulement que lesdites parties se sont presentees en ladite court; mais
pendant ledit proces ledit defendeur a fait veoir par son conseil les
drois, tiltres et enseignemens desdis demandeurs avecques pluseurs
sentences sur ce par eulx obtenues, dont es comptes anciens de ladite
eglise est faite mencion. Et mesmement a veu ou fait veoir ung arrest
de ladite court de Parlement donné contre icelui defendeurs mesmes
le xiij*e* jour d'aoust mil cccc et xxvij, par lequel il fut condempné de
son consentement envers lesdis demandeurs en*c* certains arreraiges
lors escheuz de ladite rente et a icelle rente paier et continuer doresenavant par chacun an, et n'a voulu ne sceu dire cause ne raison pourquoy les demandez et conclusions desdis tresorier et chanoines ne leurs
feussent faites. Finablement lesdites parties, pour bien de paix et
eschever tous proces, frais, missions et despens, sont d'accord, s'il plaist
a ladite court de Parlement, en la maniere qui s'ensuit. C'est assavoir

---

a MS et trente ung
b Passage a la ... defendeur *interlined*
c en *interlined*

que lesdis demandeurs sont maintenus et gardéz en leurs dites possessions et saisines de prendre et percevoir par chacun an ladite rente de douze livres parisis audit terme de Noel, en et sur ledit peage, travers et seigneurie de Maisons sur Seine et sur toutes et chacunes les rentes et revenues d'iceulx, et est ledit defendeur condempné a rendre et paier ausdis demandeurs ladite somme de lxij livres parisis pour lesdis arreraiges escheuz et a paier et continuer icelle rente doresenavant par chacun an audit terme de Noel tant et si longuement comme il sera proprietaire et detenteur desdis peage, travers et seigneurie de Maisons; et sont lesdis peages, travers et seigneurie, et les proufis, rentes et revenues d'iceulx, declairéz estre affectéz, ypothequéz et obligiés a icelle rente paier et continuer doresenavant. Et est reservé ausdis demandeurs à faire poursuite, se bon leur semble, des arreraiges escheuz paravant que ledit defendeur feust seigneur et detenteur desdis peage, travers et seigneurie contre autre que contre icellui defendeur. Et partant se departent lesdites parties de court et de tous proces sans despens d'une partie et d'autre. Fait du consentement de maistre Jehan Paris, procureur desdis tresorier et chanoines, d'une part, et de maistre Gervaise de Meseretes, procureur dudit defendeur, d'autre part, le xxviij^e jour de mars, l'an mil cccc trente et ung.^{a}

Ad dictumque accordum ac omnia et singula in eo contenta tenenda, complenda et exsolvenda ac firmiter et inviolabiliter observanda, dicta curia nostra partes predictas et earum quamlibet quatenus unamquamque ipsarum tangit et tangere potest ad requestam et de consensu quibus supra in cedula condempnavit et condempnat per arrestum; et ea ut arrestum eiusdem curie teneri, compleri, observari et exsolvi ac execucioni demandari voluit et precepit partes predictas ab eadem curia nostra licenciando et abire impune permittendo. In cuius rei testimonium presentibus litteris nostrum jussimus apponi sigillum. Datum Parisius in Parlamento nostro die vicesima octava marcii, anno domini millesimo quadringentesimo tricesimo primo, ante Pascha, et regni nostri decimo.

[On the dorse]

De Parlamento m° cccc° xxxj°
Concordia inter thesaurarium et canonicos Sacre Capelle palacij Parisiensis et dominum Johannem Hanneforde, militem anglicum.

^{a} *MS* et trente ung

IV
Guillaume Rose *v.* Richard Handford

This suit, concerning the estate formerly enjoyed by Simon Rose and his wife, turned on the question whether Rose, who died at Meaux during the siege by Henry V (October 1421-May 1422), came to be at Meaux as a prisoner of the Dauphinist defenders or as an active supporter of the Dauphinist cause. Guillaume Rose maintained the first, Richard Handford the second, explanation. The question was material, for it is almost certain that on the fall of Meaux Simon suffered posthumous confiscation; but if it could be proved that he died a prisoner of war, his forfeiture might be reversed to the advantage of his four grandchildren, whose legal guardian Guillaume Rose was. There is no doubt that Simon's son, Michel, taken at Meaux and sent as a prisoner to England, forfeited everything.

At an unspecified date Richard Handford received a royal grant to the annual value of 300 'livres' secured on lands formerly held by Simon Rose and his son, Michel, the grant diminishing the value of the inheritance of Guillaume Rose's four wards. At some time Rose cited Handford before the 'commissaires de la confiscacion' regarding the rent-charge on the estate of Michel Rose which had been granted to Handford. In March 1428, having already made two unsuccessful attempts to bring Handford before the Parlement to give an 'asseurement' that he and his men would not be molested, Guillaume Rose, again acting as the guardian of orphans under age, appealed to the Parlement from the 'bailli' of Meaux who, under orders of the 'Chambre des Comptes', had given legal possession of the lands to Handford. The facts alleged were wildly contradictory, and on 29 April 1428 the Parlement told the parties as much, enjoining them to collect further evidence upon which the court might judge 'par raison' in equity. There seems no explanation why a gap of five and a half years then interrupted litigation, nor any indication whether, meanwhile, the estate of the late Simon Rose was in royal hands or being enjoyed by Handford. The 'Conseil' of the Parlement finally gave judgment over two days (in itself something unusual) in February 1434, and only after two months was the judgment expanded into an 'arrêt', the main conclusions of which were as follows: (i) the four wards of Guillaume were to be provided with half the estate of the late Simon Rose; (ii) Richard Handford was to enjoy one quarter of that estate; (iii) 'pendente hoc processu' (the implication being that the court did not regard the matter as finally settled) the other quarter was to remain in crown hands; with the consent of Richard Handford, further smaller estates were to go to the children of another branch of the Rose family; and with the consent of Guillaume Rose, all the estate of the late Michel Rose was to remain in the hands of Richard Handford.

[4 December 1424] [X¹ª 4794, fo. 9r]

Maistre Guillaume Rose¹ a demandé default en cas d'asseurement a l'encontre de Richart de Honneforde,² anglois, qui a presenté ceans lettres d'estat jusques a Pasques prochain venant.³

Appoinctié que Rose aura default et sera Richart adjorné a comparior demain ceans en personne.

[5 December 1424] [X¹ª 4794, fo. 10r]

Maistre Guillaume Rose dit qu'il a fait adjorner ceans Richart Honneford, anglois,ª en cas d'asseurement et a obtenu deux defaulx contre lui, et pour ce requiert la provision de la court et que on contraingne Richart, par prise de corps et de biens, a venir obeir a justice*b* ou que la court pourvoie autrement ainsi qui lui plaira.

Appoinctié que Rose mettera ses defaulx et le prouffit qu'il requiert devers la court, et au conseil fera droit. Et cependant la court fait defense a Richart que, sur paine d'asseurement enfraint, il ne mefface ou face meffaire audit maistre Guillaume ne aux siens. Et lettre a l'Espine.⁴

[23 March 1428] [X¹ª 4795, fo. 237r]

Entre maistre Guillaume Rose, appellant au nom qu'il procede comme tuteur de mineurs, d'une part, et Richart de Honneford, escuier, d'autre part.

L'appellant dit que Simon Rose,⁵ escuier, fu pieca marié a Pierrette sa femme,⁶ et orent du leur et de leur conquest de beaux heritages qui valoient bien cent livres parisis, lesquelz sont venuz par certains moiens ausdiz mineurs qui n'ont pere ne mere, ayeul ne ayeule, et par justice leur a esté baillié tuteur maistre Guillaume Rose qui a mis leurs maisons, terres et heritages en bon point. Et quant vient a recevoir Honneforde qui se dit avoir don de iiijᶜ livres sur les biens [de] Michiel

---

ª *Followed by* qui, *struck out*   *b Followed by* et, *struck out*

¹ Guillaume Rose was an *avocat* in the Parlement. In 1418 he served as 'lieutenant du maistre des eaues et forests', work which he continued to carry out in the following year with orders to see that wood in and around Paris was sold at a reasonable price (*Fauquembergue*, i, 207–8, 217–18, 221–3, 273, 320). In September 1418 he refused to act as one of the commissioners appointed to deal with the excesses committed by the Armagnacs and their supporters, on the grounds that such a body would diminish the authority of the Parlement (*ibid.*, i, 164). In February 1420 he was among the envoys sent to Henry V to obtain a renewal of the truce (*ibid.*, i, 349).
² For Richard Handford, see appendix II.
³ Easter, in 1425, was on 8 April.
⁴ Jean L'Espine, formerly *notaire du roi*, was *greffier criminel* of the Parlement.
⁵ Simon Rose, probably a close relative (*lignagier*) of the appellant, died in 1422.
⁶ Pierrette Doignon, his wife, died in 1412.

Rose,[7] [et] veult oster ausdis mineurs leurs heritages, et lui en volt baillier possession le bailli; pour ce fist appeller Honneford devant les commissaires de la confiscacion pour estre receu a opposicion, et sur la provision furent appelé en droit; et pour delaier Honneford s'ayda [de lettres] d'estat, et finablement par appointement fu dit[a] que toutes les[b] terres de feu Simon Rose et de Jaquin Rose[8] seroient mis en main du roy et[c] au nom du roy furent bailliees a maistre Guillaume Rose, et fu faicte provision ausdis quatre mineurs de iiij[xx] livres, dont ne fu appellé ne reclamé. Et fu dit aussi que trois terres seroient delivreez a Honneford et y ont aquiessé lez parties. Mais quant vint en novembre, Honneford fist appeller maistre Guillaume Rose devant les maistres dez requestes de l'ostel, et fist une grant demande, et disoit que Simon Rose avoit confisquié corps et biens, et mouru a Meaulz,[9] et si auroit Michiel Rose, fils de Simon, tout confisquié; et disoit que[d] les mineurs ne se povoient aidier de l'abolicion de Meaulz,[e] et que Rose devoit estre demandeur, attendu que Honneforde avoit droit et don du roy en allegant pluiseurs fais et raisons; et pour ce maistre Guillaume Rose requisist a veoir les tiltres de partie et demanda delay d'au moins de x jours ou de viij pour avoir instruction sur les fais et coustumes, sur quoy les juges dirent qu'il seroit demandeur et qu'il n'auroit delay que du mercredi jusquez a venredi ensuivant.

Si appella maistre Guillaume Rose le xxj[e] novembre m cccc xxv, et depuis Honneford a longuement delayé soubz umbre[f] de ce qu'il dist qu'il avoit esté prisonnier des ennemis; et depuis Honneford, en octobre derrnier, s'ayda d'unes nouvelles lettres dont onquez n'avoit parlé; et pour ce maistre Guillaume vint en la chambre des comptes afin que lez lettres ne feussent enregistreez, en requerant estre receu

---

[a] fu dit *interlined*   [b] *Followed by* les, *repeated and struck out*
[c] *Followed by* autre, *struck out*
[d] *Followed by* par la coustume de Champagne, *struck out*
[e] de Meaulz *interlined*   [f] umbre *interlined*

[7] Michel Rose, son of Simon, killed at Verneuil in August 1424.

[8] Jaquin Rose, son of Simon Rose and Pierrette Doignon, killed at Agincourt in October 1415.

[9] Meaux, Seine-et-Marne. Besieged by Henry V for many months, terms for the capitulation of the *Marché*, the stronghold, were agreed on 2 May 1422 (*Foedera*, x, 212 seq). On 14 May 1422 Charles VI, 'par l'advis de nostre dit fils' (Henry V) granted letters of remission to the inhabitants of Meaux reserving to them 'leurs biens meubles qu'ils ont de present et aussi leurs maisons, terres, rentes, possessions et heritaiges quelsconques estans en nostre royaulme et seigneurie qui n'auroient esté donnés (A.N., JJ 172, n° 98). From this act it appears that goods and property of the former rebels may have been granted away prior to the pardon. On 25 October 1425 other letters of remission were issued to a number of defenders and inhabitants of the *Marché* (*ibid*, JJ 173, n° 405), but no names of persons referred to in this lawsuit occur among the recipients.

a opposition; et fu son opposition enregistree; et neantmoins le bailli
de Meaulz[10] ou son lieutenant, soubs umbre d'une commission des
comptes, volt mettre Richart en possession desdis heritages; a quoy
maistre Guillaume s'opposa, et pour ce que on ne le volt recevoir, il
appella et *iterum* en adherant[a] appella.

Si conclut en cas d'appel et a despens, et que on le pourvoie
d'asseurement et de seurté pour lui et pour lez laboureux et metayers
des terres.

Appointié que, les appellacions mises au neant sans amende et ce
dont est appellé, les parties vendront au premier jour pla[i]doiable
aprés Pasques proceder sur le principal ainsi qu'il appartendra, tous
despens reservéz en diffinitif; et defend la cour aux parties qu'ilz ne
facent riens au prejudice [fo. 237v] de ce proces, et baillera ledit de
Honneford audit maistre Guillaume asseurement; et a baillé ledit[b]
asseurement ycellui de Honneford aux us et coustumes de France.
    Asseurement.[c]

[19 April 1428]   [X¹ᵃ 4795, fo. 243r]

En la cause d'entre maistre Guillaume Rose au nom qu'il procede
comme tuteur et curateur, d'une part, et Richart de Hanneforde,
escuier, qui dit qu'il est bon escuier et est frere du capitaine du Bois de
Vinciennes,[11] et a servy le roi en la bataille de Verneul[12] et a Saint
Jame de Beuron[13] et ailleurs ou il s'est bien emploié; et a don du roy sur
les biens de feu Simon Rose et de feu Michiel Rose qui ont confisqué
leurs [biens] par ce qu'ilz ont tenu le parti contraire avec les ennemis
qui tenoient Meaux; et se sont retrais avec eulz et y sont trespasséz, et
moru Michiel en la bataille de Vernueil. Recite en oultre le contenu
es lettres du don a lui fait sur les heritages confisquéz au roy esquelz
maistre Guillaume ne demandoit riens tant qu'ils ont esté en la
main du roy; mais tantost qu'ilz sont venuz en la main de Richart,
maistre Guillaume l'a fait adjorner es requestes de l'ostel, qui a
fait deux appellacions qui ont esté mises au neant et sont ceans pour
proceder sur le principal. Si requiert Richart qu'il soit absolz dez impetracions et demandes faictez par maistre Guillaume par devant
les gens desdictes requestes et, se mestier est, que son don soit dit et
declaré bon et valable, et soit condempné maistre Guillaume a l'en

---

[a] *Followed by* itm, *struck out*   [b] baillé ledit *interlined*   [c] *In the margin*

[10] Jean Choart was *bailli* of Meaux 1421-27 (*Gallia Regia*, iv, 96).
[11] John Handford (for whom see appendix II) was captain of Bois-de-Vincennes.
[12] Verneuil-sur-Avre, Eure, arr. Evreux. The battle, won by the English, was fought on 17 August 1424.
[13] Saint-James-de-Beuvron, Manche, arr. Avranches. The defeat of a Breton force took place on 6 March 1426.

laisser joir et cesser de tous empeschemens; et dit qu'il joyssoit de son don quant il se party pour aler hors du commandement du roy, et pour ce que son procureur n'avoit mie instruction souffisante, les gens des requestes firent provision de iiij^{xx} livres audit Rose au nom qu'il procede, sauf a rappeller ladite provision, *et quo usque etc.* Si requiert que la provision cesse et qu'il y ait[a] commis en la chose autre que maistre Guillaume, et que Honneforde demeure en son estat, car il [en] joyssoit, et que maistre Guillaume soit condempné es despens.

A demain revendront, et *interim* Honneforde monstrera ce qu'il devra a Rose.

[20 April 1428]   [X^{1a} 4795, fo. 244r]

En la cause d'entre Richart de Honneforde, escuier anglois, d'une part, et maistre Guillaume Rose, es noms qu'il procede, qui emploie ce qu'il a autresfois dit en sa cause d'appel; et dit que feu Simon Rose fu ung noble escuier, grandement herité, et fu marié a une dame, Pierete Doignon,[b] aussi bien heritee, qui fu douee de la moitié des heritages [de] Simon; et de leur mariage yssi Jaquin Rose, qui fu marié et ot deux enffans, et Katherine, seur dudit Jaquin, fu mariee[14] et ot deux enfans. Et dit que l'an cccc xij ladite Pierete Doignon trespassa, et lui succederent Jaquin et sa seur, et fu Jaquin Rose a cause d'aisneesse segneur du Bois Garnier[15] et de sez heritages propres[c] et ot les deux pars dez autres heritages de sa conquestez, et l'autre moitié se party entre Jaquin et sadite seur, Katherine. Et l'an cccc xv, a Azincourt,[d] trespassa Jaquin Rose, et lui succederent ses enfans. Et depuis trespassa Simon Rose a Meaulz qui avoit bien iiij^{xx} ans; et tantost qu'il avoit veu la division il delibera de non demeurer a Meaulz ou il avoit bel hostel, et se retray au chastel et forteresse de Ruthel,[16] qui estoit a messire Charles Malet[17] qui se tint tousjours pour le roy. Et leur faisoit continuele guerre le Bastard de Vauru,[18] et lez abandonna et venoit chascun jour courir a leurs barrieres et furent desfiéz de feu

---

[a] *Followed by* autre, *struck out*   [b] Pierete Doignon *interlined*
[c] et de sez heritages propres *interlined*   [d] a Azincourt *interlined*

---

[14] Katherine Rose married Syvador de Girême.

[15] Bois-Garnier, probably that which is close to Meaux, on the western side (Seine-et-Marne, arr. Meaux, c. Meaux-Sud, com. Trilbardou).

[16] Rutel, Seine-et-Marne, arr. Meaux, c. Meaux-Nord, com. Chauconin-Neufmontiers and c. Meaux-Sud, com. Villenoy. Henry V stayed there at the beginning of the siege of Meaux in October 1421 (J. H. Wylie and W. T. Waugh, *The reign of Henry the Fifth* (3 vols., Cambridge, 1914–29), iii, p. 339 and n. 5; Ferguson, *English diplomacy*, p. 230).

[17] Perhaps it was a relative, Philippe Malet, who was among those who surrendered the *Marché* at Meaux to Henry V on 2 May 1422 (*Foedera*, x, 214).

[18] One of the leaders of the defence of Meaux, notorious for his cruelty. On his activities and execution, see *Bourgeois*, pp. 170-1.

et de sang; et envoierent a Paris[a] ceulz du chastel et forteresse de Ruthel procuracion de faire le serment au roy et de soy tenir pour lui, et y avoient les subgiéz du roy leur refuge et les ont favorisié et aydié. Et depuis advint que la dame femme de messire Charles Malet trespassa par la mortalité,[19] et acoucha malade messire Charles lequel, par le conseil de Simon Rose, fist jurer sur le messel tous ceulz du chastel de tenir la place pour le roy et le duc de Bourgogne, et envoya devers sa seur de Conty et le sire de Conty, son mary.

Et apréz le trespas de messire Charles, vindrent Jehan Daunoy[20] et pluiseurs autres de la garnison de Meaulz qui prindrent par force le chastel de Rutel et pillerent tout, et fu pris Simon en soy defendant de son pouvoir selon son eage, et fu a ung jeudi chargié en ung tumbereau et mené a Meaulz. Et lendemain trespassa prisonnier a Meaulx, et onques depuis sa prise n'y beu ne menga, et furent tous ses biens pris et pilliéz et ses maisons[b] [et ses] terres arses et destruitez. C'est ce qu'il gaigna pour servir le roy. Et ordonna que les enfans [de] Jaquin feussent ses heritiers par representacion; et au regard des enfans de Katherine, ils sont heritiers en ce que Katherine tenoit. Dit oultre que Simon volt encore pourveoir aux enfans de Jaquin d'abondant, et leur donna le tiers de son heritage par la coustume de Brie[21] et le quint selon la coustume de Champagne. Dit oultre que le feu roy Henry [fo. 244v] fist de belles ordonnances, et entre autres choses ordonna que les mineurs demourassent en sa garde et que on leur rendist et delivrast et gardast leurs biens, terres et heritages, et commist a ce le bailli de Meaulz. Dit oultre que depuis maistre Guillaume Rose a esté donné tuteur et curateur desdis mineurs et a esté mis en proces devant les commissaires; qui a obtenu sentence par laquelle a esté dit qu'il tendra, aura et gouvernera pour lesdis mineurs leurdiz heritages, et en ce ne sont point comprises les terres de Michiel Rose sur lesquelles ledit de Honneforde se dit avoir don, et encorez doivent elles demourer en la main du roy par ladite sentence; et pour ce Honneforde a depuis demandé delivrance desdites terres qui furent audit Michiel, desquelles lez commissaires lui ont fait delivrance par maniere de provision; et combien que en ycellez lesdis enfans y aient porcion, neantmoins ils en ont laissié joyr Hanneforde; et dit que lesdites terres[c] souloient valoir viij[xx] livres de rente. Et pour ce que Honneforde dit qu'il a don sur les terres de Michiel Rose jusquez a iij[c] livres de rente,

---

[a] a Paris *interlined*   [b] maisons *interlined*   [c] *Followed by* va, *struck out*

[19] The year 1421 witnessed the death of many from a disease which struck women and young people in particular (*Bourgeois*, p. 154).

[20] Jean d'Aunay was one of the captains of Meaux who surrendered to the English.

[21] See C. A. Bourdot de Richebourg, *Nouveau coutumier général* (8 vols., Paris, 1724), III, i, 215, 245-6.

response que la verificacion du don est faicte soubz condicion declaree es lettres des Comptes,[22] laquelle condicion n'est point acomplie; et si doit estre content de la provision desdis commissaires; et dit que Michiel Rose n'estoit mie heritier habile a succeder audit feu Simon Rose car il estoit marié, et avoit eu Michiel sa part et v^c escus;[a] et des terres que Michiel tenoit [de] Pierete Doignon a cause de conqueste y avoit sa part; et seroit le don [de] Honneforde nul, et a teu[b] la delivrance des commissaires et le joyssement au contraire, et a teu ce que dit est de la prise et trespas dudit feu Simon Rose. Et quant est de Jehanette Rose,[23] on ne scet point qu'elle feust fille de Pierette Doignon, et si auroit esté ladicte Jehanette aporcionee, et auroit eu la terre de Semenon et iij^c frans. Aussi les mineurs ne tiennent point la terre de Semenon, et n'y mettent lesdis mineurs point d'empeschement, et n'a point maistre Guillaume esté demandeur, mais est defendeur, et n'appert point qu'il ait fait adjorner Honneford es requestes[24] ne ailleurs. Et quoy que soit il propose et emploie ce que dit est, soit en demandant ou en defendant, et dit qu'il a, a ses despens, norry lesdis mineurs, fait labourer et remettre sus les heritages, et est lignagier et a bien administré et ne sera mie desmis ou despoinctié, et a esté et sera tous jours prest de rendre compte; et est besoing aux mineurs d'avoir plus ample provision, et l'auront. Conclut a ce, et que Honneforde n'a cause ne action et sera absolz, et demande despens. *Alias* conclut en demandant se mestier est a fin que lesdiz heritages qui sont en la main du roy leur soient a plain delivréz; et dit que au traictié du mariage de Syvador[25] fu dit qu'il ne rapporteroit riens, et que la terre du Bois Garnier estoit du propre heritage de ladite Pierete Doignon; et emploie les abolicions.[26]

Alia die revendront les parties, et *interim* maistre Guillaume Rose monstrera a Hanneforde ce qu'il appartendra, et pourront chacune desdites parties faire examiner tesmoins valitudinaires et affuturs.

[27 April 1428] [X^{1a} 4795, fo. 249v]

En la cause d'entre maistre Guillaume Rose, au nom qu'il procede, d'une part, et Richart de Honneforde, escuier, qui dit que voirement Simon Rose fu marié a ladite Perrete, et dit que les heritages a lui

---

^a et v^c escus *interlined* ^b *Followed by* que, *struck out*

22 i.e., the *Chambre des Comptes.*

23 Jeannette Rose was a daughter of Simon Rose but not of Pierrette Doignon.

24 A court, subordinate to the *conseil*, receiving and sometimes judging appeals.

25 Syvador de Girême, doubtless related to the bishop of Meaux of that name, had been one of those to surrender the *Marché* to Henry V. He had married Katherine, daughter of Simon Rose and Pierrette Doignon.

26 Perhaps a reference to the terms of surrender and the letters of remission referred to in n. 9, above.

bailliéz par declaracion par ledit maistre Guillaume furent a Simon
Rose, et lui vindrent par la succession de Simon Rose, son pere, et
n'appartindrent onquez a ladicte Perrete Doignon, qui estoit gentilz
femme, et fu donnee en mariage audit Simon qui avoit grant chevance
et estoit content d'avoir ladite Perrete sans finance; et furent aquiz le
Bois Garnier et autres heritages par feu Simon Rose a tiltre d'eschange
ou de permutacion, et en bailla Simon Rose autres heritages qui
valoient mieulz, et n'estoit mie Perrete dame*a* du Bois Garnier. Et
supposé que le Bois Garnier feust de son propre, sy y auroit ledit
Honneforde sa porcion; et se on disoit que Jaquin Rose, par droit
d'aisneesse, par la coustume devoit avoir le Bois Garnier, response que
la coustume de Champagne, pour l'aisneesse, ne donne que le principal hostel et le jardin;[27] et quant est dez doaires, ilz ne sont que a vie
et morte uxorum expirant;[28] dit oultre que Michiel Rose fu heritier de son
pere et estoit *proximus in gradu*, et precede lesdis mineurs d'un degré, et
n'appert point que au traictié du mariage dudit Simon*b* Rose il y deubt
avoir representacion, et ainsi lesdis mineurs ne peuent mettre empeschement au fait dudit de Honneforde, et n'y demandoit maistre
Guillaume pour lesdis mineurs que ung tiers ainsi qu'il appert par la
declaracion par lui autresfois baillee, et maintenant il veult tout avoir.
Et *alia die* revendront les parties au surplus.

[29 April 1428]   [X¹ᵃ 4795, fo. 249v]

En la cause d'entre maistre Guillaume Rose an nom qu'il procede,
d'une part, et Richard de Honneforde, escuier, qui dit que feu Simon
Rose confisqua ses biens, et estoit capitaine de Ruthel, et aloient ceulz
de Meaulz a Rutel et ceulz de Ruthel a Meaulz, et y aloit et venoit
Simon, et en appert assez par la date de son testament qui fu fait a
Meaulz. Et rendit Simon voluntairement la forteresse de Ruthel a
ceulz de Meaulz, et n'y ot onquez siege ne assault, et avoit Simon ses
enfans, Michiel Rose, et Sivador de Guesne, son gendre, qui avoient
grant charge de gens d'armes pour lez ennemis, et n'est mie vraissemblable que Jehan Daunoy eust injurié Simon Rose. Aussi aprés la
redicion [fo. 250r] de Meaulz les biens [de] Simon Rose furent confisquéz, et en fist recepte le receveur; et s'il n'avoit confisqué de son
chief, il auroit laissié Michiel Rose son seul heritier qui fu pris
a Meaulz et mené en Angleterre, et depuis seroit mort a Verneul. Et
n'y a point de representacion au regard de ceulz dont parle maistre

---

a dame *interlined*   *b* Simon *interlined over* Jaquin, *struck out*

[27] On the rights of the eldest son in Champagne and Brie, and more particularly to
his claim to the house and garden, see *Nouveau coutumier général*, III, i, 209-10.
[28] In the neighbouring *bailliage* of Melun 'le douaire, soit coustumier ou prefix, est
viager à la femme: de sorte qu'elle morte, il est éteint' (*ibid.*, III, i, 451).

Guillaume; et se*a* Michiel Rose estoit marié, pour ce ne seroit excluz par la coustume, car il n'y avoit homme a pareil degré a lui. Et ainsi fait, il y a confiscacion ou du chief du feu Simon ou de par ledit Michiel ou de par la femme [de] maistre Guillaume le Dur qui confisqua tout. Dit oultre Honneforde qu'il a iij^c livres sur lesdis heritages, et en a don et confirmacion par lettres du roy dont recite le contenu, et ne sont point surreptices; et sera maistre Guillaume demandeur car depuis la redicion de Meaulz le roy a joy desdis heritages et en a joy Honneford aprés le don a lui fait; et se maistre Guillaume eust joy, il n'eust mie demandé provision; aussi n'en aura il point, mais en joyra Honneforde.

Appoinctié que les parties sont contraires sur leur principal, et s'ilz ont aucuns autres fais ilz lez diront l'un a l'autre et escriront chascun en demandant et defendant; et au jugier la court aura sur ce tel regard et fera droit ainsi qu'il appartendra par raison. Et au regard de la provision, la court verra lettres, explois et ce que les parties vouldront monstrer au conseil.

Au conseil. Morvillier*b*

[30 July 1428]   [X^{1a} 8302, fo. 223r]

Maistre Guillaume Rose baillera ses contrediz de lettres a xv^{ne} pour tous delaiz contre Richart de Hanforde, escuier angloiz.

[19 & 20 February 1434]   [X^{1a} 1481, fo. 81v]

A conseillier l'arrest d'entre maistre Guillaume Rose ou nom qu'il procede, d'une part, et Richart de Honneforde, d'autre part, sur le plaidoié du xxiij jour de mars cccc xxvij.

Il sera dit que lesdis mineurs, par provision, auront et joyront de la moitié des heritages dudit feu Simon Rose, et ledit Richart aura et joyra du quart d'iceulz heritages, et l'autre quart demourra en la main du roy pendant ce proces.

Et oultre, veu le consentement dudit Richart, la court delivre aux enfans dudit feu Jaquin Rose la terre de Ury[29] et aux enfans de ladite Katherine la terre de Puiseux.[30] Et aussi, veu le consentement dudit tuteur, la court delivre audit Richart les heritages dudit feu Michiel Rose assis a Forfery,[31] Fossemartin[32] et Nantoullet[33] declaréz ou proces.

---

a Followed by maistre, *struck out*   *b In the margin*

[29] Probably Orry-la-Ville, Oise, arr. et c. Senlis.

[30] *Either* Puiseux-en-France, Val d'Oise, arr. Montmorency, c. Luzarches, *or* Puiseux, Seine-et-Marne, arr. Meaux, c. Lizy-sur-Ourcq.

[31] Forfry, Seine-et-Marne, arr. Meaux, c. Dammartin-en-Goële.

[32] *Either* Réez-Fosse-Martin, Oise, arr. Senlis, c. Betz, *or* La Fosse-Martin, Val d'Oise, arr. Montmorency, com. Villiers-le-Bel.

[33] Nantouillet, Seine-et-Marne, arr. Meaux, c. Claye-Souilly.

Et en oultre la court a ordené que ledit maistre Guillaume rendera compte et reliqua pardevant aucuns qui a ce seront commis par ladite court de l'administracion dez heritages desdis feu Simon et Jaquin, et sera commise une bonne personne a gouverner soubz la main du roy le quart dessusdit des heritages dudit feu Simon Rose pour en rendre compte et reliqua en temps et en lieu ainsi qu'il appartendra.

R. Porta.[34] *Pronunciatum xxiiij[a]* [*die*] *marcii m cccc xxxiij[o] ante Pascha.*
Le Duc[35]

[24 March 1434]   [X[1a] 68, fo. 154r]

Cum in certa appellacionis causa in nostra Parlamenti curia pendente inter magistrum Guillelmum Rose, tutorem et curatorem liberorum defuncti Jaquini Rose ac filiorum annis minorum defuncte Katherine Rose, sororis dicti Jaquini, appellantem, ex una parte, et Ricardum de Honneforde, scutiferum intimatum, ex altera, ratione bonorum que quondam defunctis Simoni Rose et Micaeli Rose spectaverant et aliorum bonorum que dictis minoribus ex decessu et successione suorum parentum, ut dicebant, obvenerant; in quibus dictus de Honneforde, virtute certi doni per nos seu predecessores nostros sibi, ut asserebat, facti usque ad valorem certi redditus annui percipiendi jus se habere dicebat in tantum processum extitisset quod huiusmodi appellacionem absque emenda prefata curia adnullasset et partes super principali in eadem curia procedere appunctasset. In qua curia quelibet dictarum partium plura facta et rationes super principali proposuisset ad finem seu fines quod dictis hereditagiis sibi pertinentibus et eorum fructibus uti et gaudere permitteretur, et quod impedimentum ex adverso appositum tolleretur et ad cessandum ab omni impedimento et in expensis pars adversa condemnaretur et quod in casu dilacionis provisio per dictam curiam sibi adiudicaretur.

Super quibus et aliis plurimis propositis et conclusionibus pertinentibus hinc inde factis, prefata curia dictas partes in factis contrariis super principali et respectu provisionis hinc inde requisite easdem partes ad tradendum penes dictam curiam suas litteras atque munimenta et in arresto appunctatis [*sic*]; visis igitur per dictam curiam predictis litteris atque munimentis dictarum partium, attentis earundem partium consensu et ceteris antedictis attendendis, cum grandi et matura deliberacione per arrestum prefate curie nostre dictum fuit quod supradicti minores annis per provisionem habebunt et gaudebunt de medietate bonorum dicti defuncti Simonis Rose, et dictus Ricardus habebit et gaudebit de quarta parte hereditagiorum dicti Simonis, et altera quarta pars, pendente hoc processu, in manu nostra

---

[34] Perhaps Jean de la Porte, *conseiller* in the Parlement, is intended.
[35] Guillaume Le Duc, *conseiller* in the Parlement, and then third *président* in February 1432.

remanebit. Et insuper attento consensu dicti Ricardi, prefata curia filiis dicti defuncti Jaquini Rose terram de Veyaco*ᵃ* et filiis dicte Katherine terram de Puiseux deliberavit et deliberat. Et eciam viso consensu dicti tutoris seu curatoris, eadem curia supranominato Ricardo heriditagia dicti defuncti Micaelis Rose in locis seu territoriis de Forferry,*ᵇ* Fossemartin et Nantoullet situata latius in processu deliberata, deliberavit et deliberat.

Preterea predicta curia nostra [fo. 154v] ordinavit et ordinat quod dictus magister Guillelmus Rose coram aliquibus ex parte curie predicte committendis de administracione hereditagiorum dictorum defunctorum Simonis et Jaquini reddet compotum et reliqua committeturque certa bona persona ad regendum sub manu nostra supradictam quartam partem hereditagiorum dicti defuncti Simonis Rose redditura compotum et reliqua tempore et loco prout pertinebit.

Pronunciatum xxiiijᵃ die marcii anno domini m° cccc° xxxiij° ante Pascha.

Piedefer³⁶

ᵃ Possibly Uryaco *should be read*
ᵇ MS Forsserry

---

³⁶ Robert Piedefer was *conseiller* in the Parlement in 1410, *président des requêtes* between 1418 and 1421, and first *président* of the Parlement in 1433.

V

Jeanne de Sens *v.* the Earl of Suffolk

William de la Pole, earl of Suffolk, was concerned in some three suits before the Parlement, of which this was by far the longest and the most important. Like so many others, it stemmed from a grant, in this case of a house in Paris, made to Suffolk by Henry VI. Seeking to obtain possession, Suffolk was opposed by Jeanne de Sens, widow of the former owner, who claimed that the house belonged to her, since a half share was hers and the other had come to her by virtue of a 'don mutuel' arranged between herself and her husband before he suffered confiscation.

Suffolk then sought to press his claim to certain moveable properties. Once again he found himself in difficulties which centred upon an allegedly usurious transaction involving his opponent. The evidence of the case is interesting for the light which it sheds on the financial difficulties experienced by wealthy members of Parisian society at the time, and of the rather shady deals carried out by even the most respected members of that society.[1]

[13 February 1425]   [X¹ᵃ 4794, fo. 32v]

Entre la vesve de feu maistre Pierre l'Orfevre,[2] appellant du prevost de Paris et de [   ]ᵃ examinateur du Chastellet,[3] d'une part, et le conte de Sulfok,[4] intimé, d'autre part.

Les appellans dient que ladite damoiselle est aagee de lx ans et fu fille de feu messire Guillaume de Sens, jadis premier [fo. 33r] president de Parlement,[5] et par ce moien est noble; et fu mariee a feu maistre Pierre l'Orfevre, jadis chancellier duᵇ feu duc d'Orleans,[6] et estoit noble vivant noblement; et durant leur mariage firent pluiseurs conquestes, especialement une maison a Paris, ou elle demeure, [et] s'entrefirent don mutuel; et aussi son feu mary laᶜ fist son executer-

---

ᵃ *Blank in MS*   ᵇ *MS* de   ᶜ *MS* le

[1] The background to this suit is given by A. Bossuat, 'Une famille parisienne (L'Orfèvre) pendant l'occupation anglaise an XVe siècle', *Bulletin de la Société de l'Histoire de Paris et de l'Ile de France*, 87–8 (1960–1), 77–96.

[2] A well-known personality, *avocat* in the Parlement and then chancellor to Louis, duke of Orléans, whose will he drew up in 1403. He died in 1412.

[3] See *Gallia Regia*, iv, 337, for the *examinateurs* of this period. It is not clear whose name should fill the blank in the MS.

[4] For William de la Pole, early of Suffolk, see appendix II.

[5] Guillaume de Sens, former *avocat du roi*, then third and finally first *président* of the Parlement. He died in November 1399 (Delachenal, *Histoire des avocats*, pp. 381–2).

[6] Louis, duke of Orléans, assassinated in 1407.

esse et ratiffia le don mutuel; et a ce tiltre et autrement dit qu'elle a joy de ladite maison comme sienne. Et neantmoins depuis, a l'instance du conte de Sulfok, le prevost de Paris[7] et autres officiers du roy l'ont voulu mettre hors de son hostel[a] et prendre les biens estans dedens, a quoy elle s'opposa et appella pour ce que on ne la[b] vouloit recevoir a opposition; et depuis y vint examinateur qui, en attemptant et au prejudice dudit appel, s'efforca de prendre et arrester ses biens meubles. Et de rechief appella, et sur son appel a esté anticipee par ledit conte.[c] Ramanie a fait et recite le contenu es explois et impetracion de partie adverse dont elle a appellé, et conclud en cas d'appel et a despens.

Le conte de Sulfok defend et dit qu'il est noble du lignage du feu roy Edouard et des princes et grans seigneurs du pais d'Angleterre, et est bon chevalier; et pour le bien et grant recommandation de sa personne le roy lui a,[d] entre autres choses, donné les biens, meubles et immeubles appartenans aux heritiers dudit feu maistre Pierre l'Orfevre qui ont confisqué tous leurs biens pour ce qu'ils ont tenu le parti contraire et se sont rendus ennemis et adversaires; pour ce le prevost, a l'instance d'icellui conte, se transporta en ladite maison appartenant en partie ausdis heritiers pour avoir desdis biens la porcion escheue ausdis heritiers; mais ladite vesve n'en a riens voulu delivrer, et tantost appella. Mais depuis le prevost y renvoia ung examinateur pour avoir la delivrance desdis biens escheus ausdis heritiers et demanda a veoir l'inventaire; mais elle n'en volt riens monstrer, et pour ce ledit examinateur arresta et mist lesdis biens en la main du roy pour ce que la vesve n'en vouloit monstrer compte ne inventaire;[8] mais appella tantost. Si a mal appellé, veu ce que dit est et le contenu es lettres royaulx et commissions sur ce donnees et faictes; et s'elle est noble, et son feu mary, pour ce ne seroit mie le roy empeschié de disposer de ce qui est sien; et ne scet riens du don mutuel, ne s'extend point aux meubles, et si devroit avoir fait inventaire, et aussi devroit baillier caucion. Et pour ce requiert que partie monstre ledit inventaire, le don mutuel et le testament.[9] Et conclud en cas d'appel et a despens, et requiert provision sur la delivrance desdis biens, attendu qu'il n'appert point dudit don mutuel ne de ce dont se vante partie adverse; et si est notoire le droit du roy.

Les parties revendront jeudi, et *interim* le conte monstrera ses lettres

---

[a] hostel *interlined*
[b] *MS* le
[c] *Followed by* si comme, *struck out*
[d] a *interlined*

[7] Simon Morhier, *prévôt* of Paris 1422–36.
[8] In the case of a *don mutuel*, the survivor of a marriage was obliged to make inventories of all property, moveable and immoveable (*Nouveau coutumier général*, III, i, 383).
[9] See *Fauquembergue*, ii, 253–4.

a ladite vesve qui luy monstrera les testament, don mutuel et inventaire dessusdis, s'aucuns en a.

[15 February 1425]   [X^{1a} 4794, fo. 35^r]

En la cause d'entre damoiselle Jehanne de Sens, vesve de feu maistre Pierre l'Orfevre, appellant, et le duc de Sulfok, intimé, d'autre part, l'appellant dit que au regard de la maison elle y a la moitié a heritage a cause du conquest, et l'autre moitié a viage par le don mutuel;[10] au regard des meubles, les heritiers de feu maistre Pierre n'y avoient et n'y ont riens; ils ne demeuroient et ne demeurent mie audit hostel, et n'y trouvent mie leurs biens. Et si est vray que l'an m cccc xj maistre Pierre s'absenta de son hostel, et se y vint logier Enguerrand de Bournonville,[11] qui en emporta tous les biens meubles aisiés a transporter; et depuis si vint logier le sire de Helly[12] qui n'y trouva gaires de bien; et depuis, aprés le traictié d'Aucerre,[13] trespassa maistre Pierre l'Orfevre a Orleans,[14] et vindrent ses heritiers a Paris qui demanderent leur part des biens meubles dont fu fait inventaire, et l'Ospital[15] et Cousinot[16] et tous les autres heritiers, et furent bailliés a l'eglise de Senlis[17] les livres que ledit defunt y laissa qui valoient bien vj^c livres, et a moult frayé et despondu en l'execucion du testament dudit defunt; et ne lui demoura gaires de biens qu'elle avoit espargnié de ses revenues et heritages; et avoit bien au jour de l'entree des Bourguignons[18] cent queues de vin et grant quantité de grains et autres meubles qui furent tous prins, consumés et emportés; et ne lui demoura riens ou petit de meubles, et fu avec ce et son fils^a ranconniés de mil et v^c moutons qu'elle emprunpta; et depuis a esté appellee devant les commissaires sur le fait des confiscacions pour avoir les biens meubles et immeubles; mais veu le don mutuel, on lui a laissié

---

^{a} et son fils *interlined*

[10] *Dons mutuels* were for life only (*Nouveau coutumier général*, III, i, 383).

[11] A Picard of strongly pro-Burgundian leanings, active in the wars between supporters of Burgundy and Orléans. He was executed at Soissons in May 1414. On whom, see R. Vaughan, *John the Fearless* (London, 1966), pp. 146–7, 151.

[12] Jacques de Heilly, a Picard supporter of Burgundy, marshal of Guyenne, captain of Soubise, governor of La Rochelle, who became a prisoner of Sir John Fastolf in 1413 (M. G. A. Vale, *English Gascony, 1399–1453* (Oxford, 1970), p. 68 and n. 1).

[13] The treaty of Auxerre was made between the duke of Burgundy and his opponents in August 1412.

[14] Orléans, Loiret.

[15] François de L'Hospital, councillor and chamberlain to Louis of Orléans. He married Catherine L'Orfèvre, daughter of Pierre L'Orfèvre (n. 2, above). See Père Anselme, *Histoire généalogique et chronologique de la maison royale de France*, vii (Paris, 1733), 433.

[16] Guillaume Cousinot succeeded Pierre L'Orfèvre as chancellor to the duke of Orléans.

[17] Senlis, Oise.

[18] 29 May 1418.

et delivré ladite maison et les biens estans dedens. Et se on disoit que le don mutuel ne saisit point, au moins sera elle saisie par ce qu'elle en a prins possession et en a jouy et possessé par l'espace de v ans, et en ont esté d'accord les heritiers qui ne s'en pourroient maintenant dire estre saisis. Et se ledit conte de Sulfok avoit ladite maison aux charges qu'elle doit et dont elle est chargee par ledit testament, il n'auroit gaires gaignié. Et se on dit que le prevost ne la*ª* troubla point car il ne vouloit mettre en possession le conte si non selon le don du roy de ce qui appartenoit aux heritiers, responce que le droit des heritiers n'estoit point declairié, et estoit leur droit incertain: *modo rei incerte non potest dari aut haberi possessio*; et si vouloit le prevost faire joir le conte et aussi lui vouloit delivrer la proprieté, et par ce on le grevoit en tant que on refusoit a le recevoir a opposition. Et n'y convenoit point faire d'inventaire de ses biens *quia durum et inhumanum est vilitatem rei familiarum detegere*; aussi l'inventaire fu pieca fait des biens demourés du deces dudit defunt dont les heritiers ont emporté leur part et portion, et ne lui demoura riens de chose qui appartenist ausdis heritiers, mais du sien propre a acquictié grant partie dudit testament dont lesdis heritiers l'ont promis de recompenser sur les heritages. Ainsi on l'a grevé par les explois dessusdis. Si conclud comme dessus. A lundi revendront.

[20 February 1425]   [X¹ª 4794, fo. 36*ᵇⁱˢ*r]

En la cause d'entre damoiselle Jehanne de Sens, appellant, d'une part, et le conte de Sulfok, intimé, d'autre part, qui duplique et dit que les appellans ne sont mie recevables car ladite damoiselle ne povoit appeller des lettres ne du roy ne*ᵇ* aussi du prevost ou de l'examinateur ne des officiers, qui n'ont riens exedé; aussi le conte sera maintenu et gardé esdis biens au moins en la moitié selon la teneur de ses lettres; et ne fait riens au contraire le don mutuel, car par la coustume et usage on doit presenter ung don mutuel *illico* a la justice et faire inventaire des biens et baillier caucion, *aliter* le don mutuel est nul et de nul effect; or est ainsi que ladite forme et solempnité n'a point esté gardee au don mutuel dont se vante partie adverse. Et quoy qu'elle die, feu maistre Pierre l'Orfevre estoit au temps de son trespas riches homs de cent mil frans; et toutesvoies on n'y a trouvé denier, et n'en appert point par l'inventaire. Ainsi il fault dire qu'il y a tres grans recelemens; et si n'y a on trouvé aucunes lettres obligatoires dont il avoit largement. Et n'est mie vraysemblable qu'il eust porté ses biens et ses lettres a Orleans en l'an cccc xij, et y a faulte en l'inventaire que ladite vesve monstre; et dit on qu'il y ot deux inventaires. Et si Enguerran de Bournonville s'estoit logié audit hostel, pour ce n'auroit il mie emporté les meubles, supposé ores qu'il eust beu et mangié des garnisons et vivres estans audit hostel. Et se feu maistre Pierre l'Orfevre

ª MS le   *ᵇ* ne *interlined*

avoit fait grans lays en son testament, il avoit bien de quoy en heritages, en conquestes et en meubles, et n'empescheroit point le testament le droit du roy ne[a] le droit du conte, qui conclud comme dessus.

L'appellant dit que l'inventaire desdis biens a esté fait bien et con-
venablement ainsi qu'il appartenoit, et combien qu'elle en peust joir
sa vie durant; neantmoins partage en fu fait, et en delivra a ses enfans
leur porcion. Ainsi pour les meubles ne convenoit point baillier de
caucion, ne aussi au regard des immeubles, et ont esté contens les enfans
et heritiers, et a joy de son dit don mutuel par l'espace de xiij ans du
consentement des heritiers, qui ont esté contens dudit inventaire et de
tout qui a esté fait, aussi *possidens immobilia non tenetur satisdare*;[19] et si est
vray que tous les meubles hors de Paris appartenoient a ladite appellant puis qu'elle est noble; [fo. 36*bis*v] et n'est mie vraissemblable que
l'Orfevre eust tant[b] vaillant que on disoit, attendu ses conquests et
charges.

Appoinctié que la court verra lettres, inventaire, testament et explois
dessusdis au conseil.

Au conseil. Morvillier[20c]

[29 March 1425]   [X[1a] 4794, fo. 64v]

En la cause d'entre le conte de Sulfok, demandeur, d'une part, et la
vesve de feu maistre Pierre l'Orfevre, defendeur, d'autre part, le conte
requiert que l'execucion des lettres a lui octroiees par le roy soit faicte
et parfaicte selon la teneur d'icelles; et n'est recevable partie a soy
opposee contre lesdites lettres, qui sont precises, et se doit ladite vesve
autrement pourveoir par demande ou autrement, car le droit du roy
est tout notoire es biens qu'il demande qui sont confisqués, et n'en sera
despointié le roy. Et emploie ce qu'il a dit autresfois.

La vesve dit que au regard des meubles ils ne sont point comprins
au don dessusdit car biens meubles n'ont point de situacion ne de
suite, et ne puet on dire qu'ils soient situés ne assis. Aussi au regard des
immeubles, le conte n'a mie et ne puet avoir le privilege du roy; et si
ne declare point le roy quels heritages ne quelle maison il a confisqué,
et ne declare point expressement quels heritages seroient comprins en
ladite confiscacion, mais partie, a son prouffit, en veult faire la confiscacion et la declaracion. Et pour ce ladite vesve doit estre receue a
opposicion, et ne doit estre mise hors de son droit et de sa possession
sans le oir; et dit que la maison est sienne, et requiert en tant que
mestier seroit en ceste matiere examen estre fait de iij ou de iiij temoins;
et requiert provision de ses biens que sont scellés.

---

[a] *Followed by* d   [b] tant *interlined*   [c] *In the margin*

[19] 'Possessores immobilium rerum satisdare non compelli' (*Dig.*, II, viii, 15).
[20] Philippe de Morvilliers, first *président* of the Parlement 1418–33.

Le conte de Sulfok soubstient son don et ses lettres que on doit interpreter *latissime* favorables, et seront ses lettres executees, *aliter* elles lui seroient inutiles.

Appoincťié qu la court verra ce que les parties vouldront mettre avec ce que elles ont mis devers ycelle court; et au conseil fera droit.

Au conseil. Morvillier*ᵃ*

[5 August 1428]   [X¹ᵃ 4795, fo. 311r]

Le procureur du roy a dit qu'il y a proces, lettres, informacions et confessions ou Chastellet de Paris²¹ touchans damoiselle Jehanne de Sens sur le fait d'aucuns contracts usuaires, et surviennent chacun [? jour] nouvelles plaintes. Si requiert que tout soit apporté ceans, et soient donnéz commissaires pour faire informacions desdites nouvelles plaintes sur les cas dessusdis.

Appointé que le premier huissier²² fera apporter ceans toutes lesdites lettres, proces, informacions et confessions touchans ladite matiere, et seront donnéz commissaires selon la requeste du procureur du roi.

Arrest. Morvillier*ᵇ*

[9 August 1428]   [X¹ᵃ 4795, fo. 313v]

En la cause d'entre damoiselle Jehanne de Sens, appellant du prevost de Paris, d'une part, et Simon Sambrin,²³ intimé, d'autre part, l'appellant dit qu'elle est noble damoiselle, fille de feu messire Guillaume de Sens, jadiz chevalier et premier president de ceans, et fu mariee a feu maistre Jehan de Vitry,²⁴ et depuis a maistre Pierre Mercade, et s'est bien et sagement gouvernee. Et protestent les conseillers d'elle et elle qu'ils n'entendent riens dire contre le conte de Sulfok, et le vouldroient honnourer et lui complaire; et ne touche ceste cause que Simon Sambrin, qui est marchant ou courretier de joyaulz, qui s'adressa pluiseurs fois devers elle, et lui monstra joyaulz et vaisselle pour avoir argent, et aucunes fois en a baillié argent. Et depuis y est retourné et a apporté de rechief joyaulz et vaisselle et autres gaiges, et aucunes fois elle en a acheté, autre fois a prestre. Et entre lez autres fois Simon vendi a elle certaine quantité de perles, dont mencion est faite au proces, et en paia iijᶜ livres ou autre somme qu'elle declaire; et apréz ce qu'elle lez ot gardeez ij ou iij ans, elle lez bailla a vendre par Henry Biscop, dont Simon fu mal content, pour ce qu'elle ne lez lui avoit baillié a vendre, etᶜ aussi pour ce que depuis elle lui refusa a prester argent; et pour occasion de ce Simon parla a ung grant segneur

---

ᵃ In the margin   *ᵇ In the margin*   *ᶜ Followed by* des, *struck out*

²¹ The court of the *prévôt* of Paris.   ²² Guillaume de Buymont

²³ Simon Sambrin was a dealer in precious stones.

²⁴ Jean de Vitry was a *conseiller* at the Parlement in 1401, and *maître des requêtes* to the Dauphin in 1417.

et lui dit qu'elle avoit argent et joyaulz, et qu'elle s'entremettoit de prester argent, et que l'on*a* pourroit assez gaignier sur elle. Et depuis Simon retourna et lui dist qu'il lui bailleroit de la vaisselle, et au jour et a l'eure que ilz devoient parler ensemble fist venir couvertement le prevost de Paris, qui la*b* fist prisonnier et ledit Simon. Et lors ladite damoiselle pria au prevost qu'il la*c* fist prisonnier en son hostel ou en l'ostel d'un bourgois, sans la*d* mener en Chastellet, pour garder l'onneur d'elle et de ses parens, dont le prevost ne volt riens faire; et fu menee en Chastellet, et tous ses biens inventariéz; et apréz fu menee au lieu de la question, et fu interroguee dez fais d'entre elle*e* et Simon et sur autres papiers qui lui furent monstréz, et fu iiij ou v jours en prison sans ce que personne parlast a lui, et fu en prison depuis lendemain de l'Adscension jusquez a la veille de la Penthecouste.[25] Et cependant y ot proces entre le conte de Sulfok contre Guillaume Bourdin,[26] qui fu condempné envers le conte, et Simon fu condempné envers Bourdin, dont ladite damoiselle ne savoit riens, et est seule despourveue de conseil. Et la veille de Penthescouste fu amenee en jugement, et Simon lors fist sa demande contre elle, et demanda lesdites perlez et requist a veoir les papiers d'icelle damoiselle. Et demanderent les confessions l'un de l'autre, et fu dit qu'elle auroit jour d'advis, et que Simon ne verroit point lez papiers, et qu'ilz auroient lez confessions l'un de l'autre. Et a ung autre jour retournerent pour ce que on avoit baillié sa confession de tous autrez cas a Simon, et il ne le devoit avoir que en tant qu'il touchoit lesdites perles, et qu'il y avoit eu erreur.*f* Elle requist que tout fust mis devers la court, et que l'erreur fu corrigié;*g* et aussi pour ce que elle avoit a faire aucunes demandes contre Simon, elle requist a veoir son papier ainsi que Simon l'avoit veu; requist en oultre avoir delay pour defendre et sommer [tesmoins]. Recite en oultre les autres requestes qu'elle fist dont le prevost, par son appointement, la*h* debouta; si appella et dit que on l'a grevé. Si conclud en cas d'appel et a despens, et requiert que la court lui pourvoie et qu'elle voie ses papiers, *quia memoria mulierum labilis est*,[27] et qu'elle voie lez confessions de Simon, et que lez siennes soient mises devers la court.

---

a MS quel on
c MS le
e MS lui
g et que l'erreur fu corrigié *interlined*

b MS le
d MS le
f et qu'il y avoit eu erreur *interlined*
h MS le

---

[25] i.e., for nine days.

[26] Guillaume Bourdin was among those rewarded in 1422 for helping to bring about the Burgundian entry into Paris in May 1418 (Longnon, *Paris*, pp. 34–7). Apart from the reference in this record, nothing is known of the suit between him and Suffolk.

[27] 'Memoria hominis est labilis', implied in *Dig.*, XXXXI, ii, 44.

Simon Sambrin dit qu'il s'entremet de faire[a] finances, et pour ce le[b] pria ladite damoiselle qu'il parlast a elle; oultre dit que l'an mil cccc xxv le clerc du conte de Sulfok, en son absence et a son desceu, vint en la compagnie dudit Bourdin pardevers Simon Sambrin et lui apporterent [fo. 314r] certains joyaulz appartenans au conte, et furent bailliéz a ladite damoiselle qui presta iij[c] frans; et depuis Bourdin en rapporta cent frans a Simon qu'il bailla et restitua a ladite damoiselle dont mention est faite ou papier de ladite damoiselle, et y est declairee la monnoie dez paiemens, et ainsi ne restoit que ij[c] frans. Et quant le conte de Sulfok, il demanda a Simon et a Bourdin ses joyaulz, lesquels sommerent ladite damoiselle, et aprés furent condempnéz a lez restituer, ou l'estimacion, et furent appreciéz bien bas, c'est assavoir a v[c] frans, et pour ce Simon fist adjorner ladite damoiselle et lui fist demande desdis joyaulz en lui paiant ij[c] frans.

Recite en oultre le demené du proces, pendant lequel proces Simon demanda veoir le papier qui estoit commun, et y avoit de l'escripture de Simon et de l'escripture de ladite damoiselle. Recite en oultre le contenu en l'appointement du xv[e] jour de juing, et le contenu de la sentence dont elle appella, par quoy appert qu'elle a mal appellé, veu qu'il estoit question du fait d'elle et dont elle avoit par avant respondu, et veu le delay qu'elle avoit eu et lez confessions d'elle. Et dit Simon que oncquez il n'avoit parlé au prevost de Paris de la[c] faire prendre, et s'y avoit Simon grant interest que le papier d'elle feust pris par le prevost, pour ce qu'il lui avoit baillié pluiseurs gaiges de grans segneurs dont il n'eust sceu enseignier que par ledit papier. Et n'a point esté grevee, attendu ce que dist est et qu'elle avoit esté interroguee, et povoit on par ses[d] confessions recueillir ses defenses; et supposé qu'elle eust baillié sa confession plus ample, ce ne justifieroit point son appel, et si est vray qu'elle ne fist oncquez adjorner Simon pour faire demande contre lui. Et pour ce qu'il n'a mie grant interest en la poursuite de la cause d'appel, Simon, pour faire sa demande, dit qu'il a baillié a ladite damoiselle lez joyaulz declairiéz en son papier, dont il receu iij[c] frans; et un mois apréz en restitua cent frans en blans doublez.[28] Si requiert qu'elle soit condempnee a restituer lesdis joyaulz en lui paiant ij[c] frans, ou d'en aquitier Simon envers le conte et de ladite condempnacion et a paier despens, dommages et interestz. Et ou regard dez autres gaiges, qu'ilz lui soient renduz en paiant la somme ou lez sommes pour lesquelles ilz tiennent; et demande despens et interestz comme dessus, et requiert a veoir les papiers.

---

[a] faire *interlined*   [b] le *interlined*
[c] *MS* le   [d] *Followed by* def, *struck out*

[28] On the currencies of the day, and their changing values, see *Fauquembergue*, ii, 108 and n. 3, 109; *Bourgeois*, pp. 210–11; *A Parisian Journal, 1405–1449*, trans. J. Shirley (Oxford, 1968), pp. 31–4, 211.

[La] damoiselle, pour defendre a la demande dudit Simon, s'il plaist a la court de mettre au neant sans amende, dit qu'il lui est besoing de veoir ledit papier, et veult bien aussi que Simon le voye; et pour ce que Simon ne demande que une partie dez gaiges, il y devroit tout mettre, mais il ne demande que lez meilleurs; et pour ce que Simon le veult noter d'avoir eu prouffit, on saura bien par ceulx a qui sont lez gaiges qu'elle n'en a point eu de prouffit.

Appoinctié que l'appellacion mise au neant sans amende, lesdites parties procederont ceans sur le principal en demandant et en defendant. Et au regard de la requeste dessusdite faite afin de monstrer ledit papier, la court fera droit au conseil.

Arrest. Morvillier   Au conseil. Morvillier^a

[19 January 1429]   [X^{1a} 1481, fo. 5r]

A conseiller l'arrest d'entre damoiselle Jehanne de Sens, d'une part, et Simon Sambrin, d'autre part, sur le plaidoié du ixe jour d'aoust m cccc xxviij derrain passé; *et non fuit omnino conclusum*, mais a esté advisé premierment lesdites parties et autres qui sauront parler de la matiere de ce proces, et du contenu es papiers d'icelles parties seront interroguéz, presens l'un desdis presidens et v ou vj desdis conseillers. Et que ce que sera fait [fo. 5v] en ceste partie sera monstré au procureur du roy pour en dire et faire telles conclusions que bon lui semblera, et seront lesdites parties oyéz ceans en leur cause; et ce fait, la court lez appoinctera ou fera droit ainsi qu'il appartendra. Et en oultre la court a enjoint au premier huissier de ceans que presentement il se transporte en l'ostel dudit Sambrin et qu'il prengne, saisisse et apporte devers la court tous papiers, registres et cedules qu'il trouvera en l'ostel dudit Sambrin, non obstant oppositions ou appellations, et qu'il mette la femme dudit Sambrin en aucun lieu honneste et qu'il face prendre garde que aucun ne puist parler a elle jusquez a ce qu'elle ait esté interroguee par maistre Philippe de Nanterre²⁹ et autres conseillers de ladite court commis a ce.³⁰

[22 February 1429]   [X^{1a} 4796, fo. 56r]

En la cause d'entre Simon Sambrin, demandeur, et damoiselle Jehanne de Sens, defendeur, Sambrin recite le demené du proces fait contre ladite damoiselle en Chastellet qui est venu ceans par appel qui a esté mis au neant par appointement de la court. A cause de joyaux engaigéz pour iij^c frans d'or, Sambrin a paié cent frans et

---

^a *In the margin*

²⁹ Philippe de Nanterre, *conseiller* in the Parlement since November 1426 (*Fauquembergue*, ii, 219).

³⁰ This text is printed in *Fauquembergue*, ii, 293-4.

conclud que la damoiselle soit condempnee a lui restituer lesdis joyaux en lui paiant la somme de ij^c frans qui reste, et soit condempnee a le desdomagier envers le conte de Suffolk ausquel sont lesdis joyaux; et demande despens.

Alia die revendront, et *interim* Sambrin baillera la declaration des joyaux qu'il demande a ladite damoiselle.

[28 February 1429]   [X^{1a} 4796, fo. 58r]

En la cause d'entre Simon Sambrin, demandeur, d'une part, et damoiselle Jehanne de Sens, vesve de feu maistre Pierre Mercade, defendeur, d'autre part. A demain lez parties revendront sur tout *hinc inde*.

[7 March 1429]   [X^{1a} 4796, fo. 62v]

En la cause d'entre Simon Sambrin, demandeur, d'une part, et damoiselle Jehanne de Sens, vesve de feu maistre Pierre Mercade, defendeur, d'autre part, le demandeur a baillié declaracion des pierres et dez choses qu'il demande.

La defenderesse dit qu'elle est fille de premier president et est de bonne conscience, et a eu grant charge d'acomplir les testamens de sez maris trespasséz, et ay perdu en Normendie et ailleurs par quoy sa chevance est bien diminuee; et neantmoins Sambrin, cuidant^a trouver avantage et faire son prouffit, lui porta certaine quantité de perles en filez; ne scet quel nombre avoit en chacun filet, et lez acheta au poix, et lez garda bien deux ans; et depuis lez exposa en vente publiquement, et en fu corretier Sambrin d'une partie qu'il vendi pour elle, et le surplus fu vendu par autres courretiers, dont Sambrin fu mal content de ce qu'il ne vendi tout pour avoir le prouffit du courretage; et toutesvoiez n'y a mie eu grant aquest, car a garder ij ans lesdites perles elle n'y a mie gaignié xl frans, qui est peu de chose au regard du pris qui montoit environ iij^c frans; et dit que lez perles ne lui furent mie bailleez par nombre; et toutesvoiez il est vraissemblable que s'il lez eust baillié par^b maniere de gaige, il lez eust baillié par compte, et l'eust escript en son papier; et ne sera ja sceu que Sambrin eust paié cent frans en doublez pour racheter lesdites perles; et quant est dez cent frans dont son registre fait mention, elle lez receu de la vendicion desdites perles par Biscop et non point de Sambrin; et ainsi fu trouvé par lez papiers de Biscop de commencement quant Sambrin en fist poursuite; et si est vray que quant Sambrin lui apporta lesdites perles, il affirma qu'elles estoient siennes, et qu'il lez avoit achetees de Guillaume Dou[r]din, et le confessa en Chastellet. Et suppose qu'ellez ne feussent mie siennes, il les auroit vendues, *et* [fo. 63r] *potuit vendere rem*

---

^{a} *Followed by* faire, *struck out* ^{b} *Followed by* g, *struck out*

alienam. Et quant est du proces et de la sentence que on doit estre fait par le conte de Sulfok[a] a l'encontre de Guillaume Dourdin et de Sambrin qui sommerent l'un l'autre et sommerent ladite damoiselle, le proces fu assez sommierment fait, et furent condempnéz Dourdin envers Sulfok et Sambrin envers Dourdin, et ne touchoit riens ladite damoiselle; et neantmoins on declara le proces usuaire, et fu condempnee en l'amende, et quant vint a faire l'apreciacion, elle n'y fu ne veue ne oyé, et est *res inter alios acta*, et ne furent venduez par elle que iiij[c] xl frans, et l'appreciacion montoit a iij[c] xxv; et se on lez avoit apprecieez a plus grant somme, l'appreciacion ne lui porteroit prejudice *quia non fuit facta vocatis vocandis*, et seroit *res inter alios acta*; ainsi Sambrin n'a cause ne action. Conclud a ce et a fin d'absolucion et a despens, et dit qu'elle n'a point lesdites perles, *nec dolo desit possidere*; et quoy que soit, Sambrin ne pourroit demander plus grant somme que la condempnacion porte, et n'y a force ne violence, ne cause pour defferer le serement; et emploie ce que a dit autresfoiz.

Sambrin replique et dit qu'il ala devers ladite damoiselle a la requeste d'elle; et paravant avoit presté a prouffit, et lui bailla Sambrin[b] en gage[c] lez dites pierres et joyaulz, et ne lez vendi point; et n'est mie vraissemblable que Sambrin feust alé devers ladite damoiselle seulement pour vendre lesdis joyaulz[d] pour si petit pris qui avoient cousté au conte de Sulfok, et par la valeur des choses et la qualité dez personnes et de ladite damoiselle qui a bien acoustume de prester sur gaiges, on doit dire et presumer que ce n'est que ung engaigement, et le doit on presumer par ce que ladite damoiselle escript et declaire en quelle monnoie le prest fu fait, et devoit avoir iiij frans pour chacun cent; et apréz ce que Sambrin en eust paié cent frans, elle escript en janvier que Simon Sambrin devoit ij[c] xvj frans, et apréz elle escript que du xv[e] jour de decembre que le prest fu fait jusquez au xv[e] d'octobre on lui devoit ij[c] iiij[xx] frans; et oultre est escript que dudit xv[e] octobre jusquez au xv[e] de may ensuivant lui estoient deubz iij[c] xxxv frans, et est escript de la main d'elle que c'estoit prest, et si est escript quel prouffit elle doit avoir de mois en mois; si convient dire que c'estoit prest, et ainsi *contractam rem alienam* et de l'appliquer a soy et a son prouffit et vendre ce qui n'est pas sien *commisit furtum et dolo desisset possidere*; si sera creu par son serement de la valeur, et n'est mie vraissemblable que Biscop ait paié cent frans a ceste cause; et fait a noter qu'il y a escript les cent frans; si convient dire qu'il se rapporte aux cens frans de grans blans bailliéz en prest, et eust esté autrement escript se le paiement se feust rapporté a ce que veult dire ladite damoiselle; et si est vray que ladite damoiselle, par son escript en son dit papier, confesse avoir receu cent

---

[a] par le conte de Sulfok *interlined*
[c] *Followed by* et ne, *struck out*
[b] Sambrin *repeated*
[d] *Followed by* qui, *struck out*

frans dudit Sambrin. Et est vray que Dourdin lui bailla lesdites perles, et lors Sambrin ne savoit a qui ellez estoient, mais depuis il a sceu dont ellez venoient; et dit Sambrin que onquez il n'en revendi aucunes, et ne lez vendi ou revendi point en sa presence ladite damoiselle, et ne sceut riens que trois ou iiij mois apréz ce qu'elle*a* les ot venduez, et saura on bien qui lez euez au moins une partie, et en a vendu pour iij^c xxxvj frans, et en a retenu deux filez dont l'un vault bien iiij^{xx} salus ou iiij^{xx} frans, *et dolo desit possidere*; si lui seront adjugés sez lettres et le desdomagera ladite damoiselle, et requiert l'adjonction du procureur du roy.

La defendresse requiert a veoir son papier, et demande delay pour venir dupliquer ou dire ce qu'il appartendroit en ceste matiere qui est civile.

Le procureur du roy dit que la defendresse est coustumiere de prester a montéz et a prouffit, ainsi qu'il appert par l'inscription et inspection de son papier; et pour couvrir l'usure elle escript que c'est achat ou elle fait prest, et toutesvoiez elle ne l'a mie escript en ceste; et si veult maintenir que c'est achat, si appert qu'il y a contract usuraire et delit qui requiert confiscacion de biens. Conclud a ce, au moins en amende prouffitable selon l'ordonnance de la court, et proteste de faire poursuite pour lez autres cas; et autrement conclud de present *ut in registro magistri Johannis de Spina.*[31] Et oultre dit que la defendresse ne verra point et ne doit veoir son papier.

Appoinctié *ut in registro dicti de Spina.*

[10 March 1429] [X^{1a} 4796, fo. 66r]

En la cause d'entre Simon Sambrin, demandeur, d'une part, et damoiselle Jehanne de Sens, defendeur, d'autre part, qui dit qu'elle acheta lesdites perles de Sambrin qui affirmoit lez avoir acheteez de Guillaume Bourdin, et ainsi l'a maintenu au proces de Chastellet; et est vraissemblable que plus eust engaigié lesdites perles que il lez est eust declairieez quellez et combien, attendu qu'il escript ou papier de sa main et y escript ce qu'il recevoit et ce qu'il y volt escripre; et n'eust mie laissé deux ans et demi les perles devers ladite damoiselle s'il y eust eu montéz; aussi n'en paia oncquez montéz ledit Sambrin; aussi ne lui en demanda [fo. 66v] elle onquez aucune chose, et *revera* Sambrin lez luy vendi. Et depuis Sambrin fu courretier et present a en revendre une partie d'icelles perles; et y a desja sur ce tesmoins examinéz, et doit on adjouster foy a elle autant que a Simon, attendu ce dont il s'entremette. Et quant est de l'estimacion dez pierres et perles

---

a *MS* qu'elles

---

[31] i.e., in the register of Jean L'Espine, *greffier criminel*, not extant.

dessusdites que partie dit avoir esté estimeez v^c frans, on n'y doit point avoir de regart, mais doit on avoir plus regard a l'estimacion et valeur commune desdites pierres qui ne valent gaires selon l'affection dez gens; et a on veu le feu duc de Berry qui^a achetoit vairres et pierres grant pris qui ne valoient gaires.[32] Et quoy die Simon, il vendi lesdites perles; et ce qu'il a escript^b ou papier d'elle, se puet rapporter et adapter a vendicion aussi bien que a prest. Et ou regard de ce qui est escript au xxx^e feullet ensuivant, il n'y a point de variacion ne chose repugnant a son intencion; car quant Simon lui apporta lesdites perles, Simon lui devoit ix frans et demi, et quant vint a paier iiij^c xxv frans et demi, elle en paia et nombra iij^c xvj frans, et rabati ix frans et demi que^c devoit Simon, et le demoura[nt] estoit tiré et paié de son sac. Et pour ce fist ladite escripture pour savoir que son argent devenoit; ainsi n'y a point de repugnance. Et ne se pourroient rapporter les montés de ij mois a xvj frans, et a affermé ladite damoiselle a ses conseilliers qu'elle n'en receu onquez aucunes montés; et ne sera ja sceu ne trouvé qu'elle en receut ne demandast onquez montéz. Et au regard de ce qui s'ensuit escript de la main d'elle Receu lez cents frans etc, response que apréz ce qu'elle ot baillié a Biscop aucunes denrees et dez choses dessusdites, qui lui avoit paié cent frans, elle escript receuz lez cent frans pour savoir comment son argent revenoit, et n'estoit mie escript receu de Simon. Et supposé *quod faceret relacionem* a Simon *non argueret nec probaret contra se.* Et a ce qui est escript au xlviij^e feullet ensuivant receu de lui cent frans sur lez etc, elle dit que depuis qu'elle n'eust son papier on a broillié l'escripture sur ce mot sur lez; et ne scet on qu'il y avoit escript; et ne scet on dont ce vient pour ce que son papier a esté en diverses mains, et l'a veu et tenu le conseil dudit Simon. Et si est vray que sur ce qui est effacé il y povoit avoir pierres aussi bien que perles, et s'il y avoit perles on le devroit entendre d'autres perles qu'elle a baillié pluiseurs fois a Sambrin pour vendre; et dit qu'elle a presté pluiseurs fois a pluiseurs personnes qui ont esté interroguéz desquelz elle ne demanda ne print onquez prouffit; et en fait n'y a^d mie contractacion *rei aliene.* Et aura la court regard qu'elle est femme dont^e lez escripturez ne sont mie si seurez ne si delibereez que dez hommes.

Le procureur du roy dit que par ce que ladite damoiselle fist escripre Simon Sambrin en son papier ce qu'il y escript, on doit dire que c'estoit prest, non mie vendicion; et se c'eust esté vendicion, n'eust esfe besoing de declarer les especez des monnoies, et eust fait escripre^f a Sambrin qu'il lez eust vendue se vendicion y eust eu; et si a acoustume

---

^{a} qui *struck out in MS*
^{c} *Written over* quelle
^{e} *Followed by* so, *struck out*
^{b} *Followed by* en son, *struck out*
^{d} *Followed by* j
^{f} *Followed by* q, *struck out*

[32] Jean, duke of Berry, is normally regarded as the most discerning collector in late medieval France.

ladite damoiselle d'escripre que c'est vendicion en ce qui est fait par prest. Et n'est mie vraissemblable que ce qui est escript dez cent frans receuz se rapporte a Biscop par ce que par avant n'y a aucunes parties declaireez sur Biscop; et si y a en ung autre lieu escript <u>cent frans sur lez perles</u> et a broillié et fait ung paté d'encre sur le mot <u>sur lez perles</u> pour cuidier gaignier cent frans et pour couvrir son fait. Et n'est mie vraissemblable que autre l'ait fait que elle, et n'y pourroit aucun avoir prouffit ne dommage qu'elle; et n'est mie vraissemblable que Simon l'eust fait et lui eust porté dommage; et a depuis esté le papier en main non suspecte, et ne l'a point tenu Simon.

Si conclud comme dessus et oultre que lez escus et monnoies defenduez par lez ordonnances soient confisqueez *ut in registro* de l'Espine, et appointé *ut in eodem registro*.

Au conseil*ᵃ*

[15 and 16 April 1429]   [X¹ᵃ 1481, fo. 11r]

[Venredi] xvᵉ et samedi xvjᵉ jours d'avril furent au conseil les presidens et conseillers de ceans a conseillier l'arrest dessusdit d'entre le conte de Sulfok, Simon Sambrin et le procureur du roy, demandeurs, d'une part, et damoiselle Jehanne de Sens, defendeur, d'autre part: *et non fuit conclusum.*

[6 May 1429]   [X¹ᵃ 1481, fo. 11v]

Item, a conseillier l'arrest d'entre le conte de Sulfok et Simon Sambrin, demandeurs, d'une part, et damoiselle Jehanne de Sens, vesve de feu maistre Pierre Mercade, d'autre part.

Il sera dit que Simon Sambrin n'a fait a recevoir, et que la court condempne ladite damoiselle par le benefice du proces a rendre et restituer au conte de Sulfok ses gaiges dessusdictes ou la somme de vᶜ frans*ᵇ* en paiant a icelle damoiselle ce qui reste a paier de son sort, en aquittant a ce ledit Sambrin.

Et au regard des autres biens meubles engaigiéz ou bailliéz par ledit Sambrin a ladite damoiselle estans devers elle, ilz seront mis devers la court avec les montés, s'aucunes en a receu, pour en estre fait ce qu'il appartendra.

Et en oultre la court condempne ladite damoiselle envers le roy en amende de cent livres parisis, et ledit Sambrin en cent livres parisis. Et defend la court a ladite damoiselle, sur peine de mil livres a appliquer au roy, et audit Sambrin sur peine de banissement et de vᶜ livres, qu'ilz ne s'entremettent doresenavant de faire contracts telz que dit est.

Et attend *quod intencionis curie fuit* que lez biens, meubles et

---

ᵃ In the margin   *ᵇ* frans *interlined*

gaiges dessusdis seront renduz a ceulz a qui ilz sont, en paiant ladite damoiselle de son sort.

[13 May 1429]   [X^{1a} 66, fo. 198r]

Cum Simon Sambrin in nostra Parlamenti curia inter cetera proposuit quod anno domini m° cccc° xxv° certam quantitatem margaritarum seu pellarum et aliorum lapidum preciosorum, videlicet sex filetos seu lineas grossarum pellarum omnibus liii perlas ponderis, cum filo unius^a oncie et quinque stellingorum continentes necnon duodecim filetos seu lineas aliarum perlarum aut margaritarum, in omnibus vij^{xx} sex perlas cum filo ponderis unius oncie cum dimidia atque quatuor filetos pellarum parvarum non ponderatarum, lxxix perlas in omnibus continentes et octo saphiros ac etiam octo preciosos lapides, vulgariter balaiz appellatos, auro incapsatos ponderis duarum onciarum, ad carissimum consanguineum nostrum comitem de Suffolk spectantes per quendam^b Walteri cognominatum dicti comitis servitorem et Guillelmum Bou[r]din ipsi Sambrin traditos domicelle Johanne de Senonis pro trecentum^c francorum summa quam ad opus dicti comitis ipsam fenerandam^d predictus Sanbrin pignori obligaverat; et quod ipse Sanbrin pro dicto comite in deductionem predicte iij^c francorum summe prefate domicelle centum francorum summam solverat, et postmodum restantem summam debitam eidem domicelle pro dicto comite solvere obtulerat. Et nichilominus dicta domicella pignora predicta restituere recusaverat. ^{e}Insuperque proposuisset prefatus Sanbrin quod per sentenciam prepositi Parisiensis supranominatus Bou[r]din [fo. 198v] supradeclarata pignora predicta aut pro eorum valore v^c francorum summam prefato comiti restituere [? deberet];^{e} et ipse Sambrin [? et predicta domicella] antedictum Bou[r]din indempnem servare condemnati fuerant, reservatis dicto Sambrin suis actionibus adversus predictam domicellam quam in garandum summaverat. Quare peciisset antedictus Sambrin predictam domicellam ad restituendum dicta pignora, si in rerum natura extarent, aut eorum estimacionem condemnari,^{f} et de valore eorundem sibi juramentum deferri eandemque domicellam in suis expensis condemnari.

---

^{a} *Followed by* v^{ci}, *struck out* ^{b} *MS* quandam
^{c} *MS* tercentum ^{d} *MS* feneraverat
$^{e...e}$ *The clerk here allowed his attention to wander, so that the Latin is not at all clear. The passage reads:* Insuperque proposuisset prefatus Sanbrin quod per sentenciam prepositi Parisiensis supranominatus Boudin [*fo. 198v*] supradeclarata pignora predicta restituere recusaverat, insuperque proposuisset prefatus Sambrin quod per sentenciam prepositi Parisiensis supranominatus aut pro eorum valore v^c francorum summam prefato comiti restituere... *The word* vacat *in the margin indicates that a later, but contemporary reader thought that something was missing. The reading offered here is therefore very conjectural.*
^{f} *MS* extimacionem condemnati

Procuratore nostro pro nobis inter cetera dicente et proponente quod per confessionem et depposicionem ipsius domicelle coram dicto preposito Parisiensi factam necnon per papirum et scripturam prefate domicelle et alias legitime constabat predictam domicellam iijᶜ francorum summam supradictam sub dictis pignoribus fenerasse et plurimos similes illicitos contractus fecisse de quibus loco et tempore dictus noster procurator prosecutionem facere protestabatur; et insuper quod dicta domicella ad interrogaciones coram dicto preposito et in predicta curia factas respondendo variaverat. Quare peciisset dictus procurator noster pro nobis bona dicte domicelle confiscari saltim ipsam in emenda iiijᵒʳ mille salutorum auri erga nos condemnari.

Supranominata domicella ex adverso inter cetera dicente et proponente quod ipsa de generis nobilitate et morum honestate commendabilis erat et quod supradeclarataᵃ et alia bona a dicto Sambrinᵇ recepta emerat, et pro eisdem justum precium conventum soluerat, nec aliquid super antedictis bonis aut aliis pignoribus feneraverat, et quod sua responsa aut scripta ex inadvertancia labilis memorie aut simplicitate sui fragilis sexus muliebris prolata seu confecta excusari, et in meliorem partem interpretari debebant. Preterea quod dictus Sambrin supradeclaratos preciosos lapides suos esse affirmaverat, dum illos predicte domicelle vendiderat, et quod ipsa, presente dicto Sambrin, aliquos ex illis preciosis lapidibus revendiderat et reliquos per Henricum Biscop, mercancie courrectarium seu prosenetem, vendi fecerat, et de corietagio vendicionis dictus Biscop solitum salarium receperat, unde prefatus Sambrin, qui correctarius extabat, indignatus fuerat. Et ob hoc ex inde vexaciones, injurias et molestias plurimas ipse domicelle odio plusquamᶜ zelo justitie fieri, et per dictum prepositum Parisiensem incarcerari et alia gravamina inferri procuraverat. Et quod a dicto preposito et a certis gravaminibus atque juris denegacione ad nostram Parlamenti curiam appellaverat; que curia adnullata appellacione absque emenda partes super principali processuras appunctaverat. Quare peciisset dicta domicella supradictos Sambrin et procuratorem nostrum ad sua proposita non admitti, et si admitterentur ipsos causam seu actionem non habere dici et pronunciari, et si causam seu actionem habebant ab eisdem absolvi et dictum Sambrin in suis expensis condemnari.

Quibus partibus ad [fo. 199r] plenum auditis et dictam curiam interrogatis atque in arresto appunctatis, visis confessionibus parcium et depositionibus testium ex officio curie interrogatorum, visis insuper papiris, cedulis, actis et munimentis parcium, cum grandi et matura deliberacione per arrestum prefate curie dictum fuit predictum

---

ᵃ *MS* superdeclarata   ᵇ *MS* Salubrin   ᶜ *Followed by* ter, *struck out*

Sambrin ad sua proposita minime admittendum esse condemnavitque et condemnat dicta curia supradictam domicelam per beneficium dicti procuratoris nostri ad reddendum et restituendum antedicto comiti sua dicta pignora aut*a* quingentorum francorum summam solvendo dicte domicelle quod de sorte seu debito principali solvendum restat aquictando quantum ad hoc supradictum Sambrin et respectu aliorum bonorum mobilium antedicte domicelle per dictum Sambrin pignoratorum seu traditorum penes dictam domicellam existencium ipsa bona penes dictam curiam cum superlucris si que ipsa domicella pro eisdem receperit apportabuntur pro faciendo de eisdem prout pertinebit; et insuper dicta curia supranominatam domicellam in emenda centum librarum parisiensium nobis applicandarum, et dictum Sambrin in totidem condemnavit et condemnat, inhibuitque et inhibet prefata curia predicte domicelle sub pena mille librarum, et dicto Sambrin sub pena bannimenti et quingentarum librarum, ne amodo de talibus illicitis contractibus se intromittant.

Pronunciatum xiij*a* die maii anno domini m° cccc° xxix°.

a Followed by x, *struck out*

VI
Caries Carbonnel v. Henry Tilleman

Caries Carbonnel claimed to have been appointed verderer of the forest of Valognes by Henry V as regent of France, and to have been confirmed in that office by Henry VI. More recently he had served the English in their wars, and had been knighted at Verneuil. But Henry Tilleman, an English esquire, had seized possession of the office, only to be taken by Carbonnel, in June 1425, before the 'Requêtes de l'Hôtel du Roi' who, however, had found in Tilleman's favour. The suit thus came before the Parlement on appeal.

Tilleman emphasised his long service to the English crown in a military capacity, claiming that he had served the 'prince de Gales' in Spain and had carried the duke of Bedford's standard at the battle of Verneuil, for which he had been rewarded with the office under dispute. Henry V's grant to Carbonnel, he argued, had been made only at pleasure; on the king's death it had at once lapsed. The king, he stressed, had a right to revoke such grants. Besides, even if Charles VI had confirmed the gift after Henry's V's death, Henry VI had not done so.

Carbonnel, while admitting the king's right, said that the king would not deprive a man of an office without good cause. Furthermore, Charles VI had resumed rights over Normandy after Henry V's death and could appoint to offices there, an argument which was likely to appeal to members of the court, ever anxious to preserve the authority of the crown and the unity of the kingdom. Tilleman then proposed that if Henry VI had given the office to Carbonnel, he had done so as duke of Normandy; after becoming king of France on his grandfather's death, he should have renewed the grant, but the duke of Bedford had refused to do this. Carbonnel none the less won the sympathy of the court which upheld his appeal after a suit of short duration.

[2 July 1425]   [X^{1a} 4794, fo. 104r]

Entre messire Caries Carbonnel, chevalier,[1] appellant des^a maistres des requestes, d'une part, et Henry Tilleman,[2] d'autre part.

L'appellant dit qu'il ot don du feu roy regent[3] de l'office de verdier de la forest de Valoingnes,[4] et en ot lettres verifiees par vertu desquelles

^{a} *Followed by* ges, *struck out*

---

[1] Caries Carbonnel was a member of a well-known family from the Cotentin, in western Normandy, who was rewarded by Henry V (Bréquigny, *Rôles normands*, n°s 237, 238).

[2] For Henry Tilleman, see appendix II.

[3] Henry V.

[4] Carbonnel's appointment as verderer of Valognes by Henry V was dated 7 May 1418 (*D. K. R.*, xli, 684; Bréquigny, *Rôles normands*, n° 134), and was made 'quamdiu nobis placuerit...'

il fu mis en possession; et depuis a eu lettres renouvelleez du roy et verifieez; et a bien servy en l'office et es guerres, et fu fait chevalier a Verneul en la derrniere bataille.[5] Neantmoins, Henry s'est efforcié de se bouter oudit office par vertu de lettres par lui impetreez, a l'encontre desquelles Guerin[6] a este receu a opposicion, et y a eu proces esdites requestes, dont recite le demené et le contenu en la sentence des gens des requestes, dont il a[a] appellé pour ce que on l'a voulu debouter soubz umbre de faultes dont il n'appert point par vertu dez lettres surreptices de Henry; si conclud en cas d'appel et a despens.

[fo. 104v] Henry defend et dit qu'il est bon homme d'armes et [a] servi le prince de Gales ou voiage d'Espaigne,[7] et depuis continuelment a servi le roy et ses predecesseurs, et porta l'estandart du duc de Bedford en la bataille de Verneul; et pour ce pour le pourveoir le roy lui a donné ledit office dont il est bien digne. Recite en oultre le demené du proces et le contenu es impetracions et relacions, et dit qu'il a debatu le droit que pretendoit Carbonnel par ce que il n'avoit don du feu roy regent si non *quo usque et quantum vellet*; ainsi par son trespas l'office vaqua *quia per mortem desunt velle*,[8] et s'il y avoit eu aucun droit, le roy de son auctorité et plaine puissance, et mesmement *ex certa causa et sciencia*, en a peu despointier Carbonnel; et si est vray que aprés le trespas du feu roy regent, le roy Charles vivoit et donnoit les offices,[9] et toutesvoiez Carbonnel n'en avoit point le don; recite en oultre le contenu es lettres et actes qui contiennent le plaidoié des parties; et conclud en cas d'appel et a despens, et dit que le roy qui est de present, depuis le trespas du feu roy Charles, n'en a point fait de don a Carbonnel,[10] et dit qu'il s'est aydé dez ordonnances sur le renouvellement dez dons et lettres dez offices.

---

a a *interlined*

[5] The battle of Verneuil was fought on 17 August 1424.

[6] Jean Guérin was a *procureur* in the Parlement, 1417-36.

[7] It is presumably the expedition of the Black Prince to Spain in 1367 which is being referred to here. If so, we may reasonably assume that Tilleman was by now at least seventy years old. The 'Bourgeois' of Paris (*Bourgeois*, p. 181) recorded, under the year 1422, that 'aucuns anciens' claimed that they had seen the coronation of Charles V in 1364.

[8] Some grants were made 'during pleasure' ('le don qu'il en a ne lui a esté fait que a nostre voulonté' (Dring *v.* Dynadam [n° **XIV**], p. 172)), or for the duration of the life of the grantor, especially if the grantor exercised any form of commission which expired with him, as did that of the earl of Salisbury (see A.N., JJ 174, n° 26).

[9] The period referred to here was that between 31 August 1422 (death of Henry V) and 21 October 1422 (death of Charles VI).

[10] Carbonnel in fact received the wages of his office at Easter 1423 (B.N., Pièces Originales 594, Carbonnel, n° 129). His son and heir, Jean, was *sergent à gage au buisson de Montbourg* by 1429, an office which he still held in 1440 (*ibid.*, n°⁸ 23, 24; n.a.lat., 2502, n° 170).

Carbonnel replique et dit que voirement l'auctorité du roy est grant, et puet disposer des offices a sa volenté, mais sa volenté est raisonnable et ordonnee selon ses lois, et seroit chose scandaleuse de despointier ainsi a volenté sans cause officiers; et n'a monstré Henry aucunes ordonnances sur le renouvellement des dons des offices; et si estoit le roy duc de Normendie aprés le trespas du roy regent,[11] et avoit la disposicion des offices du duchié de Normendie.

Henry duplique et dit que de raison le roy puet donner office *ad tempus* et *a certo tempore*, et mesmement quant il y a cause; et se le roy l'avoit donné a Henry, ce auroit esté comme duc, et pour ce que le royalme lui est depuis venu,[12] il convenoit renouveller; et si lui refusa a donner l'office le duc de Bedford.[13]

Appoinctié que la court verra le proces et ce que les parties vouldront monstrer au conseil.

Au conseil.[a]

[14 July 1425]   [X[1a] 1480, fo. 328v]

A conseillier l'arrest d'entre messire Cariez Carbonnel, chevalier, appellant des maistres des requestes de l'ostel, d'une part, et Henry Tilleman, intimé, d'autre part, sur le plaidoié du second jour de ce mois; *et non fuit conclusum.*

[28 November 1425]   [X[1a] 1480, fo. 336r]

Item, a conseillier l'arrest d'entre messire Caries Carbonnel, chevalier, appellant des maistres des requestes de l'ostel, d'une part, et Henry Tilleman, anglois, intimé, d'autre part, sur le plaidoié du second jour de jullet derrain passé.

Il sera dit qu'il a esté mal jugié par les maistres des requestes de l'ostel, et bien appellé par ledit Carbonnel; et en corrigant le jugement il sera dit que ycellui Carbonnel sera maintenu et gardé en possession et saisine dudit office de verdier pour en joyr ensemble des fruis, prouffis et emolumens d'icellui, et le y maintient et garde la court, et sans despens.

Pronunciatum prima [die] decembris.[b]

[a] *In the margin*   [b] *In the margin*

---

[11] It is being argued here that Henry VI was duke of Normandy during the seven weeks between the death of his father and grandfather, and could thus dispose of offices within the duchy.

[12] Henry VI became king of France, by the treaty of Troyes, on his grandfather's death in October 1422.

[13] John, duke of Bedford, acted as regent for Henry VI in his French kingdom.

[1 December 1425]   [X^{1a} 65, fo. 31r]

Universis presentes litteras inspecturis, salutem. Notum facimus quod cum apposito ut ferebatur per dilectum nostrum Henricum Tillemen, armigerum, dilecto et fideli nostro Karie Carbonelli, militi, quodam impedimento in officio viridarie seu verderie Valoniarum,[14] quod antea ipse Carbonnelli tenebat et possidebat, idem Carbonnelli se in contrarium opponens, quasdam litteras a nobis, die videlicet xix februarii ultimo preteriti datas et vicecomiti^{a} eiusdem loci Valoniarum et Cesarisburgi[15] directas, per quas inter alia ipsum ad opposicionem adversus intrusionem aut institucionem dicti Henrici in officio predicto admitti mandabamus impetrasset;^{b} et exequi necnon ipsas exequendo^{c} dictum Henricum plenius eundem Carbonnelli ad dictam suam opposicionem admitti visurum si recipi deberet, responsurumque et ulterius processurum, ut deceret, coram dilectis et fidelibus consiliariis nostris magistris requestarum hospicii nostri adiornari fecisset. Qui quidem consiliarii nostri per eorum sentenciam quinta die junii novissime preteriti latam, dictum Carbonnelli ab opposicione et debato suis repellentes, eundem Henricum Tillemen in possessione et saisina dicti officii manutenendum declarassent ac manutenuissent et conservassent, expensis hinc inde compensatis et ex causa.

Unde dictus Carbonelli seu eius procurator ad nostram Parlamenti curiam appellasset, et suam appellacionem relevasset. In qua quidem curia, comparentibus eisdem partibus aut procuratoribus ipsarum, pro parte dicti Carbonnelli propositum fuisset quod defunctus genitor noster, et postmodum nos ad quos spectabat, officium predictum eidem Carbonnelli donaveramus et litteras super huiusmodi donis tam a dicto genitore nostro quam [a] nobis habuerat, ut decebat verificatas, et vigore ipsarum in eodem officio institutus fuerat, ac ipsum laudabiliter exercuerat nobisque in eo, et eciam in guerris nostris fideliter servierat, nec quod ab eodem officio deberet eici demeruerat. Sed nichilominus nulla inquesta super processu coram dictis consiliariis nostris inter dictas partes agitato facta, dicti consiliarii sentenciam predictam contra eum tulerant. Et ob hoc merito appellaverat, concludens ad finem quod ipsum bene appellasse, dictos vero consiliarios nostros male judicasse diceretur, corrigendoque eorum iudicium, idem Carbonnelli ad dictam suam opposicionem plenarie admissus in possessione et saisina dicti officii manuteneretur et con-

---

^{a} MS vicecomitati
^{b} Neither the Latin nor the sense of the sentence which follows is clear
^{c} MS exequando

---

[14] Valognes, Manche, arr. Cherbourg.
[15] Cherbourg, Manche.

servaretur, ac dictus Henricus Tillemen in eiusdem Carbonnelli expensis condempnaretur.

Ex adverso vero dictus Tillemen proposuisset inter cetera quod dictus Carbonnelli numquam de dicto officio donum quantum revocabile esset ad nutum habuerat, velleque dicti genitoris nostri per eius obitum desierat [? ac]*a* expiratum fuerat, nos autem beneplacitum nostre voluntatis declarantes, ob certas causas animum nostrum moventes, dictum Carbonnelli circa idem officium male versantem, ab ipso officio exoneraveramus. Et de sufficiencia dicti Tillemen informati, illud eidem benemerito dederamus seu donaveramus vigoreque doni nostri huiusmodi decenter verificati ipse Tillemen possessionem dicti officii adeptus fuerat predicti quoque consiliarii nostri de voluntate nostra et causis que nostrum moverant animum certificati sentenciam predictam suam ad dicti Tillemen utilitatem protulerant, bene iudicante ut dictus Tillemen dicebat; concludens ad finem quod bene iudicatum et male appel[l]atum diceretur, ac expensas haberet.

Replicante dicto Carbonnelli ac dicente quod regia voluntas in destituendis officiariis [fo. 31v] presertim rei publice et justicie deservientibus semper racionabilis et bene ordinata esse dicebat, nec unquam sine vera cause cognicione tales officiarii destitui poterant seu debebant, ipse vero Carbonnelli in nullo forefecerat in officio jam dicto unde tunc appareret; et sic inauditus ab eodem officio deponendus minime censeri debebat, ut asserebat, concludens ut supra prefato Tillemen duplicando quod ex quo dictus Carbonnelli officium prefatum causa clara quam diu nostre placeret voluntati acceperat declaracionem nostram super huiusmodi voluntate pati debebat dicente et*b* prout supra concludente.

Tandem auditis ad plenum partibus supradictis in his que circa premissa dicere ac proponere voluerunt, et in superviso earum processu coram dictis consiliariis nostris facto seu deducto, et penes dictam curiam nostram ablato ac tradito, et consideratis considerandis in hac parte, per arrestum dicte nostre curie dictum fuit predictos consiliarios nostros, magistros requestarum hospicii, male judicasse et dictum Carbonnelli bene appellasse. Et insuper dictum corrigendo judicium[16] dictum fuit per idem arrestum quod predictus Karias Carbonnelli manutenebitur et conservabitur, ac ipsum eadem curia manutenuit et conservavit ac manutenet et conservat in possessione et saisina officii

---

a MS se
b et *interlined*

---

[16] This was a *jugé* of the *Requêtes de l'Hotel du Roi*.

predicti pro gaudendo eodem et fructibus ipsius; et sine huiusmodi cause expensis, et ex causa.

Pronunciatum die prima decembris anno domini millesimo cccc° xxv[10].

Aguenin[17]

---

[17] Jean Aguenin was the second *président* of the Parlement.

VII

Thomas Key *v.* Guillaume des Brosses

This is one of a number of suits involving English clergy who sought to obtain, or to defend, ecclesiastical benefices in France.[1] *Thomas Key claimed a canonry and prebend at Chartres, but was opposed by Guillaume des Brosses, who counter-claimed by virtue of a provision obtained from Pope Martin V in 1422. This counter-claim, as Brosses implicitly recognized, was weakened by the 'Gallican' ordinances of the early years of the century, ordinances which had the strong support of the Parlement itself, but whose efficacity he tried to nullify by claiming full papal authority in all matters. Further, as Brosses argued, his nomination had been accepted by the king, so that a possible objection that he had not been accepted in the correct month of the 'alternative'—the system according to which the pope and the local patrons nominated to benefices on alternate months—could not be held against him.*

With apparent enthusiasm Key recalled past ordinances whereby papal reservations had been rejected. These should still be applied with full royal support, since no Church council had legislated against them; the good of the church in France was greater than the advantage of certain individuals. In this case the king's 'procureur' sided with Key, in whose favour judgment was finally given. Only three days later, on 12 March 1426, in the face of strong protests on the part of the same 'procureur', a new ordinance which favoured papal nominees was forced through the Parlement and formally registered there.[2]

[2 August 1425]   [X^{1a} 4794, fo. 125r]

Maistre Guillaume des Brosses[3] revendra lundi a l'encontre de messire Thomas^a Key.[4]

^{a} *MS* Jehan

---

[1] The suit was referred to by Richardson, 'Illustrations of English history', 66. For the other cases involving ecclesiastical benefices, see appendix I.

[2] See the account in *Fauquembergue*, ii, 198–204. The ecclesiastical politics of these years were described by N. Valois, *La Pragmatique Sanction de Bourges sous Charles VII* (Paris, 1906).

[3] Guillaume des Brosses, M.A., a Parisian graduate in canon law who twice served as rector of the university during the Great Schism, was a Burgundian supporter who had served both Philip 'the Bold' and John 'the Fearless', and was said to have suffered many losses during the civil troubles of the early years of the century for which he had been 'très petitement pourveu en saincte église'. In April 1421 he was one of the envoys sent by the French *nation* to Henry V to seek royal help in obtaining benefices. He was later to act for 'long temps' as the scribe to the court of the university's conservator of privileges; and was acting as archdeacon of Beauvais in 1435 (*Fauquembergue*, iii, 146, 159). He was said to have died by 1444 (Denifle and Châtelain, *Chartularium*, iv, n°s 2163 and note, 2179, 2440 and 2597).

[4] For Thomas Key, see appendix II.

[6 August 1425]   [X^{1a} 4794, fo. 128r]

Entre maistre Thomas Kaey, demandeur et complaignant, d'une part, et maistre Guillaume des Brosses, defendeur et opposant, d'autre part.

Le complaignant ramaine a fait sa complainte; propose et conclud tout pertinent en matiere de nouvelleté a cause de la prebende de Chartres[5] a lui donnee par l'ordinance, et demande despens.

Les parties revendront a lendemain de la mi[-]aoust.

[16 August 1425]   [X^{1a} 4794, fo. 135r]

En la cause d'entre maistre Thomas Kaey, d'une part, et maistre Guillaume de Brosses, d'autre part, la court defend a maistre Thomas qu'il n'empesche de fait, par lui ne par autre, ledit de Brosses en la poursuite de sa cause; et s'informera la court des empeschemens que ledit de Brosses dit avoir esté fais par ledit maistre Thomas par voie de fait et de menaces et, l'informacion faite et rapportee, la court pourverra sur ce ainsi qu'il appartendra; et a viij^e revendra ledit des Brosses proceder ainsi que de raison.

[28 August 1425]   [X^{1a} 4794, fo. 142v]

En la cause d'entre maistre Thomas Kaey, demandeur et complaignant en cas de nouvelleté, d'une part, et maistre Guillaume de Brosses, defendeur et opposant, d'autre part, Brosses defend et dit^a que le pape Martin,[6] a l'instance du feu roy Charles vj^e,[7] octroia certaines nominacions et envoia ses bulles au roy qui nomma Brosses l'an cccc xxij, et obtint executoire et lettres convenables sur ladite nominacion, par vertu desquelles il accepta ladite prebende de Chartres, et en ot provision et acceptacion; et fist citer devant son juge apostolique ledit maistre Thomas qui depuis s'est complaint folement et sans cause, a fait lesdites defenses, et n'est recevable Kaey a soy complaindre, car Brosses ne l'a point troublé de fait car il n'en a prins nulz fruis, et ne se puet complaindre du proces du juge ecclesiastique qui a prevenu; et n'a Kaey droit ne possession *obstante decreto irritante*; et ne font riens appropoz les ordonnances qui furent *tempore cismatis*[8] contre Pierre de Lune;[9] aussi depuis elles ont esté aboliez et revoqueez et n'en a on point usé, mais on a usé au contraire, et ne lez povoit faire contre le pape *qui*

^{a} et dit *interlined*

[5] Chartres, Eure-et-Loir.

[6] Martin V, pope 1417–31.

[7] Charles VI, king of France 1380–1422.

[8] i.e., the time of the Great Schism, 1378–1417. The legislation referred to is probably that of 1406 and 1407.

[9] Peter de Luna was elected Benedict XIII in September 1394; he was deposed by the Council of Pisa in 1409 and by that of Constance in 1417; he died in 1422.

omnes judicat et a nemine judicatur;[10] et s'excuse Brosses de ce qu'il a dit et argué contre lesdites ordonnances pource que on avoit nagaires mandé les prelas a Paris et ne savoit se sur ce on avoit prins aucune conclusion. Dit oultre que par l'ordonnance du roy et des gens de son grant conseil, on a receu lesdites nominacions, et lez a le roy accepteez, et ont lez nomméz fais leurs proces si vauldront, *alias* les nomméz seroient illudéz et deceuz et dommagéz; et supposé que les nominacions aient esté octroieez durant le cours de l'alternative,[11] toutesvoiez il n'est mie vraissemblable que on ait voulu ycellez estre de nul effect apréz le cours de ladite alternative[12] [fo. 143r] car il n'estoit mie vraissemblable que tous lez nomméz peussent estre pourveuz en si brief temps, et semble que a ce cas particulier on ne devroit mie extendre lesdites ordonnances, et se devroit a ce adjoindre le procureur du roy; et emploie ce que autresfois a esté et ont est[é] malfaictez lesdites defenses, par ce que dit est; conclud a ce et tout pertinent, et demande despens, et emploie ce que a esté dit en cas pareil.

Le complaignant replique et emploie ce que autresfois a esté dit en soubstenant lesdites ordonnances par lesquelles les reservacions sont regeteez, et n'est partie recevable a debatre lesdites ordonnances qui ne sont aboliez *per non usum*, et ne sont point revoqueez;[13] et avoit on esperance que en conseil general deubt estre sur ce faite aucune provision, mais riens n'en a esté fait,[14] et sont demoureez les ordonnances en leur vertu. Et ou regard de l'octroy dez nominacions, il ne prejudicioit point aux ordinaires du temps que le pape donnoit les benefices durant le cours de l'alternative; pour ce encorez moins prejudicieront les nominacions aux ordinaires au temps que le pape ne donne point lez benefices, et doit plus le roy tenir la main ausdites ordonnances qui regardent le bien general de l'eglise de France que ausdites nominacions pour le prouffit d'aucuns particuliers nomméz; et se une partie desdites nominacions demouroient inutiles a aucuns, il ne fust onquez qu'il n'en y eust de mal paiéz, et pourront autrement estre pourveux. Et a ce que Brosses dit qu'il ne l'a*ᵃ* point troublé de fait, si a, car il maintient avoir droit en ladite prebende, et si est opposé

ᵃ l'a *interlined*

---

[10] The most precise form appears to be the bull 'Unam Sanctam' (*Extravag. Com.*, I, viii, 1).

[11] The 'alternative' was the system of allowing the pope and local patrons to present to benefices on alternate months, as arranged in the concordat made between Martin V and the French *nation* in April 1418.

[12] The 'alternative' came to an end in the spring of 1423, after a five-year period.

[13] This kind of argument would have been received sympathetically in the pro-Gallican Parlement.

[14] It is not clear which general council, that of Constance or Siena, is being referred to here. Neither achieved any major reform in the matter of papal provisions.

a sa complainte, et l'a fait citer contre l'ordonnance; si conclud comme dessus et requiert l'adjonction du procureur du roy.

Le procureur du roy recite ce^a que autresfois a dit en ceste matiere, et s'adjoint avec maistre Thomas.[15] Et requiert que on face defense que desormais nul ne soit si hardi de blasmer lesdites notables ordonnances qui ne sont aboliez ne revoqueez, lesquelles saintement et justement furent faites a tresgrant deliberacion comme dit a esté dessus.

Appoincté que la court verra ce que les parties vouldront monstrer, et au conseil fera droit.

Au conseil. Morvilliers[16] ^{b}

[6 September 1425]   [X^{1a} 8302, fo. 165r]

Maistre Guillaume des Brosses requiert contre maistre Thomas Key delay de mettre ses lettres devers la court, qui est octroyé jusques a la saint Remy prouchain;[17] et a xv^{ne} ensuivant bailleront *hinc inde* les parties contredits, et a l'autre xv^{ne} salvacions.

Delay^c

[9 March 1426]   [X^{1a} 1480, fo. 342r]

Item, a conseillier l'arrest d'entre maistre Thomas Kaey, demandeur et complaignant en cas de nouvelleté, d'une part, et maistre Guillaume des Brosses, defendeur et opposant, sur le plaidoié du vj^e jour d'aoust derrain passé.

[fo. 342v] Il sera dit que ledit complaignant sera maintenu et gardé, et le maintient la court, par vertu desdites ordonnances,^{d} en possession et saisine desdites chanoinerie et prebende et des fruis diceulz, et lieve la main et oste l'empeschement mis en yceulz au proufit d'icellui complaignant, et sans despens et pour cause.

Pronunciatum xvj^a [die] huius mensis. Longueil[18] ^{e}

[16 March 1426]   [X^{1a} 65, fo. 38v]

Universis presentes litteras inspecturis, salutem. Notum facimus quod litigantibus in nostra parlamenti curia dilectis nostris Thoma Key, presbitero, cappellano caris[s]imi consanguinei nostri comitis de

---

^{a} ce *interlined* ^{b} *In the margin* ^{c} *In the margin*
^{d} par vertu desdites ordonnances *interlined*
^{e} *In the margin*

---

[15] In so doing, the *procureur du roi* was demonstrating his pro-Gallican sympathies, as this paragraph shows.
[16] Philippe de Morvilliers was first *président* of the Parlement 1418-33.
[17] 1 October 1425.
[18] Jean de Longueil, *conseiller* 1380, third *président* of the Parlement 1418-31.

Suffok,[19] actore et conquerente in casu novitatis et saisine, ex una parte, et Guillelmo de Brossis, in artibus magistro, defensore et opponente in dicto casu, ex altera, super eo quod dicebat intercetera prefatus conquerens quod de canonicatu et prebenda Carnotensis ecclesie, tunc per obitum defuncti Roberti Braque vacantibus, per dilectum et fidelem nostrum consiliarium episcopum Carnotensem[20] et eos ad quos de jure communi spectabat iuxta tenorem ordinacionum libertatem ecclesie gallicane concernentium, collacio sibi facta de eisdem que sibi provisa fuerant,[a] ac in dictorum canonicatus et prebende et jurium atque pertinencium eorumdem possessione et saisina xiiij[a] die junii anni domini millesimi quadringentesimi vicesimi quinti admissus et receptus extiterat, in eisdemque jus, possessionem ac saisinam canonicas habuerat et habebat; quodque nichilominus supradictus opponens ipsum in suis antedictis possessione et saisina indebite et de novo de facto turbaverat. Et ob hoc virtute litterarum querimonie in casu novitatis et saisine, xiiij[a] die julii anni millesimi cccc[mi] xxv predicti a nobis obtentarum ad xxiiij[am] diem predicti mensis julii dictum opponentem in predicta curia adiornari fecerat. Quare petebat supranominatus conquerens in suis antedictis possessionibus et saisinis virtute dictarum ordinacionum et alias manuteneri et conservari et ceteras conclusiones ad huiusmodi casum novitatis pertinentes sibi adiudicari et dictum opponentem in suis expensis condempnari.

Dicto opponente ex adverso inter cetera dicente et proponente quod sanctissimus dominus noster pontifex Romanus Martinus quintus, contemplacione recolende memorie principis avi nostri Karoli sexti, condam Francorum regis, necnon carissime avie nostre Ysabellis regine eius consortis,[21] centum et quadraginta beneficia ecclesiastica in Ambianensibus,[22] Attrabatensibus,[23] Autissiodorensibus,[24] Carnotensibus,[25] Cathalaunensibus,[26] Cabilonensibus[27] et aliis quibusdam regni nostri Francie civitatibus et diocesibus consistencia, pro centum et quadraginta personis antedictorum nostrorum defuncti avi et avie familiaribus, officiariis suis dilectis, de quorum numero erat dictus opponens, reservandi atque conferendi[b] per suas bullas datas Rome die ultima junii anni millesimi cccc[mi] xxij[di] dilecto et fideli nostro consiliario episcopo Belvacensi,[28] dictarum bullarum executori,

[a] *MS* provisum fuerat
[b] *MS* conferandi

[19] For the earl of Suffolk, see appendix II.
[20] Jean de Fitigny, bishop of Chartres 1418–32.
[21] Isabella of Bavaria, widow of Charles VI. She died in September 1435.
[22] Amiens, Somme.　　　　　　　[23] Arras, Pas-de-Calais.
[24] Auxerre, Yonne.　　　　　　　[25] Chartres, Eure-et-Loir.
[26] Châlons-sur-Marne, Marne.　　　[27] Chalon-sur-Saône, Saône-et-Loire.
[28] Pierre Cauchon, appointed bishop of Beauvais in August 1420.

concesserat facultatem quodque virtute dictarum bullarum supradictus executor ipsum defensorem canonicum dicte Carnotensis ecclesie creaverat, ac sibi de prebenda et dignitate ipsius ecclesie vacaturis quas ipse defensor vel eius procurator pro eo duceret acceptandas provideri per suas litteras mandaverat; et quod virtute dictarum bullarum, et processus inde sequentis,*a* magister Guillermus Erard, bachalarius in theologia, ecclesiarum Belvacensis et Laudunensis canonicus,[29] subexecutor a dicto executore deputatus, dictam prebendam per*b* obitum dicti defuncti Braque per ipsum opponentem acceptatam*c* prima die julii anni millesimi cccc^{mi} xxiiij predicti sibi contulerat ac de dicta prebenda et iuribus et pertinenciis providerat. Dicebat ulterius quod in dictis canonicatu et prebenda jus habuerat et habebat,*d* et quod ad sui juris declaracionem et conservacionem predictum conquerentem coram magistro Johanne Huberti, privilegiorum universitatis conservatore,[30] decima die julii anni millesimi cccc^{mi} xxv predicti ad xx^{am} diem proximum sequentem citari fecerat, nec dictum [fo. 39r] conquerentem in percepcione fructuum dicte prebende aut alias de facto impediverat aut turbaverat, sed dumtaxat ut premictitur coram suo judice ecclesiastico ad sui juris declaracionem per prevencionem citari fecerat; et sic dictus conquerens ad se conquerendum de dicto defensore admittendus non erat, nec virtute antedictarum ordinacionum que revocate aut alias per non usum seu contrarium usum abrogate fuerant, supradictus conquerens ius in dictis canonicatu et prebenda habere potuerat dicteque ordinaciones supradictis bullis et nominacionibus per nos aut predecessores nostros in magno consilio nostro acceptatis et approbatis minime preiudicabant, et quod noster procurator pro nobis secum in ea parte se adiungere debebat. Quare petebat supradictus opponens dictum conquerentem ad sua proposita non admitti et, si admitteretur, ipsum ad malam et iniustam causam conquestum fuisse, et dictum opponentem ad bonam et iustam causam se opposuisse declarari, et si opus esset ipsum defensorem in possessione et saisina dictorum canonicatus et prebende manuteneri et conservari et ceteras possessiones ad casum novitatis pertinentes ipsi opponenti adiudicari, et dictum conquerentem in suis expensis condempnari.

Tandem partibus supradictis in omnibus que circa premissa dicere voluerunt audi[ti]s et ad tradendum penes ipsam suas litteras, munimenta et omnia quibus in ea parte se iuvare volebant, et in arresto

---

a MS sequtii   *b* per *repeated in MS*
c MS acceptatem   *d* *recte* habet

---

[29] Guillaume Erard was, in these years, regent master in theology at Paris and one-time rector of the university. He later took part in the trial of Joan of Arc.

[30] Jean Hubert, of the diocese of Coutances, rector of the university of Paris in 1432, taught in the faculty of canon law from 1423 onwards.

appunctatis, et insuper visis litteris ac munimentis dictarum partium, et cum·matura deliberacione, attentis attendendis, predicta curia nostra per suum arrestum declaravit et declarat quod dictus conquerens, virtute dictarum ordinacionum, in possessione et saisina predictorum canonicatus et prebende, et fructuum eorundem, manutenebitur et conservabitur, ipsumque manutenuit et manutenet atque manum nostram et impedimentum in eisdem appositum ad utilitatem dicti conquerentis levavit atque levat, et sine huius cause expensis, et ex causa.

Pronunciatum xvj[a] die marcii anno domini millesimo cccc xxv.

VIII

Sir Alan Buxhill *v.* Thomas Lound

This, the first of two suits involving Sir Alan Buxhill, was brought against Thomas Lound whom Buxhill had appointed as his lieutenant of the castle of Clinchamp in Maine, but was later to dismiss for causing 'oppressions' among the local population. Lound, according to Buxhill, determined to avenge this dismissal and one day, with the help of a number of soldiers, attacked Buxhill in the lower ward of the castle, an attack which Buxhill claimed he was lucky to have survived and for which he strove to seek compensation for goods which Lound was alleged to have stolen.

Lound, defending, sought to present himself in the most favourable light, as a soldier who, although he had long served the Lancastrian cause in France, had been treated with scant respect by Buxhill who had really been guilty of starting the brawl; any harm which Lound may have done to Buxhill had thus been done in self-defence.

The record of the suit, which finally remained unresolved as a civil plea, emphasizes the many delays, caused chiefly by the enforced absence of litigants on campaign in the royal service, which held up the inquisitions to which the disputed facts were subject, and which caused this suit, and many others, to drag on for years. It was probably finally resolved in the criminal court.

[27 May 1426]   [X^{1a} 4794, fo. 247v]

Entre messire Alain de Buxhule,[1] chevalier, segneur de Clinchamp,[2] demandeur, d'une part, et Thomas Lound,[3] defendeur, d'autre part. Messire Alain dit qu'il est chevalier, frere maternel du conte de Salisbury,[4] et est segneur de Clinchamp ou pais du Mayne,[5] et y a chastel qu'i[l] a tenu, et tient frontiere contre les ennemis; et par l'ordonnance dudit conte y mist capitaine, c'est assavoir Thomas le Long, qui fist les seremens acoustuméz de garder les subgiéz et defendre d'oppressions, et fu commis a recevoir ses drois et devoirs; mais pour ce que Thomas faisoit moult (fo. 248r] d'oppressions a ses subgiéz et receloit de ses drois et devoirs, il l'en descharga de l'office de capitaine et de la recepte et administracion du chastel et terre de Clinchamp; et neantmoins depuis demoura en la basse court de Clinchamp; et depuis pour ce que on lui

---

[1] For Sir Alan Buxhill, see appendix II.
[2] Clinchamp, Orne, arr. Mortagne-au-Perche, c. Bellême, com. Chemilli.
[3] For Thomas Lound, see appendix II. He is also referred to as Le Long.
[4] For the earl of Salisbury, see appendix II.
[5] Maine, *comté.*

avoit demandé compte et reliqua, il en fu mal content et pensa comment il s'en vengeroit, et mist x ou xij hommes armés en la basse court pour le grever; et a ung [jour] qu'il passoit desarmé par ladicte basse court, Thomas et ses complices l'assaillirent et fraperent sur lui et l'eussent tué se d'aventure ne feust survenu ung escuier qui le couvry d'une hasche; et depuis se bouterent ou chastel, prindrent et emporterent les biens. Pour ce il a obtenu lettres royaulz faisans narracion du cas, desquelles il recite le contenu, et les explois qui s'en sont ensuiz, et dit que Thomas a esté trouvé coulpable et doit comparior en personne par vertu du mandement et aussi par vertu de sa promesse sur somme de*a* trois mil salus d'or; si demande default s'il n'est en personne, *alias* conclud a la reparacion de la sauvegarde des offenses et oultrages, d'amendes honnorables ceans et au lieu de Clinchamp, et d'amendes prouffitables de x^m frans a la restitucion desdis biens prins et emportéz par lui et ses complices, et a la declaracion des peines de iij^m salus; et soit condempné a rendre compte et reliqua, a tenir prison jusques a plaine satisfacion, et demande despens, dommages et interestz, et que a ce soit condempné par vertu du default, *aut alias*.

Maistre Philippe du Solier,[6] pour Thomas le Long, a demandé distribucion de conseil, et lui ont esté donnéz a conseil m[aistres] Guillaume Intrant[7] et N[icole] de Savigny,[8] qui dient que Thomas vint jeudi ceans, mais messire Jehan Fastolf[9] l'enmena, lui et ses compagnons armés, a la journee de Dynand,[10] et retournera prochainement; si sera attendu, s'il plait a la court, et ne sera le default, et n'y est mie la matiere disposee; aussi il n'a jour ne terme ceans; et se le conte de Salisbury avoit ordonné que Thomas venist, il n'a mie puissance de introduire les causes ceans, et ne lez y puet nul introduire que le roy.

Le demandant dit que veus les mandemens et explois, Thomas doit comparoir en personne, et y a lettres royaulz.

Le procureur du roy a demandé default, et dit que Thomas doit comparoir en personne pour [respondre au]^b default et dit que on le devroit contraindre a venir et amener avec lui deux ou trois de ses complices qu'il nomme.

---

a Followed by d   *b MS* a demandé

[6] Philippe du Solier was a *procureur* in the Parlement, 1417–36.

[7] Guillaume Intrant, *avocat*, was a *notaire du roi*. He was dean of Rouen during these years, and canon of Paris, where his death was reported on 25 February 1435 (A.N., LL 114, p. 134).

[8] Nicole de Savigny, a strong Burgundian supporter, was an *avocat* of long standing. Dean of Lisieux and a man of some property, he died in 1428 (A.N., X^1a 1480, fo. 410v).

[9] For Sir John Fastolf, see appendix II.

[10] Probably Dinan, Côtes-du-Nord: 'En ce temps [1426] commença la guerre entre les Angloys et les Bretons' (*Bourgeois*, p. 207).

Appointié que la court vera lettres et explois au conseil pour savoir comment on appoinctera les parties sur ce que dit est.

Au conseil. Aguenin[a]

[4 June 1426]   [X¹ᵃ 4794, fo. 252v]

En la cause d'entre messire Alain de Buxhule, chevalier, et le procureur du roy, d'une part, et Thomas Lound, escuier, d'autre part, Thomas a presenté ceans lettres royaulz de relievement dont a recité le contenu et requiz l'enterinement pour estre relevé du default que partie pretend.

Appointié que Thomas monstrera a partie son relievement, et jeudi revendront les parties sur ledit relievement.

[6 June 1426]   [X¹ᵃ 4794, fo. 253v]

En la cause d'entre messire Alain de Buxhulle, chevalier, segneur de Clinchamp, demandeur, d'une part, et Thomas le Lound, escuier anglois, defendeur, d'autre part, qui defend et dit qu'il est nobles homs, natif d'Angleterre, filz de dame et de chevalier, son ayeul et besayeul chevaliers; et vint premierement par deca avec le fue roy regent en la descendue de Normendie,[11] et continuelement s'est tenu en frontiere contre les ennemis et a esté prisonnier iij fois, et derrierement a Saint Malo,[12] ou il a frayé et paié plus de iiij^m escus, et s'est fort emploié au Mayne, et a charge de gens d'armes, et est de present capitaine de Touvoye au Mayne;[13] et a la requeste de messire Alain tint frontiere a Clinchamp, et si tint pour aucun temps et jusquez a ce qu'il fu mené prisonnier des ennemis qui le mirent a grant raencon, et le convint retourner en Angleterre devers ses amis qui le remonterent; et depuis, a la requeste de messire Alain, retourna a la garde et capitanerie de Clinchamp, qui fu depuis mise hors des mains de messire Alain; et fu dit que Thomas se pourroit partir et emporter ses biens estans en la forteresse. Dit oultre que a ung jour messire Alain vint a lui et lui dist 'Traitre,[b] garson, je te courceray et te desarmray pour les maistrises que tu as fait en ladite forteresse', et s'efforca de le tuer; mais Thomas se deffendi sans ferir messire Alain; et survindrent ung escuier et autres pour aidier messire Alain qui tenoit une hache de guerre dont il vouloit tuer Thomas qui tenoit une espee dont il se scet bien aidier, et en se defendant de l'escuier qui le vouloit fraper d'une hache[c] fist voler hors des mains dudit escuier sa hache sur

---

[a] *In the margin*   [b] Traitre *interlined*   [c] *Followed by* et, *struck out*

[11] Probably a reference to Henry V's second invasion in 1417.
[12] Saint-Malo, Ille-et-Vilaine.
[13] Possibly Le Touvois, Sarthe, arr. Le Mans, c. Montfort-le-Rotrou, com. Saint-Corneille.

messire Alain qui chey a terre du cop de ladite hache. Et apréz messire Alain rentra au chastel, et cuida enfermer Thomas au chastel et cria 'avalez le pont'. Et ainsi ce que Thomas a fait, il l'a fait en son corps defendant, et a esté injurié; et s'il a emporté des biens de Clinchamp, ils estoient siens et a son cousin, et n'a riens des biens de messire Alain qui a eu de iiij^m escus des drois de ses prises; et pource que partie a demandé default, ilz a comparu et vint en personne, mais il avoit charge de lx hommes d'armes ou gens arméz qu'il mena a la journee de Dynand; et a relievement si n'auroit default messire Alain; et n'y a aucunes peines commisez; et n'y a point de sauvegarde ne de port d'armes; et n'a messire Alain cause ne action, et ne fait a recevoir; sera absolz Thomas et aura despens; et requiert que on face defense a messire [Alain] qu'il ne lui mesface ne mesdie a Thomas, et qu'il soit receu par procureur; et a lettres de certification par lesquelles il appert qu'il est mandé d'aler a certains sieges que on doit tenir; et dit qu'il n'a fait effort ne assault de trait ne autrement audit chastel. Et se depuis il estoit venu en armes audit chastel, aussi y estoient venus pluiseurs autres, et lui en leur [fo. 254r] compagnie, par l'ordonnance de monseigneur le regent[14] qui les y envoioit pour mectre ladicte forteresse en la main du roy. Mais messire Alain ne volt obeir.

Le procureur du roy recite le contenu es informacions *ut in registro magistri Johannis Despina.*[15]

[8 June 1426]   [X^{2a} 20, fo. 120r]

Cum obtentis a nobis certis litteris pro parte dilecti nostri Alani de Buxulle, militis, super certis excessibus, roberiis et delictis contra eum per Thomam Lound et eius complices commissis et perpetratis, ut ferebatur, et informacione super huiusmodi excessibus, roberiis et delictis per baillivum nostrum de Pertico,[16] cui dicte littere nostre dirigebantur facta, dictus Thomas Lound, timens ne virtute dictarum litterarum prisonarius ad nostram Parlamenti curiam adduceretur, promisisset in manibus dilecti et fidelis consanguinei nostri comitis Sar[isburiensis] in eadem nostra curia xxv^{ta} die mensis maii ultimo preteriti personaliter comparere, ac eidem Alano et procuratori nostro respondere et juri stare super contentis in dictis litteris sub pena trium milium salutorum auri, de quorum solucione casu quo deficeret caucionem tradidisset, dicta autem xxv^{ta} die maii aut alia ab ea continuata et dependente dictus Alanus et etiam procurator noster generalis pro nobis personaliter comparentes, defectum contra supradictum Thomam Lound eo quod personaliter non comparebat, et quod ipsum

---

[14] John, duke of Bedford, regent for Henry VI in France.
[15] The register was that of Jean L'Espine, *greffier criminel*, not extant.
[16] Perche. There was, strictly speaking, no such *bailliage*.

in dictis penis trium milium salutorum incurrisset peciissent et requisiissent. Et e contrario magister Philippus du Solier, dicti Thome
procurator, dixisset quod idem Thomas dictam xxv^{tam} diem antici-
pando personaliter xxiij^a die dicti mensis maii in eadem nostra curia
comparens et se presentans, pro bono rei publice subito cum dilecto et
fideli nostro Johanne Falstof, milite, magistro hospicii carissimi avun-
culi nostri, ducis Bedfordie, regnum nostrum Francie regentis, coram
fortalicio seu castro de Dynato ex parte nostra obsesso, ire coactus
fuerat, et ab hinc regrediens vj^{ta} die presentis mensis junii, personaliter
in eadem nostra curia comparuerat certas litteras, per quas nos de
dictis penis et defectu ipsum relevabamus, dicte curie presentando et
ipsarum integracionem requirendo. Auditisque dictis partibus, tam
super dictarum litterarum integracione quam super causa principali,
prefata curia easdem partes ad tradendum seu ponendum penes ipsam
litteras, informaciones et cetera munimenta quibus se iuvare vellent
ac in arresto appunctasset. Visis igitur per dictam nostram curiam
huiusmodi litteris, informacionibus et munimentis per dictas partes
eidem curie traditis et exhibitis, et consideratis omnibus in hac parte
considerandis, eadem curia nostra, per suum arrestum, supradictis
litteris relevamenti pro parte dicti Thome impetratis, obtemperavit et
obtemperat, et insuper dictum fuit per idem arrestum quod partes
supradicte non poterant neque possunt sine factis expediri ac erant et
sunt contrarie facient idcirco facta sua. Super quibus per certos commissarios ad hoc per dictam nostram curiam deputandos inquiretur
veritas, qua inquisita et dicte nostre curie reportata, fiet jus partibus
antedictis, tenebiturque dictus Thomas Lound articulis partis adverse
personaliter respondere, et pari forma ad recepcionem inqueste super
hoc faciende in dicta nostra curia personaliter comparere [fo. 120v]
sub pena duorum milium salutorum auri, de qua summa supradictus
Johannes Falstof, miles, in hospicio nuncupato Conciergeria regine,
Ricardus Courson[17] et Nicolaus Molyneaux,[18] scutiferi, in hospicio in
quo pendet intersignum Mutonis in vico sancti Anthonii Parisius

---

[17] Richard Curson occupied a number of important military positions in Normandy
over a period of almost a quarter of a century, and held lands in different parts of the
duchy. He was one of those Englishmen who took a French wife (Coll. Lenoir, 75, p.
223); litigation in which he was involved was to be heard in the Norman *Échiquier* in 1448
(Arch. Seine-Mme., Échiquier, 1448, fo. 425r).

[18] Nicholas Molyneux made an agreement to become a brother-in-arms of John
Winter at Harfleur on 12 July 1421 (K. B. McFarlane, 'A Business-partnership in War
and Administration, 1421-1445', *E.H.R.*, lxxviii (1963), 290-310). By 1426 he was in
Fastolf's service, leading soldiers of his retinues in 1428 (B.N., MS fr. 26050/922), acting
as his *procureur-general* in October 1429 (MS fr. 26052/1148), and later receiving an
annuity from him. Afterwards he became receiver-general in Maine and Anjou for the
duke of Bedford. In the 1440s he joined the service of the duke of York, acted as receiver
for his lands in France and as a *conseiller* and *maître* at the revived Norman *Chambre des*

situato,[19] domicilia sua eligentes, se plegios et fidejussores et quilibet eorum insolidum et pro toto fecerunt et constituerunt, omnia bona sua propter hoc obligando. In ceteris vero supradictus Thomas per procuratorem recipietur ac ipsum eadem nostra curia recipit et admittit domiciliumque suum, pro in huiusmodi causa conveniendo seu adiornando nominavit, et elegit idem Thomas in domo habitacionis magistri Mathei de Bernyes, sui in dicta nostra curia procuratoris, Parisius in vico Feni[20] situata. Prefixitque et prefigit eadem curia tempus seu terminum pro huiusmodi inquesta reportanda ad dies Viromandenses Parlamenti nostri proximo futuri.

Pronunciatum die viij[a] junii, anno millesimo cccc° xxvj[to]

Morviller.[21]

[26 November 1426]   [X[2a] 20, fo. 123r]

Henricus, dei gracia Francorum et Anglie rex, dilecto et fideli consiliario nostro magistro Johanni de Longolio juniori,[22] salutem et dilectionem. Vobis tenore presencium committimus et mandamus, quatinus adiuncto vobiscum dilecto nostro Girardo Desquay, armigero,[23] aut altero probo viro neutri partium infrascriptarum favorabili vel suspecto, in negocio cause tam criminalis quam civilis pendentis in nostra Parlamenti curia, inter dilectum et fidelem nostrum Alanum de Buxhulle, militem, et procuratorem nostrum generalem pro nobis ei adiunctum, actores, ex una parte, et Thomam Lound, scutiferum, defensorem, ex parte altera, super factis et articulis dictarum partium quos vobis sub contrasigillo nostro mittimus intraclusos, vocatis evocandis, procedatis et inquiratis cum diligencia veritatem, non obstante quod nostrum presens sedeat Parlamentum, et inquestam, quam inde feceritis sub vestri et adiuncti vestri sigillis, fideliter clausam predicte nostre curie ad diem crastinam instantis dominice que cantabitur in sancta dei ecclesia Quasimodo remittatis,[24] una cum dictis partibus,

---

Comptes in Rouen. Another *maître*, Walter Smyth (who was dead by late 1438) had married Margaret Molyneux, who may have been a sister (or possibly a daughter) (Coll. Lenoir, 4, pp. 245, 341; Arch. Seine-Mme., Échiquier, 1448, fo. 422v). Molyneux played an important part in the diplomatic attempts to secure compensation for territorial concessions in 1447 (*Letters and Papers*, II, ii, 634 seq).

[19] The sign of the *Mouton* in the rue Saint-Antoine.

[20] Rue du Foin.

[21] Philippe de Morvilliers was first *président* of the Parlement 1418–33.

[22] Jean de Longueil, junior, *conseiller* in the Parlement, was the son of the man of the same name who became third *président* of the court. See n. 36, below.

[23] Gerard Desquay was probably a member of a well-known family of the *bailliage* of Caen. He received grants of lands from the English (Charma, 'Partie des dons', p. 8).

[24] Monday, 28 April 1427.

et potissime dicto defensore personaliter comparituro adiornatis. Dictam inquestam in statu quo tunc erit recipi et judicari visuris et ulterius processuris et facturis quod fuerit racionis. Ab omnibus autem justiciariis et subditis nostris vobis et adiuncto vestro ac deputandis a vobis in hac parte pareri volumus et jubemus. Datum Parisius in Parlamento nostro xxvj^{1a} die mensis novembris anno domini millesimo cccc° xxvj^{to}, et regni nostri quinto.

[26 November 1426]   [X^{1a} 4795, fo. 6v]

En la cause d'entre le sire de Clinchamp, demandeur, d'une part, et Thomas Loond, escuier, defendeur, d'autre part, les parties ont prefiction au lendemain de Quasimodo prochain a rapporter leur enqueste.

[13 May 1427]   [X^{1a} 4795, fo. 92v]

En la cause d'entre messire Alain segneur de Clinchamp, demandeur d'une part, et Thomas le Loond, anglois, defendeur, qui requiert que l'enqueste soit renouvellee et qu'il ait encorez delay, attendu qu'il a fait diligence et qu'il est au siege de Pontorson,[25] et si a dit^a qu'il fust^b prisonnier et a charge de gens d'armes soubz le grant maistre de l'ostel monseigneur le regent.[26]

Le demandeur dit que il y a prefiction et sera l'enqueste receue, et doit le Loond comparoir en personne a paine de ij^m salus; si aura default, et sera l'enqueste receue, et seront les peines declairees, et recite le contenu es appoinctemens.

Le defendeur dit qu'il n'a eu que ung delay et a fait sa diligence, mais ses principaulz tesmoins sont deca et dela occupéz au fait de la guerre, et n'aura partie default, et n'est mie temps de recevoir l'enqueste, et a lettres royaulz de prerogation et pour estre receu par procureur.

Appoinctié que la court verra lesdites lettres et les appoinctemens, et se mestier est parlera aux commissaires, et fera droit.

Au conseil. Morviller^c

[24 May 1427]   [X^{1a} 1480, fo. 375r]

Item, a conseillier l'arrest d'entre messire Alain de Buxull, chevalier, segneur de Clinchamp, demandeur, d'une part, et Thomas Loond, escuier anglois, defendeur, d'autre part. *Ut in registro magistri J. de Spina.*

---

^{a} *Followed by* messire Alain *in MS* ^{b} *MS* est
^{c} *In the margin*

[25] Pontorson, Manche, arr. Avranches. The siege was the great military 'event' of the year 1427.
[26] Sir John Fastolf was the duke of Bedford's *grand maître d'hôtel.*

[27 May 1427]   [X¹ᵃ 4795, fo. 102r]

En la cause d'entre messire Alain de Buxull, segneur de Clinchamp, et le procureur du roy, demandeurs, d'une part, et Thomas Loond, escuier anglois, defendeur, d'autre part, lez demandeurs requierent avoir default et declaracion des peines, et que l'enqueste soit receue.

Thomas Loond dit qu'il a esté et est *in expedicione causa rei publice* et a esté a Pontorson continuelment depuis le commencement du siege, et n'est mie l'enqueste receue; si n'est tenu de comparoir en personne.

Appoinctié que la commission de rapporter l'enqueste sera renouvellee pour toutes prefictions et delais, soient les parties diligen[t]es ou negligen[t]es, a lendemain de la Magdeleine,²⁷ et comparra en personne Thomas a la reception de l'enqueste *sub penis et submissionibus* comme dessus.

*Commissio renovata.*ᵃ

[5 August 1427]   [X¹ᵃ 8302, fo. 194r]

Thomas Long propose selon sa requeste par escript contre messire Alain Buxule, et requiert commissaire au pais, maistre Pierre Bou[r]ju²⁸ ou autre, car aucun de ceans n'y veult aler pour faire son enqueste.

Alain dit que Thomas ne quiert que fouir et delayer, et n'a que faiz negati[f]s, et si a esté appoinctié qu'il y aura commissaires de ceans, et en trouvera l'en bien qui yront moyennant bon conduit.

Appoinctié que la court verra la requeste, et appoinctement au conseil, et en ordenera.

Au conseil. Agueninᵇ

[29 August 1427]   [X¹ᵃ 8302, fo. 202v]

En la cause d'entre Alain Buxuille, chevalier, d'une part, et Thomas Long, les bailli[s] de Chartres²⁹ et Constantin,³⁰ ou leurs lieuxtenans et chacun d'eulx *cum adiuncto*, sont commis a faire et parfaire les enquestes desdites parties.

[17 November 1427]   [X¹ᵃ 4795, fo. 168r]

Thomas Loond, escuier anglois, a baillié ceans sa requeste par escript a l'encontre de messire Alain de Buxulle, chevalier, a fin qu'il soit

---

ᵃ *In the margin*   ᵇ *In the margin*

²⁷ 23 July 1427.
²⁸ Possibly the man referred to, in June 1417, in *Fauquembergue*, i, 26.
²⁹ The *bailli* of Chartres was Hugues des Prés, and his lieutenant probably Jean Grenet (*Gallia Regia*, ii, 124, 129).
³⁰ The *bailli* of the Cotentin was John Harpeley; his lieutenant was Pierre de la Roque (*ibid.*, ii, 186, 204).

receu par procureur et que la commission de rapporter l'enqueste soit renouvellee, attendu qu'il a fait sa diligence, et a autres tesmoins a faire examiner qui lui sont neccessaires, et soit receu par procureur car il [a] charge de gens d'armes et le convient aler ailleurs.

Messire Alain recite le demené du proces et les delais exquiz par Thomas et les appoinctements donnéz en ceste cause, veuz lez quelz l'enqueste doit estre receue, soient les parties diligen[te]s ou negligen[te]s. Aussi n'a il point fait de diligence, et ne sera receu par procureur en ceste matiere d'exces dont il est vehementement souspeçonné et ataint par l'enqueste comme on tient.

Thomas Loond dit qu'il a grant charge de gens et a le regent grant confidence en lui, et a fait bonne diligence en son enqueste, et s'en rapporteroit bien au commissaire de ceans qui fist le premier examen; et depuis en l'autre prediction ledit commissaire ne volt retourner, et en parla a pluiseurs de ceans qui ne voldrent aler; et pour ce depuis la court ordena qu'il auroit commissaires au pais, et en effect il n'a eu que deux predictions prorogueez, et a sceu bien tard son appoinctment, et est mort m[aistr]e Macé de Verine, son procureur; et a Thomas esté occupé contre lez ennemis devant La Girmelle[31] a Saint Ouen,[32] au Lude,[33] et en pluiseurs places, et pour tout perdre ceans n'eust ozé venir se lez ennemis ne se feussent retrais, et a fait sa diligence et a amené vj tesmoins dont les iiij ont esté examinéz et lez ij autres sont demouréz a Rouen[34] maladez, et a autres pluiseurs tesmoins qui se transportent de garnison en garnison par l'ordonnance du roy; et ainsi *ex causa* il aura iiij, v et vj predictions, *nec debet angustari facultas probacionum,*[35] et mesmement en ceste matiere d'Anglois contre Anglois, et est mal fait de lez laissier plaidier l'un contre l'autre, attendue la vaillance de Thomas, qui est bon homme d'armes, nobles homs bien enlignagé, et ne se congnoist mie bien en plaidoierie.

Appoinctié que la court verra les appoinctmens et, se mestier est, parlera au commissaire; et au conseil fera droit.

Au conseil. Longueil[36] *a*

[25 November 1427]   [X²ᵃ 20, fo. 140r]

Henricus etc, universis etc, salutem. Notum facimus quod, auditis in curia nostra Parlamenti dilecto nostro Alano de Buxhulle, milite, et

---

a In the margin

[31] La Gravelle, Mayenne, arr. Laval, c. Loiron.
[32] Saint-Ouen-des-Toits, Mayenne, arr. Laval, c. Loiron.
[33] Le Lude, Sarthe, arr. La Flèche.
[34] Rouen, Seine-Maritime.
[35] 'Probacionum modi angustari non debent' (Accursius on *Nov.*, 94, 2).
[36] Jean de Longueil, senior, third *président* of the Parlement. See n. 22, above.

procuratore nostro generali pro nobis ei adiuncto, actoribus, ex una parte, et Thoma Lound, armigero, defensore in eius persona comparente, ex parte altera, super eo quod dicti actores inquestam dictarum partium in statu in quo erat per dictam nostram curiam recipi et judicari, et e contrario dictus Thomas commissionem ad huiusmodi inquestam perficiendam renovari certis de causis hinc inde allegatis petebant. Visisque dilacionibus ad huiusmodi inquestam faciendam dictis partibus datis et concessis, et aliis litteris et munimentis per dictas partes eidem curie traditis, et consideratis considerandis in hac parte, prefata nostra curia appunctavit et appunctat quod inquesta dictarum partium ex nunc recepta erit et est ad judicandum, ac eam dicta curia recepit et recipit per presentes, salvo tamen quod partes supradicte poterunt, si bonum eis videatur, facere hinc inde examinari per baillivos Carnotensem et Constanciensem ac vicecomitem Rothomagensem[37] et quemlibet eorum adiuncto secum aliquo probo viro neutri partium antedictarum favorabili vel suspecto, tot testes quot eis videbitur oportunum, hinc ad primam diem mensis marcii proximo futuri. Qua die supradictus Thomas Lound tenebitur personaliter in dicta nostra curia comparere, et interim per procuratorem in huiusmodi causa recipietur, et hoc tempore pendente partes supradicte litteras suas ad mensemque sequentem dictam primam diem marcii reprobaciones testium et contradictiones litterarum, et ad quindenam post sequentem suas salvaciones penes dictam nostram curiam tradere tenebuntur. Quo circa dictis baillivis Carnotensi, Constanciensi, ac vicecomiti Rothomagensi, et cuilibet eorum tenore [fo. 140v] presencium committimus et mandamus quatinus, adiuncto secum aliquo probo viro neutri partium infrascriptarum favorabili vel suspecto, super factis et articulis dictarum partium sibi clausis tradendis tot testes quot producere et examinari facere voluerint, hinc ad dictam primam diem mensis marcii, iuxta appunctamentum supradictum, vocatis evocandis, audiant et examinent[a] ipsorumque testium dicta et deposiciones seu attestaciones in scriptis fideliter redigant seu redigi faciant, et dicte curie fideliter clausas remittant cum dicta inquesta iam recepta jungenda. Ab omnibus autem justiciariis et subditis nostris, dictis baillivis et vicecomiti et cuilibet ipsorum, cum adiuncto suo et deputandis ab eis in hac parte pareri volumus et jubemus. Datum Parisius in Parlamento nostro xxv[ta] die novembris, anno domini millesimo cccc° xxvij°, regni nostri sexto.

---

[a] *MS* examinant

---

[37] The *vicomte* of Rouen was Michel Durant (*Gallia Regia*, v, 180).

[4 March 1428]   [X¹ᵃ 4795, fo. 224r]

En la cause d'entre messire Alain Bougsel, chevalier, demandeur, d'une part, et Thomas le Loond, escuier, defendeur, d'autre part. A Lespine.[38]

[19 August 1430]   [X²ᵃ 20, fo. 188r]

Cum in certa causa in nostra Parlamenti curia mota et pendente inter dilectum nostrum Alanum de Buxulle, militem anglicum, dominum castri de Clinchamp, actorem, ex una parte, et Thomam Lond, scutiferum anglicum, defensorem, parte ex altera, racione certe verberacionis in personam dicti actoris per dictum defensorem facte, ut dicebat, ac certorum dampnorum et interesse in processu latius declaratorum, in tantum processum extitisset quod, dictis partibus auditis et inquesta facta, processu[s] salvis reprobacionibus hinc inde traditis ad judicandum receptus fuisset. Eo viso et diligenter examinato, per judicium prefate nostre curie dictum fuit quod dictus processus, absque reprobacionibus testium, judicari non poterat. Inquiretur igitur veritas de et super certis articulis dictarum reprobacionum per dictam curiam eisdem partibus in scriptis tradendis, et per certos commissarios a dicta nostra curia deputandos. Quibus factis et dicte curie nostre reportatis, eadem curia nostra faciet jus partibus antedictis, omnibus expensis in diffinitiva reservatis. Pronunciatum die xixᵃ augusti, anno domini millesimo ccccᵒ xxxᵒ

Branlardi[39]   M. Courtois[40]   Morviller

---

[38] The suit was therefore being sent for hearing before the Parlement *criminel.*
[39] Jacques Branlart, *conseiller* in the Parlement, was *président* of the *chambre des Enquêtes.*
[40] Mahieu Courtois was a lay *conseiller* at the *chambre des Enquêtes.*

IX

The Earl of Salisbury *v.* the Duke of Burgundy

The earl of Salisbury was concerned, both directly and indirectly, in several suits before the Parlement.[1] This one, which records an attempt to regain certain legitimate profits of war which he was being denied, involved him in a dispute with the duke of Burgundy. Salisbury claimed that the king had granted him the lands of La Rivière in the county of Nevers, but the countess of Nevers had denied him possession. Since she had been married to Philip, duke of Burgundy, the duke, as the survivor of the marriage, was brought into the case which was extended to include the custody and wardship of her children by her first marriage to the duke's uncle, Philippe, count of Nevers. The count of Joigny and Sir Claude Chastellux who, likewise, refused to hand over land, were also involved.

Part of the suit's importance lay in the procedural attempts by the defendants to delay judgment or to ensure as far as they could that it should go in their favour. They tried, unsuccessfully, to get Salisbury to commit his claim 'par escript'; they argued, too, that the suit should be about the lands which Salisbury claimed had been granted to him. But Salisbury, who appears to have been given procedural assistance by the court, stuck to his view that the dispute was not 'propriétaire' but about 'rien que personalité', since the defendants could scarcely deny that he had been granted the lands which he claimed. To him, the matter of wardship was paramount; and his opponents clearly recognized this, too.

Salisbury was a declared opponent of the duke of Burgundy. No case can have been more objectionable to the regent, Bedford, than this; the fact that Salisbury brought it in the Parlement shows his disregard for the Regent's pro-Burgundian policy. The suit had been proceeding for over two years when, in October 1428, Salisbury received wounds at the siege of Orléans from which he died on 3 November. His premature death brought the suit to an unexpected and inconclusive end.

[29 August 1426]

Entre le conte de Salisbery et dy Perche,[2] demandeur, d'une part, et le duc de Bourgogne,[3] aiant le gouvernement [fo. 310r] des enfans de Nevers,[4] defendeur, d'autre part.

---

[1] See n^os **XI, XII, XV** and appendix I.

[2] For the earl of Salisbury, see appendix II. His grant of the county of Perche was dated 26 April 1419 (*D.K.R.*, xli, 772).

[3] Philip 'the Good', duke of Burgundy 1419–67.

[4] These were Charles de Nevers and his brother, Jean de Bourgogne, sons of Philippe, count of Nevers, and Bonne d'Artois, who became the second wife of Philip, duke of Burgundy, 30 November 1424.

Le demandeur dit que le roy lui a donné les terres qui furent au seigneur de la Riviere,[5] et que en la conté de Nevers sont assises les terres de la Riviere, et autres declairees en son impetracion, que la feue contesse de Nevers[6] lui refusa delivrer; pour ce la[a] fist adjorner; et depuis se maria au duc de Bourgogne, qu'il fist adjorner. Recite en oultre le contenu es impetracions et explois sur ce fais, et selon ce conclud que le duc de Bourgogne soit condempné a lui delivrer lesdites terres avec les fruis et despens; et requiert que tuteur soit donné aux enfans en ceste cause pour faire son proces valable. Pareillement dit et conclud a l'encontre du conte de Joingny[7] et messire Claude de Chastelluz[8] qui tiennent aucunes autres desdites terres declairees en son impetracion.

Appoincté que les parties revendront au Vermendois[9] et *interim* Salisbery monstrera lettres et explois.

[25 February 1427]   [X¹ᵃ 4795, fo. 49v]

En la cause d'entre messire Thomas de Montagu, conte de Salisbery, demandeur, d'une part, et le duc de Bourgogne, comme aiant le bail, garde et gouvernement des contes de Nevers et de Rethel, le conte de Joingny et le sire de Chastellus, defendeurs, d'autre part, [fo. 50r] le demandeur recite sa[b] demande autresfois faite selon son impetracion contenant le cas, et dit qu'il ne puet joir des terres a lui donneez par le roy par l'empeschement de fait de partie.

Les defendeurs requierent avoir par escript la demande du conte de Salisbery.

Le demandeur dit que l'impetracion porte le cas, et l'ont veue les defendeurs, et si leur a baillié declaracion de ce qu'il demande par appoinctment de la court, et si dit que par l'empeschement de fait de partie il ne puet joir, si ne baillera sa demande par escript.

Appoincté que la court verra ladite impetracion pour savoir se le demandeur baillera sa demande par escript ou non.

Au conseil. Aguenin[10] [c]

| [a] MS le | [b] sa *interlined* | [c] *In the margin* |

[5] La Rivière, probably *commune* of Couloutre, Nièvre, arr. Cosne-Cours-sur-Loire, c. Donzy, fief of the *châtellenie* of Donzy.

[6] Bonne d'Artois. Her first husband, Philippe de Nevers, had been killed at Agincourt. She died on 17 September 1425.

[7] Guy de la Tremoïlle, count of Joigny.

[8] Claude de Beauvoir, lord of Chastellux, a strong supporter of the Burgundian dukes, was captain of Mantes in 1417 and was nominated marshal of France and royal lieutenant and captain-general of Normandy in June 1418. Since at least 1419 he had served as councillor to the countess of Nevers and as captain of the town of that name. By May 1420 he was also governor of the Nivernais. See *Dict. Biog. Fr.*, viii, 744-5.

[9] It was usual to consider the suits from the *bailliage* of Vermandois at the beginning of the annual sitting of the Parlement in November.

[10] Jean Aguenin was second *président* of the Parlement.

[2 April 1427] [X¹ᵃ 1480, fo. 370v]

Item, a conseillier l'arrest d'entre le conte de Salisbery, demandeur, d'une part, [et] le duc de Bourgogne ou nom qu'il procede, le conte de Joingny, et le sire de Chastelluz, defendeurs, d'autre part, sur le plaidoié du xxvᵉ jour de fevrier derrain passé.

Il sera dit que le demandeur declarera plus a plain les moiens et conclusions de sa demande et, ce fait, la court appoinctera les parties ainsi qu'il appartendra.

[13 March 1428] [X¹ᵃ 1480, fo. 397v]

Item, a conseillier l'arrest d'entre le conte de Salisbery et du Perche, demandeur, d'une part, et le duc de Bourgogne, ayant le gouvernement des enfans de Nevers, defendeur, d'autre part, sur le plaidoié du xxixᵉ jour d'aoust m cccc xxvj.

Il sera dit que le conte de Salisbury baillera par escript sa demande et, ce fait, procederont au surplus les parties ainsi qu'il appartendra par raison.

     Pronunciatum hodie. Aguenin*ᵃ*

[3 August 1428] [X¹ᵃ 4795, fo. 309v]

Le duc de Bourgogne, le conte de Joingny et le sire de Chastellus, defendeurs, [fo. 310r] revendront jeudi a l'encontre du conte de Salisbery, demandeur.

[16 August 1428] [X¹ᵃ 4795, fo. 316r]

En la cause d'entre le conte de Salisbery, demandeur, d'une part, et les mineurs d'ans, lez enfans de Nevers, qui dient que la cause*ᵇ* est proprietaire, et surserra jusques a ce qu'ilz soient eagéz.

Chastellus demande jour de conseil.

Le conte de Joingny aussi a demandé jour de conseil.

Salisbury dit que les enfans de Nevers procederont *quia sunt puberes*; et n'est point escript de raison que ceste cause doye surseoir, ja soit ce que on dit que *causa status et hereditatis debeat differri in tempus pubertatis*;[11] et se baillisseur ne povoit demander ou demener ce proces, on donroit curateur[12] a la cause qui le porra demener par le stile; et aussi ont ilz procedé en tant qu'ilz ont dit que la dèmande estoit petitoire, et l'ont demandé avoir par escript. Et n'auront Chastellus et Joingny jour de conseil pour ce que on lez poursuit de leur fait, non mie du fait de leurs predecesseurs, mais demanderont garant, se avoir le doivent.*ᶜ*

ᵃ In the margin   *ᵇ Followed by* qui
  ᶜ Followed by Maistre Jehan Labbat emploie ce que dit est pour Chastellus et Joingny, *struck out*

---

[11] See the 'Coutume du Nivernois', ch. xxx ('De Tutelles et Curatelles') in *Nouveau coutumier général*, III, ii, 1153.

[12] A *baillisseur* was normally of collateral, a *curateur* of the same line of descent.

Les enfans de Nevers dient *quod sunt minores annis nec habent personam legitimam standi in judicio*,[13] et se on dit que on donra curateur etc, response qu'ilz n'ont a ce jour ne terme.

Salisbery dit que le mandement porte a donner curateur, et sont lez enfans de Nevers adjornéz a veoir donner curateur se mestier est.

Appoincté que le conte de Joingny et le sire de Chastellus auront delay de conseil et de garant au Vermendois. Et ou regard dez enfans de Nevers, lez parties revendront demain.

[17 August 1428]   [X¹ᵃ 4795, fo. 318r]

En la cause d'entre le conte de Salisbury, demandeur, d'une part, et le duc de Bourgogne comme aiant le bail dez enfans de Nevers, mineurs d'ans, qui dit qu'il n'est tenu de proceder veue la demande petitoire baillee contre le duc de Bourgogne *nominatim* et par escript; et oultre dit que l'adjornement fait pour veoir donner curateur n'est mie fait au domicile dez diz enfans qui tenoient leur domicile a Molins;[14] et au temps de la date dez lettres estoient *impuberes*, et leur devoit on pourveoir de tuteur et curateur, et ne se pouroit adrecier contre le curateur la demande faite contre le duc de Bourgogne, et convendroit tout recommencier de nouvel.

Le [conte de] Salisbray*ᵃ* dit que pour ce que on doubtoit que l'on ne*ᵇ* peut demener ceste cause [fo. 318v] il a prins son impetracion *in forma*. Et pour ce requiert a la court qu'elle pourvoie aux enfans de curateur a admener ladite cause; oultre dit que partie adverse, qui a procedé ceans, ne puet maintenant debatre lesdis adjornemens; et si est vray que les enfans estoient a Rouvres[15] au temps de l'adjornement qui est bien fait, si sera donné curateur pour demener ladite cause avec le baillisseur.

Appoinctié que la court verra les adjornemens, explois et ladite demande, et fera droit au conseil.

Au conseil. Morvillers[16] *ᶜ*

[4 September 1428]   [X¹ᵃ 1480, fo. 410v]

A conseillier l'arrest d'entre le conte de Salisbury, demandeur, d'une part, et le duc le Bourgogne comme aiant le bail, garde et gouvernement des enfans de Nevers, mineurs *ᵈ* d'ans, defendeur, d'autre part. *Et non fuit conclusum.*

ᵃ Salisbray ne *interlined over* duc de Bourgogne, *struck out*
ᵇ ne ne *interlined*   *ᶜ In the margin*   *ᵈ MS* meurez

[13] In the Nivernais, a minority ended at the age of twenty-five years. Charles was born in 1414, John on 25 October 1415.
[14] Moulins, Allier, the residence of the dukes of Bourbon.
[15] Rouvres-en-Plaine, Côte d'Or, arr. Dijon, c. Genlis, a ducal residence.
[16] Philippe de Morvilliers, first *président* of the Parlement 1418–33.

[10 September 1428]   [X¹ᵃ 1480, fo. 411v]

Item, a conseillier l'arrest ou appoinctment d'entre le conte de Salisbury, demandeur, et le duc de Bourgogne comme aiant le bail et gouvernement des enfans de Nevers, mineurs*ᵃ* d'ans, defendeur, *et non fuit omnino conclusum*. Mais pour certaines causes a esté advisé que l'en advertiroit le procureur dudit demandeur de prendre une requeste civile ou autre impetracion pour auctoriser ou conduire la demande et le proces qu'il entendoit a faire contre lesdis mineurs*ᵇ* d'ans, non obstant le stile que aucuns dient estre au contraire.

[2 October 1428]   [X¹ᵃ 4795, fo. 329v]

Pardevant messires les presidens.

Le conte de Salisbury requiert l'enterinement d'une requeste civile par lui impetree a l'encontre du duc de Bourgogne comme ayant le bail et gouvernement des contes de Nevers et de Rethest, mineurs d'ans.*ᶜ*

Bourgogne defend et dit que [dans] les premiers [lettres] royaulx dudit conte estoit mandé que l'en pourveust de curateur ausdis mineurs en la cause, mais en procedant ledit conte n'a point requis telle provision. Si vient a present trop tard a la requerir, et ne puet proceder Bourgogne en la qualité qu'il procede; mais fault attendre l'aage desdis mineurs, et ne sera point obtemperé a ladite requeste; et a ce conclud.

Salisbury [replique] et dit que *a principio* ne fist pas sa demande proprietaire, mais pour ce que depuis la court commanda qu'il baillast sa demande par escript, l'a baillee et n'y a rien*ᵈ* que personalité. Car les contes de Nevers ne peuent pas dire raisonnablement que la proprieté des terres qu'il demande, et qui lui ont esté donneez par le roy, leur appartieigne. Et requiert que les parties procedent comme se lesdis de Nevers estoient aagiéz, ou que curateur soit baillé a la cause *non obstante stilo curie* selon ladite requeste.

Bourgogne duplique et dit que Salisbury a baillé sa demande proprietaire comme appert par ycelle. Si ne procedera point mais attendra l'en l'aage dedis mineurs.

Appoinctié est que ladite requeste civile et ce que les parties vouldront monstrer seront mis devers la court et joinct au proces appoinctié en arrest, et, tout veu, sera fait droit aux parties, ou tel appoinctment qu'il appartendra; et au conseil.

ᵃ *MS* meurez
ᵇ *MS* meurez
ᶜ *Followed by a gap of a few words in the MS*
ᵈ rien *interlined*

X

Jean de Paris *v.* John Huytin

*Among a number of suits arising from grants, this one between Jean de Paris and the Englishman, John Huytin (or Whiting?) went back to a grant of 20 'livres' to be raised from the lordship of Tessancourt, near Mantes, which Huytin said had been made to him by the regent. The suit came before the Parlement on appeal by Jean de Paris who claimed that the 'bailli' of Mantes, an Englishman, had favoured Huytin 'quia compatriota'. Paris was to claim the lordship of Tessancourt through his wife, sister and heir to the wife of Jean de Bantalu, the last undisputed lord of Tessancourt. The point at issue (not dissimilar to that raised in the suit between Rose and Handford (n° **IV**) was whether Bantalu had been with the enemy when he died, thereby meriting confiscation, as Huytin argued, or whether he had been loyal, as Jean de Paris, furthering his own claim to Tessancourt, was to make out.*

The court found difficulty in deciding in favour of either party, and ordered them to begin their pleadings again 'sur le principal'. This time, however, their roles were to be reversed, Huytin, as appellant, demanding that his rights, which he had earlier claimed 'par confiscacion ou par le droit de la conqueste', be confirmed by the court. Jean de Paris, confidently styling himself 'segneur de Thessencourt', countered by saying that since Huytin's grant was for only 20 'livres', the lordship of Tessancourt could not have been granted to him since the land was of greater value.

In July 1429, however, Paris was obliged to declare that he would abandon his case. The suit is interesting for the evidence it gives that the neighbours appear to have sided with the Englishman.

[6 September 1426]   [X¹ᵃ 8302, fo. 189r]

Entre Jean Huytin,[1] *ᵃ* anglois intimé, d'une part, et Jehan de Paris,[2] appellant du bailli de Mante,[3] d'autre part. Huytin dit que le proces est par escript, veu ycellui et le memorial, et requiert qu'il soit receu *an bene vel male*, et y conclut et a despens.

ᵃ Followed by in, *struck out*

---

[1] Nothing is known about this man. It is likely that his name was Whiting, although Hilton is a possibility. One John 'Houylton', esquire, appointed a representative to receive his rents from lands he held in the *vicomté* of Valognes on 7 October 1421 (Arch. Seine-Mme., Tabellionnage de Rouen, 1421–22, fo. 208v). It is unlikely, however, that this was the same man.

[2] Jean de Paris, *escuier*, lord of Tessancourt.

[3] Mantes-la-Jolie, Yvelines. The *bailli* was Edward Makewill, or McWilliam. See appendix I for his suit against Isabelle de Torcy (1425).

L'appellant dit que le bailli est angloiz; aussi est Huitin, et a esté le proces moult arcte, et puis l'appel a accepté Huytin et enfraint asseurement contre Paris. Aussi dit que le proces n'est point evangelisé, et y a au commencement donné par copie, et n'y a point d'examen fait a fin principal, mais seulement de tesmoins affuturs, et ne parle le memorial que de faire droit ainsi qu'il appartendra; et s'il est trouvé proces par escript, conclut mal jugié etc, et en cas d'attemptaz et d'asseurement enfraint, conclut a amende honorable a la discrecion de la court et prouffitable de mil livres; et demande l'adjunction du procureur du roy.

Huytin [dit], quant au proces, que les faiz des parties sont redigéz par escript *hinc inde*, et ont esté receuz par le juge, et enqueste faicte dessus, et si a este apporté le proces ceans par le clerc du bailliage, qui l'a signé, et n'est point le memorial condicionel mais absolut. Quant aux*a* attemptaz etc,*b* dit que onques ne mesfist ou mesdist a Jehan de Paris ne aux siens.

Le duc de Bedford requiert le renvoy de la cause[4] de l'infraction de l'asseurement car il est hors le proces principal.

Le procureur du roy recite le contenu es informacions et requiert que la court garde le droit du roy.

Huytin dit que quant il ala en l'ostel dont est debat, avoit sergent avec lui.

Appointié est que la court verra proces et informacion et fera droit aux fins plaidees, et se le proces est trouvé par escript, est receu des maintenant, et sera jugié comme proces par escript.

Au conseil. Aguenin[5] *c*

[14 December 1426]   [X¹ª 1480, fo. 362r]

A conseillier l'arrest d'entre Jehan de Paris, appellant, d'une part, et Jehan Hutin, anglois, intimé, d'autre part, sur le plaidoié du vj^e jour de septembre m cccc xxvj, aprés disner.

Il sera dit que le proces n'est point par escript. Et vendront ceans les parties dire et requerir l'une contre l'autre sur tout ce que vouldront, tant sur l'appel comme sur ledit asseurement.

Responsum. Voton[6] *d*

[10 April 1427]   [X¹ª 4795, fo. 81v]

Entre Jean de Paris, appellant, d'une part, et Jehan Huytin, anglois, d'autre part.

a Followed by ab, *struck out*   *b* etc *interlined*
c In the margin   *d* In the margin

---

[4] The claim of the duke of Bedford was founded upon his authority as lord of Mantes.
[5] Jean Aguenin was second *président* of the Parlement.
[6] Jean Voton was a *conseiller lai* in the Parlement during these years.

Appoinctié est que les parties venront au premier jour plaidoyable aprés Pasques[7] pour tous delays.

Delay[a]

[24 April 1427]   [X¹ᵃ 4795, fo. 83v]

Entre Jehan de Paris, appellant du bailli de Mante et demandeur en cas d'exces et infraction d'asseurement, d'une part, et Jehan Huytin, anglois,[b] intimé et defendeur, d'autre part.

Dit Paris qu'il est escuier de bien et est seigneur de Tessancourt; dit que lui [fo. 84r] et feu Jehan de Bantalu[8] orent espousé deux seurs, filles de Martin de Bonaffle, dit Guespin, et au traictié du mariage [de] Bantalu et sa femme fut accordé que iiijᶜ livres tournois seroient converties en heritage qui seroit propre aux enfans yssans du mariage; dit que Bantalu et sa femme sont trespasséz sans enfans et est demouré le droit de la femme [de] Bantalu a la femme [de] Paris comme sa seur et heritiere; dit que Pierre le Clerc s'est porté heritier de Bantalu, et a procedé contre lui le procureur du roy a Mante disant que ladicte terre de Tessancourt[9] appartenoit au roy; et finablement le Clerc a obtenu sentence contre ledit procureur pour ladite terre; dit que depuis Paris a assailly le Clerc et par traictié fait ensemble ladicte terre est demouree a Paris, et par ce moyen en y a droit et en a joy. Dit que neantmoins depuis Hutin, par vertu d'un don, l'a voulu empeschier. Il s'est opposé et est alee la cause devant ledit bailli qui a favorisié Huytin *quia compatriota*, et n'a peu Paris estre bien oy ne enseigné de ses drois et preuves mais[c] sans fourme de droit garder a jugié ledit bailli contre lui, dont a appellé ceans ou a esté dit que le proces n'est pas proces par escript. Quant aux exces et infraction d'asseurement, dit que combien qu'il eust asseurement de Huytin et que le proces pendist, Huitin est alé en sa maison et a batu ou voulu batre ses gens. Si conclut quant a la cause d'appel, bien appellé etc, et a despens, et quant aux exces a la reparacion d'iceulx d'amendes honorables et prouffitables jusques a vᶜ livres a la discretion de la court.

Le procureur du roy dit qu'il se recorde que *alias* a veu les informacions sur lesdis exces, et pour ce conclut a amendes a l'ordonnances de la court.

Paris requiert estre *primo* paiéz *de adjudicandis* que le roy [   ][d] et [avoir] asseurement de Huytin.

---

[a] *In the margin*   [b] anglois *interlined*
[c] mais *interlined over* sans, *struck out*
[d] *Some words appear to have been omitted here*

---

[7] Easter day in 1427 fell on 20 April.
[8] He was present at the siege of Harfleur in 1415.
[9] Tessancourt-sur-Aubette, Yvelines, arr. Mantes-la-Jolie, c. Meulan.

Huitin defend et dit qu'il est notable homme d'armes et a bien servy le roy a la bataille de Verneul[10] et ailleurs; dit que ledit Bantalu, qui fu seigneur de Tessancourt, a tousjours tenu parti contraire au roy et en ceste contrarieté est trespassé, et par ce lui a succedé le roy qui, en recompensacion des services et travaux, a donné ladicte terre a Huytin par la deliberacion ou advis de monseigneur le regent de France,[11] lequel aussi en son chief[12] a donné ycelle terre audit Huytin, qui en a doubles lettres bien veriffiees comme appartient au cas; et neantmoins Paris ne l'en a laissié joir mais l'a mis en proces devant le bailli lequel, aprés proces bien fait, a declaré son don bon et valable; mais Paris en a appellé. Dit que des traictiéz et proces proposéz par Paris et touchans Bantalu, le Clerc et lui ne sceu[ren]t rien, et est son tiltre pur et absolut comme de chose appartenant au roy pour la cause;[a] et au proces d'entre lui et Paris, ycellui Paris ne parla onques des mariages et traictiés dessusdis mais seulement s'ayda du transport a lui fait par ledit le Clerc, lequel s'il ot onques aucune adjudicacion ou delivrance contre le procureur du roy, ce fut *partibus satis non auditis et veritate rei non inquisita*; dit que tout veu et sceu ledit bailli a bien jugié et ledit Paris mal appellé; et quant aux exces, n'en y a nulz car Huytin n'entra onques au lieu proposé par Paris, mais il fut un sergent a qui on ne volt obeir; si sera absolz au regard de ce, et ne baillera point d'asseurement ceans a Paris.

Appoinctié est que les parties revendront *prima die*, et asseure ledit Huytin ledit Paris ceans aux us et coustumes de France.

[15 May 1427]   [X¹ᵃ 4795, fo. 94r]

En la cause d'entre Jehan de Paris, appellant, d'une part, et Jehan Huytin, anglois, intimé, d'autre part.

L'appellant replique et dit qu'il a droit et bon tiltre sur la terre de Thessancourt, et neantmoins le bailli, sans le oir contre l'opinion des assistants, a adjugié la terre a Huytin, et n'y a forme de proces. Et dit que Bantalu ne fist onques guerre, mais l'an cccc xviij se retray a Meurlenc[13] pour sa seurté, non mie pour faire guerre, et n'y faisoit point de guerre; et s'il avoit esté pris par les gens du duc de Bourgoingne, ce auroit esté par hayne que aucuns avoient a lui; mais il s'en retourna et en yssi sans paier amende ne raencon, et n'estoit mie le chastel de Gaillat[14] adversaire du roy du temps qu'il s'y retray; et

---

[a] *Followed by* dessusdite, *struck out*

[10] Verneuil-sur-Avre, Eure, arr. Evreux. On the repeated claims to have been present at this victory, see the introduction, pp. 18–19.

[11] The duke of Bedford.

[12] As lord of Mantes.

[13] Meulan, Yvelines, arr. Mantes-la-Jolie.

[14] Château-Gaillard, Les Andelys, Eure.

assez tost aprés trespassa Bantalu, et n'estoient mie encore fais les traictiés avec le roy d'Angleterre,[15] et se y ot composicions et abolicions,[16]
et fu dit que chascun porroit retourner a ses heritages; ainsi n'y a point
de confiscation; et se Bantalu avoit confisqué ses heritages, il n'auroit
mie confisqué le droit que Paris a es dis heritages par traictié de mariage
dont il monstrera belle delivrance par lettres, et n'avoit Huytin que
faire ne que veoir es dis heritages qui estoient contencieux.

Huyting duplique et soubstient sa sentence et son proces, et dit qu'il
ne scet riens du traictié de mariage dont se vante Paris, et ne seroit que
une convenance sans saisine, et ne seroit qu'une action; et se rendi
Bantalu adversaire et ennemy, et fist guerre a Meurlenc contre le roy
et le duc de Bourgongne[17] qui reduit la place en l'obeissance du roy,
et y fu prins Bantalu et mené prisonnier a Mante et ailleurs, et s'eschapa
et retray a Gaillar avec les adversaires;[18] et ainsi il a droit par confiscacion ou par le droit de la conqueste, ainsi le bailli a bien procedé et
bien jugié, et n'y a point d'infraction d'asseurement, et n'y ot onques
force ne violence de par Huytin.

L'appellant emploie contre le duc de Bedford et son juge ce qu'il a
dit contre Huytin, et conclut en cas d'appel.

Appoinctié que la court verra le proces et ce que les parties vouldront
monstrer, et aura consideracion a ce que dit est; et fera droit au regard
des parties et au regard du segneur. Revendront a jeudi apres la
Penthecouste.[19]

Au conseil. Aguenin[a]

[5 July 1427]   [X¹ᵃ 4795, fo. 118r]

En la cause d'entre Jehan [de] Paris, appellant du bailli de Mante,
d'une part, et Jehan Huytin, anglois, intimé, d'autre part.

---

[a] In the margin

[15] A reference to the treaty of Troyes, sealed in May 1420.
[16] Local settlements arranged on the fall of a town or castle. See Rose v. Handford (n°
IV), nn. 9 and 26.
[17] John 'the Fearless', duke of Burgundy 1404-19.
[18] It would seem that the unfortunate Bantalu took refuge some time in 1418-19 at
Château-Gaillard where he died before the place, besieged by the English since April
1419, capitulated in November 1419. In support of the contention made by Jean de
Paris that Bantalu remained in the obedience of Charles VI there is the remark made
by Monstrelet concerning Gaillard 'qui estoit au roy de France' (La Chronique d'Enguerran
de Monstrelet, ed. L. Douet d'Arcq (SHF, 6 vols., Paris, 1857-62), iii, 337). If Bantalù
withdrew to Meulan in 1418, as alleged by Jean de Paris, this place, too, together
with Mantes, was then already held by the duke of Burgundy who had reduced both
these places to his obedience, and nominally to that of Charles VI, in September
1417.
[19] 12 June 1427.

Maistre Jehan Bailli, procureur du duc de Bedford,[20] regent, seigneur de Mante, a emploié pour ycellui segneur ce que ledit intimé a dit
et proposé en tant qu'il lui puet touchier, et conclut bien jugié, et
demande despens.

[19 March 1428]   [X¹ᵃ 1480, fo. 398r]

Item, a conseillier l'arrest d'entre Jehan de Paris, appellant, d'une
part, et Jehan Huytin, anglois, intimé, d'autre part, sur le plaidoié du
vjᵉ de septembre m cccc xxvj apréz disner.

Il sera dit que la court met au neant, sans amende, ladite appellacion
et ce dont a esté appellé, et venront ceans les parties au second jour de
may prochain venant dire et requerir l'une contre l'autre sur leur
principal ce que bon leur semblera; et elles oyéz, la court lez appoinctera et leur fera droit sur ledit principal ainsi qu'il appartendra, les
despens de la cause d'appel reservéz en diffinitive. Et en tant que touche
l'infraction d'asseurement dessusdit, sera dit que les parties ne peuent
estre delivrees sans fais, et sont contraires; si feront leurs fais etc.
    Pronunciatum ultima [die] hujus mensis. Morvillier[21] ᵃ

[6 May 1428]   [X¹ᵃ 66, fo. 15v]

Universis presentes litteras inspecturis, salutem. Notum facimus
quod super certa peticione seu demanda in nostra Parlamenti curia
per Johannem Hutini, anglicum, actorem, contra Johannem de Parisius, dominum de Thessencuria, armigerum, racione vel occasione
hospicii, terrarum et redditium dicti loci de Thessencuria quondam
deffuncto Johanne de Bantelleu, dum vivebat scutifero, pertinencium
edita, prefata curia nostra predicto Johanni de Parisius, defensori in
hac parte, diem et dilacionem suos garandos summandi hinc ad primam diem litigabilem post instans festum Penthecostes concessit et
concedit per presentes.[22] Quocirca primo Parlamenti nostri hostiario
aut servienti nostro super hoc requirendo committendo mandamus
quathinus omnes illos quos dictus defensor sibi duxerit nominandos
adiornet ad diem supradictam, non obstante quod nostrum presens
sedeat Parlamentum et ex causa summaciones, requestas et conclusiones quas contra eos dictus defensor facere voluerit audituros on-
usque garandiam et defensionem dicte cause, si opus fuerit, in se
suscepturos aut eidem bonas et legitimas instructiones et documenta

---

ᵃ *In the margin*

[20] Jean Bailli also acted for Denis Sauvage in his suit (nº **II**) against Sir John Fastolf
and Henry Lidan.
[21] Philippe de Morvilliers was first *président* of the Parlement 1418–33.
[22] Pentecost in 1428 fell on 23 May.

pro dicta causa defendenda edocturos, ulteriusque processuros et facturos prout [? ratio]*a* suadebit de adiornamento huiusmodi dictam
nostram curiam debite certificando. Cui quidem hostiario vel servienti
ab omnibus justiciariis et subditis nostris in hac parte pareri volumus
et jubemus. Datum Parisius in Parlamento nostro, sexta die maii anno
domini millesimo quadringentesimo vicesimo octavo.

[6 May 1428]   [X¹ᵃ 4795, fo. 255v]

   Entre Jehan Huitin, anglois, demandeur, d'une part, et Jehan de
Paris, defendeur.

   Le demandeur recite le contenu es lettres de don a lui fait des terres
que tint Jehan de Thessencourt qui ont esté verifieez et confirmeez, et
neantmoins Paris lui a mis empeschement; si l'a fait adjorner devant
le bailli de Mante; et est venu ceans le proces par appel qui est mis au
neant par arrest, dont recite le contenu, et conclut au principal que
son don soit dit bon et valable, et que Paris soit condempné a cesser de
tout empeschement. Et demande fruis, despens, dommages et interestz.

   Le defendeur a demandé delay de garand qui lui a esté octroié au
premier jour plaidoiable aprés la Penthecouste.
         Delay.*b*

[27 May 1428]   [X¹ᵃ 4795, fo. 265v]

   Ce jour Jehan de Paris a asseuré Jehan Huytin, anglois, aux us et
coustumes de France.
         Asseurement.*c*

[31 May 1428]   [X¹ᵃ 4795, fo. 267v]

   En la cause d'entre Jehan Huytin, d'une part, et Jehan de Paris,
d'autre part, Huitin dit qu'il a don du roy et de monseigneur le regent
de xx livres, verifieez de xx livres, de rente sur lez terres qui furent a
feu Jehan de Bantelu, et pour ce s'est fait mettre en la terre de
Tessoncourt qui fu audit feu Jehan qui tint Gaillat et est mort avec lez
ennemis. Recite le demené des proces et y a eu appellacion qui a esté
mise au neant, et sont ceans sur le principal. Si conclut que par le
moien de son don soit maintenu et gardé, et soit partie adverse deboutee
de son opposicion et condempnee a soy desister, et a restituer les fruis
au moins jusques a xx livres pour chacun an, et despens.

   Le defendeur a sommé Mahiet le Clerc et Guillaume le Vachier et sa
femme qui s'adjoingnent au proces, et ensegneront causes et raisons;

------

a MS patis   *b* In the margin   *c* In the margin

et Jacquet Charmary et sa femme qui se garderont de mesprendre et
[   ]*a*
    Alia die revendront.

[1 June 1428]   [X¹ᵃ 4795, fo. 270r]

    En la cause d'entre Jehan de Paris, d'une part, et Jehan Huytyn,
d'autre part, Paris dit que par certains traictiéz de mariage, a cause
de sa femme, luy sont deubz ijᶜ livres*b* tournois qu'on devoit emploier
en heritage, et par certains traictiéz lui est demouree*c* la terre de Tessencourt des l'an cccc xix, et en a esté receu en foy et hommage, en
possession et saisine, et ne scet rien du don [de] Huytin; et ne confisqua
onquez riens Bantelu qui trespassa en ceste obeissance par avant cez
divisions; et en a eu Paris la delivrance par justice et en a joy x ans; et
vault Tessencourt plus de xx frans, si ne vauldroit le don [de] Huytin;
et quoy que soit s'il y avoit confiscacion, ce seroit a la charge de
l'obligacion des ijᶜ livres dont Bantelu s'obliga par le traitié de
son mariage. Si conclut a fin de non recevoir a fin d'absolucion, et a
despens, et a ce que dit est, et emploie abolicions et traictiéz.

    Huytin dit que Bantelu se rendi ennemi et desobeissant au roy et au
duc de Bourgongne quand il volt reduire Meurlanc en l'obeissance du
roy, et se retray [fo. 270v] a Verneul et a Gaillat ou il trespassa avec
les ennemis; et pour ce que partie adverse veult dire qu'il y ot delivrance par la justice de Meurlent aux heritiers de Bantelu qui ont baillié
la terre de Tessencourt a Paris pour ijᶜ livres dessusdis, response que
la justice de Meurlent ne savoit point encorez que Bantelu feust
trespassé a Gaillat avec les ennemis, *et revera* la terre de Tessencourt
estoit lors confisquee au roy; ainsi le don fait a Huytin vault et
vauldroit, supposé orez la terre de Thessencourt exedast la valeur de
xx livres, et vauldroit le don *pro rata*, et ainsi a acoustumé le roy de faire
ses dons en telz cas, et seroit l'obligacion extainte par la confiscacion.

    Appoinctié que la court verra ce que les parties vouldront monstrer
au conseil, et fera droit; et se les parties dedens xv jours veullent dire
aucuns fais, ils seront adjoustéz au registre.

    Au conseil. Aguenin*d*

[7 July 1429]   [X¹ᵃ 4796, fo. 122v]

    Ce jour sur ce que Jehan de Paris, escuier, segneur de Thessencourt,
comparant par maistre Marc de Beauvoir,²³ a au jour d'uy sommé en

---

a Followed by some illegible words   *b Followed by* de, *struck out*
c lui est demouree *repeated*   *d In the margin*

²³ Marc de Beauvoir was a *procureur* in the Parlement.

jugement Mahiet le Clerc et Guillaume le Vachier et sa femme, seur dudit le Clerc, de lui nommer, administrer ou enseignier tesmoins pour provider certains fais et defenses bailleez et proposeez autresfois par lesdis le Clerc, le Vachier et sa femme audit Paris comme adjointz avec lui en certain proces pendant ceans entre ledit de Paris, es noms qu'il procede, d'une part, et Jehan Huitin, anglois, d'autre part, pour raison de la segnorie dudit lieu de Thessencourt yceulz Mahiet le Clerc, Guillaume le Vachier et sa femme ont respondu par maistre Jehan Baudre, leur procureur, que se ilz avoient aucunes lettres oultre ycelles qu'il leur avoit bailleez servans a la matiere, il[s] lez bailleroient volentiers, et au surplus qu'ilz se garderoient de mesprendre; oyé laquelle response, ledit de Beauvoir a fait les protestacions en tel cas acoustumees, et ycellui Baud[r]e protesta au contraire fait du consentement desdis Baud[r]e et Beauvoir es noms dessusdis.

[12 January 1430]   [X¹ᵃ 4796, fo. 165r]

La commission de faire et rapporter l'enqueste d'entre Jehan Huitin, d'une part, et Jehan de Paris, d'autre part, est renouvellee [jusqu']au lendemain de Quasimodo²⁴ pour toutez prefictions et delais.

    Prefiction*ᵃ*

ᵃ In the margin

²⁴ 24 April 1430.

XI

The Earl of Salisbury *v.* the Duke of Bedford

The interest of this suit, between a leading member of the English nobility and the regent himself, lies in the attempt of the earl of Salisbury, as count of Perche, to whom the king had granted the lordship of Châteauneuf-en-Thymerais, to free himself from the jurisdiction of the duke of Bedford, as duke of Alençon. Both sides agreed that a commission of enquiry should be set up to establish the facts, and to collect the revenues which might be lost while the suit was being settled.

The case was conducted chiefly through an appeal to precedent in an attempt to establish the historical accuracy of the claims which Bedford was making and which Salisbury was seeking to deny him. The court finally decided that the contentious lands should be taken into the hands of the crown until further information could be found to assist the court in making a decision. Shortly afterwards, however, Salisbury was to die of wounds received at the siege of Orléans, and the suit remained unresolved.

[6 September 1426]   [X^{1a} 8302, fo. 189v]

    La cause d'entre le conte de Salisbery et du Perche,[1] demandeur, d'une part, et monseigneur le regent duc de Bedford,[2] *a* defendeur, est reservee aux jours de Vermandois prouchain venant.[3]
    Reservacion.*b*

[28 August 1427]   [X^{1a} 4795, fo. 160v]

    Entre le conte de Salisbery, demandeur et complaignant en cas de saisine et de nouvelleté, d'une part, et le duc de Bedford, deffendeur et opposant audit cas, d'autre part.
    Le conte de Salisbery dit que le roy, entre autres choses, lui a donné le chastel, terres et appartenances de Chastel Neuf en Thimerois[4] qui ressortist en la conté du Perche, et n'est en riens du ressort de la conté d'Alencon, [fo. 161r] et a cause de ce a droit et est en possession et

---

a monseigneur le regent duc de Bedford *interlined over* Pierre le Verrat, *struck out*
b *In the margin*

---

[1] For the earl of Salisbury, see appendix II. The grant to him of the county of Perche was dated 26 April 1419 (*D.K.R.*, xli, 772).

[2] John, duke of Bedford, was regent of France for his nephew, Henry VI.

[3] It was customary for suits from the *bailliage* of the Vermandois to be heard at the beginning of the annual sitting of the Parlement in November.

[4] Châteauneuf-en-Thymerais, Eure-et-Loir, arr. Dreux.

saisine de tenir ladite terre et chastel soubs le ressort de ladite conté du Perche. Ramaine en oultre a fait le contenu en sa complainte, et selon ce propose et conclud tout pertinent a la recreance et a despens.

Les parties revendront au Vermendois du Parlement prochain venant.

[1 March 1428]   [X¹ᵃ 4795, fo. 220v]

En la cause d'entre le conte de Salisbury, conte de Perche, demandeur et complaignant en cas de nouvelleté, d'une part, et le duc de Bedford, duc d'Alencon, defendeur et opposant, d'autre part, le complaignant a autresfois ramené a fait sa complainte; propose et conclud tout pertinent[a] a cause de Chastel Neuf en Thimerois, a la recreance et a despens. Et pour ce que tout se dissipe au regard de la chose contencieuse, requiert provision que par la main du roy la chose contentieuse soit gouvernee, et [soient] donne[s] commissaires pour ce faire. Et a[b] demain en viij jours revendront.

[11 March 1428]   [X¹ᵃ 4795, fo. 228v]

En la cause d'entre le conte de Salisbury, d'une part, ᶜcomplaignant, qui requiert commissaires a gouverner la chose contencieuse,ᶜ et le duc de Bedford, deffendant et opposant en cas de nouvelleté, qui dit qu'il n'est question que[d] de la jurisdiction de Neufchastel en Thimerois, et est d'accord que on mande au bailli d'Evreux[5] qu'il pourvoie de commissaires a gouverner la jurisdiction.

Le complaignant dit qu'il est question de la jurisdiction et de tous les prouffis de la chastellerie, lesquelz vont touz en dissipacion pour occasion dudit proces en cas de nouvelleté; si y pourverra la court de commissaires justiciable et ressortissant a la court de ceans, et ne s'en attendera la court audit bailli qui y pourroit autrement pourveoir. En oultre requiert que on face defense a partie qu'elle ne innove ou attempte aucune chose contre la nouvelleté.

Appoinctié que la court verra la complainte et fera droit au conseil sur ladicte requeste.

[18 May 1428]   [X¹ᵃ 4795, fo. 263v]

Le duc de Bedford et le conte de Salisbury revendront au premier jour plaidoiable aprés la Trinité.[6]

---

[a] pertinent *interlined*   [b] *Followed by* de
[c....c] *These words interlined*   [d] que *interlined*

[5] Evreux, Eure. The *bailli* was Richard Waller (*Gallia Regia*, iii, 283).
[6] After 30 May 1428.

[17 June 1428]   [X¹ᵃ 4795, fo. 281v]

Le conte de Salisbery requiert que le regent defende, car il a jour a defendre a la Trinité.

Le regent dit que Salisbery s'est au jour d'uy aidié d'un estat contre l'evesque de Chartres;⁷ si baillera estat *quia quod quisque juris* etc.

Salisbery dit que le regent a prins appoinctement a defendre depuis l'estat; si defendera.

Le regent dit que au temps de l'appoinctement il ne savoit riens de l'estat.

Appoinctié que la court fera droit au conseil avec l'autre plaidoirie du jour d'uy contre ledit evesque de Chartres.

　　　Au conseil. Aguenin⁸ ᵃ

[13 July 1428]   [X¹ᵃ 4795, fo. 297v]

Le duc de Bedford revendra lundi pour tous delais a l'encontre du conte de Salisbery.

[19 July 1428]   [X¹ᵃ 4795, fo. 301r]

En la cause d'entre le conte de Salisbery, demandeur et complaignant en cas de nouvelleté, d'une part, et le duc de Bedford, defendeur et opposant d'autre part, Salisbery a autresfois ramené a fait le contenu en sa complainte, et selon propose et conclud tout pertinent a la recreance et a despens.

Le duc de Bedford dit que le roy lui a donné la conté d'Alencon avec ses appartenances, et les terres qui furent a Jehan d'Alencon:⁹ et est vray que la terre de Chastel Neuf en Thimerois et la terre de Brisolles¹⁰ furent a Jehan d'Alencon, et en est en possession et saisine; et n'y a de present debat que de la jurisdicion es dictes terres et dez autres drois d'icelles terres; ne se pourroit maintenant *post annum* complaindre Salisbery. Et quant est de la complainte de Salisbery, elle est mal prise car lesdites terres de Neufchastel et de Brisolles ne furent onquez de la conté du Perche ne dez appartenances; aussi n'en joyt [fo. 301v] onques Salisbury, mais furent lesdictes terres audit d'Alencon [　　　　]ᵇ Bedford, et en ont comptes le Bigot et autres ses officiers en sa chambre d[es comp]tes de la conté d'Alencon, et ne scet

---

ᵃ *In the margin*　　　　　ᵇ *MS damaged at this point*

⁷ Salisbury was at the same time in litigation against the bishop of Chartres, Jean de Fitigny (see appendix I). He was away in England gathering an army, and returned to France on 1 July.

⁸ Jean Aguenin was second *président* of the Parlement.

⁹ Jean, duke of Alençon, was taken prisoner at the battle of Verneuil on 17 August 1424; he was released in 1427.

¹⁰ Brézolles, Eure-et-Loir, arr. Dreux.

riens du don fait a Salisbery; et quoi que soit, lesdictes terres de Neufchastel et de Brisoles ont de tout temps esté separeez de la conté du Perche; et est vray que ja pieca ung roy de France qu'il nomme bailla a son filz ou a son frere par appennage la conté de'Alencon[11] avec Neufchastel et Brisolles et autres terres, et ot trois filz ou iiij: Charles, qui fu archevesque;[12] Loys fu jacobin; Pierre ot la conté d'Alencon[13] et tint avec ce lesdites terres de Neufchastel et de Brisolles qu'il tint separeement jusquez a son deces par l'espace de xl ans, et bailla Pierre a Robert, son frere, la conté[a] du Perche. Et est vray que Pierre eust ung filz, Jehan,[14] a quel il bailla la conté du Perche qui lui estoit revenue par le trespas dudit Robert son frere; et tint Jehan la conté du Perche, et aprés le trespas de Pierre, son pere, fu heritier seul et tint separeement Chastelneuf et Brisolles, et aucunesfois y faisoit tenir ses grans jours,[15] que on appelloit les jours des terres francoises,[16] et sont tenuez du roy a cause de la conté de Chartres; et se gouvernent lesdites terres en reliefs et autres manieres selon les usages et coustumes francoises, et autrement que la conté du Perche; et furent lesdites terres a Jehan d'Alencon qui trespassa en la bataille d'Azincourt,[17] et depuis son filz a tout forfait. Si propose et conclud tout pertinent a la recreance et a despens, et aussi a fin d'absolution; et dit que l'exploit et l'adjornement est mal fait et aura congié et despens et droit par ordre, et prent l'adveu et garandie de ses officiers, et aura la recreance car il est opposant et bien fondé.

A lundi revendront les parties.

[27 July 1428]   [X[1a] 4795, fo. 306r]

En la cause d'entre le conte de Salisbery, conte du Perche, demandeur, d'une part, et le duc de Bedford, conte d'Alencon, defendeur, le procureur du roy dit que les terres et forteresses dont est question[b] ont

---

[a] Followed by d'Alencon, struck out
[b] Followed by so, struck out

[11] King Philip IV gave the counties of Alençon and Perche to his brother, Charles de Valois, in 1293. The genealogical passage which follows is inaccurate. See A. Jordan, Généalogie et héraldique des Capétiens (Ain-Sabaa, Maroc, 1953), pp. 6, 21-2.

[12] Charles d'Alençon became archbishop of Lyon in May 1365. He was a grandson, not a son, of the first Valois count.

[13] In 1359. He died in 1404.

[14] Killed at Agincourt in October 1415.

[15] These were occasions when a feudal lord held 'grands jours' employing his own and royal officials who dispatched local appeals on the spot. See Lot & Fawtier, Histoire des institutions, i, 222, 315.

[16] This was an area around Verneuil, which had originally constituted a frontier, after the annexation of Normandy to France by Philip-Augustus in the early thirteenth century.

[17] 25 October 1415.

esté au roy, et puet estre qu'elles ne sont a l'un ne a l'autre; si requiert avant tout euvre a veoir les lettres et tiltres desdites parties.

Appoinctié au conseil sur la requeste du procureur du roy.

[3 August 1428] [X¹ᵃ 4795, fo. 309r]

En la cause d'entre le conte de Salisbery, demandeur, d'une part, et le duc de Bedford, defendeur, d'autre part, le demandeur replique et dit que la chastellerie de Chastelneuf et Senonches[18] ont esté re-puteez de la conté du Perche, et en a joy le conte du Perche*a* par iiij ou v annees du temps de la complainte; et que ce de la conté du Perche il appert par la juridicion souveraine et pour les grans jours que on a baillié et mis en la conté du Perche ou ressortissent les chastelleries du Perche, et y ont*b* ressorti le prevost et le bailli [fo. 309v] de Chastelneuf, et y a tenu ses assises le bailli [du Perche] et le ont ordonné les segneurs estre de la conté du Perche, et l'ont assigné les roys la court de Parlement en tant que la court a renvoié les causes d'appel de Chastelneuf *omisso medio* dez grans jours du Perche, et ne furent onques renvoieez es grans jours d'Alencon; et es grans jours qui ont esté tenuz en la conté du Perche, seoit le bailli de Chastelneuf avec les autres baillis[19] de la conté du Perche, et estoient les causes du bailliage de Chastelneuf comme [?celles de Mor]taing premieres ex-pediees; et par l'impetracion de partie adverse appert que s'il estoit possesseur et joyssoit, si obtendra en nouvelleté, et quoy que soit, aura les fruits. Dit oultre que pour ce que le conte d'Alencon par cy devant estoit conte du Perche et que Chastelneuf estoit prochain, et s'extendoit jusquez devers [   ] pour relever ses subgiéz, il faisoit tenir les plais du viconte a Verneul[20] [? ou a] ung autre lieu que on ne lez tenoit pour ceulz de Verneul, et ne sera mie [?trouvé aux] comptes de la duchié d'Alencon [que] les receveurs ayent receu aucuns [? revenus] de Chastelneuf; et si mencion en estoit faite esdites comptes, ce seroit[?revenus]rapportéz et non receuz; et a ce que partie dit que Pierre, conte d'Alencon, bailla la conté du Perche sans Chastelneuf a Robert, et de Robert vint [   ] riens, et si en auroit esté depuis autrement ordonné et [?Chastelneuf] adjoint a la conté du Perche, et ainsi a esté tenu et ainsi [   ] viennent les choses adjoinctes *ad rem legatam*; aussi par plus forte raison *in donatione principis que latissime debet interpretari* on doit dire que les terres adjointes comme Chastelneuf au Perche viennent en la donacion du prince; et si est

---

a Followed by d, *struck out*   *b MS* a

---

[18] Senonches, Eure-et-Loir, arr. Dreux.

[19] These were not *baillis* in the strict meaning of the word, but probably only superior officers.

[20] Verneuil-sur-Avre, Eure, arr. Evreux.

vray que especialment par l'ordonnance du feu roy regent[21] ladite
terre et chastellerie de Chastelneuf fu delivree a Salisbery; et a ce que
partie dit qu'il sera maintenu es fruis et les aura pour ce que Salisbery
se complaint du trouble de la jurisdicion seulement etc; reponse que
en tant que partie l'empesche en sa jurisdicion, il l'empesche en toute
la segnorie, *quia qui partem feudi impedit, totum impedire videtur*; et si est
vray qu'il se complaint de l'empeschement de sa jurisdicion et autrement, et si a esté partie bien adjornee aux officiers de la terre de Verneul
dont elle dit Chastelneuf estre tenue, si sera maintenu et gardé, et aura
la recreance, et a ceste fin de recreance requiert l'enqueste des tesmoins
affuturs estre jointe au proces, au moins soient examinéz de nouvel a la
fin dessusdite que ne vouldra maintenant recevoir ycelle enqueste.
Conclud a ce et comme dessus et a despens, et dit *quod penes juris
veritatem dominia distinguntur*, et que Chastelneuf a ressorti de tout temps
es grans jours du Perche.

A trois sepmaines revendront les parties.

[31 August 1428]   [X¹ᵃ 4795, fo. 326v]

En la cause d'entre le conte de Salisbury, complaignant, d'une part,
et le duc de Bedford, defendant, d'autre part, qui duplique et dit que
les terres ne sont point de la conté du Perche ne du duchié d'Alencon,
mais sont separeez et s'appellent terres francoises, et furent baillieez
en assiete par ung roy de France a ung conte d'Alencon,[22] son frere,
pour certaines choses en quoi il estoit a lui tenu, des l'an iijᶜ xxxv. Et
depuis le don a receu les fruis desdites terres, et n'y ot onquez droit
Salisbury, et ne ressortissent point a Belesme,[23] mais ont esté tenuez
separeement; et dit que du temps du conte Pierre, conte d'Alencon et
du Perche, pour eschever multiplication d'officiers, ledit conte faisoit
recevoir les fruis desdites terres avec celles du Perche, et faisoit tenir
ses jours a Belesme, mais c'estoit sans prejudice et aussi ne vont point
lesdites terres a Vernueil, bien y a autres terres qui y vont, et en
congnoist l'en a la tour bize,[24] et n'est question que de jurisdicion, et
de mettre officiers; si n'y convient point de recreance en ceste matiere.

Salisbury dit qu'il fait tout contencieux, et fruis et jurisdicion, et
maintient tout a lui appartenir.

Bedford dit qu'il est miex fondé pour avoir la recreance s'elle y chiet,
et dit que a faire tout contencieux Salisbury vient trop tard, car la
chose contencieuse est surannee de plus de ij ans.

---

[21] Henry V.

[22] Philip VI to his brother Charles, count of Alençon.

[23] Bellême, Orne, arr. Mortagne-au-Perche.

[24] Is this the 'Tour Grise' at Verneuil (referred to in *Les chroniques du roi Charles VII*
(ed. H. Courteault and L. Celier, SHF., Paris, 1979), p. 296) which survives to this
day?

Salisbury requiert que a fin de recreance son examen de valitudinaires soit joint. Aussi fait Bedford que le sien soit joint si l'autre l'est, combien que le sien n'est pas parfait.

Le procureur du roy proteste que ceste poursuite ne prejudicie riens au roy ne a sez drois.

Appoinctié que les parties sont contraires sur leur principal etc. Et quant a la recreance, les parties mettront devers la court et aura la court advis si lesdis examens seront jointz, et se l'en en fera point de nouvel ou non, et seront veuz les explois pour veoir quelle chose est et sera contencieuse.

Au conseil. Morviller[25] [a]

[11 September 1428]   [X¹ᵃ 1480, fo. 411v]

Item, a conseillier l'arrest d'entre le conte de Salisbery et du Perche, complaignant, d'une part, et le duc de Bedford et d'Alencon, defendant, d'autre part.

Il sera dit que les terres de Chastelneuf en Thimerois, de Brissoles[b] et leurs appartenances seront mises en la main du roy et soubz ycelle gouvernees *quousque*; et mettront les parties dedens les jours de Vermendois prochain venant lettres, explois, examens de tesmoins et ce que bon leur semblera, [fo. 412r] et la court leur fera droit au surplus ainsi qu'il appartendra.

[13 September 1428]   [X¹ᵃ 4795, fo. 327r]

Item, a conseillier l'arrest d'entre le conte de Salisbery et du Perche, demandeur et complaignant en cas de saisine et de nouvelleté, d'une part, et le duc de Bedford et d'Alencon, defendeur et opposant, d'autre part.

Il sera dit que lesdites terres de Chastelneuf en Thimerois et Brissoles et leur appartenances seront mises en la main du roy, et soubz ycelle gouverneez *quousque* etc. Et mettront les parties, dedens lez jours de Vermendois prochain venant, lettres, explois, examen de tesmoins et ce que bon leur semblera, et la court leur fera droit au surplus ainsi qu'il appartendra.

---

[a] *In the margin*   [b] *MS* Brussoles

[25] Philippe de Morvilliers was first *président* of the Parlement 1418–33.

XII

The Earl of Salisbury *v*. Pierre le Verrat

This suit, incomplete after a year and a half, is evidence of the attempts by the earl of Salisbury, governor of Champagne and Brie, to seek legal redress from Pierre le Verrat for the escape of five hostages given by the Bastard de la Baume, who had been captured by Matthew Gough and handed over to Salisbury. To secure his freedom, Baume had promised to deliver the fortresses of Chateaurenard and Charny and to pay a large ransom, but the hostages whom he delivered into English hands managed to escape, while Baume, freed of all obligations, was able to keep Charny. In the suit which followed, it was alleged that the hostages had been placed in the care of le Verrat, as captain of Sens, who had handed them over into the custody of Jean Labé. It was during one of Verrat's absences in Paris that the hostages were able to escape. Salisbury now sued le Verrat for negligence in allowing this to happen.

*The suit, together with the other pressed by Salisbury against the duke of Burgundy over the custody of the minors (n° **IX**), provides good illustration of the loss which a captain might incur were he to lose the legitimate profits of war, for in this case Baume had promised to pay 2,000 crowns in addition to delivering Charny and other fortresses to the English. Salisbury would have had good personal and sound military reasons for wishing to hold his prisoner to the fulfilment of his undertaking. The evidence is also interesting for the details it provides of the activities of dishonest subordinates attempting to escape the consequences of their actions, and of secret messages conveyed in a form of code.*

The suit had made only limited progress by April 1428 at the time when Salisbury was about to undertake an expedition towards the river Loire. His death in November 1428 must have put an effective end to this particular dispute.

[21 November 1426]   [X^{1a} 4795, fo. 5r]

Entre le conte de Salisbery et du Perche,[1] demandeur, d'une part, et Pierre le Verrat, escuier,[2] defendeur, d'autre part.

Le demandeur dit que ses predecesseurs sont yssus et descenduz de

---

[1] For the earl of Salisbury, see appendix II. The grant to him of the county of Perche was dated 26 April 1419 (*D.K.R.*, xli, 772).

[2] Pierre le Verrat, lord of Crosne, served as captain of a number of important places, notably Villeneuve-le-Roi and Bois de Vincennes, between 1411 and 1420, and was *prévôt* of Paris from July 1421 to January 1422. He was appointed captain of Sens by 1423 (*Gallia Regia*, iv, 379, 402, 404; v, 471, 472). As a firm supporter of the dukes of Burgundy, he became a member of the ducal council after the return of the Valois to Paris in 1436, an event which was to cost him the confiscation of his property by the king of France. He was dead by September 1440. (See *Bourgeois*, p. 156, n. 2.)

la lignee des rois d'Angleterre, et de grant et noble generacion;[3] et en ensuiant la noblesse de ses predecesseurs, s'est grandement emploié ou fait du roy et de son royaume, et pour les biens de sa personne fut pieca fait lieutenant en la conté de Champagne;[4] et ou temps qu'il tint le siege a Montaguillon,[5] Ymbert, bastart de la Balme,[6] fist une course sur lui ou sur ses gens qui le poursuirent tellement qu'il fu rataint et prins assez pres de la forteresse de Chasteau Renart[7] qu'il tenoit avec autres forteresses qui dommagoient fort le pais; et depuis pria le conte de Salisbery qu'il lui voulsist sauver la vie et il feroit delivrer Chasteau Renart, Charny[8] et autres forteresses, et paier certaine somme d'argent; et sur ce traicta avec ledit Bastart, qui bailla hostages pour faire ladite delivrance, qui furent bailliez en garde au Verrat, capitaine de Sens,[9] qui a depuis transporté et fait desdis hostages ce qu'il lui a pleu, et tellement que Salisbery n'a peu avoir la delivrance desdites forteresses et ce que ledit de la Balme avoit promis, dont il a esté grandement interessé ou dommagié par le fait ou par la faulte dudit Verrat ou de ses gens et commis. Si conclud a fin de restitucion desdis hostages et argent,[a] *alias* a dommages, interestz et despens.

Le Verrat et les gens de son conseil s'excusent et dient qu'ilz vouldroient faire tout service et plaisir au conte de Salisbery, et deplait au Verrat, et lui desplairoit moult, se le conte de Salisbery prenoit mal suspicion contre lui, car il a bien servy et fera tousjours a son povoir, et lui convient sommer ses garans, pour ce que les hostages et prisonniers furent mis a Sens en garde et en prison, les ungs en la grosse tour, les autres es prisons de l'archevesque; mais il fu mandé de venir a Paris, et y vint; et en son absence laissa Jehan Labé, son commis et son lieutenant, qu'il veult sommer pour ce que de son temps, en l'absence d'icellui Verrat, les prisonniers et hostages dessusdis s'eschaperent des prisons et de la grosse tour par eschielles et cheminees.

---

[a] et argent *interlined*

---

[3] Joan, granddaughter of Edward I, had married William Montague, earl of Salisbury in 1348. Thomas Montague was not descended from them but from a collateral.

[4] He had been appointed by August 1423 (*Gallia Regia*, ii, 109).

[5] Fontaine-sous-Montaiguillon, Seine-et-Marne, arr. Provins, c. Villiers-Saint-Georges, com. Louan-Villegruis-Fontaine. The fortress surrendered in February 1424 after a long resistance.

[6] Guillaume, Bâtard de la Baume, was an adventurer of Savoyard origin. Once a Burgundian supporter, in 1423 he was won over to the party of Charles VII and took the oath of fealty to him. His exploits were recounted by Waurin (*Recueil des croniques et anchiennes istories de la Grant Bretaigne a present nommé Engleterre, 1422-1431*, ed. W. Hardy (RS, London, 1879), pp. 42-50.

[7] Châteaurenard, Loiret, arr. Montargis.

[8] Charny, Yonne, arr. Auxerre.

[9] Sens, Yonne.

Appoinctié que le Verrat vendra defendre au xve jour de decembre, pour tous delais, et a ce jour sommera ceulz que vouldra; et *interim* s'il a aucunes lettres, il lez monstrera.

Delay sommacion.^{a}

[19 December 1426]   [X^{1a} 4795, fo. 18r]

En la cause d'entre le conte de Salisbery, demandeur, d'une part, et Pierre le Verrat, escuier, defendeur, d'autre part, qui defend et dit qu'il est nobles homs et s'est bien emploié ou service du roy et du conte de Salisbery bien et loyaument, et seroit prest de faire; et sans riens confesser de l'intencion dudit de Salisbery a la fin a quoy il tend, dit que autresfois ung anglois nommé Rogier Byton[10] vint devers lui et lui dit que Salisbery envoioit ledit Bastard a Sens ou a Villeneufve; et il lui dist que s'il le vouloit mettre en la tour de Sens, il trouveroit Jehan Labé, son lieutenant, auquel il parla, et le mist en une chambre en la tour de Sens qui est bien forte, et le fist enferrer. Et depuis on fist certain traictié au Bastart qui devoit ij^m escus et delivrer Sarny[11] et autres forteresses, et faire autres choses, et fu d'accord Rogier Biton de prendre v hostages pour le Bastard qui devoit yssir pour aler delivrer ce qu'il avoit promis; et lez receu Biton, qui mist trois dez principaulz prisonniers ou chastel et tour de Sens, et lez deux autres es prisons de l'archeveschié; et aprés Rogier Biton le mena devant le bailli, et fist le Bastard le serement de la paix[12] et promist de faire ce qu'il avoit traictié avec Salisbery. Et s'en ala, et depuis ne retourna, et dist on que lesdis hostages, par traictié, ne devoient point estre enferréz; lesquelz, vj mois aprés qu'ilz furent emprisonnéz, a l'ayde d'un buffet rompirent ung huis, descendirent par une vis es fossés, des fossés yssirent par dessus les murs et fosséz de la ville, ledit le Verrat estans lors a Paris; lequel en fu^b moult courroucié, et tantost qu'il vint a Sens fist emprisonner Jehan Labé, qui depuis fu eslargi a la caucion de ses amis, et lors vint a Paris devers le conte de Salisbery, qui lui bailla ses lettres faisans mencion qu'il estoit content du Bastard de la Balme de ce qu'il avoit promis, et qu'il l'en quictoit et ses plegés, donnees^c en jullet m cccc xxiiij; et quant Jehan Labé presenta^d lesdites lettres, on delivra les plegés qui estoient demouréz qui n'avoient mie vaillant dix

---

^{a} *In the margin* ^{b} en fu *interlined*
^{c} *Followed by* le, *struck out* ^{d} *Followed by* si, *struck out*

---

[10] Roger Witton was captain of Villeneuve-le-Roi (Val-de-Marne, arr. Créteil) between 1425 and 1427 (*Gallia Regia*, v, 472). He was dead by 22 July 1428 when lands held by him in the *bailliages* of Troyes and Sens and the county of Joigny were granted to Sir John Handford (A.N., JJ 174, n° 197).

[11] i.e., Charny.

[12] i.e., the oath to observe the treaty of Troyes.

livres et s'il n'y avoit lettres, le Verrat n'en seroit tenu car sans sa faulte et sans sa coulpe lesdis plegés seroient delivréz *per casum fortuitum et vim maiorem*;[13] si conclud a fin de non recevoir que le demandeur n'a cause ne action, et sera absolz et aura despens.

> *Prima die* revendront les parties.

[28 January 1427]   [X^{1a} 4795, fo. 34v]

En la cause d'entre messire Thomas de Montagu, conte de Salisbery, demandeur, d'une part, et Pierre le Verrat, defendeur, d'autre part, le demandeur replique et dit que le Verrat print en garde lesdis prisonniers, *et sic tenetur de dolo et omni culpa*; et dit que par la faulte et coulpe d'icellui Verrat lesdis prisonniers sont eschappéz, et congnoissoit bien Jehan Labé, et ne s'en devoit mie du tout attendre a lui de la garde d'iceulx prisonniers ou hostages, et confesse le Verrat par ses lettres qu'il se charga de leur garde; aussi le conte de Salisbery ne l'eust jamais baillé a Jehan Labé ne a Rogier Witon qui n'estoit que ung messagé; et n'arresta mie longuement a Sens; ainsy ils demourerent en la garde dudit Verrat, qui n'a point respondu au transport desdis hostages et prisonniers qui s'en alerent assez tost apréz le transport, et y laissoit aler chacun jour la femme [de] Garreau qui estoit le principal, et y couchoit souvent avec son mary qui fu laissié defferré, et defferra tous ses compaignons des lymes que sa femme lui avoit apporté, et entrerent en une chambre ouverte ou il y avoit des eschielles de corde, et avoit on laissé l'uys d'icelle chambre ouvert, et aprés descendirent es fossés. Et s'esmerveille moult le demandeur comment le Verrat se veult aidier de ladite quittance qui fu baillee au pourchas et par les lettres dudit Verrat,^{a} qui escrivoit au conte de Salisbery qu'il envoiast la quittance du marchant au dyamant, et estoit par eulz entendu par le merchant le Bastard de la Balme, et par le dyamant les forteresses qu'il devoit baillier; et tenoient ensemble ce langaige afin que la delivrance desdites forteresses ne peust estre empeschee se d'aventure les lettres feussent venuez es mains des ennemis; et de ce envoya le Verrat ses lettres escriptes le penultime jour de jullet, et estoit lors le Bastart prest d'acomplir le traictié et de delivrer lesdites forteresses; et pour ce le demandeur envoya lendemain ladite quittance au Verrat, et escript a tous capitaines et ses gens d'environ, qu'ilz feussent tous prestz d'aler avec le Verrat ou il lez vouldroit mener, esperant avoir la delivrance desdites forteresses; et souvent baille ledit demandeur telles quittances de ce qu'il n'a point receu, et blans seelés en esperance de recevoir le contenu en ycelles quittances, et ainsi on doit imputer au Verrat la fuite desdis prisonniers et la

---

^{a} *Followed by* et, *struck out*

[13] *Summa Trecenses*, IV, 23, §6.

delivrance des autres depuis faite; et est injurieux le fait de la quittance proposé par le Verrat, et n'est mie vraissemblable, et le devroit amender le Verrat; conclud a ce et comme dessus, et requiert que le Verrat congnoisse ou nye ses lettres.

Le Verrat a recongneu que l'une desdites lettres est subscripte de son signe manuel.

A jeudi revendra le Verrat, et *interim* verra lesdites lettres pour advertir ce qu'il doit confesser ou nyer.

[10 February 1427]   [X^{1a} 4795, fo. 41v]

En la cause d'entre messire Thomas de Montagu, conte de Salisbery, demandeur, d'une part, et Pierre le Verrat, escuier, capitaine de Sens, defendeur, d'autre part, qui duplique et dit qu'il n'ot onques la garde du Bastart ne des ostages qui furent bailliéz audit Rogier Biton qui lez mist en prison, et les bailla en garde^a a Jehan Labé, et marchanda de leurs despens. Et pour ce que on devoit poursuir Jehan Labé, et qu'il en avoit receu la garde par Viton, il demanda delay pour sommer Jehan Labé, et ne s'en charga ne entremist le Verrat en aucune maniere, et n'y toucha onquez; et s'ilz n'avoient esté enferréz il s'en rapporte a ceulz qui en^b avoient la garde; aussi dist on que lez ostages ne doivent point estre enferréz, et ne scet se la femme de l'un d'iceulz y aloit ou venoit, et ne s'entremettoit point de leur fait, et estoit a regarder a ce par Viton ou par Jehan Labé; et se partirent les ostages par une cheminee et se hausserent par ung buffet et descendirent en une galerie et rompirent la serrure d'un huis de fer et n'y a sy sage qui n'y eust esté deceu; aussi ce ne touche riens le Verrat et n'estoit mie depositaire; aussi le depost ne seroit mie *gracia depositarij et non teneretur depositarius nisi de dolo*, et ne furent pas mises les eschielles en ladite chambre *data opera vel ex dolo*, mais y furent mises pieca quant on cuida prendre la ville de Sens par eschielles, et advint le cas par fortune a quoy [fo. 42r] les plus diligens n'eussent peu pourveoir. Et ou regard dez lettres que partie veult dire estre envoieez *sub spe* etc., et que^c paravant ilz avoient tenu langage et entendu par le marchant le Bastart, et par le dyamand les forteresses, ainsi que il dit apparoir par le[s] lettres du Verrat; qui respond et dit que les lettres ne sont mie toutes signeez de sa main ne seelleez de son seel; et combien que par la teneur de l'une d'icelles il rescrive *in termis ignotis,*^{d} l'entendement estoit autre que ne dit partie adverse, et quant il escrivoit que on envoiast lettres au marchant du dyamant, ilz entendoient les lettres de remission que on lui devoit baillier pour l'asseurement des ostages, ainsi qu'il declare par aucunes causes et raisons qui chient en contredis

---

^{a} *Followed by* en, *struck out* ^{b} *Followed by* devoient, *struck out*
^{c} *Followed by* parva, *struck out* ^{d} *Followed by* il ne, *struck out*

de lettres; et dit que la lettre du xxiiij^e jour de jullet est signee de son signe manuel, et le confesse. Et les deux autres, il ne lez confesse ne nye, et dist qu'il n'y a point de seel ne d'emprainte apparent, et toutesvoiez il dist qu'il croit mie[u]x qui lez ayt envoyé que autrement.

Le demandeur dit qu'il n'ot onquez que faire a Jehan Labé et n'estoit que messagier du Verrat, et ne fu onquez question d'envoier lettres de remission au Bastart; et pour ce il convient entendre des lettres telles que dit a esté.

Appoinctié que les parties ne peuent estre delivrees sans fais, et sont contraires; si feront leurs fais, etc.

[17 June 1427]   [X¹ᵃ 4795, fo. 110v]

En la cause d'entre le conte de Salisbury, demandeur, d'une part, et Pierre le Verrat, escuier, defendeur, d'autre part, le Verrat baillera ses escriptures grosseez^a dedens dimenche prochain venant, *alias ex nunc* il en sera decheu.

[13 October 1427]   [X¹ᵃ 1480, fo. 385v]

Item, a conseillier l'arrest ou appoinctment d'entre le conte de Salisbery, demandeur, d'une part, et Pierre le Verrat, escuier, defendeur, d'autre part, sur la requeste dudit Verrat faite devant commissaires afin de regeter articlez et la fin en cas derniers.

Il sera dit que ladite fin et les articles dependans d'icelle demourront esdites escriptures parmi ce que ledit Verrat y pourra respondre dedens viij jours prochain venans, se bon lui semble, se il n'y a assez respondu, et parmi ce les escriptures desdites parties seront tenuez pour accordeez.

Dictum partibus xiiij [die] huius mensis. Morvilliers[14] ^b

[8 April 1428]   [X¹ᵃ 4795, fo. 238v]

En la cause d'entre le conte de Salisbery, demandeur, d'une part, et Pierre le Verrat, escuier, defendeur, d'autre part, l'enqueste sera rapportee au lendemain de la Magdelaine prochain venant.[15]

---

^a *Followed by* alias, *struck out*   ^b *In the margin*

[14] Philippe de Morvilliers was first *président* of the Parlement 1418–33.
[15] 23 July 1428.

XIII

John Chepstowe *v.* Raoul le Houdin

*John Chepstowe was not the only member of the English clergy to be taken up
by litigation before the Parlement. Indeed, he himself had been involved earlier in
a suit over the cure of Hérouville, near Caen, and other clergy disputed cures and
prebends in Norman cathedrals, in Paris and elsewhere.*[1]

*This suit was unusual in that, although it concerned a priest, it centred around
the possession of secular property. John Chepstowe, who had been given houses in
Caen by Henry V when he had come to work there in the Norman 'Chambre des
Comptes', had earlier found himself opposed by Raoul le Houdin who took him
before the council at Rouen which condemned Chepstowe. Forced to pay heavy
expenses, Chepstowe was obliged to dispose of part of his newly-acquired property,
some of which was sold to a Frenchman.*

*This transaction gave Chepstowe good technical cause to appeal to the Parle-
ment. Claiming the student's privilege not to plead outside Paris (whereas Houdin
would have been happier for the appeal to be heard in Rouen) Chepstowe drew the
attention of the court not only to the excessive expenses to which he had earlier
been condemned, but also to the fact that, following an ordinance of Henry V,
Englishmen could dispose of their property only to fellow Englishmen.*

*After a number of false starts, two and a half years of litigation and one 'arrêt',
the court annulled a decision of the council in Rouen and came out in favour of
Chepstowe, ordering le Houdin (whom his opponent described as 'ung grant
plaideur') to restore the Englishman to the property to which he laid claim and to
pay the costs of the action. The suit is important evidence of the procedure of
inquest which, however cumbrous, could establish facts not clear in Paris.*[2]

[5 December 1426]   [X¹ᵃ 4795, fo. 12r]

Messire Jehan Cepstowe[3] revendra mardi prochain a l'encontre.

[16 December 1426]   [X¹ᵃ 4795, fo. 14v]

Entre messire Jehan Cheptowe, presbtre, appellant de Denis dez
Gruez, huissier de Parlement, d'une part, et Raoul le Houdin,[4] intimé,
d'autre part.

L'appellant dit qu'il est notables homs, natif d'Angleterre, et vint

---

[1] See the suit Key *v.* Brosses (n° **VII**) and the references in appendix I.

[2] The suit was referred to by Richardson, 'Illustrations of English history', 66.

[3] For John Chepstowe, see appendix II.

[4] The only information which we have on Raoul le Houdin is his description of
himself as a 'viel homme ancian'. He appears to have been a cutler who had machinery
and other instruments for grinding knives in his house.

avec le feu roy en la descente de Normandie, et lui fist le roy du bien et lui donna aucunes maisons a Caen, et presenta ses lettres de don au viconte pour en avoir l'enterinement; mais Raoul s'opposa, et combien que les lettres ne contenissent point d'opposition, le viconte neantmoins delaya, et y ot ung cry de haro, et vint la cause devant les gens du conseil a Rouen[5] qui le condempnerent en principal et es despenses contre la coustume du pais, ou il ne chiet nulz despens en cause de heritage. Depuis le viconte, en executant la sentence desdis gens, mist en criees certaine autre maison a lui appartenant, et la vendi et delivra a ung de Caen qu'il nomme, contre l'ordonnance du feu roy d'Angleterre qui ordonna que les maisons et heritages par lui donnéz aux Anglois ne seroient point venduz aux Normans;[6] et pour ce print une doleance du bailli,[7] et vint la cause en eschiquier[8] et fu trouvé que le viconte avoit grandement failli; et depuis l'appellant, qui est escolier,[9] fist venir la cause devant le prevost de Paris,[10] mais Raoul impetra lettres qu'il presenta au prevost pour faire renvoier la cause au pais devant le bailli, lesquelz lettres l'appellant debati, et s'opposa le procureur ou promoteur de l'université[11] au renvoy; sur quoy le lieutenant dist qu'il verroit les lettres; a assigné jour a oir sa response; au quel jour le dit huissier renvoia la cause devant ledit bailli, dont Cheptowe appella. Qui conclud en cas d'appel et a despens, et dit qu'il a esté grevé, veu le privilege des escoliers de l'université de Paris.

Houdin defend et dit qu'il est viel homme ancian, que Chestowe a fort travaillié a cause d'une maison ou il a viage, et pour son viage s'opposa, et en fu en proces par devant les gens du conseil a Rouen, et finablement l'appellant fu condempné en principal et es despens, qui furent tauxés a xxxij l.t.; et pour ce le viconte, par mandement, fist crier une sienne maison a lui appartenant, non mie par don du roy d'Angleterre; et pource que l'appellant maintenoit qu'il avoit esté grevé en tant que on l'avoit condempné es despens, il obtint lettres par lesquelles il fist venir la cause en l'eschiquier, et y furent les parties

---

[5] An ordinance of Henry V stated that 'au conseil a Rouen le chancelier de Normandie presidera, et sera cour souveraine, et cognoistront de tous les dons faictz et a faire par le roy, tant regales que heritages et autres dons, et en sera defendue la cognoissance a tous baillys et autres quelzconques, et seront leurs proces nulz se ilz les font'. See the texts in B.N., MS fr. 5964, fos. 207v–208r; n. a. fr. 7627, fo. 266r; B.L., Add. MS 21411, fo. 9v.

[6] See C. T. Allmand, 'The Lancastrian Land Settlement in Normandy, 1417-50' *Econ H. R.*, 2nd ser., xxi (1968), 467 and n. 9.

[7] The *bailli* of Caen (Calvados) was William Breton.

[8] The Norman *Échiquier* met in 1423, 1424 and 1426.

[9] Members of the university of Paris actually studying there enjoyed the privilege of having litigation concerning them heard in Paris, as, in this case, in the court of the Châtelet. On this matter, see n° **XVIII**.

[10] Simon Morhier, *prévôt* of Paris 1422-36.

[11] The officer responsible for the defence of academic privileges.

oyéz et appoinctees en memoires, et apréz fu renvoiee devant les gens du conseil; et apréz l'appellant print une doleance du bailli de Caen disant qu'il avoit esté grevé en tant que on l'avoit condempné en despens, et qu'on avoit vendu sa maison contre l'ordonnance du roy d'Angleterre. A quoy il avoit defendu, disant que ladite maison n'avoit point esté donnee a Chepstowe, mais l'avoit autrement aquise *alio titulo*; et devoit on entendre l'ordonnance, si ordonnance y avoit, en avendicions voluntaires et non mie en vendicions neccessaires ou contraintes par justice pour faire paiement. Et quant Chepstowe vit que la cause le blecoit, il ne proceda plus en sa cause fors par contumacions, et delaya long temps, et aprés fist venir la cause devant le prevost de Paris soubs umbre de ce qu'il se disoit escolier. Pour ce Houdin obtint lettres royaulz pour faire renvoier la cause devant [fo. 15r] le bailli au pais, par devant lequel litiscontestation avoit esté faicte, et presenta les lettres au prevost ou le[s] fist presenter par ung huissier qui lui fist commandement de renvoier la cause; et pour ce que le lieutenant ne le volt renvoier, ledit huissier, en son delay et refuz, fist le renvoy, dont ledit Cepstowe n'appella mie *illico*, mais vint depuis appeller en la sale du palais. Si conclud en cas d'appel et a despens bien exploitié et mal appellé. Et dit que la cause qui fu demenee devant les gens du conseil a Rouen n'estoit mie cause de heritage mais de viage, et n'est[oit] mie Chepstowe lors escolier, et depuis a impetré une lettre testimoniale sicomme on dit.

L'appellant replique et dit qu'il estoit escolier avant le proces encommencié, et a lettre testimonial[e] de date precedent; et dit qu'il estoit en proces sur la doleance faite du viconte de Caen qui l'avoit grevé en tant qu'il l'executoit ou faisoit executer de plus grant somme qu'il n'avoit esté condempné. Dit oultre que le procureur de l'université s'opposa audit renvoy. Et appella *illico*, et incontinent poursuivy l'uissier qu'il trouva en la sale du palais. Si conclude comme dessus.

Appoinctié que la court verra lettres, actes, proces et ce que les parties vouldront monstrer au conseil, et fera droit.

Au conseil. Morviller[12a]

[26 March 1427]   [X[1a] 1480, fo. 370r]

Item, a conseillier l'arrest d'entre messire Jehan Chepstowe, prebstre, appellant de Denis Desguez, huissier de ceans, d'une part, et Raoul le Houdin, d'autre part.

Il sera dit que la court met au neant sans amende ladite appellacion.

---

[a] *In the margin*

[12] Philippe de Morvilliers was first *président* of the Parlement 1418–33.

Et vendront ceans les parties[a] lundi prochain en viij jours, proceder sur tout a une fois et a toutes fins; et elles oyés, la court leur fera droit, tous despens reservéz en diffinitive.

[10 April 1427]   [X¹ᵃ 4795, fo. 8ov]

Entre messire Jehan Chepstowe, prestre, demandeur, d'une part, et Raoul le Houdin, defendeur et opposant, d'autre part.

Chepstowe recite le demené du proces de devant le viconte de Caen, et d'une doleance devant les gens du conseil du roy a Rouen, et dont sont les lettres devant lesdis gens du conseil a Rouen qu'il requiert lui estre bailliees ou envoyees devers la court selon sa requeste par escript.

Le Houdin dit que le feu roy d'Angleterre, aprés sa conqueste de Caen,[13] donna a ung escuier anglois qu'il nomme ung hostel a Caen, lequel escuier, aiant pitié de Houdin, lui donna son viage audit hostel. Recite le demené des proces et requiert que Chaptowe procede et ne lui sera faite sa requeste. Mais s'il veult, est d'acord Houdin que les parties aillent devant lesdis gens du conseil a Rouen, et ilecques s'aide Cheptowe desdictes lettres qu'il demande.

Cheptowe dit que par dela Houdin a trop de faveurs, et n'empesche point que Houdin ait son viage en la maison, mais il y a autre maison appartenant a Cheptowe ou n'a rien Houdin; dit qu'il n'est pas[b] prest de proceder s'il n'a lesdictes lettres; propose oultre selon sa doleance, et dit que ledit feu roy lui donna une maison a Caen, et de son don ot lettres qui[c] ne contenoient point d'opposition; dit que neantmoins par faveur fu receu Houdin a opposition et en fut proces commencié, et sur ce donnee sentence contre coustume du pais, et fut condempné Cheptowe es despens [de] Houdin qui les fist tauxer, et pour en estre[d] paié fist mectre en criees la maison [de] Cheptowe; dit que ladicte maison ne devoit estre transportee en homme non natif d'Angleterre, et pour ce s'est bien dolu, et a ce conclut et qu'il soit reintegré, et soit corrigee[e] la sentence au regart de la condempnacion de despens, et ait despens, dommages et interestz.

Le Houdin dit au contraire que la sentence a esté bien obtenue et bien executee, et ne scet rien de la coustume alleguee que en matiere de heritage ne chiet point de condempnacion de despens. Dit oultre que au cas qui s'offre ladicte coustume n'a point de lieu car il n'estoit point de question de heritage mais seulement du viage. Quant aux ordonnances alleguees de non transporter a Normans maison donnee

---

[a] *Followed by* a de
[b] *Interlined over* point, *struck out*
[c] *MS* quil, *the* l *struck out*
[d] *Followed by* pare, *struck out*
[e] *Followed by* sa, *struck out*

---

[13] Caen surrendered to Henry V in early September 1417.

a Anglois, dit qu'il n'en scet rien, *et quidquid sit* se doit entendre *in aliis nacionibus voluntariis non autem in necessariis alias, enim anglici numquam debita solverent et nichilominus remanerent eis hereditagia.* Si requiert et conclud que les requestes [de] Cheptowe ne lui seront pas faictes, et s'est mal dolu, et sera Houdin absolz et aura despens.

Cheptowe replique et dit que la sentence est donnee contre la coustume du pais; dit oultre que le prince a voulu que a quelconque personne transport d'eritage par lui donné ne soit fait si non a natifs d'Angleterre, et estoit l'action heredital; et conclud comme dessus.

Appointié est que la court verra ce que les parties vouldront monstrer au conseil, et fera droit. Et aura lettre Cheptowe pour faire apporter lettres qu'il demande dedans landemain de Quasimodo prochain venant.[14]

Au conseil. Aguenin[15] *a*

[10 April 1427]   [X¹ᵃ 65, fo. 146v]

Cum constitutis in nostra Parlamenti curia Johanne Cheptowe, presbitero, curato ecclesie parrochialis*b* sancti Clari de Hairouvilla,[16] diocesis Baiocensis,[17] ex una parte, et Radulpho le Houdin, ex altera, dictus Cheptowe inter cetera, iuxta certam requestam in scriptis antea per eum dicte nostre curie porrectam, proposuisset quod ipse pro intencione sue prebende in quadam causa in eadem curia inter dictas partes pendente necessario indigebat et se iuvare habebat pluribus litteris penes dilectas et fideles gentes nostras tenentes consilium nostrum apud Rothomagum aut earum curiam existentibus, sine quibus litteris idem Cheptowe suum consilium in huiusmodi causa instruere non valeret, prout dicit, supplicans [fo. 147r] sibi super hoc per dictam nostram curiam pro dictis litteris habendis de remedio provideri. Hinc est quod tibi ad dicti Cheptowe supplicacionem committimus et mandamus quatinus dictis gentibus predictum consilium tenentibus et aliis quos decebit et de quibus pro parte dicti Cheptowe fueris requisitus precipias et injungas ex parte nostra et dicte nostre curie ut ipsi omnes litteras predicto Cheptowe pertinentas penes easdem gentes aut earum curiam existentes tibi tradant aut tradi faciant seu eas penes dictam nostram Parlamenti curiam transmittant infra crastinum instantis diei dominice qua in sancta Dei ecclesia cantabitur Quasimodo dictam nostram Parlamenti curiam de hiis que feceris in premissis certificando competenter. Ab omnibus*c* autem iusticiariis et subditis nostris tibi in

---

a In the margin   *b MS* perrochialis   *c MS* obminibus

---

[14] 28 April 1427.
[15] Jean Aguenin was the second *président* of the Parlement.
[16] Hérouville-Saint-Clair, Calvados, arr. Caen, c. Caen is just to the east of the town.
[17] Bayeux, Calvados. Chepstowe was the addressee of this letter.

hac parte pareri volumus et jubemus. Datum Parisius in Parlamento nostro decima die Aprilis, anno domini millesimo cccc° vicesimo sexto, ante Pascha.

[8 May 1427]   [X¹ᵃ 4795, fo. 90r]

Entre messire Jehan Cheptowe, d'une part, et Raoul le Houdin, d'autre part, Cheptowe dit en tant que touche la matiere de l'appel ou doleance que le roy d'Angleterre, aprés sa conqueste de Normendie, fist certaines ordonnances, et lui donna une maison a Caen; mais pour ce que le Houdin l'empeschoit, fist ung cry de haro*a* dont la cause vint devant le bailli qui le condempna es despens et interestz qu'il tauxa trop hault, et n'y cheoit nulz despens par la coustume puis que la cause estoit heredital. Et depuis Cheptowe obtint lettres, dont recite le contenu, lesquelles s'adrecoient aux gens tenans le conseil a Caen qui taxerent les despens, dommages et interestz a xxxvj l.t., et toutes-voies la maison avoit esté baillee a vj l.t. de louage. Et pour ce Ceptowe print une doleance en l'eschiquier qui fu executee, et depuis la cause fut renvoiee devant le prevost de Paris, qui est venue ceans par appel, et depuis s'en est ensuy l'arrest par lequel les parties doivent estre oyés sur tout; si dit Cheptowe qu'il n'a point esté oy, et n'a point conclud en la matiere de la doleance; ausi n'a il point esté oy sur l'enterinement des lettres royaulz par lui impetrees pour retraictier la sentence et moderer les despens.*b* Si conclud en la matiere de doleance tout pertinent, qu'il a esté mal jugié et mal exploitié, car en cas heredital n'y chiet despens par la coustume, et sont les interestz trop hault tauxéz, attendu que la maison avoit esté louee pour ij ans, chacun an a six ou viij l. Et en oultre conclud et requiert l'enterinement desdites lettres royalz dont recite le contenu et le*c* ramayne a fait, et emploie ce qui a esté dit autresfois, et demande despens.

Le procureur du roy dit qu'il n'a interest en ceste matiere, se n'est en ce que on a adjugié et mis en la main d'un autre que d'un Anglois la maison, contre l'ordonnance du feu roy*d* d'Angleterre, car de tant que on le puet vendre a mains de gens, elle puet plus tost retourner au roy, et pour ce la doleance fu prinse par le procureur du roy. Si conclud le procureur du roy tout pertinent sur ladicte doleance.

Alia die revendront et *interim* le Houdin verra lesdites lettres.

[12 May 1427]   [X¹ᵃ 4795, fo. 92r]

En la cause d'entre messire Jehan Cheptowe, d'une part, et Raoul le Houdin, qui respont a ce que Cheptowe a fait derreinment proposer

---

a Followed by par deva, *struck out*
b et moderer les despens *interlined*
c le *interlined*
d Followed by dagelt, *struck out*

sur l'enterinement dez lettres par lui impetrees, et sur la doleance. Et
dit le Houdin que sur le cry de haro a cause de la premiere maison
premiere saisie, y ot proces devant lez gens du conseil a Caen[a] et fu
condempné Cheptowe au principal et es despens; et n'estoit mie la[b]
question heredital et ne demandoit Houdin que le viage sur ladite
maison, et n'estoit question que du cry de haro, et n'est mie la coustume telle que dit Cheptowe, et sceu[r]ent bien les coustumes lez
juges, aussi les gens du conseil ne sont point subgiéz aux coustumes,
aussi[c] n'est la court de Parlement, et estoit question du don du roy
regent et non mie de heritage de nayssant; et ne sont mie lez despens
excessivement tauxéz; et du consentement du procureur [de] Cheptowe
les despens qui estoient tauxéz a lx l. ont esté moderéz a xlii l.; si est son
impetracion sureptice, et a teu ladicte moderacion et ne sont mie lez
interestz trop tauxéz et ne fu onques ladite maison louee a le Houdin,
esté interessé pour ce qu'il l'a convenu rennier son mesuage et louer
autre maison. Et de present ladicte maison est louee a viij frans, et ne
sont trop tauxéz, car le Houdin est forgeur, esmoleur de couteaulz, et
avoit en son hostel iiij ou v meules, marteaulz et fourneaux qu'il
convint transporter pour occasion du cry de haro par Cheptowe qui
y renonca depuis, et pour ce le Houdin retourna en sa maison et y fist
rapporter tous les biens dessusdis, en quoy il y ot grant despense; et
depuis Cheptowe fist ung autre cry de haro, et fist emprisonner Houdin qui fist de rechief transporter ses biens; et depuis y ot ung autre
transport, en quoy il fu grandement interessé et au regard de la doleance
Cheptowe n'ot onquez don du roy de ladicte maison, mais seulement
le tenoit a cense de xl sols, et fu par crieez vendue et adjugee a ung qui
la pris a la charge de ladicte cense de xl solz; aussi l'ordonnance
s'entendroit *in alienacione voluntaria*, et es maisons tenuez par don du
roy, et non mie en maisons tenuez a cense.

A jeudi revendront, et *interim* le Houdin monstrera ce que devra a
Ceptowe. [fo. 92v] Jehan Seton, escuier anglois, a asseuré messire Jehan
Cheptowe, presbtre anglois, aux us et coustumes de France.

Messire Jehan Cheptowe, prestre anglois, yra en la court de l'official
de Paris[18] donner asseurement a Raoul le Houdin qui l'a requis.
    Asseurement.[d]

[20 May 1427]   [X[1a] 4795, fo. 96v]
En la cause d'entre messire Jehan Cheptowe et le procureur du roy,
d'une part, et Raoul le Houdin, d'autre part, Ceptowe replique et dit

---

[a] *Followed by* qui, *struck out*   [b] la *interlined*
[c] *Followed by* ne sont le, *struck out*   [d] *In the margin*

[18] i.e., the court of the official principal of Notre-Dame, Paris. See L. Emmeroy,
L'Officialité archidiaconale de Paris aux XV[e] et XVI[e] siècles (Paris, 1933), pp. 10-35.

que sa doleance a esté bien prise, et a lettre de patent par quoy appert du don a lui fait de ladite maison par telle maniere qu'elle ne soit alienee ne mise en autre main que anglois, et furent l'execucion, les crieez et mainmise faictes sans oir et sans appeller Cheptowe, et vouloit on^a baillier sa maison pour l ou lx livres, laquelle vault plus de iij^c l., et estoit la question et la cause heredital *de proprietate domus*; ainsi par la coustume n'y cheoit nulz despens, et n'ont mie si grant auctorité les gens du conseil [fo. 97r] comme a la court de Parlement qui parle au nom du roy, et doivent jugier selon les coustumes; et ne renonca onquez Cheptowe a son cry de haro; et combien que Houdin, en la declaracion de ses despens, ait dit qu'il se parti iiij fois de sa maison, il n'a fait en son dernier plaidoié que deux fois, et n'ot onquez vaillant que une meule et ung soufflet, qui ne cousteroient mie tant a transporter comme on en a tauxé, et ne monstre riens partie de ce qu'il a fait dire; et dit que le Houdin est ung grant plaideur.

Le Houdin dit que Ceptowe l'a tenu en proces en sept cours et auditoires pour le travaillier.

Le procureur du roy dit qu'il n'est mie vraissemblable que Cheptowe ait tenu le Houdin en vij auditoires en proces, car le Houdin eust conclud a fin de non recevoir. Dit oultre le procureur du roy qu'il a autresfois declaré l'interest du roy sur ce que la maison criee fu baillee par le feu roy d'Angleterre aprés sa conqueste pourvu ce qu'elle ne fust mise en autre main que d'Anglois, et n'est^b tenue par Cheptowe seulement par acensement du tresorier,^{19} mais avoit don du roy et patent, et quoy que soit lez transports n'en ont baillié ne delivré aucunes maisons, se n'est par la maniere et condicion dessusdicte; et s'entend *in voluntaria etiam et in neccessaria vendicione et alienacione*, autrement la provision seroit nulle, car les Anglois s'obligeroient chacun jour et feroient crier et vendre leurs maisons et delivrer a ung chacun.

Cheptowe dit que par le privilege de la doleance il doit estre reintegré; si requiert par provision que ainsi soit fait.

Appoinctié que la court verra lettres et ce que les parties vouldront monstrer au conseil, et fera droit sur la provision dessusdite et sur tout.
    Au conseil. Aguenin^c

[2 June 1427]   [X^{1a} 4795, fo. 103v]
    Raoul Houdin baillera ses lettres et ce qu'il vouldra mettre devers la court dedens lendemain du jour saint Jehan Baptiste prochain venant^{20} a l'encontre de messire Jehan Ceptowe.

---

^{a} on *interlined*
^{b} *Followed by* mie, *struck out* ^{c} *In the margin*

^{19} The reference is to William Alington, treasurer-general of Normandy.
^{20} 25 June 1427.

[27 August 1427]   [X¹ª 1480, fo. 382r]

A conseillier l'arrest d'entre messire Jehan Cheptowe, presbtre anglois, d'une part, et Raoul le Houdin, d'autre part, sur le plaidoié du xᵉ jour d'avril m cccc xxvj.

Il sera dit en tant que ledit Cheptowe requiert la moderacion des dommages et interestz, et que les despens contre lui adjugiéz par les gens du conseil du roy estans a Rouen soient mis au neant, que ycellui Cheptowe ne fait a recevoir, et le condempne la court es despens de ceste instance, telz que de raison, la taxacion reservee; et en tant que touche la fraude et lesion que ledit Cheptowe dit estre entrevenuez ou proces et adjudication du dit decret, les parties ne peuent estre delivrees sans fais, et sont contraires; si feront leurs fais, etc.

Pronunciatum vj [die] septembris cccc xxvij [a]

[6 September 1427]   [X¹ª 65, fo. 220v]

Constitutis in nostra Parlamenti curia dilectis nostris Johanne Cheptowe, presbitero, ex una parte, et Radu[l]pho le Houdin, ex altera, prefatus Cheptowe inter cetera proposuit quod defunctus progenitor noster rex Anglie certam domum in villa Cadomi sitam condam Colino Voye spectante[m] donaverat. Cuius domus occasione inter supranominatas partes coram gentibus de consilio nostro apud Rothomagum lis exorta fuerat, qua lite pendente, prefatus Cheptowe Parisius accedere prosecuturus certum alium processum in curia Parlamenti tunc inter ipsum, ex parte una, et Johannem Tiphaine,[21] ex altera, racione cure sancti Clari de Herouvilla, compulsus fuerat, quodque in ipsius absencia prefate gentes de consilio Rothomagensi certam sentenciam ad utilitatem dicti le Houdin pronunciaverant, ipsumque Cheptowe in dampnis, interesse et expensis predicti le Houdin contra consuetudinem patrie condempnaverant, ac dictas expensas excessive et iniuste ad summam[b] quadraginta trium librarum octo solidorum novem denariorum turonensium taxaverant, commissionemque pro dictis dampnis et interesse taxandis baillivo nostro Cadomensi tradiderant seu dederant, cuius commissionis vigore prefatus Cadomensis baillivus dampna et interesse predicta ad summam[c] triginta sex librarum turonensium, absente et inscio supranominato Cheptowe, taxaverat. Et consequenter dictus le Houdin, qui maliciose ipsum Cheptowe obiisse publicaverat, certam aliam suam domum in

---

ᵃ In the margin   *ᵇ MS sommam*   *ᶜ MS sommam*

21 For his suit against Jean Tiphaine, see appendix I, and C. T. Allmand, 'Wales and the Hundred Years War: a French Provost of Holyhead', *Trans. Anglesey Antiquarian Soc.*, (1964), 2-3.

dicta villa Cadomi sitam, que condam Martino Reginaldi[22] spectaverat, subhastari et per decretum fraudulenter et nulliter contra ordinaciones defuncti progenitoris nostri predicti adiudicari fecerat. Ex hiis et aliis plurimis pro parte ipsius Cheptowe allegatis concludendo ad finem seu fines quod dampnorum, interesse et expensarum predictarum taxacio nulla seu nulliter facta diceretur seu declararetur, aut saltim quod per dictam nostram curiam taxacio antedicta juste et racionabiliter moderaretur, et quod subhastaciones et decreti adiudicacio predicte domus, fraudulenter facte, rescinderentur seu adnullare[n]tur, dictusque le Houdin in dampnis, interesse et expensis ipsius Cheptowe condempnaretur. Prefato le Houdin, ex adverso, plura facta et raciones proponente et concludente ad finem seu fines quod dictus Cheptowe ad sua proposita non admitteretur, et, si admitteretur, ipsum Cheptowe causam seu actionem non habere declararetur, et si causam seu actionem haberet, ab eisdem absolveretur, prefatusque Cheptowe in suis dampnis, interesse et expensis condempnaretur. Super quibus et aliis plurimis hincinde propositis, dicta curia predictas partes ad tradendum [? ordinavit] penes ipsam suas litteras et munimenta et omnia quibus in ea parte se iuvare vellent, et in arresto appunctavit. Visis igitur per dictam nostram curiam litteris ac munimentis dictarum partium, cum grandi et matura deliberacione, attentis attendendis, per arrestum prefate curie dictum fuit quod supranominatus Cheptowe in quantum requirit moderacionem dictorum interesse et dampnorum, et adnullacionem condempnacionis expensarum per dictas gentes de consilio nostro Rothomagensi facte, non erat nec est admittendus, ipsumque Cheptowe in expensis racionabilibus huius instancie dicta curia condempnavit et condempnat, taxacione earundem penes ipsam curiam reservata. In quantum vero concernit fraudem et lesionem, quas dictus Cheptowe in processu et adiudicacione decreti predicti intervenisse pretendebat seu pretendit, ipse partes non possunt absque suorum factorum veritatis inquisicione expediri, erantque ac sunt contrarie. Facient igitur dicte partes sua facta super quibus inquiretur veritas, et, inquesta facta et curie reportata, fiet ius partibus antedictis.

Pronunciatum sexta die septembris anno domini millesimo cccc xxvij.

Aguenin.

[18 May 1428]   [X[1a] 4795, fo. 263v]

Les bailli et viconte de Caen,[23] et leurs lieutenans et chascun d'eulz *cum adiuncto* etc, sont commis a faire l'enqueste d'entre messire Jehan

---

[22] Martin Reginald, priest of the diocese of Rouen, was M.A. by 1403 (Denifle and Châtelain, *Chartularium*, iv, p. 103).

[23] William Breton, *bailli*, and Guillaume Biote, *vicomte*.

Cheptowe, demandeur, et Raoul le Houdin, defendeur.
Commission.[a]

[18 May 1428]   [X¹ᵃ 66, fo. 18r]

Baillivo et vicecomiti Cadomi, aut eorum locatenentibus, salutem. Vobis et vestrum cuilibet casu quo alter vestrum ad hoc vacare noluerit aut nequirerit commictimus et mandamus quatinus adiuncto vobiscum aliquo probo viro neutri parcium infrascriptarum favorabili vel suspecto in negotio cause in nostra Parlamenti curia pendentis inter Johannem Cheptowe presbiterum, actorem, ex una parte, et Radulphum le Houdin, defensorem, ex altera, de et super factis et articulis dictarum parcium quos vobis sub contrasigillo nostro mittimus interclusos, vocatis evocandis procedatis et inquiratis cum diligencia veritatem, et inquestam quam inde feceritis eidem nostre curie sub vestris aut alterius vestrum et dicti sui adiuncti sigillis fideliter clausam dicte curie nostre citius quam fieri poterit remittatis, unacum dictis partibus super hoc ad certam diem adiornatis eamdem inquestam in statu quo tunc erit recipi et iudicari visuris ulteriusque processuris et facturis quod fuerit racionis curiam nostram predictam de hiis que facta fuerint in premissis certificando competenter. Ab omnibus autem iusticiariis et subditis nostris vobis et vestrum cuilibet ac dicto adiuncto vestro et deputando a vobis ac eodem adiuncto in hac parte pareri volumus et iubemus. Datum Parisius in Parlamento nostro decima octava die Maii, anno Domini millesimo quadringentesimo vicesimo octavo.

[7 December 1428]   [X¹ᵃ 4796, fo. 15r]

La court verra les appointemens d'entre messire Jehan Cheptowe, d'une part, et Raoul Houdin, d'autre part, pour savoir se l'enqueste sera receue ou non selon la requeste faite par Chestowe contre Houdin, qui demande autre delay.

[3 January 1429]   [X¹ᵃ 4796, fo. 25v]

En la cause d'entre Raoul le Houdin, d'une part, et messire Jehan Chepstowe, d'autre part, l'enqueste est receue pour juger, et bailleront lettres et reproches a trois sepmaines, et a la xvᵉ ensuiant contredis de lettres et salvacions, se baillier lez veullent.

[23 June 1429]   [X¹ᵃ 66, fo. 266r]

Lite mota in nostra Parlamenti curia inter Johannem Chepstowe, presbiterum anglicum in universitate Parisiensi studentem, actorem,

---

[a] *In the margin*

ex una parte, et Radulphum le Houdin, defensorem, ex altera, super
eo quod dicebat dictus actor quod defunctus bone memorie pater
noster Henricus, rex Anglie, post conquestam per eum de ducatu
Normanie factam et maxime ville de Cadomo, ipse certas ordinaciones
super domibus dicte ville de Cadomo personis de patria Anglie oriundis solum, et non aliis, tradendum, ac Guillelmum Alimpton,[24] scutiferum anglie, thesaurarium suum fecerat et constituerat, commissionem et potestatem super tradicione dictarum domorum tradendo,
virtute cuius commissionis et eam insequendo, dictus thesaurarius
predicto actori[a] tres domos in dicta villa de Cadomo sitas sub certo
annuo censu, et presertim quandam domum cum suis pertinenciis,
que quondam Martino Reginaldi, presbitero, spectaverat, in parro-
chia sancte Marie de Frigido Vico[25] dicte ville sitam domui Johannis
Penal, ex una parte, et hospicio des Bachuis nuncupato, ex alia,
contiguo,[26] sub annuo censu xl[ta] solidorum turonensium, dicto defuncto patri nostro et eius successoribus solvendo tradiderat, proviso
quod dicta domus et alie supradicte aliis personis quam de dicta patria
Anglie oriundis absque licencia dicti patris nostri transferri non val-
erent, prout hec et alia per litteras super hoc confectas apparere
dicebat; quoque ad causam unius predictarum domorum que quondam Colino Clouet spectaverat certus [fo. 266v] processus coram
gentibus consilii dicti ducatus apud Rothomagum inter supradictum
Radulphum le Houdin, ad presens defensorem et pro tunc actorem,
ex una parte, et dictum Chepstowe, ad presens actorem et pro tunc
defensorem, ex altera, motus fuerat, coram quibus gentibus consilii in
tantum processum extiterat quod dictus le Houdin in possessione et
saisina dicte domus que dicto Colino Clouet spectaverat, per eorum
sentenciam conservatus et de eadem, vita eius durante, gaudendo
extiterat, ac dictus Chepstowe in damnis, interesse et expensis dicti le
Houdin, defensoris, condemnatus fuerat, que expense primo ad xliij
libras octo solidos ix denarios turonensium, et postmodum dicta
dampna et interesse ad xxxvj librarum summas taxate fuerant; virtute
cuius taxacionis, expensarum et execucionis[b] eiusdem, dictus defensor
certam execucionem in et super bonis mobilibus et debitis ipsius actoris
summam octuaginta librarum turonensium excedentem fieri fecerat,
et eandem summam habuerat et receperat. Quibus non obstantibus,
dictus defensor predictam domum que dicto Martino Reginaldi

---

[a] *MS* predictori   [b] *MS* executorie

[24] William Alington.
[25] Today still the rue Froide.
[26] The information is confirmed by a notarial act of May 1432 (Arch. Calvados, 7E
5(i), fo. 24; B.N., MS lat. 10066, fo. 200v) which testifies that in that year the Hospice
des Bachins was owned by John Milcent, an Englishman, who had as his neighbours
John Chepstowe, James Dryland and Walter Cotford, all Englishmen.

spectaverat dicto actori pro dicto redditu xl^{ta} solidorum turonensium traditam valoris iij^c salutorum, predicto actore absente et in dicta universitate Parisiensi studente, ac ipso non vocato, cridari et subhastari, ac Guillelmo Picardi, de patria Normanie et non Anglie oriundo, vili precio quinquaginta unius librarum turonensium ad onus xxxiiij s.t. annui redditus erga Guillelmum Guiffart, ex una parte, et sex solidos turonensium et erga Ysaac Gupel, in curia seculari advocatos, quamvis dicti redditus eisdem minime declarentur^a per vicecomitem de Cadomo fraudulenter adiudicari per decretum procuraverat. Propter que dictus actor certas litteras a consiliariis nostris ducatus Normanie obtinuerat, virtute quarum ipse dictum vicecomitem adiornari et dictum defensorem intimari, et deinde eandem causam coram preposito Parisiensi, conservatore privillegiorum dicte universitatis, evocari fecerat; et postmodum dictus defensor virtute certarum litterarum per eum surrepticie obtentarum,^{b} predictam causam per certum hostiarium nostrum coram dictis gentibus consilii nostri iterato remitti fecerat. A qua remissione idem actor ad nostram Parlamenti curiam appellaverat, in qua, dictis partibus auditis, eadem curia appellacionem predictam absque emenda adnullaverat, eisdem partibus certam diem ad proponendum una contra aliam quicquid dicere et proponere vellent assignando et expensas in diffinitiva reservando. Qua die dictus actor supradicta proposuerat. Preterea dicebat dictus actor quod supradicte cride et subhastaciones [fo. 267r] et adiudicacionem decreti de dicta domo factas nullas et invalidas aut saltim dictum actorem gravatum fuisse declarari, et per sequelam dictam adiudicacionem decreti adnullari, ipsumque actorem ad bonam et justam causam conquestum fuisse pronunciari, predictum eciam actorem ad possessionem et saisinam prefate domus restitui et reintegrari, et dictum defensorem ad reddendum et restituendum eidem actori logagia et redditus dicte domus que ipse percipere potuisset, si non fuisset eiusdem defensoris torcionarium impedimentum ac in ipsius actoris damnis, interesse et expensis condemnari.

Dicto defensore ex adverso dicente et proponente quod jam pridem processu inter partes predictas occasione predicte domus, que quondam Colino Clouet spectaverat moto et ipsa dicto defensori ad eius vitam adiudicata, dictoque actore in eiusdem defensoris expensis ac damnis et interesse condemnato, predictisque expensis ad supradictam xl^{ta} trium librarum octo solidorum ix d. turonensium summam taxatis virtute executionis dictarum expensarum sibi concesse Guillelmus d'Authie, serviens noster ordinarius, ad instanciam dicti defensoris et ob defectum bonorum mobilium predictam domum in vico beate Marie de Frigido Vico sitam et dicto actori tunc spectantem per

---

^{a} MS declerentur ^{b} MS obtemptarum

execucionem quod supradicta xl^{ta} trium librarum octo solidorum ix
d. turonensium [summam] in manu nostra posuerat, et ob deffectum
solucionis prefate summe dictus defensor prefatam domum per tres
dies dominicas continue ad auditum magne mis[s]e et exitum parro-
chie proclamari, cridari et subhastari fecerat, significando per dictum
servientem nostrum quod dicta domus in proximis placitis supradicti
vicecomitis, ad[h]ibitis solemnitatibus consuetis, secundum consuetudinem predicte ville plus offerenti, et ultimo incariatori traderetur
et per decretum adiudicaretur quibus cridis et subhastacionibus per-
fectis ac in placitis dicti vicecomitatus per eum xx^a die mensis marcii
anno domini m° cccc° xxiiij tentis, modo consueto, per dictum servientem reportatis et dicto vicecomiti testificatis vendicione que dicte
domus iterum in audiencia dictorum placitorum publicata ac omnibus
solemnitatibus secundum consuetudinem prefate ville observatam,
dicta domus ad onus supradictorum xl^{ta} solidorum annui redditus
nobis xxxiiij^{or} s. Guillelmo Guiffart, et vj s. Ysaac Guppel per decretum supradicti vicecomitis predicto Guillelmo Picardi absque fraude
tamquam plus offerenti, et ultimo incariatori quod sepedicto precio lj
librarum turonensium per eum realiter et de facto tradito in utilitatem
suorum creditorum converso, adiudicata et liberata extiterat. Dicebat
insuper dictus defensor quod dicta ordinacio predicti patris nostri^{*a*}
per dictum actorem pretensa in partibus Normanie et specialiter in
dicta villa de Cadomo minime observabatur, et si de eadem utebatur
hoc in vendicionibus voluntariis et non neccessariis prout dictum
decretum extabat, erat et fuerat, dictaque domus justo precio et
absque [fo. 267v] dolo et colusione cridata et liberata extiterat. Et si
aliqua execucio super bonis mobilibus dicti defensoris incohata extiterat, dicto tamen defensori de supradicta xl^{ta} trium l. octo s. ix d.t.
summa minime satisfactum fuerat. Dicta eciam execucio pro summa
xxxvj l.t., ad quam summam supradicta damna et interesse taxata
extiterant facta fuerat necnon per consuetudinem dicte patrie et maxime dicte ville de Cadomo licitum erat execucionem facere in et super
bonis mobilibus et immobilibus dicti actoris. Quare petebat dictus
defensor predictum actorem causam seu actionem dictas suas requestas et conclusiones faciendi non habere dici et pronunciari, et si causam
seu actionem habebat, ab eisdem absolvi ipsum actorem in expensis
eiusdem defensoris condemnari. Super quibus et pluribus aliis hinc
inde propositis, inquesta facta dictoque processu in statu in quo erat,
salvis reprobacionibus testium contradictionibus litterarum et sal-
vacionibus earundem per utramque dictarum partium traditis
adiudicandis, recepto et diligenter examinato, prefata curia nostra
per suum iudicium predictas vendicionem ac decreti adiudicacionem

---

^{*a*} *MS* nostris

de dicta domo factas adnullavit et adnullat, necnon prefatum defensorem ad faciendum restitui eidem actori possessionem et saisinam dicte domus ac ad reddendum et solvendum prefato actori fructus et emolumenta que idem actor de dicta domo percipere potuisset, si non fuisset eiusdem defensoris torcionarium impedimentum, restituendo per eundem actorem emptori dicte domus quantum per eum traditum, una cum legalibus custibus, reparacionibusque neccessariis et utilibus*a* in dicta domo factis, ac eundem defensorem in expensis dicti actoris huius cause condemnavit et condemnat, earundem expensarum taxacione prefate curie nostre reservata.

Pronunciatum xxiij*a* die junii anno domini m° cccc° xxix°.

J. Branlardi[27]   Chancey[28]   J. Coquillan.[29]

a MS utitilibus

---

[27] Jacques Branlart, *conseiller* in the Parlement, was *président* of the *chambre des Enquêtes* by 1418.

[28] Richard de Chancey, a Burgundian councillor, *bailli* of Dijon, had become fourth *président* of the Parlement in November 1428. See introduction, p. 7.

[29] J. Coquillain was a *conseiller* in the Parlement.

XIV

Thomas Dring *v.* Jean de Ruiz, dit Dynadam

This long drawn-out suit originated in the grant made to Thomas Dring by the king in January 1424 of lands confiscated from Jean de Lignières and his wife, Catherine de Chambelly, and others. Valued at 337 'livres', it was said to be free of all obligations. Jean de Ruiz, called Dynadam, none the less claimed a rent-charge of 200 livres upon it, and summoned Dring to appear before the 'prévôt' of Paris to answer the claim. Called away on military service Dring was prevented from appearing on four occasions, and the land was accordingly sold by 'criée', a rare sanction. Dring, therefore, produced a 'requête civile' ordering the case to be heard in the Parlement, where it was argued that since his gift was for life only, the real owner of the land was the crown, to whom Dynadam should make petition. Dynadam, however, persevered with his case, attempting to prove his property in the land from which he claimed his rent-charge should come, and demanding payment of arrears for good measure. Dring denied all knowledge of such an obligation, and tried to show that Dynadam's wife had forfeited her share of the claim by supporting the party of the Dauphin. Dring was also to maintain that improper advantage had been taken by his opponent of his absences 'pour la chose publique'. Pursuing his case further, Dring claimed that not only the facts but local custom, too, were in his favour, and in this he was supported by the 'procureur du roi'.

The suit, which underlines the great difficulties experienced in establishing the truth and accuracy of the facts claimed and proposed by the parties, was further complicated by the capture of Dring at Jargeau in June 1429. Not unnaturally Dynadam felt that Dring was using every excuse to delay matters, and even the 'procureur du roi' had to admit that Dynadam now had little upon which to live; whereupon the court finally agreed to give him part of his claim, without prejudice to the final outcome of the suit, to tide him over the financial difficulties caused by the prolonged delays.

Such a move was ultimately justified, for six and a half years after the suit had begun, the court pronounced in favour of Dynadam, referring the parties back to the 'prévôt' of Paris for sentence on the facts as established at the beginning of the long appeal process.

[12 January 1424]   [Collection Lenoir, 3, p. 150]

Lettres patentes d'Henry, roi de France et d'Angleterre, données à Caen[1] le xiie jour de janvier 1423 et adressées par la chambre des

---

[1] Caen, Calvados.

comptes de Normandie aux baillis de Rouen,[2] Caux,[3] Mantes[4] et
Meulent,[5] portant don à Thomas Dring,[6] écuier, de la terre et seigneurie
de Vaux[7] et autres terres qui furent à Jean de Lignieres, chevalier, et
Catherine de Chambely, sa femme, à cause d'elle, situées ès baillages de
Rouen, Caux, Mantes et Meulent, Senlis,[8] prévôté et vicomté de Paris,[a]
lesquelles Guy le Bouteillier,[9] chevalier, seigneur de la Rocheguion,[10]
avoit par defaut d'hoirs tenu en sa main pendant quelque temps;
ensemble les terres et heritages appartenant à Lyeffroy Poupart et
maître Jean de Luce, acquis et confisqués au roy par droit de conquête
et cause de rebellion; le tout à la valeur de trois cent salus d'or, ou de
trois cent trente sept livres dix sols tournois de rente.

[1 or 2 March 1427]   [X¹ᵃ 68, fo. 31v]

[Henry] par la grace de dieu roy de France,[b] a nos amez et feaulx
conseillers les gens tenans nostre present Parlement ou qui tendront
ceulx a venir, salut et dilecion. Receu avons l'umble supplicacion de
nostre amé Thomas Dring, escuier d'onneur de nostre treschier et
tresamé oncle Jehan, regent nostre dit royaume de France, duc de
Bedefort, natif de nostre royaume d'Engleterre, contenant comme en
recompensacion des bons et agreables services faitz par ledit suppliant
a nostre treschier [fo. 32r] seigneur et pere le roy d'Engleterre, que
Dieux asoille, et nous en noz guerres et autrement, nous lui aions, par
l'advis et deliberacion de nostre oncle, donné entre les autres choses,
des le xij[e] jour de janvier mil cccc vingt et trois, les terres de Vaulx et
autres qui furent a Jehan de Lignieres, chevalier, et Katherine de
Chambelly, sa femme, a cause d'elle, situees et assises au bailliages[c] de
Rouen, Caux, Mente, Meulent, Senliz, la prevosté et viconté de Paris
comme a nous appartenans pour la forfaiture et confiscacion d'icelui
de Lignieres et autrement, pour en joyr par ledit suppliant comme de

---

[a] Paris *interlined over* Pontoise, *struck out*

[b] Supra *in the margin and a corresponding line in the margin of fo. 37v to indicate the point at which this letter of the chancery should have been transcribed into the text of the 'arrêt' dated 12 September 1433*

[c] *MS* baillaiges

---

[2] Rouen, Seine-Maritime.

[3] Caux, the region to the north of Rouen.

[4] Mantes-la-Jolie, Yvelines.

[5] Meulan, Yvelines, arr. Mantes-la-Jolie.

[6] For Thomas Dring, see appendix II.

[7] Probably Vaux-sur-Seine, Yvelines, arr. Mantes-la-Jolie, c. Meulan.

[8] Senlis, Oise.

[9] Guy le Bouteiller, captain of Rouen at the time of its capture by Henry V in January 1419, took the oath of fealty to the king.

[10] La Roche-Guyon, Val d'Oise, arr. Pontoise, c. Magny-en-Vexin. The grant is recorded in Charma, 'Parties des dons', p. 8.

la chose tant comme il nous plaira, et que sur icelles on ne puisse obtenir contre luy valablement aucune charge ou servitute.

Neantmoins Jehan de Ruiz dit[a] Dinadam[11] qui[b] sur icelles se dit avoir droit de prendre deux cens livres tournois de rente qu' i[l] dit lui avoir esté vendues par feu Jehan de la Bretonniere,[12] jadis chevalier, dont il dit ledit de Lignieres avoir esté [a] cause de sadite femme ou autrement heritier fist, pour icelle rente et arreraiges qu'il disoit lui en estre deuz, adjorner en action personelle et ypotheque ledit suppliant pardevant le prevost de Paris ou son lieutenant a certain jour qui eschey au mois de novembre l'an mil cccc xxv, ou il a requis entre autres choses a l'encontre d'icelluy suppliant que tous lesdis heritages et le droit que avoit en iceulx ledit suppliant feussent ypothequéz ausdis ij[c] livres de rente et pour les arreraiges qu'il disoit lui en estre deuz, montans a environ dix et sept cens frans venduz et adenerés en la maniere acoustumeee.

Sur quoy le procureur d'icelui suppliant audit Chastellet[13] prist si comme l'en dit aucuns delaiz; et depuis et avant ladite cause entamee et que ledit suppliant qui estoit poursuy du fait d'aultruy[14] [ne] peust estre informé ne savoir la certaineté de ses defenses, lui convint hastivement partir de ceste ville de Paris pour aler en la compaignie de nostre treschier et amé cousin, le conte de Salisbury,[15] aux sieges qui par lui furent lors mis devant les chasteaulx et ville de Moymer[16] et depuis a la Ferté Bernard,[17] ou il fut moult longuement. Pendant lequel temps ledit Dynadam a obtenu en ladite cause quatre defaulx, ou partie d'iceulx, a l'encontre d'icelluy suppliant et par vertu d'iceulx, si comme on dit, sentence par laquelle sesdites demandes et conclusions lui ont eté toutes adjugees sans avoir eu aucun regard aux

[a] *MS* di
[b] *MS* que

[11] Jean (Juan) de Ruiz, called Dynadam, came from an important Navarrese family. His father, of the same name, formerly chamberlain to Charles III ('the Noble') of Navarre, had been involved in negotiations with the king of France and the count of Foix in the closing years of the fourteenth and in the early years of the fifteenth century. His presence in Normandy (he gives every sign of having been loyal to the Lancastrian monarchy (*Fauquembergue*, ii, 319)) serves as a useful reminder of the Navarrese involvement in the duchy in the previous century.

[12] On the Le Breton, lords of La Bretonnière, see J. Lebeuf, *Histoire de la ville et diocèse de Paris*, ed. F. Bournon (6 vols., Paris, 1883–90), iv, 155–6.

[13] The Châtelet was the court of the *prévôt* of Paris.

[14] A reference, doubtless, to Dring's suit against Sir Robert Harling in 1425 and early 1426. (See appendix I.)

[15] For the earl of Salisbury, see appendix II.

[16] Probably Mont Aimé, Marne, arr. Châlons-sur-Marne, c. Vertus, com. Bergères-lès-Vertus. On this long siege, see *Bourgeois*, p. 212; *Letters and Papers*, II, i, p. 56; S. Luce, *Jeanne d'Arc à Domrémy* (Paris, 1886), pp. 121, 139 etc.

[17] La Ferté-Bernard, Sarthe, arr. Mamers.

choses dessusdictes, et nonobstant que ladite terre de Vaulx, qui est assise hors des mectes de ladite prevosté[18] et es pais conquestés par nostre dit feu seigneur et pere,[19] ne fut onques audit feu seigneur de la Bretonniere, dont ledit de Lygnieres, par le propos mesmes dudit Dinadam, n'estoit heritier que par benefice dimentoire; et que le surplus d'iceulx heritaiges, ou la plus grant partie, aient, [pendant] grant partie du temps dont lesdis arreraiges ont esté adjugiéz a icelui Dinadam qui sont d'environ neuf annees, esté occupéz par noz enemis et comme de nulle valeur et que de present, pour doubte d'eulx, on ne y puisse labourer, raparer ne converser, autmoins en la plus grant partie; et aussi que ledit Dynadam ne se feust ne soit [fo. 32v] point opposé comme l'en dit a la confiscacion des heritaiges dudit de Lygnieres par devant les commissaires sur ce ordonnéz, autmoins n'en ait point fait apparoir a icelui prevost; et que ainsi ledit Dynadam eust perdue sadite rente dont on departie, il n'avoit foy ne hommage ou autmoins sesdis arrerages. De laquelle sentence icelui suppliant, comme de nouvel venue a sa cognoissance et de l'execucion d'icelle, a appellé a nous en nostre court de Parlement ou icelui Dynadam l'a fait anticiper.

Si nous a ledit suppliant requis humblement que, attendu ce que dit est et que veritablement iceulx heritaiges nous compettent, et n'en a ledit suppliant que l'administration soubz nous, mesmement que le don qu'il en a ne lui a esté fait que a nostre voulenté,[20] et ainsi nous deust ledit Dynadam avoir mis en proces ou nostre procureur pour nous et non pas ledit suppliant,[21] contre lequel il ne povoit valablement conduire sadite demande ypotheque, et que a l'encontre de la demande dudit Dynadam ledit suppliant et nostre procureur se adjoindra se veult aucelui se receu y est au tres belles et bonnes defenses pour debouter ledit Dynadam et monstrer clerement que sadite demande ne se peut soustenir.

Et ausquelles choses proposees,[a] ledit suppliant doubte non estre receu tant pour raison desdis defaulx et sentence comme pour ce que depuis icelle sentence donnee on dit icellui suppliant avoir esté adjourné a sa personne a veoir tauxer les despens esquelz par ladite sentence il a esté condemné, et a adjuger le decret desdis heritages se de

---

[a] MS proposer

[18] i.e., the *prévôté* of Paris.

[19] Emphasis is here being placed on the legal status of the so-called *pays de conquête*, that area outside the boundary of the duchy of Normandy conquered by Henry V before the treaty of Troyes of May 1420. As in the suit Gaucourt v. Handford (n° **III**) it suited one party to show that lands in dispute were outside the jurisdiction of the *prévôté* of Paris.

[20] See above, Carbonnel v. Tilleman [n° **VI**], p. 104, and n. 8 for grants 'a nostre voulenté'.

[21] A similar argument had been used in the Ferret v. Russell suit [n° **I**], p. 24.

nostre grace ne lui estoit sur ce pourvueu de remede convenable requerant humblement icellui mesmement que en faisant lesdis adjornemens ladite somme ne fut aucunement monstree a icelui suppliant, qui peu ou neant se congnoist en telles choses ne es stiles de nostre royaume de France, et ainsi ne savoit qu'elle contenoit ne povoit contenir ne quel prejudice elle lui povoit pourter jusques a ce qu'elle lui a esté monstree, ou a son conseil, en poursuivant par ledit Dinadam l'adjudication du decret d'iceulx heritages; et de laquelle icellui suppliant ou son procureur, quant il l'a veue, a appellé, comme dit est.

Pourquoy nous, qui voulons lesdites parties venir a la verité de la chose, ces choses considerees et que ladite cause e[s]t grant et poisant et de grant chose et touche principalement nous et nostre demaine, comme dit est, vous mandons et estroictement enjoingnons, que ladite appellation mise au neant sans amende et ce dont il a esté appellé, que nous au cas dessusdit y mettons par ces presentes en refondant audit Dynadam les despens desdis defaulz, icellui suppliant receuz a proposer ses defenses au principal de ladite cause tout ainsi et pareillement que vous feissiez se ne fussent iceulz defaulz et sentence, et que ledit suppliant, paravant icelui appel, ne eust point esté adjourné a veoir tauxer lesdis despens et a juger icellui decret, car ainsi le voulons et nous plait estre fait nonobstant iceulz defaulz, sentence et autres choses dessusdites [fo. 33r] dont nous, attendu ce que dit est, avons relevé et relevons ledit suppliant de grace speciale par ces presentes, riguere de stile ou usaige et quelzconques lettres surreptices impetrees ou a impetrer au contraires.

Donné a Paris le [   ]²² jour de mars, l'an de grace mil cccc vingt et six, et de nostre regne quint.

[3 March 1427]   [X¹ᵃ 4795, fo. 52r]

Entre Thomas Drint, escuier anglois, appellant, d'une part, et Jehan de Ruy, dit Dynadam, intimé, d'autre part.

L'appellant dit que pour lez bons services qu'il a fais es guerres du roy il luy a donné la terre de Vaulz et autres en Normendie et en la ville et viconté de Paris; et combien qu'il ne soit obligié ne tenu en riens envers Dynadam, neantmoins, lui estant au siege de Moymer et es autres sieges autresfois tenuz par le conte de Salisbury et autres, Dynadam a fait proces et par defaulz se dit avoir obtenu sentence par vertu de laquelle il a fait faire certaines execucions dont et de la sentence et de ce qui a esté fait comme de nouvel venuz a sa congnoissance il a appellé. Dit oultre qu'il a obtenu une requeste civile pour estre

²² The date is either 1 or 2 March 1427.

oy sur le principal, l'appellacion mise au neant, dont recite le contenu et requiert l'enterinement; *alias* conclud en cas d'appel et a despens. Et dit que au principal il a bon droit et bonnes defenses, et qu'il a don du roy sur les terres du sire de Linieres et du Breton et de la Bretonniere, et qu'il n'est tenu en riens a Dinadan, et lui furent les terres bailliees quictez et franchez et ainsi lui ont esté delivrees,[23] et ne s'y opposa oncques Dinadam et n'y puet riens avoir que par le moien de sa femme qui a tout confisqué, et ne seront lez rentes deuez et auroient esté racheteez par Linieres: propose ses [? conclusions],[a] si conclud au principal tout pertinent etc.

[fo. 52v] Jehan de Rieux dit que pieca il acquesta rente du Breton de la Bretonniere[b] ou du sire de Lignieres sur la terre de la Bretonniere et sur toutes ses terres; et depuis Lignieres et sa femme en racheterent une partie et encorez en demoura ij[c] livres de rente dont les terres dudit sire de Linieres et du Breton de la Bretonniere en demourerent obligeez; et pour ce Jehan de Riex fist adjorner Drinc a sa personne en Chastellet pour ce qu'il estoit detenteur de la terre de la Bretonniere; et constitua Drinc procureur, et neantmoins se laissa[c] contumasser et mettre en defaulz, et fu condempné selon le stile et fu adjorné en personne[d] a veoir tauxer les despens; et pour mettre la sentence a execucion, la terre de la Bretonniere fu mise en la main du roy[e] et exposee en criees et[f] lui fu a sa personne signifiee la mainmise; et apréz ce que lez criees furent parfaites, Drinc fu adjorné a veoir adjugier le decret sur quoy il print advis; et neantmoins Drinc vint depuis et appella de la sentence, qui n'a mie appellé *illico*; si ne sera receu, et a mal appellé de la sentence qui est donnee selon le stile aprés lesdis defaulz. Aussi la terre de la Bretonniere n'est point comprinse au don fait a l'appellant, et tient bien xij[c] livres de rente, et son don n'est que de iij[c] escus, et quoy que ce soy Dynadam estoit par avant receu en foy et en hommage de ladite rente de ij[c] livres; ainsi, si Drinc avoit aucune chose en ladicte terre de la Bretonniere il paieroit les charges reelles precedent, et ainsi Dynadam aura sa rente qu'il acheta et les arrerages, et n'est recevable Drinc de arguer du droit de sa femme et *de jure tercii*; aussi sa femme n'y avoit riens, et se aucune chose y avoit en la confiscacion, n'en seroit mie a Thomas Drinc qui n'a mie don sur la confiscacion qui vendroit d'elle; et se confiscacion y avoit de par la femme, Dynadam a tout le moins en auroit les fruis; et quelque rachat

---

[a] *The edge of the folio is torn at this point*
[b] *Followed by* dont il, *struck out*
[c] *Followed by* condemne, *struck out*
[d] en personne *interlined*
[e] *Followed by* mise, *struck out*
[f] *Followed by* s, *struck out*

[23] Lands granted by the king came liable to debts, unless otherwise stated, but were held to be free of 'debtes mobiliaires'. See Ferret *v.* Russell, p. 22, and n. 8.

qui en feust fait par Linieres, encorez en seront demourés ij^c livres a Dinadam, comme dit est. Si conclud comme dessus a fin de non recevoir et en cas d'appel, et ne sera sa requeste enterinee, car elle est incivile par ce que dit est; et dit qu'il n'estoit besoing de soy opposer a la verificacion du don fait a Thomas, car il estoit receu en foy et en hommage de sa rente qui lui a esté conservee, et ne devoient point surseoir les crieez*ᵃ* et ne lez povoit empeschier Thomas*ᵇ* qui n'a rien esdictes terres de la Bretonniere.

Le procureur du roy dit que le roy a interest en ceste matiere pour ce que la femme [de] Dynadam, par la coustume, confisque la moitié de ladite rente acquise durant le mariage; et pour ce requiert a veoir les tiltres et lettres des parties.

Les parties revendront *alia die* et *interim* s'entremonstreront, et verra le procureur du roy les lettres et tiltres dont les parties se vantent.

[18 March 1427]   [X¹ᵃ 4795, fo. 66r]

En la cause d'entre Thomas Dring, anglois, appellant du prevost de Paris et d'un sergent, d'une part, et Jehan Dynadam, escuiers, d'autre part, l'appellant replique et dit qu'il a esté grevé car lui estant en expedicion pour la chose publique,*ᶜ* partie adverse l'a mis en proces; si est tout nul *nec currit contra eum tempus*; et si ne lui puet on adjuger ypotheque sur la terre de Vaulz qui ne fu onquez aux [fo. 66v] vendeurs de ladite rente, et si n'a Thomas Dring sur les heritages que iij^c livres de rente par provision, et n'est mie proprietaire; ainsi on n'a peu faire sur lui condempnacion*ᵈ* en action ypotheque sans veoir le tiltre; et a esté grevé en la maniere de l'execucion que on a commencié sans lui signifier la sentence et l'execucion; et eust esté en sa faculté de paier ce que on lui demandoit, se bon lui eust semblé; et aussi on a fait execucion des arrerages sans en faire advaluation, ce que on ne devoit faire; et emploie ce qui a esté dit en la cause d'entre Rapiout et Mauterna. Dit oultre qu'il ne scet riens de ladite rente, et s'aucune chose en estoit, elle auroit esté achetee de l'argent du mariage de sa femme qui a*ᵉ* confisqué et puet confisquer ses biens comme feroit le mary par la coustume, et ne se devoit Dynadam adrecier sur les propres biens qui auroient esté audit de Linieres et sa femme, attendu que Dynadam n'avoit promesse avec eulz que comme heritiers par benefice dimientaire, si comme il appert per la sentence et le demené du proces; et sont les adjornemens nuls qui ne sont fais a personne ne a domicile; et si estoit lors Thomas en expedicion pour la chose publique, et y a ung adjornement du jour a lendemain qui est trop arct; et estoit au siege de Moymer au temps que le sergent relate l'avoir*ᶠ*

ᵃ Followed by par, *struck out*   *ᵇ Followed by* et, *struck out*   *ᶜ Followed by* il, *struck out*
ᵈ Followed by s, *struck out*   *ᵉ* a *interlined*   *ᶠ MS* l'avoit

adjorné en personne; et quant est des adjornemens que on dit estre fais
a la personne de ses procureurs, on ne scet riens qu'ils feussent procureurs, et ne croit mie que Billery fust son procureur, et s'il avoit esté
substitué par Lagnelet[24] ce auroit esté *ex post facto*, et n'auroit mie ung
procureur puissance de eslire domicile, ainsi qu'il a esté dit ceans
en la cause de Thibaut le Tonnelier; aussi le procureur affirme que
onques n'esleu domicile et n'estoit mie logié a l'ostellerie de la Cage[25]
quant l'adjornement y fu fait; ainsi les defaulz sont nuls, par quoy
l'adjudicacion ne se pouvoit faire, car par le stile on ne puet proceder
a faire aucune adjudicacion se n'est par le prevost ou ses lieutenans et
par les conseillers du roy qui signerent premierment la requeste de
partie requerant l'adjudicacion aprés ce qu'ils ont veu et examiné les
defaulz et proces; et n'estoit point conseiller du roy cellui qui signa
ladite adjudicacion, et n'avoit puissance ne autorité de le faire; aussi
l'execucion seroit nulle et mal commencee sans signifier a partie la
sentence; et se significacion y avoit, elle seroit nulle, car ce ne seroit
que une significacion verbale sans monstrer sentence ne autre chose;
et si est vray*a* que du temps que Dynadam demande sa rente les terres
ont esté inutiles, et emploie ce qui a esté dit ceans en cas semblables; et
si est au pais notoire que*b* la rente que demande Dynadam fust*c*
rachetee par Linieres, et n'en oseroit riens demander s'ils estoient par
deca; et telle est la commune renommee au pais, et en sera quelque
jour sceue la verité.

Le procureur du roy dit que par la coustume une femme puet
confisquer sa part de*d* meubles, conquestes et heritages propres; et
emploie ce que l'appellant a dit a fin de confiscacion, et proteste d'en
dire et requerir ce qu'il appartendra quant il apparaitra du traictié
dudit mariage; et s'adjoint avec Thomas Dring afin que ladite sentence
ne sortisse son effect; et requiert avoir copie en *vidimus* collacionné aux
lettres originals de Dynadam pour s'en aidier ou il appartendra; et dit
que le quint denier desdites ventes est deu au roy et en est tenu
Dynadam qui a vendu lx livres de rente.

Dynadam dit qu'il tient a tiltre onereux ladite rente dont lui sont
deubs les arrairages, et a fait adjorner Thomas a sa personne, et par
iiij defaulz a obtenu sentence selon le stile; et n'estoit mie Thomas a
Moymer, mais estoit a Paris, et y ot trois adjornemens a sa personne

---

a vray *interlined*   *b* au pais notoire que *interlined*
c fust *interlined*   *d* sa part de *interlined*

[24] The reference is probably to Colin l'Aignel, or Laignelet, *sergent a cheval* at the
Châtelet, associated with Dring in his suit against Robert Harling, killed in 1427 in the
arrest of Sauvage de Fremainville who had made an attempt on the life of the duke of
Bedford on the road to Calais in December 1425 (*Bourgeois*, p. 223, n. 2).

[25] Situated in the 'grand'rue Saint-Antoine' (Longnon, *Paris*, pp. 256-7).

et la significacion a sa personne, et en sera creu le sergent; et, par le stile, par le quart default les trois precedents sont valides et ne les puet on jamais impugner [fo. 66^{bis}r] mesmement puis qu'ils sont entretenus et puet ung procureur par le stile eslire domicile, et n'est besoing d'enseignier de la procuracion de sa partie, attendu que Billery est procureur general audit auditoire; et si est procureur ung procureur substitut, et n'est mie vraissemblable que le procureur eust esleu domicile sans le mandement de son maistre. Et dit Dynadam qu'il a bon principal et[a] en appert par lettres, et dit que le sire de Linieres et sa femme ont obligié pour la rente de ij^c livres tous leurs biens propres, meubles et immeubles, par accord sur ce fait dont appert par lettres qui sont devers Dynadam; et n'est mie vraissemblable que Linieres lui[b] eust laissié lesdites lettres s'il eust racheté ladite rente; et ne vint mie l'argent de l'achat que fist Dynadam de ladite rente de l'argent de son mariage, et avoit plus vaillant qu'il ne print a sa femme, et avoit lors iiij^m escus d'or et ij^c mars de vaisselle, et avoit forteresse et belles terres en Brie.[26] Et avoit bien de quoy acheter ladite rente qui fust conquest, et ne les puet la femme confisquer ne aliener, et en a le mary l'alienacion, et *non est simile de morte civili et naturali*, car se le mari muert *naturaliter ob crimen* il confisque tout, *non sic in morte civili*, car il ne confisqueroit que sa porcion et demoreroit a sa femme la sienne; et puisque le mari est segneur[27] et puet tout confisquer, mais[c] la femme ne le puet, autrement il fauldroit dire *quod duo essent domini insolidum*, et ne puet la femme prejudicier a son mary ne lui empeschier l'administration des fruis qu'il a et qu'il prent durant le mariage; et allegue la loy *si dotem solveret*; si dit que la coustume dont se vante partie est contre bonnes meurs. Et au regard de l'absence de sa femme, elle advint pour ce que Dynadam fut prins des ennemis et mené en la grosse tour de Bourges,[28] et eust eu la teste copee s'elle n'en eust fait la poursuite; et pour ce que a sa delivrance on lui enjoint qu'il s'en alast au royaume de Navarre,[29] dont il est natif, sa dicte femme demourra par dela avec son frere, l'evesque de Xaintes;[30] mais depuis elle a envoié pardeca et a obtenu congié de venir et estre avec son mary, et sera pardeca prochainement. Et dit Dynadam sur la demande du procureur du roy que a cause du quint denier il n'y a ne jour ne terme, et en seroit tenu Linieres dont le procureur du roy se dit avoir la cause; et si

---

[a] *Followed by* est, *struck out*
[b] lui *interlined*   [c] mais *interlined*

---

[26] Brie, prov. (to the east of Paris).
[27] 'Le mary est seigneur des meubles et conquests immeubles par luy faits durant et constant le mariage' (*Nouveau coutumier général*, III, i, 8).
[28] Bourges, Cher.
[29] Navarre, from where Dynadam came.
[30] Saintes, Charente-Maritime, of which Jean le Boursier was bishop 1415-26.

n'y a demission ne hommage fait, et si ne fu onques la terre de la Bretonniere mise en confiscacions, et n'estoit besoing que Dynadam s'y opposast; aussi estoit^a il alé au pais de Navarre par l'ordonnance du roy et du duc de Bourgogne^{31} pour un mariage.

Appoinctié que la court verra lettres, explois et ce que les parties vouldront monstrer,^{b} et fera droit au conseil; at aura le procureur du roy *vidimus* des lettres [de] Dynadam collationnees a l'original, partie presente ou appellante pour s'en aidier ainsi que bon lui semblera; et reserve la court au procureur du roy ses actions a cause dudit quint denier, et a Dynadam ses defenses au contraire.

Au conseil. Aguenin^c

[5 July 1427]   [X^{1a} 4795, fo. 118r]

Ce jour messire Jehan du Plessys, chevalier, en sa personne s'est opposé aux criees et adjudicacion du decret des heritages feu messire Jehan le Breton de la Bretonniere criéz a la requeste de Jehan de Ruys, dit Dinadan.

Opposicion^d

[17 January 1428]   [X^{1a} 1480, fo. 393r]

A conseillier l'arrest d'entre Thomas Dring, escurier anglois, appellant du prevost de Paris, d'une part, et Jehan de Ruiz, dit Dynadam, escuier du royaume de Navarre, intimé, d'autre part, sur le plaidoié [du trois mars]; *et non fuit conclusum.*

[31 January 1428]   [X^{1a} 1480, fo. 394r]

A conseillier l'arrest d'entre Thomas Dring, escurier anglois, appellant du prevost de Paris, et Jehan de Ruys, dit Dynadam, intimé, d'autre part, sur le plaidoié du iij^e jour de mars derrain passé m cccc xxvj.

Il sera dit que ledit Thomas Dring mettra son tiltre devers la court dedens lendemain des Brandons prochain venant,^{32} et a ce jour declarera ou il estoit, c'est assavoir en expedicion publique ou ailleurs hors de Paris au jour ou jours que l'en maintient aucuns desdis adjornemens dont dependent aucuns desdis defaulz avoir esté fais a Paris a sa personne, et ledit Dynadam sera oy au contraire. [fo. 394v] Et aussi a ce dit jour lesdites parties seront oyés s'elles veullent dire aucune

---

^{a} estoit *repeated and interlined* ^{b} *Followed by* au conseil, *struck out*
^{c} *In the margin* ^{d} *In the margin*

^{31} The reference is to Philip 'the Good', duke of Burgundy 1419–67.
^{32} 22 February 1428.

chose touchant leur principal oultre ce qui a esté par elles proposé en ladite cause d'appel. Et ce fait et joint au proces, la court les appoinctera par ordonnance tant ou regart dudit appel comme dudit principal, si mestier est. Et attendant que ou cas que les parties ne proposeront fais recevables autres que ceulz qu'elles ont proposéz en ladite cause d'appel, sera dit que les parties informeront la court *vocatis vocandis*, c'est assavoir ledit Thomas que ladite rente fust achetee des deniers du mariage de la femme dudit Dynadam, que ycelle rente a esté rachetee, et de la sterilité desdites terres du temps que ledit Dynadam demande les arrerages de ladite rente; et ledit Dynadam de ce qu'il vouldra dire au contraire dedens le [   ]*a* jour de [   ]*a* prochain venant, pour tous delais; et ce rapporté, la court fera droit.

    Pronunciatum hodie. Aguenin*33b*

[22 April 1428]   [X*1a* 4795, fo. 245v]

    En la cause d'entre Jehan de Reys, dit Dynadam, escuier, d'une part,*34* et Thomas Dring, anglois, d'autre*c* part, Dynadam*d* recite le demené du proces et lez appointements, et dit que Thomas n'a riens produit ne monstré qui lui vaille; et quant est des lettres royaulz du don a lui fait, elles ne prejudicieront point a Dynadam car le Bouteillier ne tint onquez les terres contencieuz et ne sont lesdites lettres verifieez en la Chambre des Comptes;*35* et si est dit expressement que Thomas paiera les rentes et charges, et est vray que Dinadam est pieca [recu] en foy et hommage de ladite rente. Et ne monstre Thomas que *vidimus* a quoy on n'adjoustera point de foy; et ne declare mie Thomas les lieux ou il estoit au temps que lez adjornemens furent fais. Si conclud *ut supra*, et dit que les lettres du don fait a Thomas ne se adaptent point a l'encontre de la demande [de] Dinadam.

Appoinctié que Thomas revendra a*c* lundi en xv jours.

[13 July 1428]   [X*1a* 8302, fo. 216r]

    En la cause de Jehan de Ruys, dit Dynadam, d'une part, et Thomas Drinc, d'autre, Dynadam dit que l'en doit croire aux sergens de leurs adjornemens, et ne monstre point Drinc de certificacion de son *alibi*, et *sic stabitur adiornamentis*, et teneront les defaux *cum sequela*.

    Thomas Drinc somme le procureur du roy qui verra l'arrest, et *alia die* revendront les parties.

a Blank in MS
b In the margin   *c* MS d'une
d Followed by dit, *struck out*   *e* MS a de lundi

33 Jean Aguenin was second *président* of the Parlement.
34 Dynadam was now the plaintiff, he and Dring having reversed their roles.
35 All land-holding was recorded in the *Chambre des Comptes*.

[23 July 1428]   [X^{1a} 8302, fo. 220r]

En la cause d'entre Jehan Dynadam, d'une part, et Thomas Drinc et le procureur du roy, [d'autre]; a viij^e revendront toutes les parties.

[30 July 1428]   [X^{1a} 8302, fo. 223r]

Thomas Drinc^a venra *proxima die* par La Haye,[36] ou par autre, contre Dynadam.

[13 August 1428]   [X^{1a} 8302, fo. 227r]

En la cause d'entre Jehan de Ruys, dit Dynadam, d'une part, demandeur, et Thomas Drinc, escuier anglois, et le procureur du roy, d'autre part, Drinc dit qu'il a droit de viage seulement sur les heritages decleréz en son don royal, et n'y a aucunes charges qui aillent devant la somme; dit que la rente que demande Dynadam fut achetee des deniers donnéz au mariage [de] Dynadam et de la fille Alixandre le Boursier,[37] qui y avoit aussi rente qu'il donna a sadite fille qui a tenu et tient le parti contraire, et pour ce tout est confisqué; dit oultre que se rente y ot, elle a esté rachetee par le seigneur de Lignieres a moins iiij^{xx} livres.^{b} Dit que *in omnem eventum* Dynadam ne pourroit avoir que la moitié de ix^{xx} livres de rente; dit oultre que Dynadam a delaissee sa femme, et par ce a perdu *dotem*, et ne puet rien demander heritage ne charge sur heritage, et est le don [de] Thomas ample, et tendra. Et a ce conclut et selon le premier et le second don, et que Dynadam ne sera receu, et a despens.

Le procureur du roy emploie le propos de Thomas, et oultre dit qu'il appert que Alixandre donna a sa fille lx livres de rente sur les heritages du Breton de la Bretonniere, et ne donna rien a Dynadam; et a tout forfait ladite fille, au moins la moitié par la coustume;^{c} et au surplus emploient lesdis procureur du roy et Thomas ce que autresfoiz ont proposé.

Dynadam replique et dit que en adjournemens l'on adjouste foy a la relacion du sergent qu'i[l a] adjourné; or fut adjourné Thomas a sa personne, et ne comparu pas; et pour ce, aprés defaux, a obtenu Dynadan sentence passee en force de chose jugee, et ne sera receu Thomas a rien dire contraire. Dit oultre que veu le don [de] Thomas,

---

^{a} Drinc *interlined*
^{b} a moins iiij^{xx} livres *interlined*
^{c} par la coustume *interlined*

---

[36] Robert de la Haye was an *avocat* in the Parlement.
[37] Nicole le Boursier. Her father, Alexandre, had served as 'receveur général des aides' before 1412 (Monstrelet, *Chronique*, ii, 322, 324), and in the 'comptes' of the king in 1416. Forced to leave Paris when the city fell to the Burgundians in May 1418, he suffered confiscation of his lands and property (Longnon, *Paris*, p. 62, n. 5), but continued to serve the Valois until his death in 1430.

il ne puet rien avoir sur les terres dudit Breton de la Bretonniere; aussi n'a il point fait faire d'assiete de ses iij^c salus de revenue. Au regart des lx livres qui furent [a] Alixandre, elles furent rachetees et par est[r]ainctes; quant au surplus, dit que sa femme ne pouv[o]it rien vendre sans lui; aussi ne fait elle confisquer, mais au contraire il pourroit confisquer par la coustume par laquelle mary confisque meubles et conquestes, et ne parle yci Dynadan que *de patrimonio mariti,* et ne demande autre chose. Et dit qu'il n'a point esté *voluntarie cum adversariis* mais y a esté prisonnier, et le fut a Meleun l'an iiij^c xxj du commandement [de] Tanguy du Chastel,^{38} et quant il fu delivré, ala devers le roy de Navarre^{39} et y demoura ij ans entiers, et pour ce *non mirum* s'il ne s'opposa ne ne vint point, car il ne povoit rien savoir des edictz royaux. Si conclud *ut alias.*

[fo. 227v] Thomas duplique et dit que au temps des defaux obtenus contre lui estoit absens *causa reipublice, scilicet* au siege devant Monty- mer. Dit oultre que Dynadan ne fut onques *invitus* mais *voluntarie cum adversariis*; et au temps du trespas du duc de Bourgogne^{40} estoit Dyn- adam a Meleun. Si conclut *ut supra.*

Le procureur du roy dit que du totage de la rente ont esté rachetees iiij^{xx} livres de rente, et n'a point esté dit *expresse* que les lx livres que avoit Alixandre aient esté rachetees. Soustient oultre le procureur du roy que par coustume mary et femme sont communs en biens *precipue* meubles, et forfait la femme sa moitié et le mary forfait tout *eo quia habet liberam administracionem.* Si conclut *ut supra,* et que leur copie soit col- lationnee aux lettres [de] Dynadam.

Appoinctié est que les parties mettront devers la court lettres et ce que vouldront, et la court fera droit au conseil.

Au conseil. Aguenin^a

[1 July 1429]   [X^{1a} 1481, fo. 14v]

A conseillier l'arrest d'entre Thomas Dring, escuier anglois, appel- lant, d'une part, et Jehan Ruis, dit Dynadam, d'autre part, sur le plaidoié du iij^e jour de mars m cccc xxvj.

Il sera dit que lesdis Thomas, procureur du roy^b et Jehan de Ruys, dit Dynadam, informeront la court *vocatis vocandis,* c'est assavoir ledit Thomas et procureur du roy,^{c} que ladite rente fu achetee des deniers

---

^{a} *In the margin*
^{b} procureur du roy *interlined*
^{c} et procureur du roy *interlined*

---

^{38} Tanguy du Chastel, one of the leaders of the Armagnac party, had fled Paris with the Dauphin, Charles, on 28–29 May 1418, and had then assumed the leadership of the dauphinist forces. See *Dict. Biog. Fr.,* xi, 1179–80.
^{39} Charles III, king of Navarre 1387–1425.
^{40} 10 September 1419, violently, on the bridge at Montereau.

du mariage*a* de la femme dudit Dynadam ordenez estre convertiz en heritage ou prouffit d'elle; que ycelle rente a esté rachetee et de la sterilité desdites terres du temps que ledit Dynadam demande les arrerages de ladite rente; et ledit Dynadam de ce qu'il vouldra au contraire dedens lez jours*b* de Vermendois[41] prochain venans, pour tous delais. Et ce fait et rapporté et joint au proces, la court fera ce qu'il appartendra.

[28 Novembre 1429]   [X¹ᵃ 4796, fo. 139r]

En la cause d'entre Jehan de Ruis, dit Dynadam, demandeur, d'une part, et Thomas Dring, d'autre part, Dynadam requiert que le proces dont recite le demené soit jugié en l'estat qu'il est, veu qu'il n'a point informé la court de ce dont devoit informer ycelle court, ou que luy face provision de sa moitié.

Maistre Robert de la Haie et Drobille[42] dient que Thomas est prisonnier avec autres de Jargueau,[43] et a esté empeschié et n'a peu faire ses preuves et informacions; si aura delay, et ne sera point encorez jugié le proces, et ne chiet provision en ceste matiere.

Le procureur du roy, qui est adjoint, emploie le propos de Thomas Dring.

Appoinctié que Thomas Dring et le procureur du roy auront encorez ung delay jusquez a la Purificacion Notre Dame[44] pour toutes prefictions et delais.

[9 February 1430]   [X¹ᵃ 4796, fo. 176r]

En la cause d'entre Jehan de Ruis, dit Dinadam, demandeur, et Thomas Dring, defendeur, qui demande delay et requiert que la commission de rapporter l'enqueste soit renouvellee, veuz lez empeschemens dont fait mencion sa requeste renvoiee ceans de la chancelerie.

Le procureur du roy dit qu'il est adjoint avec Thomas Dring qui est instruit de la cause, et doit demener le proces, et scet par qui il prouvera, et n'en scet riens le procureur du roy *et non cessat impedimentum*, car Thomas est prisonier de Jargueau, en grant povreté, et

---

a *Followed by* dudit, *struck out*   *b* jours *repeated in MS*

[41] It was customary to hear the suits from the *bailliage* of Vermandois at the beginning of each new sitting of the Parlement in November.

[42] Pierre Drobille was a *procureur* at the Parlement by 1421 (J. Favier, *Les Contribuables parisiens à la fin de la guerre de Cent Ans. Les rôles d'impôt de 1421, 1423 et 1438* (Geneva: Paris, 1970), p. 162).

[43] Jargeau, Loiret, arr. Orléans. The town was taken by 'une pucelle' on 12 June 1429, and the earl of Suffolk and others were captured, an event recorded in the register of the *conseil* of the Parlement (A.N., X¹ᵃ 1481, fo. 19r).

[44] 2 February 1430.

est estrangier, et ne puet avoir sa finance; pour ce le chancelier se rapporte a la court de donner le delay qui sera donné *quamdiu impedimentum durabit.* Et dit que Dynadam n'a voulu monstrer les lettres de son mariage, et y a deux ans qu'il attendoit sa femme de jour en jour, et n'est point encorez venue; si auront delay *quandocumque ex justa causa.*

Appoinctié que la court verra la requeste ou lettre venant de la chancelerie et les appoinctemens fais en ceste cause; et fera droit au conseil.

    Au conseil. Morvilliers*a*

[15 February 1430]   [X¹ᵃ 1481, fo. 23r]

A conseillier l'arrest ou appoinctement d'entre Jehan de Ruis, dit Dinadan, demandeur, et Thomas Dring, escuiers, defendeur, d'autre part.

Appoinctié que la cause surserra en estat jusquez au premier jour de may prochain venant, se plus tost ledit Thomas n'est retourné, ou quel cas elle surserra jusquez a xv jours aprés son retour; et se cependant ledit Dynadam veult proceder a son enqueste, faire le pourra.

    *Dictum partibus xvii [die] februarii.*ᵇ

[8 June 1430]   [X¹ᵃ 4796, fo. 215v]

En la cause d'entre Jehan de Ruys, dit Dynadam, demandeur, d'une part, et Thomas Dring, defendeur, d'autre part, le demandeur recite le demené du proces et lez delais du defendeur qui ne quiert que delais pour l'empeschier a fin qu'il ne joysse de son heritage; si requiert provision sur le sien, car il n'a de quoy vivre, ou que le proces soit jugé *in statu.*

Maistre Pierre Drobille dit que Thomas Dring fu prisonnier a la prise de Jargueau et encorez [fo. 216r] est prisonnier, *et durat impedimentum;*ᶜ si aura delay.

Le procureur du roy dit qu'il y a pitié d'une part et d'autre, et seroit dur de debouter Thomas Dring de la preuve du fait proposé par lui, veu l'empeschement de prison qui lui est survenu; aussi d'autre part le demandeur n'a de quoy vivre;⁴⁵ pour ce le procureur du roy, qui a interest en ceste matiere pour le droit de proprieté qui lui puet escheoir par confiscacion par le moien de la femme du demandeur, est d'accord que la court face aucune provision d'un tiers ou de la moitié, sauf a recouvrer en cas que cherra en recouvrance ou en restitution.

Dynadam dit que on lui doit faire provision de tout, veu que le defendeur est decheu de prouver, et n'a fait sur ce aucune diligence;

---

a In the margin   *b In the margin*   *c Followed by* et, *struck out*

⁴⁵ A similar argument was used in Gaucourt *v.* Handford [n° **III**], p. 47.

et quoy que soit, aura des maintenant provision de la moitié, dont le procureur du roy est d'accord.

Le procureur du roy dit qu'il n'est point decheu de sa preuve, et appropose une coustume toute notoire, c'est assavoir que les conquestz sont communs entre mary et sa femme.

Dynadam requiert aussi provision de l'autre moitié.

Appoinctié que la court verra les appoinctemens et l'estat de ceste cause, et ce que les parties vouldront monstrer au conseil, et fera droit; et ce pendant chascune desdites parties se pourra opposer pour son interest aux criees des rentes.

[21 June 1430]   [X¹ᵃ 1481, fo. 28v]

A conseillier l'arrest ou appoinctement d'entre Jehan de Ruys, dit Dynadam, demandeur, d'une part, et Thomas Dring, defendeur, d'autre part, sur le plaidoié du viij^e jour de juing m cccc xxx.

Il sera dit que la court prorogue la surseance en estat de la cause desdites parties jusquez au premier jour d'octobre prochain venant, se plus tost ledit Thomas n'est retourné; et se plus tost est retourné, ladite prorogacion durera jusquez a ung mois apréz le retour d'icellui Thomas; et se cependant ledit Dynadam veult proceder a faire faire son enqueste, faire le pourra. Et lui fait ladite court provision de prendre et avoir doresenavant jusquez a ce que autrement en soit ordené sur les heritages dudit de la Bretonniere, la moitié des ij^c livres tournois de rente dont il a fait demande a sa caucion de le restituer se restitucion y chiet en fin de cause.

Dictum partibus xxiij [die] junii. Morvilliers^a

[23 June 1430]   [X¹ᵃ 67, fo. 11r]

Cum in certa causa appellacionis et principalis mota et pendente in curia nostra Parlamenti inter dilectos nostros Thomam Dring, armigerum anglicum, et procuratorem nostrum generalem pro nobis, prout quemlibet tangit, ex parte una, et Johannem Ruys, dictum Dynadam, domicellum, ex altera, racione vel occasione certi redditus annui et perpetui ducentarum librarum turonensium quem dictus Dynadam se percipere [? debere]^b dicebat annuatim terminis in litteris super hoc confectis declaratis in et super hereditagiis defuncti Johannis dicti le Breton, domini de la Bretonniere, quondam militis, que dictus Thomas Dring ex dono regio et jure confiscacionis possidere dicebat, et nonnullorum arreragiorum ex eodem redditu sicut dictus Dynadam dicebat debitorum; prefata curia, dictis partibus auditis ac viso earum processu, quinta die mensis augusti ultimo preteriti ordinasset et appunctasset quod eedem partes informarent ipsam curiam, vocatis

_____

^a *In the margin*   ^b *MS* dicere

vocandis, infra tunc instantes et novissime lapsos dies ordinarios bail-
livie Viromandensis nostri presentis Parlamenti, pro omni dilacione.
Dicti scilicet Thomas et procurator noster [dicebant] quod dictus
redditus fuerat emptus ex denariis datis ad opus matrimonii dicti
Dynadam et Nicolae, uxoris sue, filie Alexandri le Boursier, receptoris
dudum generalis subsidiorum pro guerra in [fo. 11v] Francia ordina-
torum, et converti ordinatis in hereditagium ad utilitatem ipsius
uxoris, quodque dictus redditus extitera[t] redemptus ac de hereditate
dictorum hereditagiorum tempore quo dictus Dynadam arreragia
huiusmodi redditus petebat, et predictus Dynadam de eo quod in
contrarium vellet informare.

Et hoc facto et relato ac processu*a* juncto, ipsa curia faceret ulterius
quod foret racionis, advenientibus vero dictis diebus, antedicta curia
nostra, die videlicet xxviij^{va} novembris ultimo lapsi, ad instanciam
procuratoris dicti Thome Dring dicentis inter alia ipsum Thomam
prisionerium ab adversariis nostris detentum aliam dilacionem pro
informando de premissis usque ad tunc sequens festum Purificacionis
beate Marie Virginis concessisset, eciam pro omni prefixione et dilacione. Quo lapso Purificacionis festo dicti Thomas et procurator noster
dicentes inter cetera ipsum Thomam super defensione dicte cause
plenarie instructum in quodam excercitu nostro in partibus Aureli-
anensibus[46] causa rei publice facto captum et apud Jargolium[47] prisionarium ductum fuisse, et adhuc propterea impeditum et detentum
esse causam huiusmodi in statu in quo erat teneri et supersedere
quamdiu dictum impedimentum duraret petiissent; partibusque super
hoc auditis, ac visa quadam requesta civili nobis seu cancellario nostro
propter hoc porrecta et dicte nostre curie transmissa, eadem curia xvij
die februarii ultimo lapsi dixisset quod dicta causa supersederet in
statu usque ad primam diem tunc sequentis maii nisi cicius idem
Thomas esset regressus seu reversus, quo casu eadem causa supersederet tantum usque ad quindenam regressus sui huiusmodi sequentem;
et si hoc pendente dictus Dynadam vellet procedere ad faciendum
inquestam suam, id facere posset; lapso autem dicto supersedencie
termino, dictus Dynadam dicens eciam inter alia dictos Thomam et
procuratorem nostrum, et presertim ipsum Thomam, dilaciones et
suterfugia semper quesivisse requirere ad impediendum quin idem
Dynadam suo*b* hereditagio seu redditu gauderet quatinus dictus processus in statu in quo erat et est judicaretur aut saltem provisio fieret
eidem de dicto redditu aut de congrua porcione ipsius postulasset;
dicti vero Thomas seu procurator suus et procurator noster, dicentes

---

a MS processui   *b* MS sub

---

[46] Orléans, Loiret.   [47] Jargeau, Loiret, arr. Orléans.

ut alias ipsum Thomam adhuc ut prius impeditum esse, aliam supersedencie dilacionem duraturam quantum dictum impedimentum pre-
fati Thome duraret requisiissent, consenciendo per dictum procuratorem nostrum quatinus fieret dicto Dynadam provisio de medietate
aut alia legitima porcione dicti redditus cum contingente.

Auditisque dictis partibus, memorata [fo. 12r] curia nostra eas ad
tradendum penes ipsam appunctamenta et alia munimenta quibus se
juvare vellent ac in jure seu arresto appunctasset concedendo quod
quelibet dictarum partium pro interesse suo se valeat opponere cridis
factis et faciendis de hereditagiis predictis.

Notum itaque facimus quod, visis per dictam nostram curiam ap-
punctamentis alias in dicta causa captis et factis, ac consideratis considerandis in hac parte, prefata curia nostra antedictam prefate cause
supersedenciam in statu prorogavit et prorogat usque ad primam
diem instantis mensis octobris nisi cicius dictus Thomas reversus fuerat
[sic], quo casu scilicet quod cicius regressus dicta prorogacio supersedencie durabit usque ad unum mensem a regressu ipsius Thome
computandum. Si vero, hoc pendente, dictus Dynadam ad suam
inquestam faciendam procedere voluerit, hoc facere poterit. Et insuper
dicta curia fecit atque facit antedicto Dynadam provisionem capiendi
et habendi de cetero, quousque aliud super hoc per ipsam curiam
extiterit ordinatum super dictis hereditagiis antedicti defuncti de la
Bretonniere, medietatem supradicti redditus ducentarum librarum
turonensium, de quo faciebat et facit idem Dynadam petitionem, ad
cautionem ipsius Dynadam de restituendo huiusmodi provisionem [si]
fieri debeat in fine cause et quam eo casu idem Dynadam restituere
promisit ac promittit. Quocirca primo dicti Parlamenti nostri hostiario vel servienti nostro super hoc requirendo committimus et mandamus quatinus presentes litteras in his que execucionem exigunt execucioni debite demandet, cui in omnibus iusticiariis et subditis nostris
in hac parte pareri volumus et jubemus. Datum Parisius in Parlamento
nostro, die vicesima tercia junii, et anno domini millesimo quadringentesimo tricesimo.

[11 October 1430]   [X¹ᵃ 4796, fo. 245r]

Maistre Guillaume Gresle, notaire et secretaire du roy nostre sire,
a mis et met a pris certains heritages, cens, rentes et revenues assis a
Paris et a Chaliau[48] qui furent et appartindrent au feu Breton de la
Bretonniere, criéz a la requeste de Jehan de Ruys, dit Dynadam, a la

---

[48] Chaillot, incorporated into Paris in the late eighteenth century.

somme de quarante livres parisis pour une fois aux charges foncieres et anciennes pour toutez charges.

Enchiere*a*

[26 April 1431]   [X¹ᵃ 4796, fo. 292v]

En la cause d'entre Jehan de Ruis, dit Dynadam, escuier, demandeur, d'une part, et Thomas Dring, defendeur, d'autre part, le demandeur recite le demené du proces et requiert selon le dernier appoinctement que on lui face droit audit proces.

Maistre Pierre Dobrille dit que Dring fu prins a Jargueau et est prisonnier enfermé a la Ferté Bernart, et a esté et est*b* empeschié *pro re publica* et n'a peu faire diligence.

Le procureur du roy dit qu'il ne sauroit faire diligence sur l'examen des tesmoins se Thomas Dring ne lez y administroit; si auront delay.

Appoinctié que lez defendeurs auront delay pour informer comme dessus au lendemain de la feste saint Jehan Baptiste[49] pour tous delais, *alias* la court pourverra au surplus ainsi qu'il appartendra.

[28 August 1432]   [X¹ᵃ 4797, fo. 36v]

En la cause d'entre Thomas Dring, d'une part, et Jehan de Ruix, dit Dynadam, qui requiert que l'enqueste soit receue, veuz lez delais et appointments.

Thomas dit qu'il a lettre de prorogacion.

Appointié que la court verra lettres et appointments, et au conseil ferra droit.

[17 February 1433]   [X¹ᵃ 1481, fo. 65v]

A conseillier l'arrest d'entre Thomas Dring, chevalier anglois, d'une part, et Jehan de Ruys, dit Dynadam, escuier du pais de Navarre, d'autre part, sur le plaidoié du xxviijᵉ d'aoust m cccc xxxij.

Il sera dit que Thomas Dring aura encorez ung delay jusquez a la saint Jehan[50] pour toutez prefictions et delays, soit diligent ou negligent, pour faire examiner ses tesmoins et rapporter son enqueste.

J.*c* Voton.[51]. *Dictum partibus vijᵃ die marcii m cccc xxxijᵈ*

[26 August 1433]   [X¹ᵃ 4797, fo. 107r]

Jehan de Ruys, dit Dynadam, escuier, s'est consenti et consent que sans avoir regard a la taxacion des despens esquelz fut condempné

---

a *In the margin*   *b* *Followed by* p, *struck out*
c *MS* R   *d* *In the margin*

---

[49] 25 June 1431.
[50] 24 June 1433.
[51] Jean Voton was a *conseiller* at the Parlement during these years.

envers lui par le prevost de Paris ou son lieutenant messire Thomas Dring, chevalier anglois, et depuis furent taxéz par certains commissaires de Chastellet, son proces principal pendant en la court de Parlement, par le moyen de l'appellacion que fist ledit messire Thomas Dring dudit prevost de Paris, soit jugié et l'arrest prononcié. Et en ce faisant ledit Jehan de Ruys s'est deporté et deporte en tant que mestier est desdites despens par lui fais oudit Chastellet contre ledit messire Thomas Dring. Fait en Parlement ledit xxvjᵉ jour d'aoust.

[9 September 1433]   [X¹ᵃ 1481, fo. 76r]

A conseiller l'arrest d'entre Thomas Dring, escuier anglois, appellant, d'une part, et Jehan de Ruis, dit Dynadam, aussi escuier, d'autre part.

Il sera dit qu'il a esté bien jugié et bien taxé par le prevost et mal appellé par l'appellant, et l'amendera. Et le condempne la court es despens de ceste cause d'appel, la taxacion reservee pardevers icelle; et renvoye la court lesdites parties pardevant ledit prevost au premier jour d'octobre prouchain venant pour proceder l'une contre l'autre sur l'execucion de ladite sentence en l'estat qu'elles estoient au temps de ladicte appellacion.

J.ᵃ Voton. *Pronunciatum xij [die] hujus mensis.* Piedefer⁵²ᵇ

[12 September 1433]   [X¹ᵃ 68, fo. 37v]

Cum in certa appellacionis causa in nostra Parlamenti curia mota et pendente inter dilectos nostros Thomam Dring, scutiferum, appellantem, ex una parte, et Johannem de Ruys, dictum Dynadam, etiam scutiferum, appellatum,ᶜ ex alteraᵈ parte, supradictus appellans certas litteras per modum requeste civilis in dicta curia presentasset sub hac forma [   ]ᵉ quarum litterarum tenorem ad factum reducendo easdem per dictam curiam integrari requisiisset supranominatus Dinadam ex adverso inter cetera dicente quod dicta requesta inciv[i]lis et subrepticia erat, et quod dictus appellans post quatuor defectus rite obtentos contra ipsum Parisius debite adiornatum juxta stilum curie Castelleti per sententiam prepositi Parisiensis ad utilitatem ipsius Dynadam [fo. 31r] xjᵃ die maii, anni millesimi quadringentesimi vicesimi sexti prolatam in petitis ipsius Dynadam et in suis expensis condemnatus fuerat.

ᵃ MS R   ᵇ In the margin   ᶜ MS appellantem
ᵈ MS una   ᵉ Blank in MS

⁵² Robert Piedefer was appointed first *président* of the Parlement in February 1433.

Dicebat insuper prefatus Dynadam quod supranominatus Thomas ad videndum dictas expensas taxari et exinde post certas cridas et subhastationes visurus decretum terrarum et rerum cridatarum adjudicare debite adjornatus extiterat, nec illico sed post longum intervallum a sentencia expensarum taxatione et executione predictis appellaverat. Quare petiisset supradictus Dynadam dictum Thomam ad sua proposita non admitti, et, si admitteretur, ipsum male appellasse dici et pronunciari, et eumdem Thomam in suis expensis condemnari, in tantumque processum extitisset quoad prefata curia ultima die januarii, anni millesimi cccc^{mi} xxvij^{i}, per suum appunctamentum ordinasset quod dictus Thomas infra tunc instans crastinum Brandonum penes ipsam curiam suum donum seu titulum poneret atque in eodem crastino declararet quo^a loco et in qua expedicione publica ipse erat tempore adjornamentorum ex quibus supradicti defectus dependebant, et quod dictus Dynadam in contrarium audiretur; insuperque eadem curia ordinasset quod in supradicto crastino predicte partes ultra proposita^b per easdem in dicta appellacionis causa si vellent aliquid tangens suum principale dicere in eadem curia audirentur; et hoc facto atque processu^c juncto, curia per ordinem dictas partes, tam respectu appellacionis quam principalis, si opus esset, appunctaret.

Post quod quidem appunctamentum dictus Thomas inter cetera proposuisset quod supradicta adjornamenta ad suam personam aut suum domicilium minime fuerant facta, et quod antedicto Dynadam predictus ducentarum librarum redditus nullatenus competebat, nec illum redditum umquam acquisierat et esto quod acquisiisset, illum de pecuniis sue conjugis filie Alexandri Burserii et ad utilitatem ipsius conjugis acquisierat, et quod magna porcio antedicti redditus redenta [*sic*] fuerat, nec dictus Dynadam pro dicto redditu homagium fecerat, nec ejusdem umquam saisinam habuerat et quod sua predicta conjunx que cum inimicis nostris communicabat supradictum redditum insolidum saltim pro porcione confiscaverat, nec dictus redditus ad ipsum Dynadam pertinere insolidum^d potuerat, quare ut supra requisiisset antedictas litteras per modum requeste civilis traditas integrari, et si non integrarentur in causa dicte appellacionis conclusisset. Procuratore nostro pro nobis inter cetera dicente quod de consuetudine uxor partem mobilium et conquestuum durante matrimonio acquisitorum et sua propria hereditagia confiscare poterat, propterea requisiisset videre litteras tractatus matrimonii predictorum^e Dynadam et sue conjugis cum protestacione de dicendo et requirendo per eumdem procuratorem nostrum pro nobis in ea parte quod decebit.

^{a} *MS* quod ^{b} *MS* preposita ^{c} *MS* processui
^{d} *MS* insolidus ^{e} *MS* predictarum

Et insuper prefatus noster procurator pro nobis secum antedicto Dring ad finem [fo. 31v] quod dicta sententia nullum sortiretur effectum se adjunxisset atque proposita per dictum Dynadam ad finem confiscacionis repetiisset seu implicasset, supradicto Dynadam ex adverso inter cetera dicente quod supradictum redditum de suis nummis propriis in non dotalibus emerat et si de aliquo redditu per dictum de Lineriis aut suos antecessores redempcio facta fuerat adhuc supradictus ducentarum librarum redditus predicto Dynadam integer et salvus remanserat nec sua conju[n]x illum confiscare potuerat, quare ut supra conclusisset.

Et tandem auditis ad plenum hinc inde partibus, prefata curia per suum arrestum seu appunctamentum vj[a] die augusti[a] anni millesimi cccc[i] xxix[i], prolatum ordinasset quod supradicti Thomas Dring, procurator noster pro nobis et Dynadam ipsam curiam, vocatis vocandis, infra dies Viromandenses tunc instantes Parlamenti futuri pro omni dilacione informarent, videlicet dicti Thomas et procurator noster pro nobis quod supradictus redditus de nummis matrimonii conjugis ipsius Dynadam, filie dicti Alexandri, fuit emptus convertendus in hereditagium proprium et ad utilitatem dicte conjugis et quod dictus redditus fuit redemptus, et insuper informabunt dictam curiam de sterilitate dictarum terrarum pro tempore quo supradictus Dynadam arreragia dicti redditus petiisset et dictus Dynadam de contrario, si voluerit, dictam curiam informabit. Quo facto et curie reportato atque processu[b] juncto, per ipsam curiam prout decebit fiet jus.

Post quod quidem appunctamentum supradictis Thome et procuratori[c] nostro sub pretextu antedicte informacionis f[i]ende plures dilationes atque prefictionum prorogaciones[d] per nos et dictam curiam indulte fuissent. Et postremo vicesima quinta die junii anni m[i] cccc[i] xxviij[ii] presens processus ad judicandum per dictam curiam receptus extitisset atque partes in arresto appunctate fuissent. Viso igitur hujusmodi processu, cum grandi et matura deliberacione, attentis attendendis, per arrestum prefate curie dictum fuit supradictum prepositum bene judicasse et taxasse, et dictum appellantem male appellasse, et emendabit appellans, ipsum in expensis predicti Dynadam condemnando, earumdem expensarum taxacione dicte nostre curie reservata. Et per idem arrestum prefata curia predictas partes coram dicto preposito ad primam diem instantis mensis octobris processuras una adversus alteram super execucione dicte sentencie in statu quo erant tempore predicte appellacionis remisit atque remittit.

[a] *MS* augustii
[b] *MS* processui
[c] *MS* procuratoris
[d] *MS* prerogaciones

In cujus rei testimonium sigillum nostrum presentibus apponi jussimus. Datum Parisius in Parlamento nostro, xij^a die septembris, anno domini millesimo quadringentesimo tricesimo tertio, et regni nostri xj°.[53]

---

[53] It seems that Dring, like Sir John Handford, was able to keep his lands. On 23 December 1437, he was granted a delay of a year to make a declaration (*prisée*) of the lands belonging to the lordship of Vaux and others, and on 6 August 1439 another delay for six months to declare the lands which had once belonged to the lords of Lignières, Geoffroy Pippart and others (Coll. Lenoir, 4, pp. 399, 315). The prerogative power of the crown, exercised by the regent, appears to have annulled at least two judgments of the Parlement.

XV

The *Procureur du Roi v.* Pierre Maugier and the *Procureurs* of the University of Paris and the Earl of Salisbury

This suit was concerned with two issues, the patronage of the church of Boisney, and the claim of a member of the University of Paris to exemption from pleading in a case elsewhere than at the Châtelet in Paris. The suit had already been heard by the 'prévôt' of Paris who had ruled it should be heard before his court. In the present suit, an appeal from that decision, the 'procureur du roi' claimed that cases involving the king should be heard and decided in the localities, in this case, more specifically, in Rouen. The University, on the other hand, insisted that its members should not be disturbed in their studies by the necessity to plead outside Paris, arguing that the king's rights would in no way be threatened by having the suit heard in the capital. To this point of view the answer of the 'procureur du roi' was that in a case of patronage such as this, claims should be pursued by the patron (in this instance, the earl of Salisbury) and not by the University seeking to defend the rights of the person presented to the cure.[1]

Much of the later argument was to centre on who possessed the right to exercise the ecclesiastical patronage of Boisney: whether the king, in granting away fiefs, could preserve, or indeed did preserve, the rights of the patron as belonging to his domaine; or whether the lord of Thibouville was the proper patron.

The suit is a small incident in the unfriendly relations between the Parlement and the Châtelet during this period.

[26 August 1427]   [X^{1a} 4795, fo. 156r]

En la cause d'entre le procureur du roy, appellant, d'une part, et maistre Pierre Maugier[2] et le procureur de l'université de Paris, adjoint avec luy, et le procureur du conte de Salisbery,[3] intimés, d'autre

---

[1] Such an argument was to be used in the suit Courcelles *v.* FitzWalter (n° **XVIII**).

[2] Pierre Maugier, D.Can.L., was active in the life of the University of Paris, as *procureur* of the French *nation* by May 1421, as representative of the University at the papal curia by 1425 and as rector in 1427 (Denifle and Châtelain, *Chartularium*, iv, n°s 2177, 2267, n. 6). He was an *auditeur des causes* at the Châtelet from 1425 (*Gallia Regia*, iv, 335; *Fauquembergue*, iii, 8-9). A canon of the church of St. Marcel and a promoter of causes at the court of the official-principal of Paris, he was admitted to a canonry and prebend at Notre-Dame, Paris, in September 1430 (A.N., LL 113, p. 218). In 1432-33 he was involved in a suit against Jean de Paris over a prebend there (A.N., X^{1a} 4796, fos. 313r; 4797, fos. 15r, 16r, 26r, 39v, 40v). He was admitted again into a canonry in March 1435 (A.N., LL 114, p. 138).

[3] For the earl of Salisbury, see appendix II.

part, le procureur du roy presuppose les drois du roy en Normendie, et dit que le roy a le bail et garde de Jehan de Thibouville, soubz agé mineur, au quel appartient le patronnage et la presentacion de la cure de Boesne,[4] a la quelle le roy a presenté maistre Geffroy Lami[5] a l'evesque de Lisiex,[6] qui luy refusa faire collacion pour ce que on disoit que le conte de Salisbery y avoit presenté[7] maistre Pierre Maugier; pour quoy le procureur du roy print ung brief de patronnage devant le bailli de Rouen,[8] et y fist appeller les parties. Mais a ung jour Maugier, par ung sergent, par vertu d'un mandement, fist faire commandement au bailli que on renvoiast la cause devant le provost de Paris; et combien que le procureur du conte de Salisbery l'eust contredit, le sergent fist le renvoy et adjorna lez parties devant le prevost de Paris; et dit que a la journee le procureur du roy requist que la cause fust renvoiee a Rouen, attendu ce qui a esté dit en une autre cause pareille qu'il tient pour repeté; et neantmoins le lieutenant du provost dist qu'il n'en feroit point de renvoy; dont le procureur du roy appella, qui a bien appellé, et conclud en cas d'appel et a despens, et emploie ce qui a esté dit en l'autre cause pareille; et dit que par deca il y a ung qui s'est porté procureur de Salisbery qui a fait et requiz tout le contraire de ce que son procureur avoit fait au pais devant le bailli de Rouen; ne scet qui l'a fondé ne qui l'a instruit.

Les parties revendront jeudi sur l'appel et sur tout.

[28 August 1427]   [X[1a] 4795, fo. 159v]

En la cause d'entre le procureur de l'université de Paris, le conte de Salisbury, maistre Jehan Desquay[9] et maistre Pierre Maugier, intimés, d'une part, et le procureur du roy, appellant, d'autre part, et maistre Geffroy Lami, aussi appellant, les intiméz dient que le conte de Salisbery presenta comme patron Maugier a la cure de Poesnay, lors vacant, et en a eu collacion de l'evesque, et ont esté faictez lez subhastez en la maniere acoustumee; et neantmoins Geffroy Lamy, qui est jeunes homs, a cause de ladite cure le mist en proces au pais, et pour ce [fo. 160r] qu'il est escolier estudians en l'université de Paris, il

---

[4] Boisney, Eure, arr. Bernay, c. Brionne.

[5] Probably the same Geoffroy Lami, a graduate in medicine, referred to in 1444 (Denifle and Châtelain, *Chartularium*, iv, n° 2582).

[6] The bishop of Lisieux (Calvados) was Zano da Castiglione.

[7] He had done this by virtue of a grant made to him by Henry V on 1 June 1418 (Bréquigny, *Rôles normands*, n° 186). The right of presentation is not included in the calendar entry in *D.K.R.*, xli, 698.

[8] Sir John Salvain.

[9] Jean Desquay was a canon of Bayeux, and was a member of a local family. A councillor of the duke of Burgundy, he was the choice of the chapter for the vacancy to the see of Bayeux in 1432, but could not win the support of the Lancastrian government. He tried, unsuccessfully, to have the council of Basel intervene on his behalf.

fist faire le renvoy devant le prevost de Paris; et sur le renvoy y a eu grans debas et plaidoieries, et sur ce ont les parties esté appoinctees a baillier moti[f]s, semblement a esté fait en la cause de maistre Jehan Desquay,[10] dont cy dessus a esté plaidié a fin de recreance, Et *tandem* le prevost de Paris, par sa sentence, a dit qu'il ne feroit aucun renvoy de ceste cause, et demourroit par deca; si a esté bien jugié et mal appellé; concluent a ce. Et se on vouloit parler du principal, le sire de Salisbery est segneur de Tibouville,[11] et a cause de ce il est patron de ladite cure qu'il a donnee a Maugier qui la vault bien; si aura l'estat, et conclud a ce et despens; et en tant qu'il touche la cause d'appel par les privileges de l'université, le prevost doit congnoistre[a] de toutes les cause reeles ou personneles des escoliers a ce qu'ilz ne soient empeschiéz de leur estude; pour ce ilz ont fait advoquer ou renvoier ladite cause devant le prevost; et a ce que dit le procureur que ladite cause et les causes du roy doivent estre traictéez es bailliages etc, response que ceste cause ne touche point le demaine du roy, et ne dit on mie que le roy n'ayt la garde des mineurs en Normendie, et qu'il ne puist demener les causes des mineurs; et n'est mie *formaliter* question du demaine du roy, mais est question se le patronnage appartient au mineur ou au conte de Salisbery; et seroit miex le droit du roy conservé se on trouvoit que par le don du roy fait a Salisbery le[b] patronnage appartenoit a ycellui de Salisbery. Et n'y a point le roy d'interest de plaidier a Paris *quia fiscus ubique presens*;[12] mais l'université et Maugier y ont grant interest qu'ilz ne plaident au pais es assises tourneantes[13] ou ilz n'auroient conseil ne seur acces pour le peril des chemins; et n'y auroient point d'expedicion, et seroient distrays de leur estude, et ne sont mie lez privileges contre le roy par ce que dit est; aussi le roy se veult bien soubzmettre aux lois, et pour quoy donquez[c] vouldroit il empeschier lesdis privileges octroieez pour si grant bien, et mesmement en ce cas qui ne touche mie *formaliter* le droit ou le demaine du roy; et si n'est point le renvoy du sergent contencieux par appel et n'en a point esté appellé, et si est le procureur de Salisbery d'accord que la cause demeure en Chastellet,[14] et n'en seront point les drois du roy bleciéz, mais au contraire l'université seroit blecee se le renvoy estoit fait au

---

[a] doit congnoistre *repeated in MS*   [b] *MS* la
[c] *Followed by* ne, *struck out*

---

[10] See the pleading of 21 July 1427 (A.N., X¹ᵃ 4795, fos. 128r–129r, especially fo. 128v).

[11] Thibouville, Eure, arr. Bernay, c. Beaumont-le-Roger.

[12] A commonplace of juristic discourse. See Accursius on *Cod*. VII, xxxvii, 1.

[13] Assises held, for the sake of speeding up the administration of justice, wherever the *bailli* happened to be.

[14] The court of the *prévôt* of Paris.

pais; et allegue l'université usage en pluiseurs causes pareilles qui sont demourees par deca en Chastellet; et ce que dit est, il l'emploie pour maistre Jehan Desquay, et demande despens contre les parties ou il chiet.

Le procureur du roy dit que le roy represente la chose publique, et sont ses drois moult favorables, et doit on favoriser ses officiers; pour ce lez causes des drois du roy seront traicteez et poursuieez par ses officiers au pais; autrement se on lez traictoit par deca, il convendroit que lez officiers du roy venissent par deca ou ilz sejourneroient et demouroient aux despens et gaiges du roy, et y vendroient et retourneroient a grans perilz, et tant qu'ilz seroient absens, les besoingnes du roy se delaisseroient au pais, et convendroit faire longs proces et enquerir de fais et de coustumes, et envoier commissaires au pais a grans despens pour enquerir des fais et coustumes dont on pourroit promptement savoir au pais; si ne seront les causes dessusdites [fo. 160v] traicteez par deca mais seront traicteez au pais, car c'est la volenté des patrons ausquelz appartient le demené desdis causes et proces; et en sont d'accord ausquelz proces se sont boutéz Maugier et Desquay qui soubz umbre de leur scolarité veullent tenir le proces par deca, et toutesvoiez ils ne seroient seulz receuz a demener ladite cause de brief de patronnage, mais en appartient la poursuite aux patrons; si demourra au pais, *alias* toutez les causes des drois du roy pourroient par telles manieres venir par deca. Dit oultre que ladite cause est premiere introduite au siege d'Orbec[15] en assise ordinaire et non mie en assises tourneantez; puet bien estre que depuis, du consentment des parties, pour ce que la ville de Bernay[16] est plus seure place que la ville d'Orbec, on a mis la cause a Bernay; et combien que Maugier et Desquay se soient voulu bouter en proces, il n'est point de neccessité qu'ilz y soient; et appartient la poursuite aux patrons qui accorderont et en feront ainsi que bon leur semblera sans en parler a leurs presentéz; et pour ce cessent les causes et raisons dez privileges de l'université; et est vraissemblable que lez patrons demeneront et poursuiveront miex les causes de patronnage que leurs presentéz, et plus seurement pour ce que lez causes touchent leur heritage; et touche ceste matiere le droit et le patrimoine du roy, car le droit de la garde des mineurs est demaine et patrimoine du roy; et est vray que quant le roy donne aucuns privileges, il ne lez donne jamais contre luy s'il n'est dit expressement; aussi n'est il besoing que Maugier, Desquay ne telz escoliers demainent telz proces, et s'en doivent attendre aux patrons qui lez defendront comme leur propre[a] demaine au pais plus seure-

---

[a] propre *interlined*

---

[15] Orbec, Calvados, arr. Lisieux. It was the seat of a *vicomté.*
[16] Bernay, Eure, about ten miles to the east of Orbec.

ment que on ne feroit par deca; si ne s'extendera point le privilege
contre le roy mesmement pour ce que le privilege est contre droit
commun, combien que le roy veulle bien vivre et soy regler selon les
constitutions et lois communes; et n'y fait riens au contraire le consentement du procureur du conte de Salisbery en Chastellet, car le
procureur au pais, qui est *dominus cause principalis*, l'a contredit. Ou
regard de l'estat, la cure est du patronnage du fief de Poesnay appartenant audit mineur du quel le roy a la garde; et le donna pieca le roy
regent[17] au feu*a* duc de Clarence[18] qui y presenta feu messire Raoul
Gosset;[19] et aprés son trespas fu*b* presenté feu messire Jehan de Huite-
ville,[20] anglois; et lors le conte de Salisbery tenoit le chastel de Thibouville par vertu du don a lui fait des terres que tenoit messire Jehan
de Thibouville qui ne seroient es vicontés d'Auge,[21] d'Orbec ou de
Pontau[de]mer;[22] ainsi Salisbery n'y puet riens avoir pour ce que
Poesnay est assiz en la viconté d'Orbec; et si est vray que es criees qui
furent pieca faitez, et en l'adjudicacion du decret des terres de Poesnay,
on reserva le droit des patronnages au roy, et depuis sont venuz au
mineur dont il a la garde; si aura son presenté l'estat; et dit que Maugier
estoit inhabile, excommunié*c* denuncié en la parroisse au temps de sa
presentacion ou collacion.

Alia die revendront les parties.

[29 August 1427]   [X¹ᵃ 4795, fo. 161r]

En la cause d'entre le procureur du roy, appellant, d'une part, et
l'université de Paris, maistre Pierre Maugier, maistre Jehan Desquay
et autres, d'autre part, qui dupliquent et dient que le prevost a bien
jugié es deux causes dessusdites, c'est assavoir au regard Desquay et de
Maugier, et doit la cause desdites parties demourer en Chastellet, car
generalment toutes les causes des escoliers y doivent estre traicteez par
leurs privileges; et allegue l'autentique *habita*;[23] et veult bien aucunesfois*d* le roy relaschier de ses drois pour une grant faveur comme
en ce cas, et doit on entendre que le roy s'est bien voulu lier au

---

a feu interlined   *b* Followed by de, struck out
c MS excommuncié   *d* Followed by que, struck out

---

[17] Henry V.

[18] Thomas, duke of Clarence, Henry V's brother, killed at Baugé in March 1421.

[19] Raoul Gosset, M.A., B.Th., was a *clerc* of the diocese of Lisieux; he was studying in
Paris in 1403 (Denifle and Châtelain, *Chartularium*, iv, p. 100 and n. 31).

[20] Possibly a John Whitfield or Woodville (?).

[21] Auge, a *vicomté* in central Normandy.

[22] Pont Audemer, Eure, arr. Bernay. The statement is confirmed by Bréquigny, *Rôles
normands*, n⁰ 186 and *D.K.R.*, xli, 698.

[23] The right of bona fide students to plead in their own courts, a privilege granted by
Frederick I at Roncaglia in November 1158 (A. B. Cobban, *The Medieval Universities:
their development and organization* (London, 1975), pp. 51–4).

privilege de l'université pour l'utilité et le bien publique, et n'est mie *simpliciter* privilege, mais est de droit commun *per dictam autenticam habitam*; et n'est mie vraissemblable que le roy veulle inquieter et distraire lez escoliers de leur estude qui defend que les autres ne lez inquietent; et ne vient mie le roy en ce cas en son nom, mais y vient comme gardien du mineur, la quelle garde est temporele; au regard de maistre Jehan Desquay, le roy y vient soubz umbre de la confiscacion d'une terre qu'il a donné a ung anglais; ainsi la cause demourra en Chastellet; et pourra le roy envoier instructions et messages au pais ainsi qu'il est acoustumé, mais les escoliers n'auroient de quoy envoier messages et instructions; et supposé que les patrons demenerent en leurs noms les proces, il est expedient que les presentéz y soient adjointz pour leur interest; [fo. 161v] et pour ce que les patrons n'y metteroient mie ung denier pour faire les frais et mises des proces, et s'il convenoit prouver coustumes ou fais, ce n'empesche point l'effect de leur privilege, *alias* jamais, au moins tres peu souvent, ils s'aideroient de leurs[a] privileges, pour ce que souvent y a fais et coustumes dont il faut enquerir au pais la verité; et si est vray que le patron par la coustume ne peut varier, et par ce les presentéz ont grant interest de soy adjoindre es proces avec les patrons; si demourront lesdites causes par deca. Et declarent pluiseurs causes de patronnage commenceez au pais qui ont esté advoqueez ou renvoieez par deca; si requerent que la court tiengne la main a ce que lesdis privileges soient gardéz, et n'entendent point de present a mettre en jeu le general de leurs privileges, mais seulement en tant que touche les deux causes dessusdites. Si conclud en cas d'appel esdites deux causes; et ne demandent aucuns despens ou regard desdites causes d'appel contre le procureur du roy qui est appellant.

Et en tant que touche le principal, ilz dient que le conte de Salisbery est segneur de Thibouville par le don a lui fait *cum juribus patronatus*;[24] ainsi il a deument presenté a ladite cure qui est du patronnage de Thibouville, et en appert par les adveuz et denombrements de Thibouville, et n'est mie la cure de la viconté d'Orbec, mais est de la viconté de Beaumont, et est du chief du fief de haubert;[25] et supposé que une petite partie de la terre de Boesnay fust d'Orbec, neantmoins

---

[a] *Followed by* part, *struck out*

24 'unacum ... advocacionibus ecclesiarum' (Bréquigny, *Rôles normands*, n° 186). The wording of the grant was no formality. See the pleading, made little more than a month earlier on 21 July 1427, in the case between Jean Desquay and the *procureur du roi*, in which it was said that 'y a ordonnance que quand le roy donne ung fief, le patronnage n'y est point comprins s'il n'est dit par exprez' (A.N., X^{1a} 4795, fo. 128v), a view expressed in other suits (e.g., X^{1a} 4796, fo. 98v).

25 i.e., of the entire fief.

le patronnage vendroit a la chief segnorie; ainsi fut dit en la cause de
maistre Jehan de Combes, et est le conte de Salisbery bien fondé, et en
apparera par lettres; et quant est du feu duc de Clarence, il est vray
que apréz la descente du feu roy regent[26] le duc de Clarence avoit et
entreprint grant auctorité, et demoura a Thibouville et donnoit lez
prebendes de Lisiex et autres benefices et nul ne luy disoit du contraire,[27] et n'estoit mie Salisbery lors segneur de Thibouville, et vivoit
Gosset quant le duc de Clarence presenta a ladite cure, et estoit sa
presentacion nulle; et quoy que soit le conte de Salisbery, qui monstre
de son droit, en doit joir et joyra de son patronnage, et aura son
presenté[a] l'estat qui est receu par le prelat et collateur, non obstant ce
que auroit esté entreprins de fait par le feu duc de Clarence; et ne
scevent riens de la presentacion ne de ce que maintient partie, et n'est
Maugier excommunié; et pour ce que Colin le Changeur[28] lui demandoit ung salut, il est vray que Maugier dist qu'il ne vouloit point estre
admonesté ne en proces pour ung salut, et vint devant l'official[29] et en
la presence du procureur dudit Colin il paia le dit salut, et *ex habun-
danti[b] cautela* print absolucion et en a lettre, et si est l'autre presenté
defectueux *in etate*, et ne veult Maugier arguer autre defaulte contre
luy *nisi defectum etatis*. Si concluent comme dessus, et que a fin d'estat
on voie une enqueste autresfois faite a cause de la presentacion et
debat de ladite cure.

Le procureur du roy dit que la terre de Boesnay est ung fief, et y a
justice, segnorie et officiers, et y est assise et fondee l'eglise parroissiale
et la cure de Boesnay; et pour ce supposé que le fief se divise, on dira
que le patronnage demourra a cellui qui tendra le fief ou l'eglise est
assise. Ainsi ceste segnorie est un fief *et unum universale*; si est le roy tres
bien fondé[c] attendu que Bosnay [fo. 162r] est en la viconté d'Orbec,
et fu le brief pris a comparoir a Orbec et y a comparu le conte
de Salisbery qui n'en a riens debatu; et si ont esté lez criees et
l'adjudication de ladite terre de Boesnay faitez a Orbec; et pour ce
fault dire que Boesnay est en la viconté d'Orbec, et n'y puet riens
demander Salisbery par le don a lui fait, car ce qui est a Orbec en est
exepté; et ne scet riens des adveuz de Thibouville dont se veult aidier
partie adverse, et n'y feroient riens car lez adveuz ne portent mie que

---

[a] *Followed by* qu, *struck out*   [b] *MS* habudanti   [c] *Followed by* car, *struck out*

[26] The normal way of referring to Henry V's second expedition to France in August
1417.

[27] In the suit between Desquay and the *procureur du roi* it was claimed that Clarence
had presented Laurence Bovery to the church of Hotot in the diocese of Lisieux (A.N.,
X^{1a} 4795, fo. 128v).

[28] Colin le Changeur was a skinner; he held land at Vanves in 1426 (Longnon, *Paris*,
p. 217).

[29] The official-principal of the bishop of Paris.

la cure soit du patronnage de Thibouville. Puet bien estre que en ceste terre de Thibouville y avoit pluiseurs arrieres fiefs, et se le segneur de Thibouville y avoit presenté ce auroit esté pour ce que le segneur de Thibouville estoit segneur de Boesnay; et quoy que soit du temps passé, on doit avoir regard a ce que le roy regent[a] a fait, le quel a reprins et tenu tout en sa main, qui pourroit avoir divisé les fiefs et hommages, ainsi qu'il a fait de la terre de Thibouville qu'il a donné au dit de Salisbery les terres de Thibouville, ou regard de ce qui est es trois vicontés dessusdites, dont est exepté ce qui est en la viconté d'Orbec et lez drois de patronnages; et si est vray que messire Raoul Gosset estoit trespassé au temps que le duc de Clarence presenta a ladite cure; et si est vray que le roy a presenté maistre Geffroy Lamy etc, *aut alium quovismodo.* Dit oultre le procureur du roy qu'il n'a mie plaine instruction et convendra envoier au pais; si proteste d'en dire plus avant se mestier est. Et quoy que die Maugier, il estoit et est excommunié, et n'a mie encorez contenté son crediteur qui l'a fait admonester sur peine d'excommunicacion, et a esté publié et denuncié excommunié; et se Colin le Changeur a attendu a faire publier ledit excommuniment, ce auroit esté pour ce que Maugier est practicien en Chastellet et en la court de l'official, et est promoteur des causes et a de grans faveurs et soubz esperance d'accord auroit delayé; et n'a mie paié Maugier, et ne seroit mie son paiement souffisant.

Maugier dit qu'il ne fu onquez excommunié, et si auroit esté absolz *ad cautelam*; et neantmoins viij jours apréz le commencement de ce proces, a l'instance de partie adverse, le chappellain l'a denuncié excommunié pour l'injurier; et toutesvoiez le procureur de partie adverse disoit et avoit dit audit chappellain que Maugier avoit contenté[b] ledit Colin le Changeur, peletier, et qu'il estoit absolz, mais le chappellain n'en fist compte, et dist qu'il le publieroit et qu'il n'avoit point congnoissance de cause.

Le procureur du roy dit que le chappellain somma gracieusement pluiseurs fois Maugier, chanoine de Saint Marcel,[30] qu'il se fist absoldre et qu'il avoit lettre d'excommuniment contre lui, mais il n'en fist compte, et depuis ainsi que dit le chappellain, Robin du Gué,[31] le pressa tres fort de seeler et publier l'excommuniment, et apréz pluiseurs delays,[c] a l'instance de Colin le Changeur, publia excommuniment dont Maugier fu mal content de lui, et lui dist qu'il le feroit priver de l'université et le greveroit; et disoit qu'il n'avoit mie esté si

---

[a] *Followed by* a f, *struck out*   [b] *Followed by* pa, *struck out*
[c] *Followed by* pub, *struck out*

[30] A collegiate church outside the walls to the south-east of Paris.
[31] Perhaps the 'maistre Robert du Gué' living in Paris in 1438 (Favier, *Contribuables parisiens*, p. 207).

courroucié de la condempnacion dont il estoit decheu ceans en ung autre proces; et dit le procureur du roy que Colin le Changeur n'est mie encorez content et lui doit on dix solz oultre et pardessus le salut que Maugier a paié.

[fo. 162v] Maugier dit que le chappellain est yci venu sans mander, et a l'instance de partie l'a publié excommunié, et toutesvoiez le dit du Gué affirmoit que le Changeur estoit content.

Le procureur du roy dit que Maugier a autre default, c'est assavoir *in defectu unius oculi.*

Appoinctié que la court verra lettres, explois, proces et ce que les parties vouldront monstrer au conseil, et fera droit.

Au conseil. Morvillier[32][a]

[12 September 1427]   [X[1a] 1480, fo. 384v]

A conseillier l'arrest d'entre le procureur du roy, appellant, d'une part, et maistre Pierre Maugier, et le procureur de l'université de Paris adjoint avec lui, et le procureur du conte de Salisbery, intiméz, d'autre part, sur le plaidoié du xxvjᵉ jour d'aoust m cccc xxvij derrain passé. *Et non fuit conclusum.*

[15 September 1427]   [X[1a] 1480, fo. 385r]

A conseillier l'arrest d'entre le procureur du roy, appellant, d'une part, et le procureur de l'université de Paris, maistre Pierre Maugier et le procureur du conte de Salisbury, intiméz, d'autre part, sur le plaidoié du xxvjᵐᵉ jour d'aoust derrain passé, m cccc xxvij.

Il sera dit que la court adjuge au roy l'estat de ladicte presentation.
Dictum partibus xvjᵃ die huius mensis. Aguenin

---

[a] *In the margin*

[32] Philippe de Morvilliers was first *président* of the Parlement 1418-33.

XVI
Henry Brancaster *v*. Sir Alan Buxhill

This short suit, the second involving Sir Alan Buxhill,[1] *concerned an attempt by Buxhill to compel Brancaster to lend him money and, when he refused to meet Buxhill's request, to get Brancaster into trouble for allegedly allowing the escape of two prisoners. Buxhill, it was said, stole the money which he could not otherwise obtain from Brancaster.*

Buxhill was to claim that the two escaped prisoners 'devoient grant raencon' and that Brancaster, who had given caution for them, was responsible for their escape. After the events described, Brancaster having been dismissed, undertook to pay compensation, but had then refused to pay it. Brancaster denied that the prisoners had any real monetary value, and that he was in any sense responsible for their escape. The blame, he said, must be placed on Buxhill's concubine and on the wife of one of the prisoners who, together, had organized the escape. All such arguments were rejected by Buxhill. The court, unable to establish the facts, provisionally freed Brancaster from the prison into which Buxhill had cast him. There is no indication how the dispute was finally resolved.

Comparison may usefully be made with the suit involving Buxhill against Thomas Lound which in no way showed up Buxhill in a good light, and which was finally sent before the Parlement 'criminel'.

[9 December 1427]   [X^{1a} 4795, fo. 179r]

Entre Henry Brancestre,[2] appellant du prevost de Paris, d'une part, et messire Alain Bougsel,[3] chevalier, intimé, d'autre part.

L'appellant dit qu'il a bien servy le roy et est du pais d'Angleterre, et si a esté prisonnier ij fois, et dit que messire Alain le fist emprisonner pour ce qu'il ne lui volt prester viij^{xx} saluz, et dist qu'il n'en partiroit jamais s'il ne lez paioit; et fist mener Henry devant ung notaire qui ne savoit parler anglois, et Henry ne scet parler francois; et toutesvoiez le notaire a fait une obligation que Henry n'entend point et ne scet qu'elle contient,[4] et si est faite *ex falsa causa* car Henry ne laissa point

---

[1] See his suit against Thomas Lound (n° **VIII**).

[2] Nothing is known of Henry Brancaster other than the evidence of this suit. Clearly a man of humble origins, he claimed to have served the king well, presumably as a soldier, since he had twice been made a prisoner. He denied Buxhill's statement that he acted as gaoler at Meulan.

[3] For Sir Alan Buxhill, see appendix II.

[4] It is not clear what command of the French language was achieved by those who resided in France for long periods. Brancaster may have pleaded ignorance of French because it suited him, for it was said that he understood it when he wanted to. In November 1446 Nicholas Molyneux, who had long experience in France and had

eschaper les ij prisonniers dont l'obligacion fait mencion, et si n'eussent sceu lez ij prisonniers paier x saluz; et depuis messire Alain rompi le coffre de Henry et y print xl saluz, certaine quantité de nobles, et print son bestail et avec ce l'a fait emprisonner a Paris; si a obtenu Henry lettres royaulz faisant narracion de ce que dit afin que on l'eslargisse, desquellez il a requiz l'enterinement a fin que on s'informe sommierement et que on lui pourvoie d'eslargissement; et dit que le lieutenant defendi a son advocat qu'il ne parlast pour luy, et aussi fist commandement a son procureur qu'il se teust, et appoincta que Henry ne seroit receu a opposicion s'il ne garnissoit de viij^{xx} salus, et toutesvoiez messire Alain a tous ses biens et n'avoit point de quoy garnir, et pour ce Henry appella; si a esté grevé par ce que dit est, et par ce que le juge ne se volt informer de la violence faite sur ladite obligacion; si requiert Henry que la court lui pourvoie de bonne equité, et que, l'appellacion mise au neant, la court s'informe sommierement de ladite violence et lui pourvoie; *alias* conclud en cas d'appel et a despens.

Messire Alain dit que son frere, le conte de Salisbery,[5] le mist pour lui en la garde du pont de Meulenc;[6] et fist messire Alain, comme lieutenant du capitaine, portier ledit Henry qui volt estre geolier et avoir la garde dez prisonniers; et en y avoit entre lez autres deux qui devoient grant raencon qui firent par une femme traictier a Henry de leur yssue et delivrance; et a une nuit, sans rompture, on trouva les huis ouvers par lesquelz lesdis prisonniers estoient yssus; et pour ce messire Alain bouta Henry hors de son office, et depuis Henry promist de paier viij^{xx} saluz pour les^a dommages et interestz de la delivrance desdis prisonniers, dont l'un estoit a rencon de ij^c saluz; et pour ce qu'il ne volt paier [fo. 179v] messire Alain le fist emprisonner; et apréz ce que Henry ot impetré estat, ilz vindrent au proces dont recite le demené, par lequel appert que le prevost n'a en riens grevé Henry, car le juge le povoit contraindre a garnir par le stile, et toutesvoiez il le receu a caucion de la somme et ordonna que maistre Jaques Viart[7] s'informeroit du contenu en son impetracion; et ainsi Henry n'a point esté grevé, et s'obliga bien et deument sans force et sans contrainte, et

---

^{a} *Followed by* des, *struck out*

---

worked in administration, asked to be excused if his knowledge of French was inadequate (*Letters and Papers*, II, ii, [677], [682]). The 'Bourgeois' of Paris also wrote of the linguistic difficulties English and French had in communicating (*Bourgeois*, p. 279). Henry de Lidan, on the other hand, was said to understand English well (*supra*, p. 38).

[5] For the earl of Salisbury, see appendix II. Buxhill was his half-brother.

[6] Meulan, Yvelines, arr. Mantes-la-Jolie. The bridge had considerable strategic significance.

[7] Jacques Viart was a *commissaire* at the Châtelet in 1421 (Favier, *Contribuables parisiens*, p. 201).

entend bien francois quant il veult, et s'il n'en entendoit point, encorez
se pourroit il obligier en francois *per interpretem sicuti fieri potest in
scriptione*; et quoy que soit, puis qu'il appert de l'obligation saine et
entiere, il convient garnir; et a fait le juge ce qu'il a peu pour Henry,
et l'a recue a caucion en quoy on lui a fait grant courtoisie; et si a
ordonné le juge que informacion seroit faite par maistre Jaques Viart
du contenu en son impetracion; et n'est mie vraissemblable que le juge
eust voulu defendre le parler a son advocat ne a son procureur s'ilz ne
parloient irreveraument ou contre l'appoinctement du juge. Si conclud en cas d'appel et a despens.

A jeudi revendront lez parties.

[16 December 1427]   [X^{1a} 4795, fo. 182v]

En la cause d'entre Henry Brancestre, appellant, d'une part, et
messire Alain Bougsel, anglois, chevalier, intimé, d'autre part,
l'appellant replique et dit que lez ij prisonniers estoient povres labou-
reurs qui n'estoient que a xvj escus de raencon, et encorez ne le
pouvoient ilz paier; et si n'avoit mie la garde d'eulz, ne dez autres
prisonniers, et n'estoit mie geolier, et s'en alerent^a par la garde du
cheval et de ses gens; et est vray que messire Alain, qui est marié, tenoit
une concubine a Meurlenc a laquelle parla la femme de l'un des
prisonniers [fo. 183r] et traicterent ensemble et bailla ycelle concubine
une toaille par laquelle descendirent les prisonniers, et n'eschaperent
mie par la faulte de Henry qui ne passa onquez l'obligation, et *per vim
et metum mortis* auroit passé ladite obligacion, et lui disoit le chevalier
qu'il le feroit morir s'il ne passoit ladite obligacion; ainsi l'obligacion
est nulle, et si a prins le chevalier touz ses biens et rompu son coffre ou
il a prins xl frans en monnoie, et n'a de quoy garnir; si requiert que,
l'appellacion mise au neant sans amende, la court s'informe sommierement et de plain, et que la court luy^b pourvoie, car il est estrangier du
pais d'Angleterre.

L'intimé dit que les prisonniers rompirent ung mur de iiij piés
d'espoisse, et leur bailla Henry instrumens pour ce faire, et s'absenta
Henry et depuis retourna, et voluntairement s'obliga a paier viij^{xx}
escus; et estoit portier et geolier, et n'a point esté grevé.

Appoinctié que la court verra l'obligacion, les lettres et munimens
dez parties, et au conseil fera droit.

Au conseil. Aguenin$^{8\,c}$

---

^{a} *MS* ala
^{b} *Written over* leur
^{c} *In the margin*

[8] Jean Aguenin was the second *président* of the Parlement.

[10 January 1428]   [X¹ª 1480, fo. 393r]

Item, a conseillier l'arrest d'entre Henry Brancestre, appellant du prevost de Paris, d'une part, et messire Alain Bux[hill], chevalier, intimé, d'autre part; *et non fuit omnino conclusum*, mais esté advisé que premierment ledit chevalier sera interrogué sur les fais contenuz ou plaidoié et en l'impetracion dudit Brancestre et autrement.

[28 January 1428]   [X¹ª 1480, fo. 393v]

Item, a conseillier l'arrest d'entre Henry Brancestre, appellant du prevost de Paris, d'une part, et messire Alain Buxule, chevalier, intimé, d'autre part, sur le plaidoié du ixᵉ jour de decembre derrain passé m cccc xxvij.

Il sera dit que la court a mis et met au neant sans amende ladite appellacion et ce dont a esté appellé, et procederont ceans les parties sur leur principal. Et sera eslargi ledit Henry jusquez au jour Saint Jehan Baptiste prochain venant,⁹ *mediante caucione juratoria et sub pena amissionis cause*. Et lui interdit la court l'alienacion de ses biens immeubles jusquez a ce que autrement en soit ordonné, tous despens reservéz en diffinitive.

         Pronunciatum ultima [die] Januarii iiijᶜ xxvij. Aguenin[a]

[2 July 1428]   [X¹ª 1480, fo. 405v]

Ce jour veue la requeste de Henry Brancestre, anglois, prisonnier, eslargi du dernier jour de janvier au lendemain de la Saint Jehan derrain passé, et oy le procureur de messire Alain Buxule, chevalier, a la requeste duquel ledit Henry estoit prisonnier, et le quel procureur a respondu comme autresfois qu'il ne pourverroit point de vivres en prison audit prisonnier, la court a prorogué et proroge l'eslargissement dudit Henry jusquez au lendemain de la Saint Martin d'Yver prochain venant,¹⁰ et luy a fait la court pareille interdiction que fu faite ledit derrain jour de janvier.¹¹

         Eslargissement[b]

---

[a] *In the margin*
[b] *In the margin*

⁹ 24 June 1428.
¹⁰ 12 November 1428.
¹¹ This text is printed in *Fauquembergue*, ii, 282.

XVII

Sir John Popham, Sir William Oldhall, Sir Thomas Rampston and William Glasdale *v.* Lord Talbot, John Winter et al.

This short but interesting suit about rights over prisoners of war was founded on events surrounding the dramatic recapture of Le Mans by a force under John, Lord Talbot, on 28 May 1428.

Some of those concerned had sworn brotherhood in arms and a share in all profits of war. When, therefore, a dispute arose between John Winter and Roger Pelerin over a prisoner named Rohan, and William Glasdale had intervened to claim his share both as Pelerin's captain and as Winter's 'compagnon à butin', Glasdale's own 'compagnons' who had taken part in the recovery of Le Mans, joined in to seek their share of Glasdale's own portion. Winter, for his part, was supported by his captain, Talbot, who likewise sought a share, as did two of Winter's 'compagnons'.

The suit came before the Parlement on appeal, having already been heard by Lord Scales and other commissioners for prisoners and spoils. But the facts had not been adequately established, and further enquiries were needed.

The final outcome of this dispute is not known to us, since Glasdale was a casualty during the siege of Orléans, and Rampston, Lord Talbot and Lord Scales were all taken prisoners by dauphinist forces at Patay on 18 June 1429.[1]

[19 August 1428] [X¹ᵃ 4795, fo. 320v]

Messire Talbot,[2] Jehan Samtier,[3] Richard Jadin[4] et Jehan Phanon,[5] escuiers anglois, revendront lundi.

[26 August 1428] [X¹ᵃ 4795, fo. 322v]

Messire Jehan Poupans[6] et messire Tallebot, d'une part, et Guillaume Glasdaz[7] revendront lundi.

---

[1] The suit is referred to by Keen, *Laws of War*, pp. 153-4, where the events here described are incorrectly said to have taken place in 1425.

[2] For Lord Talbot, see appendix II.

[3] This may be John Winter, for whom see appendix II.

[4] Possibly Richard Gildon.

[5] Possibly John Felawe.

[6] Probably Sir John Popham, for whom see appendix II.

[7] For William Glasdale, see appendix II.

[30 August 1428]   [X¹ᵃ 4795, fo. 324v]

Entre messire Jehan Poupam, Guillaume Oldhalle,[8] Thomas de
Rameston,[9] chevaliers, et Guillaume Glasdal, appellans d'une part, et
messire Jehan, seigneur de Talebot, Jehan Winter, Jehan Felawe,
Richart Gildon escuier, d'autre part, les appellans dient que Tallebot,
pour la recouvrance du Mans,[10] lez assembla avec pluiseurs autres et
furent lez appellans compagnons de ce qu'il leur escherroit en ladite
recouvrance; et advint que Glasdal, qui avoit eu moult de peril et
depence en la recouvrance, ala en ung hostel ou il y avoit xij hommes
d'armes dez ennemis qui s'estoient longuement defenduz, et finablement se rendirent a Glasdal, et en mena trois en sa maison; lez autres,
pour la foulle de ceulz qui survindrent, furent ailleurs menéz; et pour
le debat que firent devant Talebot deux escuiers pour la prise d'un
nommé Rostelin, Tallebot dit a Glasdais qu'il*a* lui amenast les autrez
prisoniers qu'il tenoit; et furent Rostelin et lez deux autres qu'il tenoit
amenéz devant le sire de Scale[11] et autres commissaires; et pour ce
qu'ilz estoient en la possession de Glasdas et de ses compagnons, ils
appellerent desdis commissaires qui lez voldrent despointier, et ordon-
nerent qu'ilz demourroient en main de justice. Si conclud en cas
d'appel et a despens, et dient qu'il n'y avoit point de cas privilegié au
regard des autrez prisoniers. Concluent selon leur impetracion a fin
que lesdis prisonniers leur soient renduz, et demandent despens contre
les defendeurs, et ramainent a fait lettres et explois.

Les intiméz et defendeurs dient que Winter et autres, pour
l'entreprise dez ennemis qui se bouterent dedens la ville du Mans,
furent contrains de se bouter dedens la tour, et apréz firent entree a
Tallebot, et saillirent sur les ennemis; et dist Tallebot a Vinter qu'il
alast lui [?mener]*b* xxxᵉ par la ville sur les ennemis, et alerent en l'ostel
[de] Jaque Bonin ou il en y avoit bien xl qui se defendoient, et se
monterent en une forte vis ou ilz ruoient pierres et trait; et pour ce

---

a MS qui   *b* A verb is required here

---

[8] For Sir William Oldhall, see appendix II.

[9] For Sir Thomas Rampston, see appendix II.

[10] Le Mans, Sarthe. The town had originally been taken by the earl of Salisbury in
August 1425. Lost late in August 1428, it was recaptured a few days later in the events
here described. The appeal was therefore being heard in the Parlement only three
months after the events with which it was concerned.

[11] Thomas, Lord Scales, played an important military role in Normandy chiefly in
the 1420s and 1430s. He was captain of a number of fortified places, including Verneuil,
Vire, Domfront, Pontorson, Granville, Saint-James-de-Beuvron, St. Lô, and Regnéville,
most of them in western Normandy, and the recipient of a number of lordships and
grants, generally in the same area. He was later to act as seneschal of Normandy. His
marriage in Paris in 1424 is referred to in *Bourgeois*, p. 201. See appendix I for his
personal involvement in other suits before the Parlement.

Winter retourna devers Tallebot pour avoir plus forte compagnie, et en alant par la ville re[n]contra Glasdaz et compagnons soubz ung estandart blanc a 1 chevron noir,[12] et estoit Glasdaz seul et n'avoit point charge de gens, et neantmoins Winter et Glasdaz firent et jurerent compagnie a butin, et vindrent au lieu; et pour ce que Gladaz dist qu'ilz se rendissent a lui, lez autres compagnons qui estoient premiers venuz dirent qu'ilz lez tueroient s'ilz se rendoient a autre que eulz; et apréz pluiseurs paroles Guillaume Glasdaz dist qu'ilz [fo. 325r] seroient touz a butin et que on le laissast parler a eulz, et en furent d'accord; et sur cez paroles monta Glasdaz et parla a eulz, et ne peurent lors traictier, et depuis recommencerent ung fort assault, et monterent des premiers Gladaz, Vinter, Rogier et autres qui en prindrent chascun qui miex miex; et pour ce que Vinter et Rogier Pelerin se debatoient et tiroient Rohan pour l'avoir, Glasdaz descendy pour ce qu'il vit Rameston qui lez regardoit et y estoit survenu, et l'acompagna lors a son butin pour estre plus fort; et depuis y ot debat devant lesdis commissaires entre Vinter et ledit Rogier pour ledit de Rohan, prisonnier, et survint Glasdaz qui y demanda droit, c'est assavoir le tiers pour ce que Rogier estoit soubz lui et que Glasdaz estoit son capitaine. Et sur ce les parties furent interroguéz s'il y avoit tesmoins; et y ot tesmoins examinéz du costé de Winter etc, *quia materia est extraordinaria et continet contraria facta.*

Appoincté que, l'appellacion mise au neant sans amende, chascune desdites parties pourra dedens la feste de Toussains prochain venant[13] faire examiner jusquez au nombre de x ou xij tesmoins sur ung brief *Intendit*[14] qu'ilz bailleront dedens xv^ne. Et auront commission ycelles parties pour faire venir ceans tout ce qui a esté fait devant lesdis commissaires et au pais pour valoir ce que raison donra. Et revendront les parties ceans, aux jours du bailliage de Vermendois[15] du Parlement prochain, dire et faire en oultre ce qu'il appartendra. Et seront tous les prisonniers contencieuz entre toutez lesdictes parties *hinc inde*, tant en demandant comme en defendant, mis ou chastel de Faloise[16] soubz la main et en la garde du conte de Salisbery, lieutenant general du roy, dedens le premier jour d'octobre prouchain venant.

[12] In the Parliamentary Roll of Arms of the early fourteenth century, the arms Argent a chevron sable were those given for Sir William de Walton of Essex. Talbot had a William Walton as a man-at-arms in his personal retinue and who also served in his garrison at Gisors in 1435-37. It is possible that the arms were his.

[13] Before the feast of All Saints, 1 November 1428.

[14] This was a form of summary of the conclusions reached by the parties at a particular stage in the suit, but lacking the final demands of the parties or the results of inquisitions ordered by the court. See p. 64, and Aubert, *Histoire du Parlement*, i, 80-2.

[15] The suits from the *bailliage* of Vermandois were usually heard first at the beginning of the annual sitting of the Parlement in November.

[16] Falaise, Calvados, arr. Caen.

[12 Octobre 1428]   [X¹ᵃ 4795, fo. 330r]

Messire Jehan, seigneur de Talbod, requiert en la cause d'entre lui, messire Jehan Pourpan, Guillaume Glasdal et autres, son *Intendit* estre receu, et oultre commissaires telz que lui et ses consors nomment. Glasdal et ses consors dient que Talbod vient trop tard a bailler son *Intendit*, et auront gaignyé leur cause au regart de lui et au regart d'avoir commissaires; n'est pas d'accord des commissaires [fo. 330v] [   ]ᵃ et ses [   ],ᵃ mais nomme autres.

Appoinctié est que l'*Intendit* [de] Talbod sera et est receu, et baillera Glasdal contre chacune de ses parties adverses un brief *Intendit* dedens viij jours prouchain venant, et les verront icelles ses parties. Et auront *hinc inde* les parties deux commissaires de ceans, ou ung *cum adiuncto*.

ᵃ *The MS is damaged at this point*

XVIII

The University of Paris and Thomas de Courcelles *v.* Walter, Lord FitzWalter and Michel Faucq

The exercise of ecclesiastical patronage could be an important profit of lordship for those Englishmen to whom lands were given in France.[1] *In November 1428 the University of Paris and Thomas de Courcelles came into the court to claim not only that they were opposed to the presentation of Michel Faucq by Walter Lord FitzWalter to the church of Ecrammeville in Normandy, a presentation said to belong to the king, but also that the procedure pursued by the Englishman and his nominee through the courts of the duchy was contrary to the privilege accorded to the University and its members who were not obliged to plead elsewhere than in Paris.*

FitzWalter said that the suit did not involve the university, since it was principally one between patrons, and should be heard before local courts. The king's 'procureur' appeared to agree with this, but when Courcelles claimed presentation by the king, the 'procureur' decided to lend him his support. The main argument then came to centre on the claim of the king to exercise the clerical patronage of confiscated lordships, even if the local bishop was unwilling to accept his nominees, a claim which FitzWalter disputed, saying that not all lay patronage belonged to the king. The king's 'procureur' was then to state the principle that in making a land grant the king did not necessarily give away the right of patronage. More specifically, in this particular instance part of the alleged grant had been reserved to the king.

The suit was rapidly settled. The court, unimpressed by FitzWalter's arguments, quickly found in favour of the king and of his right to present to the cure.

[17 November 1428] [X¹ᵃ 4796, fo. 4r]

Au conseil de messire Watier filz Watier,[2] seigneur de Rochetesson,[3] sont baillés maistres J. Luillier, H. Roussel[4] et Jaques Tressart,

---

[1] 'La Normandie a été jadis l'une des provinces où s'exerça avec une ampleur singulière le droit de patronage laïque' (G. Mollat, 'Le droit de patronage en Normandie du XIe au XVe siècle', *Revue d'histoire ecclésiastique*, xxxiii (1937), 463). For examples of Englishmen acting as lay patrons in Normandy during the English occupation, see E. Anquetil, *Présentations et collations de bénéfices du diocèse de Bayeux (1436-1445)* (Bayeux, 1904), *passim*.

[2] For Walter, Lord FitzWalter, see appendix II.

[3] La Roche-Tesson, La Colombe, Manche, arr. St. Lô, c. Percy.

[4] Jean Luillier and Henri Roussel, both *avocats*, were *conseillers* of the duke of Bedford in the Parlement (*Letters and Papers*, II, ii, [555]).

advocas, et a l'université de Paris et maistre Thomas de Courcelles[5] sont baillés maistres J. de Rames, G. Intrant[6] et Jehan Labbat, advocas.

Dist[ri]b[uti]on[a]

[2 November 1428]   [X¹ᵃ 4796, fo. 8r]

Entre l'université de Paris, appellant, et maistre Thomas de Courcelles, maistre en ars et bacheler en theologie, d'une part, et messire Wautier filz Waultier, chevalier anglois, et Michiel Faucq,[7] d'autre part.

L'université presuppose lez privileges octroiéz aux estudians en ycelle par lesquelz ilz ne sont tenuz de plaidier hors de[b] la ville de Paris, et est besoing et neccessité pour le bien commun de ce royaume de lez garder et sont moult favorables. Et presuppose il est vray que ledit maistre Thomas de Courcelles, qui est bien notables homs, a obtenu du roy patron presentacion de la cure d'Estremainville[8] vacant lors par le trespas de maistre George Faulz, et presenta ses lettres de presentacion a l'evesque de Baieux.[9] Et pour ce que on disoit qu'il y avoit autre presentacion a ladicte cure contencieuse, s'assist entre les parties devant le bailli de Caen[10][c] certain proces qui fu renvoié devant le prevost de Paris[11] a l'instance de l'université et dudit de Courcelles. Et depuis partie adverse, soubz umbre de certaines lettres, fist renvoier par Jaques de Cramery, huissier de ceans, par devant le bailli de Caen, dont l'université a appellé; et depuis Courcelles et le procureur de l'université ont obtenu lettres royaulz pour renvoier tout ceans et y congnoistre du principal, desquelles recitent le contenu et requierent

---

[a] *In the margin*   [b] *Followed by* v, *struck out*   [c] *Followed by* o, *struck out*

[5] Thomas de Courcelles, born at Amiens *c.* 1400, was one of the most notable members of the faculty of theology at Paris during these years. He was to play an active part in the trial of Joan of Arc where he showed himself hostile to the accused. He represented his faculty at the congress of Arras in 1435 where he spoke 'like an angel' (J. C. Dickinson, *The Congress of Arras, 1435* (Oxford, 1955), pp. 17, 160). Rector of the University in 1430, 1431 and 1435, he attended the council of Basel and showed himself pro-conciliar in his views. The problem of loyalty in fifteenth-century France is well illustrated by the career of this man who, in 1461, was to pronounce the funeral oration of Charles VII. He died in 1469 as dean of Notre-Dame, Paris. See *Dict. Biog. Fr.*, ix, 959-60.

[6] Guillaume Intrant was also dean of Rouen for much of this period.

[7] A member of a family which held land in this part of Normandy, between Bayeux and St. Lô.

[8] Écrammeville, Calvados, arr. Bayeux, c. Trévières.

[9] Bayeux, Calvados. The reference is probably to Zano da Castiglione, bishop from 1425 to 1432.

[10] Caen, Calvados. The *bailli* was William Breton.

[11] Simon Morhier, *prévôt* of Paris 1422-36.

l'enterinement, et au regard de l'appel sur l'exploit de Cramery conclud en cas d'appel, et au regard du principal conclud que la presentacion faite a Courcelles soit dite bonne et valable, et que collacion lui
en soit faite, et tout pertinent en cas de brief, et a despens, et requierent
l'adjonction du procureur du roy pour ce que ladite presentation est
au droit du roy et lui appartient.

Watier dit que il a don des terres de messire Jehan de Colombiers,[12] [a]
et a cause de ce lui appartient la presentacion de ladite cure, a la
quelle il a presenté Michiel Faulx. Et dit que a cause de ce y a eu
proces[b] en cas de brief de patronnage devant le bailli de Caen; et pour
ce que la cause de brief ne se peut demener que par les patrons, Watier
obtint lettres [fo. 8v] pour faire renvoier la cause[c] qui avoit esté mise
devant le prevost de Paris en l'auditoire dudit bailli de Caen, par
vertu desquelles lettres ledit huissier, selon la teneur d'icelles, fist le
renvoy. Si a le procureur de l'université mal appellé, et n'est recevable
car l'université n'estoit mie en proces; aussi n'estoit mie Courcelles en
proces devant le bailli de Caen; aussi la cause y estoit introduite a la
requeste du procureur du roy, et doit estre la cause traictee et demenee
par les patrons seulement, et sera le jugement fait appelléz lez nobles
du pais, et n'a l'uissier en riens ex[c]edé; si n'est l'appel recevable et
seroit mal appellé. Conclud a ce et a despens, et n'a jour ne terme sur
le principal, et n'est adjorné a personne ne a domicile, et est Watier en
Angleterre, et n'y a adjornement que a la personne de Pierre le
Genevois, procureur en Chastellet. Si n'est tenu Watier de proceder.

Le procureur de l'université et Courcelles repliquent, et au regard
de l'appel emploient ce que dit est et le contenu en leur impetracion
et explois; et dient que Watier procedera au principal, *alias* Courcelles
aura l'estat et lui pourverra la court, et est l'adjornement bien fait
selon la teneur des lettres a la personne du procureur pource que
Watier est aucunesfois en Angleterre, autresfois en lieux perilleux ou
l'en ne puet avoir seur acces, et n'y a Watier point d'interest, car il a
esté present devant le bailli a la demande, et a bien sceu Watier tour le
demené de ce proces; si procedera.

Le procureur du roy dit qu'il y a en ceste matiere perplexité pour ce
que autresfois le procureur du roy a voulu maintenir que telles causes
de patronnages qui se doivent demener par les patrons selon les
coustumes et usages du pais,[d] se doivent traictier devant les baillis au
pais, et au regard de ce se devroient, comme il semble, adjoindre[e]

---

[a] *Followed by* au que, *struck out*   [b] *Followed by* de, *struck out*
[c] *Followed by* de, *struck out*   [d] *Followed by* ne, *struck out*
[e] adjoindre *interlined*

[12] Jean de Colombieres was the son of Henri, referred to below (Coll. Lenoir, 7, pp.
93–4).

avec Watier, et au regard de ce emploi ce que a esté dit par lui en la cause touchant maistre Jehan Desquay et maistre Pierre Maugier.[13] Mais *alio respectu* pour ce que la presentacion appartient au roy, se devroit adjoindre avec Courcelles. Mais afin que ce qu'il diroit ne fust *in aliis* prejudiciable, par protestacion *de non prejudicando cum benevolencia*[a] *curie*, dit le procureur du roy et presuppose les drois de patronnages appartenans au roy, et dit que la cure vaqua par le trespas de maistre George Faucq, et pour ce que la presentacion en appartient au roy, et y a présenté Courcelles *proprio motu* pour le bien de sa personne; et pour ce que l'evesque a refusé de lui en faire collacion, le procureur du roy en a prins ung brief de patronnage au pais qui est venu ceans. Si requiert et conclud que soit dit a bonne cause le brief avoir esté pris, et la presentacion dite bonne et valable, et que collacion en soit faite, et y soit condempné l'evesque aumoins par provision; et pour ce que Watier veult delayer, requiert que, par maniere de recreance et de provision, collacion en soit faicte. Et que ce que dit est ne porte prejudice au regard du renvoy, et ne soit trait a consequence, se la cause est ceans demenee; et fait a considerer en ceste cause que Michiel Faucq est frere au parent de l'advocat du roy au pais, et y a pluiseurs faveurs, et vouldroit bien Faucq delaier pour mettre le benefice en devolucion; si aura l'estat le procureur du roy, et demourra ceans la cause sans prejudice, s'il plaist a la court.

Watier dit qu'il n'est tenu de proceder ceans, et n'est mie deument adjorné comme dit est.

L'université et Courcelles emploient le propos du procureur du roy, et dient que Watier procedera et aura Courcelles l'estat.

Appoinctié que la court verra lettres et explois pour savoir se Watier procedera, et au conseil la court fera droit.

Au conseil. Aguenin[b]

[26 November 1428]   [X[1a] 1481, fo. 2r]

A conseillier l'arrest ou appoinctment d'entre le procureur de l'université de Paris, appellant, maistre Thomas de Courcelles et le procureur du roy, d'une part, et Waltier fil Watier, chevalier anglois, et Michiel Faucq, d'autre part, sur le plaidoié du jour de hier.

Il sera dit que les parties vendront ceans lundi prochain proceder sur le principal ainsi qu'il appartient par raison.

Dictum partibus[b]

---

[a] *MS* benivolencia   [b] *In the margin*
[c] *In the margin. No date follows, as was usual.*

[13] See n[o] **XV**, above, and nn. 9 and 2 for biographical data.

[29 November 1428]   [X^{1a} 4796, fo. 10r]

En la cause d'entre le procureur du roy, le procureur de l'université de Paris, et maistre Thomas de Courcelles, d'une part, et messire Wautier filz Vautier, chevalier anglais, et Michiel Faucq, d'autre part. A jeudi revendront les parties.

[2 December 1428]   [X^{1a} 4796, fo. 11r]

En la cause d'entre l'université de Paris, maistre Thomas de Courcelles, et le procureur du roy adjoint avec eulz, d'une part, et messire Watier filz Watier, chevalier anglois, et Michiel Faucq, [fo. 11v] d'autre part, le procureur du roy dit que de droit commun les patronnages lays lui appartiennent a cause de sa couronne et de son demaine, et a ce tiltre a cause de son demaine ou autrement par confiscacion lui appartient la presentacion de ladicte cure, et est en possession de y presenter, et y presenta aprés le trespas de Bon Amour,[14] et y demoura son presenté; et pour ce que on a refusé de faire collacion a maistre Thomas, son presenté, il en a prins ung brief. Si conclud tout pertinent comme dessus, et a l'estat.

Watier, par protestacion de non prejudicier a son droit, dit qu'il y a proces au pais de ceste matiere a l'instance du procureur du roy, et tient que la cause est determinee par sentence; oultre dit que le patronnage de ladicte cure appartint a feu messire Henry de Colombieres,[15] et y presenta messire Thomas de Bon Amour qui tint la cure xxx ans; et aprés la conqueste le feu roy regent donna a messire Jean Chesne[16] et a ses hoirs maslez les terres dudit feu messire Henry de Colombieres, et aprés le trespas [de] messire Jehan Chesne donna pareillement lesdictes terres a messire Watier,[17] qui presenta maistre George Faucq apréz le trespas [de] Bon Amour, et en ot collacion maistre George Faucq, et y demoura; si est Watier en possession de presenter, et a lez derniers explois; si aura l'estat, et ne sera receu Courcelles car il est d[e]s[ti]tuté de ceste cause au pais devant le bailli; et n'appartiennent mie touz les patronnages au roy, et appartient ce patronnage a messire Watier, et appartint a Colombieres. Si conclud tout pertinent et a l'estat en cas de delay.

Le procureur du roy dit qu'il est duc de Normendie, et fondé de droit commun d'avoir garde et drois de gardes et de patronnages lays, et ainsi c'est patronnage qui est lay lui appartient, et n'y demande

---

[14] Thomas de Bon Amour, M.A., of the diocese of Coutances, was studying canon law in Paris in 1403 (Denifle and Châtelain, *Chartularium*, iv, p. 99).

[15] See n. 12, above.

[16] Sir John Chesne was lord of La-Haye-du-Puits and La Roche-Tesson (Charma, 'Parties des dons', pp. 2, 8).

[17] Fitzwalter was styled lord of La-Haye-du-Puits at the Norman *Échiquier* held in 1424 (Arch. Seine-Mme., Échiquier, 1424, fo. 104v).

riens l'evesque, et ne monstre partie adverse tiltre particulier; mais pource que partie adverse se dit avoir droit par le moien de Colombieres, il convient qu'elle monstre don ou transport du patronnage, puis qu'elle confesse que le roy, par confiscacion, tenoit les terres dudit de Colombieres; et si est vray que on n'auroit point fait transport de ce patronnage, *nec transit cum universitate*; et si n'a mie transport de la terre a cause de la quelle est dependant le droit de patronnage, et si n'auroit transport desdites terres que jusquez a mil et v^c livres; or valoient toutes lesdites terres plus de v^m livres, ainsi le patronnage ensuirroit la plus grant partie et non la moindre, *et non transiret cum universitate nec eciam transiret* par transport especial s'il n'estoit estimé et aprecié en assiete; et supposé qu'il y eust transport *de advocacionibus*, pour ce *non transiret jus patronatus quia aliud est jus advocacionis et aliud jus patronatus*; et y a ordonnance expresse *quod in generali alienacione non transit jus patronatus*, et est escripte et enregistree en la chambre des comptes; et ainsi suppose que le roy eust donné a messire Watier les terres que tenoit Jehan Chesne, *non ob hoc transiret jus patronatus*; et quoy que soit prins que le don est limité *ad certam summam*, le roy demourra segneur des drois jusquez a ce que assiete en soit faicte; et si est vray que le don fait a Watier est restraint par l'exepcion *scilicet ex[c]epta alta justicia et omni genere ad nos spectante*, etc; et est vray que le roy en ladite constitucion equipare *altam justiciam cum feudo nobilium et juribus patronatus*, et ainsi *ex[c]ipiendo unum aliud in generali concessione seu generali exepcione continetur*; et doit on tenir ladite constitucion pour loy, et si n'a mie le roy tout donné a Watier, mais a reservé la terre de Colombieres,[18] et est plus a presumer que le patronnage appartenoit a messire Henry a cause de ladite terre de Colombieres dont il portoit le nom et les armes que a cause d'autre terre; et ne dit point partie adverse a cause de quelle terre lui appartient ledit patronnage; aussi ne tient mie Watier les [fo. 12r] autres terres que tenoit messire Henry, c'est assavoir La Haye[19] et la Roche Tesson que tient le regent qui n'y demande point de droit; et encorez dit on que le patronnage par default donné fu mis en la main d'un nommé Verigny, qui est trespassé, delaissié ung mineur dont le roy a la garde; ainsi par ce moien appartendroit au roy, et ne demoura mie maistre George audit benefice au tiltre de la presentacion [de] Watier, car le roy y presenta lors maistre Thomas Heleve, qui traicta et fist accord avec maistre George sans prejudice du droit des patrons, et ot Heleve ung autre benefice pour son droit. Et ne feroit riens le proces du pais s'aucun proces y avoit pendant l'appel fait ceans, et seroit nul fait *a non judice*

---

[18] Colombières, Calvados, arr. Bayeux, c. Trévières. A fifteenth-century *château* survives to this day.

[19] La-Haye-du-Puits, Manche, arr. Coutances.

en attemptant surrepticement contre l'onneur du roy et sa court, et seroit emendable, et devroit on revoquer et faire revoquer et mettre au neant tout ce qui auroit esté fait, et contraindre a ce ceulz qui sont a contraindre par prise de corps et de temporel. Conclud a ce, et comme dessus.

Courcelles emploie le propos du procureur du roy.

Watier dit qu'il est defendeur et opposant, et ne dit point le procureur du roy que le roy tiengne aucunes des terres dudit de Colombieres, et ainsi n'y a droit audit patronnage; et sera absolz Watier, et gaignera sa cause; supposé orez qu'il ne monstrast riens *quia actore non probante*,[20] etc, et si donna le roy les terres de Colombieres *cum advocacionibus* etc, et joyt Watier de la terre et dez terres a lui donneez et lui sont donneez, et tient Watier la terre d'Estremainville a cause de la quelle depend ledit patronnage, et si est vray que *in concessione generali* le patronnage y est comprins et ainsi*a* en ont joy ceulz a qui le roy regent faisoit telz dons; et quant est da la constitucion elle estoit *ad casum specialem et in contractu et non in dono*, et est le don du prince *latissime interpretandum*, et ne usa onquez le roy regent de ladite constitucion, et joyssoient des patronnages tous ceulz qui tenoient du don du roy les terres, et si est le don de Watier plus ample que le don fait a Chesne; si aura le patronnage, et le fault dire par l'exepcion especiale *de alta justicia* qui *confirmat regulum*; et si a don desdites terres *cum universis juribus et pertinenciis*, ainsi que Chesne lez tenoit, et avoit il droit de patronnage et don expres; et si ne dit point le roy a cause de quelle terre appartint le patronnage;*b* et est vray que feu messire Henry aquesta ja pieca d'une damoiselle deux verges de terre *cum juribus*, et a cause de ce lui appartint ledit patronnage, et ne lui appartenoit mie a cause de Colombieres, et estoit messire Henry segneur en partie d'Estremainville quant il aquesta ledit patronnage et lesdictes deux verges de terre; et ainsi messire Watier, qui est defendeur et tient pluiseurs desdictes terres, est miex fondé que le roy qui est demandeur et ne tient riens desdites terres. Et a ce que le procureur du roy dit que maistre George tint ladicte cure par accord, il n'en scet riens; et se on avoit donné une chappelle a Heleve, ce aurait esté *causa redimende vexacionis* et pour eviter la devolucion, et ne valoit mie vj frans la chappelle, et vauldroit le proces fait au pais a l'instance du procureur du roy qui n'estoit point ceans en proces, et print son brief au pais, et n'estoit mie Courcelles en proces, et n'estoit mie partie habile a

---

a ainsi *interlined*   *b* *Followed by* a cause, *struck out*

[20] 'Actore nihil probante ... reus tamen absolvitur' (*Libri Feudorum*, lib. II, tit. xxxiii). Also cited n° **III,** n. 50.

demener le proces. Et dit que le patronnage qui fu aquesté[a] depuis iiij[xx] ans fu a ung des fils [de] messire Henry, nommé Guillaume.

Le procureur du roy dit que par le propos de partie adverse, il convendroit dire que le roy n'auroit point transporté ledit patronnage a Chesne ne a Watier, car il ne transporta que les terres que Colombieres tint d'ancienneté; et n'est besoing que le roy declare les terres a cause desquelles [fo. 12v] le patronnage lui appartient, car le patronnage seul sans heritage puet resider en la personne d'aucun *nec de operibus libertatum* [?];[b] et si a dit que le patronnage appartint a Guillaume.

Watier dit que messire Henry tint *ab antiquo* ledit patronnage a cause d'aquest fait iiij[xx] ans a[vant] ou environ, et depuis vint a son filz et le tint messire Henry; si est compris au don a lui fait.

Appoinctié que la court verra ce que les parties vouldront mettre au jour d'uy devers la court.

[3 December 1428]   [X¹ᵃ 1481, fo. 2v]

Item, a conseillier l'arrest d'entre le procureur de l'université de Paris, appellant, d'une part, et maistre Thomas de Courcelles, a l'encontre de Watier filz Watier, chevalier anglois, et Michiel Faucq, d'autre part, sur le plaidoié du xxvᵉ jour de novembre derrain passé, m cccc xxviij.

Il sera dit que la court adjuge au procureur du roy l'estat de presenter a ladite cure.

Pronunciatum iiijᵃ die huius mensis. Aguenin[c]

[3 December 1428]   [X¹ᵃ 66, fo. 176r]

Cum dilecti nostri Thomas de Courcellis, in artibus magister bachalariusque in theologia formatus, et procurator carissime filie nostre universitatis studii Parisiensis secum adiunctus a nobis certas litteras obtinuissent, inter cetera continentes quod nos dictum de Courcellis di[le]cto et fideli consiliario nostro episcopo Baiocensi ad curam parrochialis ecclesie de Estremainvilla per obitum defuncti Georgii Faucq tunc vacantem presentaveramus[d], predictam curam conferre recusaverat[d], ex eo quod Micael Faucq per Walterum filium Walteri, anglicum militem, prefato episcopo presentatus dicebatur, et quod ob hoc procurator noster pro nobis in baillivia Cadomi litteras breveti seu brevis patronatus ecclesiastici in forma solita levaverat, et contra dictum Walterum filium Walteri contra baillivum dicti Cadomi certum processum incoaverat, in quo processu predictus de Courcellis cum dicto procuratore nostro se adiunxerat, qui virtute certarum

---

[a] *Followed by* lan, *struck out*
[c] *In the margin*
[b] *MS* ne de operis libertorum
[d] *Followed by a transposition mark*

litterarum a preposito Parisiensi per ipsum de Courcellis obtentarum
predictos processum et causam cum partibus adiornatis coram dicto
preposito Parisiensi ad xv^{am} diem mensis Septembris novissime lapsi
remitti fecerat; qua die seu altera ex ea dependente Jacobus de Cre-
mery, nostri Parlamenti hostiarius, virtute aliarum litterarum a nobis
per dictum Walterum obtentarum ad ipsius Walteri instanciam predictos processum et causam cum partibus adiornatis coram dicto
baillivo Cadomi ad certam diem tunc sequentem remiserat; a qua
remissione per dictum hostiarium facta predictus procurator carissime
filie nostre universitatis Parisiensis ad nostram Parlamenti curiam
appellaverat et suam appellacionem ad dies Viromandenses²¹ presentis Parlamenti relevaverat quodque occasione huiusmodi cause appellacionis et contencionis iurisdicionum antedictorum prepositi et
baillivi cognicio cause principalis diucius protelari [?ne]^a jura parcium
ledi atque dicte [fo. 176v] curie provis[i]o ad alium devolvi poterat
in grande preiudicium supra nominati de Courcellis, ut asserebat.
Quarum nostrarum litterarum tenore a procuratore dicte carissime
filie nostre et dicti de Courcellis obtentarum dilectis et fidelibus nostris
consiliariis gentibus antedictum Parlamentum nostrum tenentibus
inter cetera mandabamus quatinus, dictis partibus in dicta curia
vocatis seu comparentibus, non obstante dicta appellacione et absque
eiusdem preiudicio, de causa principali cognoscerent atque determi-
narent; ipsisque partibus auditis, tam super appellacione quam super
principali, etiam super statu et recredencia, ius atque justiciam facerent et administrarent; earundemque litterarum tenore dilectis nostris
baillivo et vicecomiti Rothomagensibus necnon vicecomitibus Baiocensi et Cadomi aut eorum locatenentibus inter cetera mandaveramus,
ut predicto baillivo Cadomi ne de causa seu negocio predictis quousque per dictam nostri Parlamenti curiam aliud ordinatum esset
inhiberent^b juxta quarumque litterarum tenorem Guillemus de Buy-
monte, dicti nostri Parlamenti primus hostiarius, supranominatum
Walterum ad personam sui procuratoris et Micaelem Faucq ad suam
personam super principali causa necnon super statu et recredencia
predictis atque super integracione dictarum litterarum processuros ad
instanciam predictorum procuratoris universitatis et de Courcellis ad
dictos dies Viromandenses in dicta curia adiornasset. In qua curia
comparentibus procuratore dicte universitatis, supranominato de
Courcellis necnon procuratore nostro generali pro nobis secum respectu principalis absque preiudicio remissionis dicte cause adiuncto
actoribus, ex una parte, et dictis Walterio et Micaele, ex altera, prefata

---

^a *MS* ut   ^b *MS* inhiberant

---

²¹ It was usual to hear suits from the *bailliage* of Vermandois at the start of the sitting
of the annual Parlement in November.

curia, auditis dictis partibus super integracione dictarum litterarum,
visisque per eandem curiam litteris expletisque et munimentis predictarum partium, ipsas partes super dicto principali processuras et ulterius quod foret rationis facturas in dicta curia ad penultimam diem
mensis novembris proxime lapsi venire ordinasset seu appunctasset.
Qua die seu alia ex ea dependente eisdem partibus in predicta curia
comparentibus, pro parte dicti nostri procuratoris pro nobis inter cetera propositum extitisset quod ad nos jure domanii seu confiscacionis
aut alias, presentacio dicte cure ad nos spectabat eramusque in saisina
et possessione presentandi ad dictam curam, ad quam tunc, ut premit-
titur, vacantem predictum de Courcellis presentaveramus, et quod
prefatus Baiocensis episcopus dicto de Courcellis predictam curam
conferre iniuste et indebite recusaverat; et ob hoc supradictus procurator noster in baillivia Cadomi ad bonam et justam causam brevetum
seu breve patronatus ecclesiastici levaverat. Quare petebat procurator
noster pro nobis dictum brevetum seu breve ad bonam et justam
causam levatum fuisse declarari et dictum Baiocensem episcopum ad
faciendum collacionem dicte cure [fo. 177r] supranominato de Courcellis condemnari et compelli, et ceteras conclusiones ad hoc pertinentes et in casu dilacionis statum seu recredenciam sibi adiudicari.

Supradicto Waltero de non preiudicando juri suo protestante, et
inter cetera ex adverso dicente quod hec principalis materia et causa
jam per sentenciam dicti baillivi Cadomi erat decisa et quod patronatus atque presentacio dicte cure ad defunctum Henricum de
Co[lo]mberiis spectaverat ac ipse Henricus de Colomberiis defunctum
Thomam Boni Amoris ad eandem presentaverat, qui titulo huiusmodi
presentacionis et collacionis subsequ[en]te dictam curam per spacium
xxx annorum pacifice possederat; quodque defunctus progenitor noster rex Anglie, regens Francie, terras et possessiones defuncti Henrici
de Colomberiis Johanni Chesne, militi, cum advocacionibus ecclesiarum donaverat et post obitum ipsius Chesne dicto Waltero de eisdem
terris cum suis juribus et pertinenciis simile donum fecerat et quod in
hujusmodi donis antedictus progenitor noster jura patronatus comprehendi voluerat. Dicebat ulterius quod in concessione et generali dono
principis, quod latissime erat interpretandum[a], de jure communi, usu
et communi observancia jus patronatus transibat; quodque in generali
dono et concessione facta ipsis Chesne et Waltero alta justicia et non
jura patronatus ex[c]ipiebantur. Insuper dicebat quod nos de terris et
possessionibus dicti defuncti Henrici de Colomberiis nichil retinuera-
mus aut tenebamus nec alii ceterarum ipsius Henrici de Colomberiis terrarum detentores occasione illarum jus dicti patronatus
habere minime pretendebant; quodque dictus Walterus defunctum

---

[a] *MS* interpretendum

Georgium Faucq ad dictam curam presentaverat qui virtute dicte presentacionis minime probaret, nichilominus ipsi Waltero qui defensor et opponens existebat recredencia seu status, actore non probante, adiudicari debebat. Ex quibus et aliis plurimis per ipsum propositis concludebat et petebat partem adversam ad sua proposita non admitti et si admitteretur ipsam partem adversam causam seu actionem non habere dici et pronunciari et ceteras conclusiones ad hoc pertinentes et statum in casu dilacionis sibi adiudicari. Procuratore nostro pro nobis in contrarium replicante et inter cetera dicente quod de jure communi in ducatu Normanie omnia jura patronatus ad nos spectabant nisi per nos aut*a* nostros antecessores donata seu translata fuerant nec constabat antedictum jus patronatus in dictum Walterum ex generali aut speciali dono concessum seu translatum fuisse, et esto quod de terris et possessionibus dicti de Colomberiis donum per nos seu nostros antecessores ipse Walterus usque ad certum valorem redditus obtinuisset, de dicto redditu seu valore estimacio seu assieta minime facta fuerat, nec in generali dono seu concessione de usu et communi observancia jus patronatus comprehendi potuerat. Dicebat ulterius quod [fo. 177v] post obitum dicti defuncti Boni Amoris Thomas Heleve per nos seu antecessores nostros ad dictam curam fuerat presentatus, qui causa redimende vexacionis cum supranominato defuncto Georgio Faucq jus sibi quesitum in dicta cura pro alio beneficio permutaverat; quodque dictus Georgius, virtute transactionis seu permutacionis et non vigore presentacionis dicti Walteri, antedictam curam possederat. Amplius dicebat quod processus, si quis erat per baillivum factus, a non judice nulliter surrepticie attemptando adversus nostram et nostre curie auctoritatem factus extiterat. Quare petebat per curiam dictum processum et inde secuta nulliter facta fuisse declarari et partem adversam ad ea revocandum seu revocari faciendum condemnari et per capcionem temporalitatum et corporum ad hoc compelli; in ceteris ut supra concludente supranominato de Courcellis ad suam intencionem et utilitatem proposita dicti nostri procuratoris implicante aut refferente.

Super quibus et aliis plurimis hinc inde propositis antedicta curia nostra partes predictas ad tradendum penes ipsam litteras et munimenta atque omnia quibus se in ea parte juvare vellent et in arresto appunctavit. Visis igitur per dictam curiam nostram predictis literis atque munimentis, cum grandi et matura deliberacione, attentis attentendis, prefata curia nostra per suum arrestum supradicto procuratori nostro pro nobis statum ad dictam*b* curam presentandi adiudicavit et adiudicat.

Pronunciatum tercia die Decembris anno domini millesimo cccc° xxviij°.

---

a aut *interlined*   *b* *Followed by* causam, *struck out*

XIX
Robert Stafford *v.* Lord Talbot

On 4 February 1428 Lord Talbot received from Henry VI grant of lands in the 'bailliages' of Rouen and Caux, and elsewhere, which had been confiscated from Robert Stafford because, it was alleged, the town and castle of La Ferté-Bernard, of which he was captain, had, by his negligence, been captured by the enemy in February 1427.[1]

For Stafford the matter was one both of self-interest and of honour. In 1430 he was already trying to get the confiscation reversed and was seeking witnesses to prove his innocence of the negligence imputed to him. But it was not until 1433, when his suit against Talbot finally got under way, that Stafford could argue that La Ferté had been lost 'par fortune et d'aventure sans sa coulpe'. Talbot, for his part, accused Stafford of maintaining neither the muster nor the degree of readiness among the soldiers stipulated in his indenture, and of having so neglected his duty that the enemy were able to capture the town simply by entering through the gate which should have been better guarded in view of likely surprise attacks. Furthermore, instead of defending the castle, Stafford had surrendered it, paying the enemy to spare his life and the lives of his garrison. By the law of arms, he rightly forfeited all.[2]

These facts were denied by Stafford. The town, he claimed, had been betrayed; he had been left with inadequate troops and arms, and too great a reliance had been placed on local people wrongly regarded as loyal, one of whom had since been executed for treason. Furthermore, he said, the gift of his lands had been made to Talbot without formal legal decision and without appeal. They should now be restored to him.

The court decided in favour of Stafford. More than six years after the events which had set this train of proceedings in motion and which had been the cause of confiscation and attacks upon his honour, Robert Stafford had his lands restored to him.

[4 February 1428]   [JJ 175, no. 108]

Henry, par la grace de Dieu, roy de France et d'Angleterre. Savoir faisons a tous presens et a venir que, pour consideracion des bons et

---

[1] The background to this suit may be found in R. Charles, 'L'invasion anglaise dans le Maine de 1417 à 1428', *Revue historique et archéologique du Maine*, xxv (1889), 62–103, 167–208, 305–27. Some of these texts were partially published as *pièces justificatives* vii–ix, pp. 202–8.

[2] For a similar accusation of surrendering without siege, see Keen, *Laws of War*, p. 120, n. 4; and for a parallel case, see the pardon granted to Sir William Bishopston on 12 December 1431, printed in P. Le Cacheux, *Actes de la Chancellerie d'Henri VI concernant la Normandie sous la domination anglaise (1422–1435)* (Rouen: Paris, 1908), ii, pp. 157–60, from A.N., JJ 175, n° 16.

loyaulx services que a faiz et fait un chacun jour a nous et a nostre
treschier et tresamé oncle, Jehan, regent nostre royaume de France,
duc de Bedford, tant ou fait de noz guerres comme autrement en
pluseurs manieres, nostre amé et feal chevalier Jehan, sire de Talbot,[3]
a icelui, par l'advis de nostredit oncle, avons donné, cedé, transporté et
delaissié, donnons, cedons, transportons et delaissons par ces presentes
toutes les terres, cens, rentes, revenues, heritages et possessions, avec
leurs appartenances et appendances quelzconques situees et assises
tant es bailliages de Rouen[4] et de Caux[5] comme ailleurs en France et
en Normandie, qui furent et appartindrent a Robert Stafford,[6] escuier,
natif de nostre royaume d'Angleterre, nagaires capitaine des ville et
chastel de La Ferté Bernard,[7] et qu'il tenoit tant par don et octroy a lui
fait par feu nostre treschier seigneur et pere,[8] cui Dieu pardoint,
comme par nous ou nostredit oncle, lesqueles sont a nous venues et
escheues comme forfaictes et acquises par ce que, par la faulte dudit
Stafford, iceulx ville et chastel ont esté puis un poy de temps[9] prises par
nos ennemis et adversaires, pour d'icelles terres, cens, rentes, revenues,
heritages, possessions, appartenances et appendances dessusdis joir et
user doresenavant par ledit sire de Talbot et ses hoirs masles legitimes
venans de lui en directe ligne a tousjours mais perpetuelment et
hereditablement comme de leur propre chose, a quelque valeur ou
estimacion qu'ils aient esté, soient ou puissent estre, pourveu toutesvoies
qu'elles ne soient de nostre ancien demaine, que depuis ladite forfaic-
ture elles n'ai[en]t esté par nous ou nostredit oncle donné a autre, et
parmi ce que ledit sire de Talbot et sesdis hoirs en feront et paieront
les droiz, charges et devoirs pour ce deuz et acoustuméz. Si donnons en
mandement par ces presentes a noz améz et feaulx conseilliers les gens
de noz comptes, tresoriers generaulx, gouverneurs de toutes noz finances, tant en France comme en Normandie, aux bailliz de Rouen et
de Caux, et a tous noz autres justiciers et officiers, ou a leurs lieuxtenans, et a chacun d'eulx si comme a lui appartendra, que ledit sire de
Talbot et sesdis hoirs facent, seuffrent et laissent joir et user de noz
present don, cession et transport a tousjours mais perpetuelment et
hereditablement, plainement et paisiblement par la maniere que dit
est, sans lui faire ou donner, ne souffrir estre fait ou donné ores ne pour
le temps a venir aucun arrest, destourbier ou empeschement au contraire de ces presentes. Et afin que ce soit chose ferme et estable a
tousjours, nous avons fait mectre nostre seel a ces presentes, sauf en
autres choses nostre droit et l'autruy en toutes.

---

[3] For Lord Talbot, see appendix II.　　　[4] Rouen, Seine-Maritime.
[5] Caux, the region to the north of Rouen.
[6] For Robert Stafford, see appendix II.
[7] La Ferté-Bernard, Sarthe, arr. Mamers.
[8] i.e., Henry V.　　　[9] In February 1427.

Donné a Paris le iiij^{me} jour de fevrier, l'an de grace mil quatre cens et vint sept, et de nostre regne le six^{me}. Ainsi signé: Par le roy a la relacion de monseigneur le regent, duc de Bedford.

J. de Rinel.[10]

[19 June 1430]   [X^{1a} 4796, fo. 219r]

Robert Staford, escuier, a baillié ceans sa requeste par escript a l'encontre du procureur du roy. Et dit qu'il est nobles homs de par pere et mere, natif du pais d'Angleterre, et depuis la venue du feu roy regent a servy le roy continuelment en la compagnie du feu conte de Salisbury qui, en l'an cccc xxvij ou environ, le commist en la garde de la ville et chastel de La Ferté, en quoy il s'emploia et en tous ses affaires loyaument; mais par la machination d'aucuns autres officiers, la ville et chastel sans sa coulpe fu baillee aux ennemis; et combien qu'il se soit tousjours gouverné ainsi que ung noble homme loyaument, neantmoins on a voulu chargier son honneur; pour ce a obtenu lettres royaulz desquelles recite le contenu, et selon ce propose et conclud a fin que son corps et ses biens soient mis a plaine delivrance s'il est trouvé innocent de la perdicion de la ville et chastel dessusdis; et offre a ester a droit ceans; et dit que en venant par deca par saufconduit, il a esté prins des ennemis qui l'ont contraint a paier viij^c salus de raencon.

Le procureur du roy dit qu'il ne scet que bien en la personne de Robert, mais ainsi^a qu'il dit aucuns ont voulu chargier son honneur a l'occasion de la perte de La Ferté; pour ce a obtenu lettres royaulz en juing cccc xxix, et depuis a obtenu lettres pour faire examen de tesmoins; mais pour ce qu'il mande que, appelléz le procureur du roy et ceulz qui tiennent ses heritages, on procede sur l'enterinement desdites lettres [fo. 219v] et que ceulz qui tiennent les heritages n'ont point esté adjornéz; aussi n'ont point esté adjornéz le procureur du roy au pais par lesquelz le procureur general du roy doit estre instruit, il semble que Robert *premature* a fait sa dite requeste, et deubt premierment avoir fait adjorner les autres.

Robert dit que le sire de Talboth tient ses heritages, qu'il ne se congnoist en plaidoieries, et a esté empeschié, et ne l'a peu faire adjorner; mais il a parlé a lui, et lui a dit que quant Robert aura fait aux gens du roy, il fera bien avec lui. Et y a ceans informacion et enqueste que la court pourra veoir.

Appoinctié *ut in registro magistri Johannis de Spina, grapherii criminalis.*[11]

---

^{a} *Followed by* le, *struck out*

[10] Jean de Rinel was probably the most important royal secretary of the day.
[11] This text is printed in *Fauquembergue*, ii, 348–50. Jean L'Espine was the *greffier criminel* in whose register a record of the suit might have been found.

[30 July 1433]   [X¹ᵃ 4797, fo. 100v]

En la cause d'entre Robert Staford, escuier, d'une part, et le sire de
Talbod et le procureur du roy, d'autre part, Staford dit qu'il n'a riens
mespris et neantmoins on lui a voulu mettre empeschement en ses
biens et en ses terres soubz umbre de ce que les ennemis, sans sa coulpe,
ont recouvré le chastel de La Ferté; pour ce a obtenu lettres dont recite
le contenu et requiert l'enterinement.

Le sire de Talbot dit que le roy lui a donné*a* aucunes terres, et
sommera et somme le procureur du roy qui s'est tenu pour adjorné sur
ladite sommacion.

A lundi revendront.

[13 August 1433]   [X¹ᵃ 4797, fo. 103v]

Le sire de Talbot vendra lundi par Intrant¹² ou par autre sur la
demande de Robert de Stafford.

[17 August 1433]   [X¹ᵃ 4797, fo. 105v]

En la cause d'entre Robert de Stafford, escuier, demandeur, et le
seigneur de Talbot, defendeur, Stafford dit qu'il est bon escuier, et
pour le bien de sa personne il fu commis*b* a la garde de La Ferté
Bernard, qui a esté prinse par fortune et d'aventure sans sa coulpe; et
neantmoins on lui en a donné charge, et soubz umbre de ce lui ont esté
ostees ses terres que on lui avoit donnees, et ont este donnees a Talbot,
qui les tient. Dit qu'il a impetré lettres royaulx a fin de monstrer son
innocence, et par vertu d'icelles a fait adjorner ledit Talbot; et requiert
que les empeschemens mis en ses terres soient levéz et ostéz, et lui soient
mises a plaine delivrance, et que doresenavant il soit tenu deschargé de
la charge*c* que on lui met sus.

Talbot somme le procureur du roy que il prengne la defense de la
cause, ou qu'il lui enseigne causes et raisons pour la defendre par
protestacion etc.

Le procureur du roy dit que ja soit qu'il se soit tenu pour adjorné sur
ladicte sommacion, toutesvoies il n'y chiet point de sommacion et n'est
tenu de y repondre, car Talbot se dit avoir don du roy qui est fait *ex
liberalitate* et par sommacion n'y a lieu, car le roy ne lui a pas prins de*d*
lui garentir; mais face informacion et verifie la charge donnee a
Stafford, et lors informacion veue, il se pourra bien adjondre avec
ledit Talbot; et en tout evenement il se gardera de mesprendre: et a la
demande de Stafford, il ne dira riens a present jusques a ce qu'il ait oy
les parties.

---

a Followed by ses, *struck out*   *b* Followed by il, *struck out*
c Followed by dont, *struck out*   *d* Followed by le, *struck out*

¹² Guillaume Intrant was an *avocat* in the Parlement.

Talbot, au regard de la sommacion, dit que le roy est tenu de lui garentir, car le roy lui a fait le don *tanquam bene merito* et en recompensacion des bons services qu'il a fais ou il a emploié son corps et sa chevance, et pour ce y chiet garentie ou response a la sommacion pour avoir recours de ses services, sauf le debat des adjornemens au regard de Robert, car ils n'ont esté fais a personne ne a domicile. Et puis defend a la demande[a] de Stafford, et dit Talbot qu'il est noble chevalier du sang du roy, lequel s'est emploié pour le roy en maintes manieres en ses guerres ou autrement, en Gales et en Islande, ou il a esté lieutenant du roy;[13] dit qu'il vint en ce royaume avec le feu roy regent et amena belle compagnie de gens d'armes, et fut a Dreux [et] a Meaulx avec ledit feu roy regent,[14] a recouvré Pontorson,[15] a recouvré des ennemis la ville du Mans[16] et Laval,[17] a esté devant Orliens,[18] a esté[b] prisonnier,[19] qui lui a moult cousté de sa chevance, et est bien digne d'avoir recompense. Dit que Stafford fu commis par le feu conte de Salisbury[20] a la garde des ville et chastel [fo. 106r] de La Ferté Bernard, moyennant bons gaiges qu'il en avoit, et devoit avoir[c] certain nombre de gens d'armes ainsi que contenu est en l'endenteure sur ce faicte, et de ce faire Stafford se charga, et puis qu'il print la charge il devoit faire son devoir, et soy bien garder de prendre gens qui ne feussent seurs, et ne s'en puet excuser, quelque chose qu'il adviengne. Dit que les villes et chastel de La Ferté Bernard sont aussi forts que la bastide,[21] mais il ne les a[d] pas bien gardé, et par sa fault, *et sic imputetur sibi*, et fu recouvree par les ennemis l'an cccc xxvij, et par ainsi tous ses biens furent confisquéz et mis en la main, et depuis le roy a donné a Talbot[e] les terres que tenoit ledit Stafford en ce royaume de France, et en son absence, et en a lettres, lesquelles il en a

---

[a] *Followed by* de Fastolf, *struck out*
[b] a esté *interlined over* et, *struck out*
[c] et devoit avoir *repeated and followed by* et, *struck out*
[d] les a *interlined*
[e] *Followed by* au, *struck out*

---

[13] Talbot served in Wales in 1407 and was appointed royal lieutenant in Ireland for a period of six years in February 1414 (*Complete Peerage*, xi, 698-9).

[14] i.e., at the sieges of Dreux (Eure-et-Loir) in July-August 1421 and Meaux (Seine-et-Marne) from October 1421 to May 1422, both carried out by Henry V.

[15] Pontorson, Manche, arr. Avranches. Thomas Lound also claimed to have taken part in these events in the spring of 1427 (see n° **VIII**, n. 25).

[16] Le Mans, Sarthe. These events, which occurred in May 1428, are described in n° **XVII**, and in Charles, 'Invasion anglaise', 194-6.

[17] Laval, Mayenne.

[18] Orleans, Loiret. The siege lasted from October 1428 until May 1429.

[19] He was captured at Patay on 18 June 1429, and was a prisoner for about four years.

[20] The earl of Salisbury, for whom see appendix II.

[21] A reference to the Bastide in Paris, which would be known to members of the court.

esté mis en possession et saisine par le bailli de Rouen,[22][a] lesquelles
ont esté verifiees en la chambre des comptes.[23] Repond au fait de partie
adverse, et dit qu'il est bien d'accord que les terres furent donnees a[b]
Stafford, et qu'il fut commis a la garde de La Ferté, et qu'elle a esté
prinse des ennemis; mais a ce qu'il dit que ce a esté sans sa coulpe, dit
que sauf sa reverence ce a esté par sa coulpe, car il a esté negligent, car
il n'a pas eu tel nombre de gens qu'il deust avoir, et que l'endenture
le contient, et si n'avoit pas bonnes gens, car s'il eust eu bonnes gens
et tels qu'il devoit, la perte de ladicte ville ne fust pas avenue, qui est
si forte que dit est;[c] et n'a pas esté prinse d'assault ne par emblee
d'eschielle, mais entrerent les ennemis parmi la porte; et Staford estant
au Mans, lui fut dit que La Ferté estoit vendue, et qu'il s'en alast
bientost, et lui furent nommez ceulx qui la devoient trayr, et deust
avoir fait garder les portes, mais il se bouta au chastel et sans assault
et sans engins rendi le chastel qui est imprenable. Et s'il se feust tenu
ung pou, il eust eu recours qui vint assez tost apres, mais ne volt
attendre, et tantost se rendi, par quoy appert *re ipsa* qu'il y ot dol, et
se rendi sa vie sauve parce qu'il paia ung marc d'or et ses compaignons
ung marc d'argent. Il ne se puet excuser qu'il n'y ait dol ou au moins
faulte et negligence, et en est tenu puis que il se charga de la garde de
raison, et par le droit d'armes il a tout confisqué, et s'est rendu indigne,
et par la confiscacion sont venues au roy qui les a donnees a Talbot
tanquam bene merito en recompensacion etc, et pour ce puet bien le roy,
il en est fait seigneur par le don et par le temps qu'il les a tenues.
Conclut que partie adverse ne sera receue, et qu'elle n'a cause, etc.

   Replique Staford et se excuse et dit qu'il vouldroit faire service et
plaisir a Talbot; mais[d] pour garder son honneur et soy descharger de
la charge que on lui donne, dit que le don a esté fait sans cause; La Ferté
fu prinse par traison et[e] force telle qu'il n'y pot resister; et n'y a eu
point de dol, car il est nobles et ne vouldroit faire faulte; dit qu'il a
bien servi le roy regent, le duc de Clarence[24] et le conte de Salisbury,
et par tout s'est bien porté; et quant ledit conte de Salisbury s'en ala, il
lui bailla la garde de La Ferté; il ne lui bailla pas nombre souffisant
pour la garder, car le conte se fioit en aucuns hommes de la ville qu'il
cuidoit estre[f] bons et loyaux; quant Staford estoit au Mans et on lui
vint dire que La Ferté[g] estoit vendue, il s'en vint tantost, et commist

---

[a] par le bailli de Rouen *added in the margin*   [b] *Followed by* Fastol, *struck out*
[c] *Followed by* aussi, *struck out*   [d] mais *interlined over* et, *struck out*
[e] traison et *interlined*   [f] estre *interlined*
[g] que La Ferté *repeated in MS*

---

[22] Sir John Salvain.
[23] All such grants would have been registered in the *Chambre des Comptes.*
[24] Thomas, duke of Clarence, brother of Henry V, killed at the battle of Baugé on 22
March 1421.

des gens de la ville, ceulx en qui il se confioit le plus et[a] une partie de ses gens, pour garder les portes et ailleurs ou il estoit besoing; il mist escoutes aux champs hors de la ville, par terre et par eaue; puis s'en vint au chastel, et n'y avoit que xxiiij personnes, et le surplus estoit en la ville, et ne povoit pas estre par tout. Et en icelle nuyt les ennemis entrerent, car les gens de la ville les y misrent, c'est assavoir le[b] procureur du[c] conte de Salisbury, le procureur de la ville et autres. Il n'y pot resister car le canonnier s'estoit parti du chastel, et en avoit emmené ung canon, et disoit qu'il le [fo. 106v] convenoit rapaillir, la garde de l'artillerie avoit emporté les arbelestes, et n'en laissa que une descordee, et encore l'artilleur bouta le feu au pont et a la porte, les compaignons qui estoient avec lui au chastel lui dirent que il prinst traictié avec les ennemis, et se desarmerent disant que plus ne se defendroient; et pour ce, aprés ce qu'il se defendi de toute sa puissance, il se rendi, et par ainsi on ne lui doit riens imputer. Il avoit avec lui xxx hommes oultre le nombre qui lui avoit esté ordonné par l'endenture. Dit que le don fait audit Talbot desdictes terres a esté fait sans cause, sans le appeller, et sans sentence, par quoy on lui doit tout rendre et restituer. Dit[d] oultre que supposé qu'il fust alés au Mans, toutesvoies vint il assez a temps a La Ferté et y mist gardes telles qu'il peust, et en fist sa diligence car il mist les gens en bonne ordonnance, et lui mesmes fist tout ce qu'il peust de soy. Dit qu'il a fait faire enqueste valitudinaire, *vocatis evocandis* tels qu'il a peu faire, car pour l'empeschement de Talbot il n'a peu plustost proceder en sa cause, et de son fait s'en raporte a ladicte enqueste, on ne lui nomma pas ceulx qui devoient trahir la ville, se furent les plus souffisants d'icelle en qui on se[e] fioit le plus; on a fait l'execucion avant la sentence. Si lui doit on rendre ses biens et mectre a plaine delivrance; et doit demourer quicte et deschargé, et que silence soit imposee au procureur du roy.[f]

Talbot dit que par l'endenture appartient comment il se charga de la garde d'icelle ville, et quel nombre de gens il devoit avoir, et quelles promesses il y avoit. Requiert que Staftort nomme les trois personnes qui firent la trayson, et les[g] xxx hommes qu'il avoit oultre le nombre de l'endenture, et delay pour savoir de ses diligences.

Le procureur du roy dit qu'il a repondu a la sommacion et aux conclusions prinses par Stafort. Dit qu'elles sont bien grans, mais Talebot les impune fort; et il dit qu'il a bien fait son devoir, et pour ce requiert a veoir l'endenture, et qu'il nomme aussi les xxx et les trois qui ont fait la trayson.

---

[a] *Followed by* d, *struck out*
[b] *Followed by* compere, *struck out*
[c] *Followed by* commis, *struck out*
[d] *Followed by* que, *struck out*
[e] *MS* ne
[f] *Followed by* et qu'il, *struck out*
[g] *Followed by* l, *struck out*

Staford dit que le procureur de la ville en estoit ung, lequel a esté executé au Mans.

Appoinctié que Staffort monstrera l'endenture, et a viij^me revendront.

[27 August 1433]   [X^1a 4797, fo. 107v]

Le sire de Talbot revendra lundi contre Robert Stafford.

[7 September 1433]   [X^1a 4797, fo. 109v]

En la cause d'entre le sire de Talbot et le procureur du roy, d'une part, et Robert*ᵃ* Staford, escuier, d'autre part. A Lespine. Appoinctié en droit.

Stafford a requiz provision de ses biens et terres a lui donneez, au moins dez conquesteez.

Talbot dit que Stafford intente une maniere de revendication, et n'y a matiere de faire provision ainsi que on feroit en doaire, en successions et cas semblables. Et a Talbot don des terres que Stafford tenoit, et non mie dez terres a lui donneez; n'est recors de la teneur desdictez terres.

Appoinctié comme dessus. Au conseil.

Au conseil. Le Duc²⁵ *ᵇ*

[18 December 1433]   · [X^1a 4797, fo. 124v]

En la cause d'entre Robert Stafford, escuier, demandeur, d'une part, et monseigneur de Talbot, defendeur, d'autre part, en laquelle les parties sont appoinctiees a mettre devers la court lettres et tiltres, et au conseil. Et ensuivant lequel appoinctment elles ont mis et produit devers la court leurs lettres, d'une partie et d'autre. Et entre autres lettres produites par ledit Stafford, il a produit une enqueste de tesmoins viels, valitudinaires et affuturs faicte a sa requeste par le juge des exemps par appel et par le lieutenant du bailli de Chartres au Mans, laquelle enqueste le procureur dudit Talbot, par le commandement d'icellui Talbot, comme il dit, a consenti et consent estre receue et jointe au proces, et par ycelle joincture lesdictes lettres, droit estre fait aux parties.

ᵃ MS Guillaume   *ᵇ In the margin*

---

²⁵ Guillaume le Duc had been third *président* of the Parlement since February 1432.

[29 January 1434]   [X^{1a} 1481, fo. 80v]

A conseillier l'arrest d'entre Robert Stafford, escuier, d'une part, et le sire de Talbot, chevalier, d'autre part, sur le plaidoié du xvij^e jour d'aoust m cccc xxxiij derrain passé.

Il sera dit que la court lieve et oste ou prouffit dudit Stafford l'empeschement mis esdiz heritages, et condempne la court ledit de Talbot a laissier joir et user le dit Stafford desdis heritages, non obstant le don diceulz fait audit de Talbot, et sans despens.

Pronunciatum xiii^a [die] huius mensis Februarii. Piedefer^{27} ^{a}

[13 February 1434]   [X^{1a} 68, fo. 149v]

Litigantibus in nostra Parlamenti curia Roberto Stafford, scutifero, actore ex una parte, et dilecto et fideli nostro Johanne, domino de Talbot, milite, defensore ex altera, super eo quod dicebat prefatus actor inter cetera quod ipse nobis et nostris antecessoribus plurima grata servicia fideliter in comitiva defuncti comitis Sali[s]beriensis et alias absque reprehencione exibuerat et, ob hoc suorum intuitu meritorum [fo. 150r] et legalitatis sue, prefatus defunctus Salisberiensis comes villam et castrum de Feritate Bernardi custodiendas cum certo numero armigerarum gencium sibi tradiderat, et ipsum capitaneum dicte ville et^b castri instituerat, et quod ipse actor ultra dictum numerum alios armatos et armigeras gentes suis expensis absque onere seu gravamine subditorum, pro custodia ville et castri predictarum secum tenuerat, et fideliter atque viriliter, prout sibi fuerat possibile, antedictas villam et castrum custodierat. Et nichilominus inimici nostri, per medium cuiusdam factionis aut conspiracionis cum aliquibus nostrorum officiariorum et subditorum apud dictum locum de Feritate prodicionaliter contracte atque perpetrate, predictas villam et castrum per vim maiorem, cui nullatenus ipse actor resistere valuerat, de facto invaserant et occupaverant, et huiusmodi pretextu, ex assercione quorumdam emulorum aut aliis sinistris relacionibus, suum honorem et famam iniuste absque culpa ledi, et sua bona impediri, formidabat. Propter quod idem Stafford, offerens super hoc iuri stare, a nobis certas litteras obtinuerat, per quas gentibus dicti nostri Parlamenti mandabamus quatinus, vocatis procuratore nostro pro nobis et ceteris vocandis, dictum Stafford super suis justificationibus et alios ex adverso audirent, et ipsis auditis, eisdem justiciam ministrarent; quarum litterarum vigore supradictus Stafford predictum de Talbot, qui de facto suas terras et immobilia bona occupaverat, et eciam dictum procuratorem nostrum in dicta curia adiornari fecerat. Preterea

---

^{a} *In the margin* ^{b} et *interlined*

^{27} Robert Piedefer was appointed first *président* in February 1433.

dicebat quod dictus de Talbot nedum hereditagia et immobilia sibi per nos donata, sed etiam hereditagia ex conquestu sibi acquisita impediebat. Quare petebat dictus Stafford supradictum impedimentum ad instanciam dicti de Talbot in antedictis hereditagiis appositum ad utilitatem ipsius Stafford tolli et levari, et dictum de Talbot ad permittendum prefatum Stafford eisdem heriditagiis uti et gaudere, et in expensis condemnari. Supradicto de Talbot, ex adverso, inter cetera dicente quod ipse de nobili et regali stirpe procreatus fuerat, atque multiplicia grata et utilia servicia et obsequia nobis et nostris antecessoribus fecerat, corpus et bona sua pro salute et pro utilitate nostra exponendo, et quod nos, pro aliquali recompensacione sua universa hereditagia et bona immobilia supradicta Stafford donata per reddicionem et perdicionem dictarum ville et castri de Feritate Bernardi, dolo aut culpa dicti Stafford ab inimicis nostris occupatarum, confiscata ipsi[a] de Talbot, benemerito donaveramus. Insuper dicebat [fo. 150v] quod dictus Stafford secum debitum numerum armatorum ad custodiam ville et castri predictorum non habuerat, et suo dolo aut lata culpa dictam villam et castrum perdiderat aut voluntarie predictis nostris inimicis reddiderat, et ob hoc sua predicta hereditagia confiscaverat. Quare petebat dictus de Talbot supranominatum Stafford ad sua proposita non admitti, et, si admitteretur, ipsum causam seu actionem non habere, et, si causam seu actionem haberet, ab eisdem absolvi debere, dici et pronunciari et dictum Stafford in suis expensis condemnari. Predicto procuratore nostro pro nobis, qui proposita[b] per dictum de Talbot ad utilitatem nostram proposuerat et implicaverat, ad finem confiscacionis dictorum hereditagiorum concludente. Supradicto Stafford ex adverso replicante, et inter cetera dicente quod de perdicione et occupacione ville et castri predictorum ipse innocens erat, nec sibi quicquam imputari poterat aut debebat, atque omnem solicitudinem debitam et diligenciam sibi possibilem pro custodia et conservacione dicti loci de Feritate adhibuerat, et quod super premissis certam inquestam testium valitudinariorum per certum nostrum judicem fieri fecerat. Quare ut supra concludebat. Super quibus et aliis plurimis hinc inde propositis et allegatis, prefata curia dictas partes ad tradendum penes ipsam suas litteras atque munimenta et omnia quibus se in ea parte iuvare vellent, et in arresto appunctavit.[c] Visis igitur per dictam curiam litteris atque munimentis dictarum partium, iunctaque supradicta inquesta, de consensu supradictorum de Talbot et procuratoris nostri, attentisque attendendis, cum grandi et matura deliberacione prefata curia, per suum arrestum omne impedimentum ad instanciam dicti de Talbot et alias in dictis hereditagiis appositum, ad utilitatem dicti Stafford

---

[a] *MS* ipse   [b] *MS* preposita   [c] *MS* appunctat'

levavit atque levat, ipsumque de Talbot ad permittendum supranominatum Stafford dictis hereditagiis uti et gaudere condemnavit et
condemnat. Et sint expensis et ex causa.

Pronunciatum die xiij^a februarii, anno domini m° cccc° xxxiij°

Piedefer

XX
Thomas Overton *v.* Sir John Fastolf

It is not surprising that the longest suit on record involving Englishmen in France in these years should have had as its protagonist Sir John Fastolf who, in this suit, was at the centre of a lengthy legal process against one of his chief servants, Thomas Overton.

Stripped of its inessentials, the suit was concerned with the charge that Overton had been cheating Fastolf of moneys due to him and, above all, that he had constantly refused to produce the accounts by which, it was implied, the charge might have been disproved. At the root of the trouble were the characters of the two opponents, each intent upon outdoing the other, neither, as a consequence, being shown up in a good light. If Overton, who said he was a well-born clerk educated at Winchester (and it was as an unmarried clerk that the bishop of Paris sought him for his own jurisdiction) was, in fact, a rogue and a deceiver, Fastolf appears as high-handed in his dealings with his servant. It was as denigrators of character that both men excelled, Fastolf depicting his servant as a man of mean birth, bigamous, a player of dice whom he had helped to promote from his lowly origins, while Overton was alleged to have stated that his master was a 'chevalier fuitif', a reference to Fastolf's flight from the field at Patay.[1] The suit is also notable for Overton's full-scale attack on the 'establishment', and for the accusations brought against him of having denounced the 'chappeles fourréz' (or members of the Parlement), and of being the author of seditious pamphlets. The duke of Bedford had supported Fastolf before, in his suit against Denis Sauvage; now Overton's ridicule of the administration both in England and France, where Overton was accused of distributing his pamphlets, forced the regent to join suit again with his 'grand maître d'hôtel'.

The suit lasted more than three years. From an early stage attempts were made to seek arbitration, but without success. The court must have been relieved to hand over the affair to a committee in December 1435 with the hope expressed that it should work towards resolving it 'le plus diligenment que faire se pourra'. Only if this body failed would the Parlement intervene again. Whether a settlement was finally reached, or whether it was the capture of Paris by the Valois army on 13 April 1436 which put an end to the affair, may never be known.

[8 May 1432] [X²ᵃ 20, fo. 199v]

Henricus etc, universis etc, salutem. Notum facimus quod visis per nostram parlamenti curiam [fo. 200r] aliis nostris litteris eidem curie pro parte dilecti et fidelis consiliarii nostri Johannis Fastolf, militis,

---

[1] Monstrelet (*Chronique*, iv, 332) reports what Talbot had to say about this.

superioris magistri hospicii carissimi consanguinei nostri gubernantis et regentis regnum nostrum Francie, ducis Bedfordie, integracionem ipsarum litterarum requiren[tis] exhibitis et traditis hunc tenorem continen[tibus]: Henry, par la grace de Dieu roy de France et d'Angleterre, a noz améz et feaulx conseillers les gens tenans nostre Parlement a Paris, salut et dilection. Nostre amé et feal conseillier Jehan Fastolf,[2] chevalier, grant maistre de l'ostel de nostre tres chier et tres amé oncle le gouvernant et regent nostre royaume de France, duc de Bedford, nous a fait exposer que a l'occasion de ce que on disoit avoir esté rapporté a nostredit oncle des l'an mil cccc vint huit, que en ses pays d'Anjou et du Maine[3] et aucuns autres pays voisins a iceulx avoient esté commis et perpetréz pluseurs exces, abuz et delictz par pluseurs et diverses personnes, mesmement par Richard Ruault,[4] naguaires[a] tresorier de nostre dit oncle esdiz pays, et Thomas Overton, par quy on disoit les hommes desdiz pays avoir esté grandement grevéz, oppriméz et dommagiéz, certaines informacions eussent esté faictes par noz améz et feaulx conseilliers Giles du Clamecy,[5] chevalier, et maistre Guillaume Le Duc,[6] ad ce commis de par nous et de par nostredit oncle par vertu de certaines lettres de nous et d'iceluy nostre oncle obtenues par nostre procureur general et par le procureur de nostredit oncle, par lesquelx de Clamecy et Le Duc, en procedant en la besongne, eussent esté prins pluseurs papiers, comptes et autres choses appartenans audit exposant estans en la possession dudit Ovverton, lors serviteur d'icelluy exposant, lesquelx papiers, comptes et autres choses par ordonnance desdiz commissaires furent apportéz en nostre ville de Paris; et pour ce que des choses dessusdictes aucuns mur-

---

[a] *MS* n'avoit gaires

---

[2] For Sir John Fastolf, see appendix II.

[3] The grant of the duchy of Anjou and the county of Maine to the duke of Bedford, made at Rouen on 8 September 1430, was registered by the Parlement four days later (A.N., X^{1a} 8605, fos. 15v-16r)

[4] Richard Ruault was appointed receiver for the *vicomté* of Exmes on 7 May 1418 (*D.K.R.*, xli, 711). He found favour with the English who also gave him land (Charma, 'Parties des dons', p. 2). After the suppression of the Norman *Chambre des Comptes* in July 1424, he became treasurer of Bedford's personal finance court at Mantes (*Archives de la Seine-Inférieure. Répertoire numérique de la série B*, ed. P. Le Cacheux (Rouen, 1934), p. 10). He was also receiver of Maine, but had been replaced by Pierre Baille, with whom he concluded an *accord* (A. N., X^{1c} 136, n°s 7, 8) before 6 July 1428. The previous day he had appealed to the Parlement against the duke of Bedford, who settled by another *accord* no longer extant. Ruault was also to be involved in litigation against Overton in the summer of 1435. For these suits, see appendix I.

[5] Giles de Clamecy was a man of considerable administrative and judicial experience, who was briefly *prévôt* of Paris in 1419-20. He worked closely with Bedford and received many rewards, not least in lands, for his services to the English.

[6] Guillaume Le Duc, third *président* of the Parlement since February 1432, was one of those who were to continue in the English service after the loss of Paris in 1436.

muroient et semoient paroles en voulant donner charge des choses
dessusdictes audit exposant, duquel ledit Ovverton estoit lors serviteur, icelluy suppliant se tray pardevers nostre dit oncle en luy exposant les choses dessusdictes, en luy requerant tres instamment que on
luy voulsist declairier les charges dont on le vouloit accuser et le oir en
ses justificacions et defenses en offrant pour luy sur ce ester a droit.
Pour entendre laquele besongne furent commiz et ordonnéz de par
nous et nostre dit oncle noz améz et feaulx conseilliers l'evesque
d'Evreux,⁷ le premier president de nostre dit Parlement,⁸ maistres
Pierre de Marigny,⁹ Quentin Massue,¹⁰ Andry Courtevache¹¹ et lesdiz
de Clamecy et Le Duc, lesquelx y vaquerent par pluseurs et diverses
journees; mais pour certaines occupacions que eurent les aucuns desdiz
commissaires, ilz ne peurent continuer ne conclure en ladicte besongne, et pour ce que la matiere prenoit trop long trait, ledit exposant, soy sentant pur et innocent des choses dessusdictes et voulant en
ce garder son honneur, se tray pardevers nous et nostre grant conseil
lors estans a Rouen,¹² en nous suppliant et requerant que lesdictes
informacions, comptes, papiers et tout ce que fait avoit esté en ladicte
matiere nous voulsissions faire veoir et visiter afin de proceder a
l'absolucion ou condempnacion d'icelluy exposant, ainsi qu'il appartendroit par raison; mais pour les occupacions que lors avions, on n'y
pot bonnement vacquer et feismes tout renvoyer en nostredicte court
de Parlement, et ordonnasmes lesdiz papiers, comptes, informacions
et autres choses y estre portees et les parties auxqueles ce povoit
touchier y estre adjournees a certain et competent jour comme en noz
lettres sur ce faictes et passees en nostre grant conseil, donnees a Rouen
le second jour d'octobre, l'an mil cccc trente,¹³ est plus a plain contenu;
par vertu desqueles noz lettres ledit exposant fut adjourné en nostre
dicte court de Parlement au premier jour plaidoiable dudit Parlement,
c'est assavoir aux jours de Vermendois l'an dessus dit mil iiij^c et
trente,¹⁴ pour respondre a nostre procureur et au procureur de nostre
dit oncle sur le contenu esdictes lettres royaulx, leurs [fo. 200v] circumstances et dependances; en laquele nostre court lesdiz papiers,
comptes et autres choses, en bien grant nombre, aient esté apportees,

---

⁷ Martial Formier, bishop of EVREUX 1427-39.

⁸ Philippe de Morvilliers, first *président* of the Parlement 1418-33.

⁹ Pierre de Marigny, a Burgundian supporter who was *avocat du roi* in 1418 and *prévôt* of
Paris in 1421.

¹⁰ Quentin Massue, master of requests and *conseiller* in the Parlement.

¹¹ André Courtevache was a *clerc des comptes* whose financial experience would have
been valuable in this case.

¹² Rouen, Seine-Maritime.

¹³ This was during the visit of Henry VI to Rouen.

¹⁴ It was customary to hear suits from the *bailliage* of Vermandois at the start of each
new sitting of the Parlement in November.

qui encores y sont; et combien que assez tost aprés lesdiz jours de
Vermandois ledit exposant feust venu et comparu en personne en
nostre dicte court de Parlement en requerant avoir expedicion des
choses dessusdictes, offrant d'ester a droit et respondre peremptoire-
ment a tout ce que on luy vouldroit demander et imposer; neantmoins
nostre procureur et le procureur de nostre dit oncle differerent et
delayerent la besongne, disans nostre dit procureur qu'il faloit veoir
lesdiz papiers, comptes et autres choses, qui estoit bien longue chose a
faire; et depuis est la besongne demouree en l'estat sans y avoir
aucunement esté procedé; et pour ce que la chose touche grandement
l'onneur dudit exposant et que le delay luy pourroit tourner a tres
grant dommage et prejudice, il s'est trait pardevers nous et pardevers
nostre dit oncle en nous suppliant et requerant que luy vueillons faire
et administrer raison et justice, et faire proceder a son absolucion ou
condempnacion ainsi qu'il appartendra par raison, disant qu'il
n'endure entreprendre aucune grant charge, ne soy employer en noz
affaires, jusques ad ce qu'il soit honnourablement purgié des choses
dessusdictes. Pourquoy nous, ces choses considerees et le besoing que
nous avons d'avoir le service de luy et de noz autres vassaulx et
subgetz, et aussi que la matiere est grande, longue et prolixe, et y a
moult de papiers, comptes et autres choses a veoir et visiter, et que
ceulx des commissaires dessus nomméz qui sont en vie ont autresfois
veu et visité et y ont vacqué par pluseurs et diverses journees et en sont
tous instruiz, et que vous avez moult d'autres occupacions pour nous
et les faiz publiques de nostre royaume, et pourroit la chose prendre
moult long trait en nostre dicte court, et pour certaines autres causes
et consideracions, vous mandons et enjoingnons que les causes, proces
et besongnes dessusdictes, les circumstances et dependances d'icelles,
avecques lesdiz papiers, comptes, informacions et autres choses qui en
dependent, vous renvoyez pardevers noz améz et feaulx conseilliers
ledit premier president de nostre court de Parlement, Giles seigneur
de Clamecy, chevalier, maistre Thomas Fassier, maistre des requestes
de nostre hostel, Jehan Barton, escuier,[15] et Regnault Doryac, maistre
de noz comptes, pour estre par eulx discuté et ordonné de la matiere
ainsi qu'il appartendra par raison. Auxquelx premier president, Clamecy, Fassier, Barton et Doryac, et aux quatre ou trois d'iceulx, nous
mandons, et pour les causes dessusdictes commectons, que sommierement et' de plain ilz procedent en ladicte cause et matiere, en faisant
et administrant audit exposant bonne et briefve justice et telement
qu'il n'ait cause de plus en retourner pardevers nous, car ainsi le

---

[15] John Barton had been *maître d'hôtel* and treasurer to the duke of Bedford since 1425
and was to be an executor of his will (B.A. Pocquet du Haut Jussé, 'Anne de Bourgogne
et le testament de Bedford, 1429', *Bibliothèque de l'École des Chartes*, xcv (1934), 284-326).
This is a rare example of an Englishman sitting on a judicial commission.

voulons et nous plaist estre fait, et audit exposant l'avons octroyé et octroyons de grace especial par ces presentes, nonobstans quelzconques lettres subreptices impetrees ou a impetrer au contraire. Donné a Paris, le iiij jour de may, l'an de grace mil cccc trente deux, et de nostre regne le xe. Auditoque super contentis in dictis litteris et impugnacione verificacionis ipsarum procuratore nostro generali pro nobis, et consideratis considerandis in hac parte, prefata curia nostra preinsertis litteris nostris obtemperando causam seu causas processusque et negocia de quibus in eisdem litteris cavetur cum eorum circumstanciis et dependenciis papirisque et compotis ac aliis rebus content[a]^a in dictis litteris concernentibus coram dilectis et fidelibus consiliariis nostris primo presidente dicti Parlamenti nostri, Egidio domino de Clamecy, milite, magistro Thoma Fassier, magistro requestarum hospicii nostri, Johanne Barton, armigero, et Reginaldo Doryac, compotorum nostrorum magistro, commissariis in supradictis litteris nostris nominatis remisit et remittit per presentes. Quocirca antedictis consiliariis et commissariis nostris, quatuor aut tribus ipsorum, tenore presencium committimus et mandamus [fo. 201r] quatinus, resumptis penes se processibus, negociis et aliis rebus supradictis, dictum Johannem Fastolf tangentibus, vocatisque vocandis, procedant in huiusmodi causa et materia earumque circunstanciis et dependenciis summarie et de plano, ministrando super hoc celeris justicie complementum secundum formam et tenorem litterarum suprainsertarum. Ab omnibus autem justiciariis et subditis nostris commissariis supranominatis quatuor aut tribus ipsorum et deputandis ab ipsis in hac parte pareri volumus et jubemus. Datum Parisius in Parlamento nostro, die viij^a maii, anno domini millesimo cccc^o tricesimo secundo, et regni nostri decimo.^{15a}

[23 June 1432]   [X^{1a} 4797, fo. 1r]

En la cause d'entre Thomas Overton, escuier, demandeur, d'une part, et messire Jehan Fastolf, chevalier, defendeur, d'autre part, qui dit qu'il est notable chevalier, des plus notables de la compagnie du duc de Bedford, regent; et pour sa vaillance lui a esté baillee la Jertiere[16] et a eu plus grans charges de gens d'armes et de trait, par quoy on lui a baillié grans receptes pour les souldoier; et Overton, qui estoit ung povre clerc, fu receu en son office et pour la fiance qu'il avoit en lui le fist son receveur general, et a receu grans finances. Et

---

^{a} *The ending is rubbed out in the MS*

---

^{15a} See the late copy extracted from registers of the Parlement *criminel* referring to the *evocation* of this suit before the commissioners, 8 May 1432 (B.N., Collection Dupuy 250, fo. 147r).

^{16} Sir John Fastolf was created a Knight of the Garter in 1426.

dit que ou temps que le roy fist faire informacion d'aucunes exactions au pais du Mayne, les commissaires firent arrester et prendre les papiers de Thomas Overton qui avoit delayé a rendre compte a Fastolf; et pour ce que Fastolf vouloit bien veoir et savoir l'estat de Overton, il fist tant envers les commissaires que on lui delivra lesdis comptes et papiers a sa caucion et les bailla a Overton, et furent portéz a Caen dont Fastolf estoit capitaine; et depuis Fastolf, pour ce qu'on lui avoit voulu donner charge de exactions, il se trahi devers le roy pour avoir juges et ester a droit devant eulx. Et *tandem* vint ceans en la court ou il se offry d'ester a droit, et fu ordené que lesdis papiers seroient apportés ceans, et furent apportéz aucuns ceans; mais pour ce qu'il en faloit encores sept, on ordena que on les feroit venir. Mais lors Overton dist qu'il ne vouloit plus servir Fastolf, et transporta les sept papiers a Faloise.[17] Et pour ce Fastolf obtint lettres du regent a qui ce touche par vertu desquelles Overton, qui n'a aré ne semé en ce royaume, fust emprisonné; et par ce appert qu'il y a assez matiere de prisonner et tenir prisonnier Overton qui s'en estoit fouy du service [de] Fastolf, et avoit emporté lesdis papiers qui touchoient l'estat de Fastolf, et povoit par la teneur d'iceulx apparoir de la charge ou descharge que on vouloit donner a Fastolf. Et avoit receu Overton plus de ij^c mil frans et devoit et doit Overton bien xx^m frans, et sera veu par arrest du compte quant il sera decidé des arrests; et y a usage en Normendie que les capitaines pevent arrester et emprisonner leurs clercs qui se sont entremis de receptes, et les puet on retenir jusques a ce qu'ils aient rendu compte et reliqua. Et a Overton recelé lesdis papiers, et les a transporté de Caen a Faloise; et par la faulte des papiers Fastolf, contre raison, a esté chargié de son honneur, et respondera Overton des faultes qui seroient avenues par Fastolf, et ainsi on sera seur de Overton ou par prison ou par caucion souffisante; si ne sera eslargy, et n'a cause ne action d'avoir fait ses requestes et conclusions, et sera absolz; et aura Fastolf contre Overton dommages et interestz. Et ont esté folement adjournéz les auditeurs des comptes, et n'y a matiere contre eulx; si auront congié et despens, dommages et interests. Et est Fastolf prest d'entendre au compte dudit Overton qui a esté emprisonné a la requeste du duc de Bedford et de messire de Fastolf.

[fo. 1v] Overton dit qu'il n'a refusé ne delaié de rendre ses comptes, et lui avoit Fastolf de son consentement [?baillié]^a terme d'un an a verifier plus a plain de ses comptes,^{b} et pendant l'an, contre promesse, l'a fait emprisonner, et n'y avoit cause de l'emprisonement, et a bien

---

^{a} *Some such word is required*
^{b} *Followed by* que, *struck out*

---

[17] Falaise, Calvados, arr. Caen.

administré et rendu ses comptes devant les auditeurs commis par Fastolf, et doit Fastolf [ ]*a* et n'y a cause ne coustume pour emprisonner Overton,*b* et n'y a faulte ne informacion contre lui. Et se Overton n'a baillié caution a Fastolf, *imputetur sibi et approbavit fidem suam*; aussi est il notables hommes, et avoit homme chevancé, et avoit par avant servy le feu conte de Salisbery[18] et le premier chambellan du roy;[19] si ne devoit estre emprisonné mesmement par lettres closes; si sera eslargi au moins par Paris *sub magnis penis.*

Fastolf soubstient l'emprisonnement de*c* Thomas Overton qui a receu la peccune publique dont on devoit paier les souldoiers du roy. Et est l'usage tout notoire en Normendie que les segneurs peuvent emprisonner leurs receveurs; et se Fastolf a fait courtoisie de recevoir Overton en son service sans caucion, pour ce ne s'ensuit mie se Overton est souspeconné *de fuga* que Fastolf ne se puist pourveoir selon l'usage et coustume. Or est certain que Overton doit par la fin de son compte plus de xx^m frans, ainsi qu'il appert par les arrestz dez comptes qui ne sont point verifiéz, et a transporté soy et ses papiers a Faloise. Et encorez en avoit il deux devers lui qu'il a monstré ceans, et au premier mandement a lui fait de baillier ses comptes en retint viij papiers, et au second commandement en a retenu deux qu'il a monstré ceans, et a voulu soubstenir ceans qu'il n'estoit tenu de les baillier. Et si est vray que s'il n'eust esté prisonnier, jamais on n'eust eu lesdis papiers, et n'en a baillié que v a Briquelay[20] au quel il en devoit baillier liiij; et pour ce qu'on charge l'onneur de Fastolf, dont il apparaitra par lesdis papiers, il convient dire que Overton demourra prisonnier ou baillera caucion souffisant. Autrement, s'il s'en aloit, on vouldroit condempner Fastal pour le fait de Overton et du contenu esdis papiers; et a Overton assez bonne provision de la court en baillant caucion selon l'appointement autresfois fait la veille de Penthecoste[21] *in registro* de l'Espine.[22] Et doit on avoir grant regard a l'estat de Overton qui s'en porroit fouyir, et joue hardiement aux deis, et a autant a Bruges[23] que a Gand.[24] Si conclud comme dessus.

a The remainder of the clause is missing in MS   *b Interlined over* Fastolf, *struck out*
c Followed by Fastolf, *struck out*

[18] Thomas, earl of Salisbury, died on 3 November 1428. See appendix II.

[19] Ralph, Lord Cromwell, was 'premier chambellan' while Henry VI was in France (*Fauquembergue*, iii, 27). He was to be dismissed on 1 March 1432 (B. Wolffe, *Henry VI* (London, 1981), p. 67).

[20] John Brinkeley had been appointed to the Norman *Chambre des Comptes* in Caen by Henry V in April 1419 (*D. K. R.*, xli, 765). He was to remain associated with the town for many years, and acted as lieutenant to two royal captains between 1425 and 1430 (*Gallia Regia*, i, 526).

[21] 7 June 1432

[22] i.e., in the register of Jean de L'Espine, *greffier criminel* of the Parlement.

[23] Brugge, West-Vlaanderen, Belgium.   [24] Gent, Oost-Vlaanderen, Belgium.

Le procureur du roy requiert a veoir les papiers mis devers la court, et que les autres papiers viengnent ceans, et qu'il les voie.

Fastolf a requis avoir copie des cedules de Briquelay mises devers la court, qui lui a esté octroié par ycelle court.

La court a demandé au procureur du duc de Bedford s'il se vouloit opposer a la delivrance ou l'eslargissement dudit Overton; lequel a respondu qu'il ne savoit que c'estoit. Overton dit qu'il tient au royaume de France beaux heritages et iij^c livres de rente; et si a beaux heritages en Angleterre; et neantmoins il ne trouveroit a Paris aucune caucion mais, s'il plaise a la court, il veult bien estre eslargi *quousque* sur peine de perdre sa cause et d'estre banny dez royalmes de France et d'Angleterre.

Appoinctié que les parties revendront jeudi sur le principal. Et au regard de la provision requise par Overton, il baillera par declaration les heritages et rentes qu'il tient, et sera enregistré son consentement cy dessus escript touchant son elargissement. Et au conseil la court fera droit.

Au conseil. Morvillier^a

[26 June 1432]   [X^{1a} 4797, fo. 3r]

En la cause d'entre Thomas Overton, d'une part, et messire Jehan Fastolf, chevalier anglois, d'autre part, Overton dit que de l'onneur et de [la] vaillance [de] Fastolf ne veult riens detraire; et estoit Overton souffisant homme, clerc et riche de ij^m salus, bien herité et bien monté. Et avoit vij hommes d'armes quant il vint au service de Fastolf, qui le fist mettre au chastel d'Alencon[25] a charge de iij hommes d'armes.^{b} Et a la recouvrance du Mans[26] Overton y vint accompagnié de viij hommes d'armes. Et estoit gentil homme et lui [?assermentoit]^c Fastolf comme escuier, et avoit une maison a Faloise bien garnie. Et supposé qu'il fust povre, Fastolf l'auroit approuvé et n'y feroit riens la povreté puis que l'omme seroit de bon gouvernement. Et quant est dez papiers, ilz ne vindrent mie en sa main par la main de Fastolf, mais lui furent bailliéz par inventaire par maistre Jehan Doulsire;[27] et depuis Overton lez porta a Alencon dont [Fastolf]^d estoit capitaine, et par commission de Fastolf lez bailla a Brikelay qui en bailla sa cedule et quictance; et est vray que en baillant lesdis papiers Overton dit a Brikley qu'il avoit a faire pour ses comptes de deux papiers que Brikley lui laissa. Et n'a

^{a} *In the margin* ^{b} MS *d'argent*
^{c} MS *resermoit* ^{d} MS *il; this is ambiguous*

---

[25] Alençon, Orne.

[26] Le Mans, Sarthe; presumably a reference to the events of 28 May 1428, for which see n° **XVII**.

[27] Jean Doulsire was *examinateur* at the Châtelet.

riens recelé et n'a point voulu empescher que les papiers ne soient bailliéz, mais est vray qu'il a requiz ceans provision d'avoir lez ij papiers pour rendre ses comptes; et les avoit envoiéz Overton a Fastolf, qui les lui renvoia pour les faire venir a Paris. Et est en ceste ville Guillaume Pleys par lequel il envoia a Fastolf lesdis papiers; et n'a riens recelé, et les a receuz Overton du consentement de Fastolf. Aussi ne fust ce mie la cause de l'emprisonnement de Overton pour ledit recelement et n'en y a point, et n'en font aucune mencion les lettres de l'emprisonnement, et n'y avoit cause de l'emprisonnement, et ny obligacion ne condempnacion ne matiere privilegiee; et ne scet se ceste besoingne touche l'onneur de Fastolf, mais pour ce ne doit il estre prisonnier. Et ne doit on mie dire qu'il y ait recepte de c^m ou ij^c mil, se n'est seulement de ce qui resteroit, deduitez lez mises; et encorez^a sera deu a Overton le^b reste. Et y ont esté mis lez *loquatur*[28] bien legierement en mises dont il appert par quictances et descharges et sur autres mises verifieez. Et en tout evenement soient verifiés ou non verifiéz les arrests, encorez devra Fastolf qui doit plus de reste que ne montent les arrests, [fo. 3v] et est Overton bien resseant. Et s'il avoit dit qu'il vouloit avoir ung autre maistre, pour ce que Fastolf le menacoit, pour ce ne doit il tenir prison ne baillier caucion, et *approbavit fidem* et ne puet estre emprisonné par la coustume de Normendie. Et se coustume y avoit, ce soit au regart de ceulz qui tiennent fief noble d'un segneur, et ont fait faulte en leur administracion ou recepte, et n'auroit point lieu en ce cas. Au regart des commissaires, ils ont lez comptes originaulz et ses descharges; pour ce a requiz la provision dessusdicte contre eulx et Fastolf, et requiert que les comptes et descharges soient mis devers la court, et requiert provision de sa personne, veues les offres et submissions dessusdites, et que au moins soit eslargi par la ville de Paris.

Fastolf requiert delay pour revenir.

Appoinctié que Fastolf revendra *alia die*, et demain Overton baillera au conseil ou a la court une requeste par escript sur la provision des sa personne.

[26 June 1432]   [X^la 1481, fo. 57v]

Item a conseillier l'arrest d'entre Thomas Overton, prisonnier, d'une part, et messire Jehan Fastolf, chevalier, d'autre part, sur le plaidoié du xxiij^e jour de juing m cccc xxxij.

Il sera dit que ledit Overton sera eslargi, et l'eslargist la court par la ville de Paris jusquez a ce que autrement en sera ordené, a la caucion de lui mesme et de ses biens quelconques, et sur peine de

---

^a *Followed by* lui, *struck out*   ^b *MS* de

²⁸ Charges imposed additionally to the normal mises.

perdre sa cause et d'estre banny de[s] royaumes de France et d'Angleterre; et si lui interdit ladicte court l'alienacion de ses immeubles jusquez a ce que autrement en soit ordené.

Et *attende* que Overton a promis tenir ce present appoinctement et non venir a l'encontre et obeir a la court.

Dictum partibus xxvij [*die*] *huius mensis.* Morvillier[29] [a]

[27 June 1432]   [X[1a] 67, fo. 180v]

Cum occasione certarum receptarum per Thomam Oveton, se dicentem scutiferum de regno nostro Anglie oriundum, pro dilecto et fideli nostro Johanne Fastolf, milite, in ducatu Andegavie et comitatu Cenomanie et alibi factarum, ac quorumdam excessum recelamentorum et aliorum defectuum et delictorum circa huiusmodi receptam aut alias, ut dicebatur, per ipsum Thomam commissorum et perpetratorum,[b] idem Overton fuisset ex ordinacione [?consilii][c] patrui nostri gubernantis et regentis regnum[d] nostrum Francie, ducis Bedefordie, et ad requestam dicti Fastolf in carceribus nostris apud Falesiam prisionarius mancipatus, et deinde virtute certarum litterarum per eundem Thomam a nobis impetratarum et [fo. 181r] causis in eis contentis ac ex ordinacione et appunctamento nostre Parlamenti curie in qua processus super premissis inter easdem partes fuerat introductus in carceribus Conciergerie palacii nostri Parisius[30] priosionarius [*sic*] adductus; pendente vero huiusmodi processu, dictisque partibus auditis, predictus Ouverton, dicens plura hereditagia usque ad valorem iij[c] librarum redditus in dicto regno nostro Francie, et eciam plura alia in dicto regno nostro Anglie habere et possidere, sibi ad suam caucionem de elargamento provideri quousque aliud foret ordinatum postulasset, offerens stare juri sub pena amissionis cause et bannimenti a dictis nostris regni[s] Francie et Anglie. Super qua quidem provisione eadem curia iniunxisset dicto Overton ut declaracionem dictorum suorum hereditagiorum et reddituum penes dictam curiam traderet easdemque partes super huiusmodi provisione in jure et ad tradendum eidem curie ea de quibus se iuvare vellent in hac parte appunctasset. Notum facimus quod visis per dictam nostram curiam declaracione dictorum hereditagiorum et reddituum ipsius Overton et aliis litteris, actis et munimentis propter hoc per dictas partes traditis, et consideratis considerandis, prefata curia nostra dictum Thomam Overton elargavit et elargat per villam nostram

---

[a] *In the margin*   [b] *MS* perpetratarum
[c] *MS* causam   [d] regnum *repeated in MS*

[29] This text is printed in *Fauquembergue*, iii, 59.
[30] The Conciergerie was the prison in which those arrested within the area of the Palais were confined.

Parisiensem quousque aliud super hoc fuerit ordinatum ad sui ipsius et bonorum quorumcumque caucionem, et sub pena perdicionis cause bannimenti seu exilii a dictis nostris regnis Francie et Anglie. Et insuper eadem curia predicto Overton alienacionem bonorum suorum inmobilium donec aliud*ª* super hoc fuerit ordinatum interdixit et interdicit. Quocirca primo dicti Parlamenti nostri hostiario vel servienti nostro super hoc requirendo committimus et mandamus quatinus presentes litteras iuxta suarum*ᵇ* tenorem et formam in hiis que execucionem exigunt execucioni debite demandet, cui ab omnibus iusticiariis et subditis nostris in hac parte pareri volumus et iubemus. Datum Parisius in Parlamento nostro, xxvijª die Junii, anno domini millesimo quadringentesimo xxxijº.

[1 July 1432] [Xˡª 4797, fo. 4v]

En la cause d'entre Thomas de Overton, escuier, demandeur, d'une part, et messire Jehan Fastolf, chevalier, defendeur, qui dit en replicant que Overton a receu grant argent qui estoit a la chose publique pour la deffense du pais, dont une partie a esté baillee a Fastolf qui avoit la charge du pais [et] de garder le pais. Et est Thomas Overton estrangier non resseant; si y avoit cause de l'arrester qui avoit mal administré, et pour les autres causes cy dessus declaireez [Fastolf] avoit bonne cause de le faire arrester. Et quant est de Overton, quant il vint [fo. 5r] premierement devers Fastolf a Harfleu,³¹ il n'avoit cheval ne asne, et vint tout nud et deschaussé devers lui. Et le receu Fastolf doulcement et lui fist du bien, et depuis Overton fu receveur du guet a Faloise; et aprés aucun temps depuis, retourna Overton a Alencon devers Fastolf, et le fist receveur du pais du*ᶜ* Maine et y fist Overton pluiseurs faultes et abus, et bailloit saufconduis et lettres et faisoit de grans exactions et abus. Et quant il recevoit iiij ou v salus d'un saufconduit, il n'en rendoit que ung ou neant. Pour ce Fastolf fu conseillié de lui baillier, et lui bailla, ung contreroleur; mais Overton s'advisa depuis, et dist qu'il ne vouloit plus avoir de contreroleur, et qu'il avoit assez mengié ou assez gaignié. Et depuis sella et administra tout a son plaisir, sans mesure, et a beaucop proffité s'il eust bien gardé, mais il a joué au deis et tenu estat et despense en concubine et enfans; et n'a temoingnage de sa gentillesse en riens, et n'est homme qui ait charge de gens d'armes; et s'entremet de recepte, et a paié des gens d'armes soubs Fastolf; et a Overton mal administré et a empeschié qu'il n'eust contrerole, et a bien voulu contreroler les autres receveurs; si

---

ª aliud *repeated in MS*   *ᵇ* MS sui   *ᶜ Followed by* pai, *struck out*

³¹ Harfleur, Seine-Maritime, arr. Le Havre, c. Montivilliers. Fastolf was probably lieutenant for the duke of Exeter in 1416. See *Gesta Henrici Quinti*, ed. F. Taylor and J. S. Roskell (Oxford, 1975), p. 118, n. 1, and n. 60, below.

doit on tout interpreter contre lui. Et s'est aidié et a voulu emploier quittances de sa main, et a voulu estre creu du tout de ce qu'il a dit et escript en ses comptes; et y a arrests et advertissemens qui ne sont point decidés, et devra Overton assez de retour par la fin du compte, et y a quittances non vallables. Et veult bien Fastolf entendre au compte, et ne demande*a* que d'en veoir la fin, et que ce qui devra estre alloué soit compté.

Oultre dit que Overton n'a mie rendu tous les papiers mais les a retenus et retrais *non obstante* la cedule de Brikley, qui est lieutenant de Fastolf a Calays.[32] Et confesse Overton qu'il en a receu deux papiers; sy en puet aussi bien avoir retenu viij que deux, et puet estre que Overton fist offrir lesdis papiers a Fastolf, mais qu'il lui baillast quittance de tout ce qui estoit contenu esdis papiers. Et pour ce que Fastolf, qui offroit baillier cedule de recepissé, ne vouloit mie baillier ladite quittance generale, Overton reprint ou remporta lesdis papiers. Et pour ce que on trouva les faultes de Overton dont on a voulu chargier Fastolf, il a bien eu cause de faire arrester Overton comme dit est. Et est vray que Overton a longuement delaié*b* a rendre compte par l'espace de deux ans et plus; et finablement Fastolf ordenna commissaires a Caen pour oir lesdis comptes, et leur pria que doulcement et raisonablement ils traictassent Overton qui a esté long temps a Caen, lui vj*e* ou vij*e* [   ],*c* aux despens de Fastolf qui a trouvé assez de faultes en Overton, qui l'a voulu chargier en disant qu'il l'a traictié rigoreusement ses autres serviteurs dont il n'est riens combien que aucuns aient contrefait son seel et son signe manuel. Oultre dit que quant ung receveur se gouverne mal en jeu de deis ou autrement desraisonablement, *eo ipso* on le doit tenir pour revoqué; et fait bien a noter que Overton a receu, retenu et mal administré l'argent de la chose publique; pour ce Fastolf a bien procedé et devait estre arresté et contraint a tenir prison ou au moins a baillier caucion; et ne valent mie ses rentes xx livres parisis, et ne vault la maison de Faloise, les charges aquittees, plus de lx sols et n'est mie la maison a lui mais, dist on, qu'elle est a sa concubine. Si conclud comme dessus, et dit que Overton osta la clef du coffret ou estoit enclos le seel dont*d* on seelloit les saufconduis afin que le contreroleur ne peust entendre au contrerole.[33]

Overton dit qu'il n'empescha onques le contrerole, et estoit en la

---

a Followed by s, *struck out*   *b Followed by* po, *struck out*
c A word denoting a period of time is lacking
d Followed by appointié que la court verra, *struck out*

---

[32] Calais, Pas-de-Calais.
[33] On abuses committed by those granting safe-conducts, see Keen, *Laws of War*, p. 198, n. 2.

puissance de Fastolf de y mettre et tenir contrerole; et povoit donner congié a Overton se bon lui sembloit.

Appointié que la court verra comptes, lettres et ce que les parties vouldront monstrer au conseil.

Au conseil. Morvillier*a*

[29 August 1432]   . [X^{la} 8302, fo. 250r]

A mardi vendra messire Jehan Fastolf et autres contre Thomas Overton.

[12 February 1433]   [X^{la} 4797, fo. 41r]

L'evesque de Paris[34] a requiz Thomas Overton prisonnier clerc en la Conciergerie a l'instance de messire Jehan Fastolf, chevalier.

A lundi revendront les parties.

[19 February 1433]   [X^{la} 4797, fo. 42r]

Messire Jehan Fastolf, chevalier, et le procureur du roy revendront a viij^e contre Thomas Overton, prisonnier.

L'evesque a requiz et requiert Overton qui est clerc non marié.

Le procureur du roy dit que Overton n'est mie clerc, et est a congnoistre s'il est clerc. *Alia die* revendront.

[16 March 1433]   [X^{la} 4797, fo. 50v]

En la cause d'entre Thomas Overton, prisonnier appelant, d'une part, et messire Jehan Fastolf, chevalier intimé, d'autre part, l'appelant dit que de raison nul ne doit emprisonner aucun sans informacion; oultre presuppose lez proces que a fait Fastolf ceans et ailleurs a cause de la redicion de ses comptes, et pour empeschier la closture, Fastolf l'emprisonna non mie par justice. Et depuis Overton a esté eslargi par appointement de la court, et depuis ont esté esleuz arbitres, Clamecy, Le Duc et autres qui s'en deschargerent; au lieu desquelz Fastolf volt faire donner deux surrogiés que Overton ne congnoissoit. Et depuis Fastolf envoia par maistre Lois Galet[35] prendre Overton en son hostelerie, et l'emprisonner au Chastellet; et fu interogué par le lieutenant, aucunes fois par Galet, autre fois par Fastolf qui faisoit tant d'interrogatoires qu'il ne savoit auquel respondre, et ne faisoient riens escripre de ce qu'il respondoit*b* touchant sa justificacion, mais seulement ce qui povoit estre a sa charge; et ne lui vouloient ouvrir voie de justice. Et l'ont longuement detenu prisonnier, et lui ont prins et emporté tous ses biens, comptes et papiers. Pour ce le xixe jour de novembre appella de l'emprisonnement denee de droit et explois dessusdis, et de la longue detention; et depuis, par

---

a In the margin   *b Followed by s, struck out*

[34] Jacques du Châtelier was bishop of Paris 1427-38.
[35] Louis Galet, *échevin* of Paris, was an *examinateur* at the Châtelet.

lettres royaux, a esté amené ceans poursuir son appel. Si conclud en cas d'appel, despens, dommages et interestz, et provision de sa deliverance, de son corps et de ses biens. Et dit que on ne lui a point donné de conseil.

Le procureur du roy, pour le roy et pour Fastolf*[a]*, dit que Overton n'a point appellé, mais veulct bien qu'il soit reputé pour appellant.*[b]* Oultre dit que [fo. 51r] Overton, informacion precedente, sur libelles diffamatoires par lui fais et escripts en Angleterre et ailleurs a esté emprisonné et interogué, et est tout escript; et sont lez cas mauvais, et lez a confesséz et en a crié mercy a Fastolf. Depuis s'est allegué sur ce, a esté interrogué, et a dit qu'il n'a point de lettre*[c]* et qu'il a demouré en ung college en Angleterre[36] ou ne fault point de lettre; et pour ce qu'il a esté et est homme d'armes passé a gages *ultramarinus*, on a mis en deliberacion s'il estoit recevable de proposer clericature sans lettre. Et *tandem* le xvij*[e]* jour de novembre, lui fu dit par appointement que dedans iiij mois il ensegneroit de sa lettre, *alias* seroit reputé pour lay, dont il n'a appellé ne reclamé. Et ne se plaigny point du registre de ses responses, et ne demanda point de conseil, et ne lui auroit on point refusé; si n'a point esté grevé veu le proces, et n'a mie appellé *illico*. Si ne soit a recevoir, et a mal appellé veu le proces qui est tout escript. Conclud a ce.

Et pour ce que l'evesque a demandé Overton, le procureur du roy dit que le juge lay est saisi, et n'est point clerc ne en possession de clericature, et s'est porté pour lay homme d'armes depuis la descente du feu roy Henry; et n'est mie Overton legitime, et a fyancié une femme dont depuis a eu deux enfans. Si ne sera receu l'evesque a le demander et ne lui sera rendu.

Messire Jehan Fastol dit qu'il a bien servy le roy et pour le bien de lui le roy luy a baillié Jarretiere, et doit moult entendre a garder son honneur que Overton a blasmé sans cause, attendu mesmement que Overton, qui vint pardeca en estat d'archier, a esté eslevé en estat par Fastoff qui l'a fait son tresorier et lui a fait grans honneurs et prouffis. Et neantmoins, contre verité, il a dit et escript pluiseurs choses contre l'onneur du roy, du regent, de la court et de Fastolf. Pour ce le regent, de son propre mouvement, ordonna lettres par vertu desquelles, informacion precedente, Overton a esté emprisonné et interrogué; et fu mandé Fastolf, au quel furent monstreez lez lettres et libelles diffa-

---

[a] MS et pour Fastolf, *interlined*   *[b]* pour appellant *interlined*
[c] *Followed by* et pour ce qu'il a esté et est homme d'armes passé a gages *ultramarinus*, on, *struck out*

[36] Thomas Overton was a scholar of Winchester College. (T. F. Kirby, *Winchester Scholars; a list of Wardens, Fellows and Scholars of St Mary College, Winchester* (London, 1888), p. 33).

matoires, dont Overton cria mercy a Fastolf qui avoit bien intencion
d'en faire poursuite ceans, s'il n'eust esté envoyé en la conté du Maine. Et
dit que Overton n'a point esté emprisonné a sa requeste, ne l'impetracion
faicte a sa poursuite. Si a esté folement intimé, et aura despens, dommages et interests. Oultre dit maistre Henry Roussel[37] qu'il y a lettres
obtenuez de par le regent et de par Fastolf pour faire demandes et
conclusions contre Overton. Pour ce requieront le regent et Fastolf
qu'ilz soient receus a faire leurs demandes et conclusions contre
Overton.

Appoinctié que Overton sera premierement oy, et a jeudi revendront.

[2 March 1433]   [X^la 4797, fo. 53r]

En la cause d'entre Thomas Overton, appellant, d'une part, et
messire Jehan Fastolf, chevalier, d'autre part, Overton replique et dit
qu'il est appellant, et le scet bien le prevost de Paris.[38] Et pour ce que
partie veult dire qu'i[l] n'a point appellé, il ne devroit point d'amende.
Et quoy que die Fastolf, il a tout fait et poursuy, et l'a fait emprisonner
long temps par ses gens qui disoient qu'ils avoient bon maistre qui
garissoit de toutez maladies. Et dernierement, quant il fu emprisonné,
ses gens vindrent avec le commissaire jusquez a l'uys de la prison; et
depuis ont dit que c'estoit mal fait de ce qu'on le laissoit aler par la
Conciergerie, et vouloient qu'il fust enfermé et que nul ne parlast a lui;
et n'en a parlé ne rescript le regent, se n'est a l'instance de Fastol, qui
lui a pourchassié tous empeschemens; et toutesvoiez Overton n'a fait
ne escript libelles diffamatoires. Mais ce que Overton a fait a esté pour
la descharge de Fastolf contre lequel on faisoit informacions au pais de
Mayne et y estoient envoiéz Clamecy, Le Duc et autres pour re-
former le pais. Et pour ce que Clamecy s'entremettoit comme media-
teur d'aucunes choses touchans Fastolf, qui se vouloit deschargier
par les comptes, lettres et papiers de Overton, ycellui Overton envoia
aucunes lettres ou cedules audit de Clamecy; et n'est mie vraissemblable qu'il eust voulu faire libelles diffamatoires; et s'il avoit *pro justicia
et veritate detegenda* envoyé papiers ou escriptures audit de Clamecy et
aux commissaires du roy a bonne fin, on ne le devroit mie noter *de
libellis famosis quia nichil fecit animo iniuriandi nec habet iniuriam veritas aut
justicia.* Ainsi Overton a esté grevé. Aussi n'estoit il tenu d'enseignier de
sa tonsure, et estoit *in possessione clericatus*; et n'ont point acoustumé en
Angleterre de prendre lettre de tonsure se ne sont ceulz qui servent en
l'eglise; et a esté d'un college en Angleterre auquel sont privilegiéz
de non porter tonsure; et si est homme bien lettré, bon clerc, et

---

[37] As a *conseiller* to the duke of Bedford and an *avocat*, Henri Roussel represented the
regent's interests in the Parlement (*Letters and Papers*, II, ii, [555]).

[38] Simon Morhier was *prévôt* of Paris from 1422 until 1436.

toutesvoiez on l'a debouté de sa possession de clericature, et porroit l'on prouver sa clericature par temoins aussi bien que par lettres; et n'est mie Overton *ultramontanus et si sit ultramarinus* ne convient point qu'il monstre lettre de sa clericature, et n'y doit point estre contraint ne plus abstraint que ung autre, et estoit en possession de clericature. Supposé orez qu'il fust homme d'armes et est besoing aucunes fois de garder et defendre l'eglise et lez drois de l'eglise; et neantmoins on le debouta et decida iiij ou v questions sans recevoir sa declinatoire: et refusa le prevost a lui donner du conseil le xxvij^e jour de novembre. Si a esté grevé, et pour ce que on lui vouloit obicier qu'il estoit illegitime et faire assez d'empeschemens, on ne lui devoit mie pour ce denyer du conseil; et n'est point illegitime ne bigame, et devoit estre oy, et n'a point declaré les cas le procureur du roy, mais pour ce que^a il a peu entendre Fastol, lui a voulu donner contre raison charge; et toutesvoiez il est bien natif de gens et honnestes, et avoit servy dez plus grans segneurs d'Angleterre avant ce qu'il venist avec Fastolf, [fo. 53v] et avoit avec lui xv ou xxv hommes d'armes quant il vint avec Fastof, et n'a dit riens de Fastolf *animo injuriandi*; et s'il avoit dit en secret aux commissaires et aux gens de justice, ce n'auroit mie esté *animo injuriandi*, et n'en a riens divulgué ne publié. Et oultre dit qu'il n'a riens parlé contre le regent, et s'excuse et dit qu'il n'a riens dit *animo injuriandi*, mais il n'est chose si bien dite que on ne puise sinistrement interpreter, et n'a point confessé qu'il ait injurié Fastolf, et n'en a point crié mercy; et se a ceulz qui parloient a lui du fait de Fastolf il avoit respondu qu'il vouldroit bien estre en sa grace, il n'auroit mie confessé avoir mespris. Si conclud comme dessus et requiert provision de sa personne et de ses biens; et dit qu'il ne doit point tenir prison, et a esté prins par dessus l'eslargissement de la court; et ne doit estre rendu a l'evesque.

[26 March 1433]   [X^{la} 4797, fo. 53v]

En la cause d'entre Thomas Overton, appellant, d'une part, et le procureur du roy, qui dit que le proces est par escript, par quoy appert que Overton, informacion precedente, a esté emprisonné, et a Overton mal parlé du roy, de sa justice, de monseigneur le regent, de Fastol, d'aucuns de la court de Parlement, et a parlé de flateurs de chappeles fourréz; et appert de tout par le proces, et a escript lettres injurieuses et diffamatoires. Sur ce a esté interrogué, et a pallyé ses responses et fait addicions telles qu'il a voulu, et a reveuez ses responses a son plaisir et a son bon loisir; et finablement, quant il a veu que ses palliacions ne l'excusoient point, il cria mercy a Fastol, en lui disant qu'il avoit dit ses paroles pour lui donner charge. Et lors Overton dist

---

^a *Followed by* on, *struck out*

qu'il estoit clerc et avoit esté tonsuré a Vincestre,[39] mais pour ce qu'il estoit *ultramarinus* et s'estoit porté comme lay, le prevost lui donna delay pour enseignier par lettre de sa tonsure a la requeste de Overton. Et dit que Overton n'a point esté grevé, et doit enseignier de sa tonsure par lettres, et y a ordonnances qui sont conforméz a droit escript, et mesme-ment au regard des oultremontains *idem de ultramarinis*, et tel est l'usage, et passa en force de chose jugee. L'appointement [fut] fait le xvij^e de novembre et Overton n'appella jusquez au xxvij^e jour dudit mois de novembre: et lors Overton ne fu point grevé par le prevost qui print son advis sur ce qu'il demandoit conseil; veue la matiere et demené du proces et quoy qu'il die, il est de petit lieu, et vint par deca comme ung povre archier quant le roy descendist a Touques.[40] Et a tort de se plaindre de Fastolf qui l'a doulcement sommé et fait sommer par plusieurs fois qu'il[s] traictent aimablement ensemble; mais Overton n'y a voulu entendre ainsi qu'il appert par la deposicion de tesmoins; et s'il y avoit proces ceans entre lui et Fastolf, de tant auroit Overton pis fait. Ce^a pendant et au contempt du process, il a fait et escript les injurieuses lettres diffamatoires et dit paroles contre l'onneur [fo. 54r] de Fastolf, et n'excuserent point Fastolf se ses lettres sont closes; aussi il y a declaracions et articles non clos, ne seeléz diffamatoires. Et a dit et publié pluiseurs cas qui ne regardoient le proces, et n'aloient ne venoient pour son emprisonnement les gens de Fastolf. Si dit le pro-cureur du roy qu'il n'auroit mie appellé *illico*, et ne seroit receu et auroit mal appellé; conclud a ce, et emploie le contenu au proces.

Fastol dit qu'il a lettre pour estre receu en demandant; et quoy que soit, s'oppose a sa deliverance; et pour les causes de son appointement dit et emploie le contenu au proces, et requiert que Overton soit condempné a reparer et amender les injures d'amendes honnourables par deca et en Angleterre es lieux ou il a mal parlé et mal escript, et esquelz sont venuz en congnoissance ses paroles et escriptures injuri-euses diffamatoires selon la discretion de la court. Et pour ce que Overton a dit qu'il lui coustera lx^m frans avant ce qu'il ne soit delivré a son honneur, requiert Fastolf condempnacion d'amende, prouffit de xxx^m ou telles amendes que la court regardera et obtendra par voie de demande ou d'appointement, avec despens, dommages et interestz.

Le procureur du roy dit que Overton ne sera point rendu a l'evesque s'il ne monstre lettre, veu qu'il est oultremarin et s'est porté comme lay, et pour ce qu'il a voulu dire que en Angleterre nul ne prent lettre de sa tonsure s'il n'est prestre, aussi ne joyssent ils point *maleficiis de clericature* s'ils ne sont prestres.

^a *MS* Se

---

[39] Winchester, Hants.
[40] Touques, Calvados, arr. Lisieux, c. Trouville-sur-Mer. What came to be known as the 'journée de Touques' marked Henry V's landing there on 1 August 1417.

Fastolf emploie quant a ce et au surplus le propos du procureur du roy.

Overton dit que le proces n'est point par escript, et n'a point accepté jour a oir droit; et fu interrogué impetueusement par le prevost, par le lieutenant, par Galet et par commissaires chaudement et hastivement, ainsi que s'ils feussent advocas de Fastolf; et bailla declaracion a l'arbitre dez cas dont il lez devoit accorder; et dit qu'il ne sera rendu a l'evesque jusquez a ce au moins qu'il soit discuté s'il doit tenir prison.

L'evesque dit que Overton est clerc et a tonsure, bien lettré et bon clerc en possession de clericature, clerc non marié; et s'il avoit entendu es receptes et comptes et es besongnes de Fastolf, pour ce ne perdroit il mie son privilege, ne pour estre homme d'armes, et aussi est il en habit; et y a toute presupposicion pour l'evesque. Si lui rendera rendu *etiam in dubio propter periculum anime, et securius est* de le rendre a l'evesque au moins pour en avoir la detencion; et se Overton n'y veult aler, il n'en sera mie jugé, et *in initium fertur judicium*; et allegua clergié en Chastellet [et] demanda delay pour le prouver. Et est Overton prisonnier en court lay, ou il n'est pas bien, et feroit on injure en l'eglise qui ne lui bailleroit au moins pour en avoir la detencion *etsi judex laicus*.

Overton dit qu'il ne doit point tenir prison, et n'y a cause de l'emprisonnement; et ne le porroit l'evesque emprisonner sans cause, supposé orez qu'il eust prestrise. Si ne lui sera rendu comme prisonnier.

Appointé que la court verra les proces et, s'il est besoing d'interroguer plus avant ledit Overton et de parler aux parties, sera fait; et fera la court droit au conseil.

Au conseil. Piedefer[41] [a]

[28 April 1433]   [X[la] 1481, fo. 68v]

A conseillier l'arrest d'entre messire Jehan Fastolf, chevalier, et le procureur du roy et l'evesque de Paris, contre Thomas Overton, prisonnier anglois, d'autre part, sur le plaidoié du xixᵉ jour de fevrier m cccc xxxij.

Il sera dit que la court a mis et met au neant ladite appelacion et ce dont a esté appellé, et quant a present sera mis hors de prison ledit Overton et ne sera de present rendu a l'evesque de Paris. Et ou regart des despens, dommages et interestz et de toutes choses dont lesdites parties vouldront faire demande et poursuite l'une contre l'autre pour occasion de ce que dit est, les parties venront ceans au premier jour

---

[a] *In the margin*

[41] Robert Piedefer was appointed first *président* of the Parlement in February 1433.

d'aoust prochain venant faire telles requestes et conclusions que bon leur semblera et proceder en oultre ainsi qu'il appartendra par raison.

R. Queniat.[42] *Pronunciatum xi [die] julii m cccc xxxiij.*[a]

[6 June 1433]   [X[la] 1481, fo. 69v]

Ce jour, veuez lez lettres closes du duc de Bedford et la requeste baillee par escript de par Thomas Overton, prisonnier, a esté deliberé par la court de mander les procureur et advocat dudit de Bedford [fo. 70r] pour savoir s'ilz veullent dire aucune chose touchant le fait dudit Overton, et de oyr sur ce ledit Overton, s'ilz veullent dire aucune chose de nouvel.[43]

[10 June 1433]   [X[la] 4797, fo. 79v]

Ce jour maistre Henry Roussel, advocat, et Philippe de Saint Germain,[44] procureur du duc de Bedford, regent, ont dit que de nouvel ilz ont receu lettres dudit regent, et ont veu lettres touchans Thomas Overton, et dient qu'il y a assez [de] matiere pour mouvoir le regent a se faire partie contre Overton, et emploient le contenu es lettres et ce qui a esté dit autresfois en la cause dudit Overton contre messire Jehan Fastolf, chevalier; et concluent contre Overton a la reparation des injures par amendes honnourables ceans et ailleurs ou la court le gardera, et prouffitables de x mil salus pour appliquer a l'Ostel Dieu de Paris,[45] ou autrement selon l'ordonnance de la court.

Thomas Overton, au contraire, dit et emploie ce qu'il a dit et proposé en ladicte cause contre messire Jehan Fastolf, et conclut a fin de non recevoir et d'absolution; et se le regent demande despens, Overton les demande contre lui.

Appoincté que la court verra tout ce qui a esté dit et ce qu'il appartendra, et fera droit au conseil.

Au conseil. Piedefer.[b]

[18 June 1433]   [X[la] 4797, fo. 81v]

En la cause d'entre le duc de Bedford, regent, d'une part, et Thomas Overton, prisonnier, d'autre part, le duc de Bedford emploie tout ce qui a esté par messire Jehan Fastolf dit et produit contre ledit Overton.

---

[a] *In the margin*   [b] *In the margin*

---

[42] Jean Queniat had been an *avocat* in the Parlement, then *conseiller* at the Châtelet, before holding that rank in the Parlement.

[43] Printed in *Fauquembergue*, iii, 97–8.

[44] Like Henri Roussel, Philippe de Saint-Germain was retained to serve the regent's interests in the Parlement (*Letters and Papers*, II, ii, [555]).

[45] The *Hôtel Dieu*, or hospital, was on the Ile Notre-Dame, close to the cathedral.

[11 July 1433]   [X¹ᵃ 68, fo. 26v]

Cum Thomas Overton in nostra Parlamenti curia inter cetera exposuisset quod ipse a certis retroactis de negoci[i]s dilecti et fidelis nostri consiliarii Johannis Fostolf, militis, ad instanciam ipsius militis fideliter se intromiserat et de sua administratione compota legalia obtulerat quorum compotorum clausuram seu finalem expedicionem dictus Fastolf impediverat, et ne clauderentur ipsum Overtum de facto nulla precedente informacione incarceraverat, et eundem in carcere longoᵃ tempore detinuerat; et tandem per appunctamentum predicte curie elargatus fuerat, et postmodum ipse et prefatus Fastolf in certos arbitros sibi motos compromiserant coram quibus arbitrisᵇ dicte partes pluries comparuerant; et tandem iidem arbitri negocium huiusmodi incompletum dimiserant. Dictusque Fastolf predictum Overtum de palacio nostro ad hospicium suum Parisius proficiscentem per Ludovicum Galeti, nulla informacione [fo. 27r] precedente, arrestari, capi et in Castelleto Parisius incarcerari, et deinde omnia bona sua capi fecerat; in dictoque Castelleto per prepositum nostrum Parisiensem et eius locumtenentem ac per dictos Fastolf et Galeti impetuose, nullo iuris ordine servato et non obstante quod se clericum tonsuratum sicque jurisdicioni dicti prepositi minime subditum alegasset et declarasset, interrogatus fuerat. Sed ea saltem omnia que responderat ad iustificacionem ipsius Overton deserviencia scripta vel registrata non extiterant quodque sibi consilium petenti atque viam iusticie sibi aperiri et exhiberi postulanti remedia iurisdica denegabantur, propterea a dictis captione, diuturna incarceracione et detemptione atque a justicie denegatione ad dicti Parlamenti nostri curiam appellaverat. Quare petiisset dictus Overton se ad bonam et justam causam appellasse dici et pronunciari, ac de liberacione seu elargamento sue persone et bonorum suorum arrestatorum provideri, et dictum Fastolf in suis damn[i]s, interesse et expensis condemnari.ᶜ

Supranominato Fastolf ex adverso inter cetera dicente quod ipse magnam suarum rerum et receptarum administrationem predicto Overton fiducialiter commiserat, et quod in ea administratione minusᵈ fideliter versatus fuerat, atque famososᵉ libellos descripserat, et quod de nobis et carissimo patruo nostro, duce Bedfordie, atque de dicto Fastolf maledixerat; et quod, informacione precedente, ad instanciam dicti nostri patrui in dicto Castelleto in[car]ceratus fuerat, non autem ad dicti Fastolf requestam nec propter hoc idem Fastolf aliquam impetracionem obtinuerat, et ob hoc dictus Overton ipsum Fastolf indebite in causa dicte appellacionis intimare fecerat. Dicebat insuper dictus Fastolf quod ipse virtute certarumᶠ litterarum per

---

ᵃ MS lomgo   ᵇ MS arbitriis   ᶜ MS condennari
ᵈ MS nimis   ᵉ MS famosus   ᶠ certarum *repeated in MS*

ipsum a nobis obtentarum ad agendum et concludendum contra dictum Overtum occasione premissorum admitti debebat. Quare requisiisset antedictus Fastolf dictum Overtum in emendis honorabilibus et utilibus erga ipsum Fastolf iuxta discrecionem curie, et in suis damnis,[a] interesse et expensis condemnari.[b]

Supranominato patruo nostro proposita per dictum Fastolf repetente, et iuxta ea proponente atque concludente dictum Overton ad reparacionem premissorum et in emendis honorabilibus et utilibus x^m librarum hospitali Parisius aplicandarum condemnari.[c] Episcopo Parisiensi, ex alia parte, inter cetera dicente quod dictus Overton clericus tonsuratus in possessione clericature subditus et iusticiabilis ipsius episcopi extabat. Quare requisiisset dictus episcopus prefatum Overton sibi reddi aut saltim sue persone detentionem habere debere dici et pronunciari. Procuratore nostro pro nobis, ex parte altera, inter cetera dicente quod ultramarini sicut ultramontani de sua tonsura litteratorie et in scriptis docere tenebantur, et quod dictus Overton ultramarinus[d] de dicta sua tonsura infra tempus sibi super hoc prefixum litteratorie non docuerat, et quod iuxta tenorem appunctamenti per locumtenentem dicti prepositi Parisiensis dati, a quo non appellaverat, laicus reputari, [fo. 27v] nec supradicto episcopo reddi debebat. Dicebat ulterius quod dictus Overton suum reatum judicialiter agnoverat, et sibi predictum Fastolf indulgeri rogaverat; et quod dictus Overton de processibus et registro supradictis minime conquerebatur nec consilium sibi dari requisierat et quod nullatenus appellaverat nec illico et quod processus scriptus et in scriptis extabat. Quare peciisset dictus procurator noster pro nobis dictum Overton ad sua proposita in dicta appellacionis causa minime admitti, et, si admitteretur, ipsum male appellasse et prefato episcopo reddi non debere dici et pronunciari.

Supranominato Overton ex adverso dicente quod de sua administratione fideliter acta computorum reddiderat, et quod sine causa per dictum Fastolf et ad eius instanciam seu requestam incarceratus fuerat, nec in carcere poni seu detineri debuerat aut debebat et quod nichil commiserat; propter quod episcopus, si captionem clericorum haberet, ipsum capere aut incarcerare posset et ob hoc predictus Overton se a dicto carcere liberari et prefato episcopo minime tradi debere per dictam curiam declarari, et ut supra conclusisset.

Super quibus et aliis plurimis hinc inde propositis,[e] prefata curia predictas partes ad tradendum penes ipsam processum predictum et cetera quibus se in ea parte iuvare intendebant, et in arresto appunctasset. Visis igitur per dictam curiam supradictis processu et munimentis dictarum partium, cum grandi et matura deliberacione, pre-

---

[a] *MS* dannis   [b] *MS* condennari   [c] *MS* condennari
[d] *MS* ultramarinis   [e] *MS* prepositis

fata curia per suum arrestum supradictam appellacionem et id a quo extitit appellatum adnullavit et adnullat absque emenda. Et per idem arrestum dictum fuit quod prefatus Overton de presenti ponetur extra carcerem seu prisionem, et quod ipse predicto episcopo de presenti non reddetur. Et in super ordinavit et ordinat prefata curia quod respectu expensarum, damnorum et interesse omnium de quibus supradicte partes voluerint facere demandam et prosecutionem una contra alteram occasione premissorum, ipse partes veniant in dicta curia ad primam diem instantis mensis Augusti facture tales requestas et conclusiones quales voluerint ulteriusque processure et facture prout ratio suadebit. In cuius, etc. Datum Parisius in Parlamento nostro die xj^a mensis Julii anno domini m^o cccc^o tricesimo tercio, et regni nostri xj^o.

[2 August 1434]^{46} [X^{1a} 4797, fo. 193r]

Entre Thomas Overton, escuier anglois, appellant, demandeur en cas d'attemptes, d'une part, et messire Jehan Fastolf, chevalier, Jehan de la Touche, sergent, Jehan Gautier, Guillaume Guillin, sergent, [et] . Guillaume Riolay, d'autre part.

L'appellant dit que ceste cause d'appel depend des proces demenéz ceans d'entre ledit Overton contre ledit messire Jehan Fastolf, qui le fist emprisonner pour redicion de comptes dont a esté plaidié ceans. Et tant fu procedé que Overton fu eslargi parmi Paris *sub penis et submissionibus* soubz umbre des offices que fist Overton; et *tandem* furent appoinctiéz a mettre lettres et explois; et fist Overton sa diligence de son costé, mais Fastolf delaia et print estat sur le bail des contredis; et finablement, pour abreger, Overton et Fastolf se soubzmisdrent en arbitres par devant lesquelz Overton produist et monstra ses comptes. Et pour ce que pendant l'arbitrage messire Giles, segneur de Clamecy, se volt deschargier et s'excusa dudit arbitrage. Et depuis Fastolf, qui avoit menacié de grever Overton, fist prendre Overton par maistre Loys Galet, examinateur, et le mectre prisonnier en Chastellet bien estroitement et tellement que nul ne povoit parler a lui. Pour ce appella ceans; et depuis l'appellacion et ce dont estoit appellé furent mis au neant, et fu dit par arrest en jullet m cccc xxxiij que les parties venroient^a ceans proceder et faire [fo. 193v] ainsi que contenu est audit arrest.

_____

^{a} *In MS clause reads thus:* et fut dit par arrest que les prononciacions en jullet m cccc xxxiij fu dit que les parties venroient

_____

^{46} The long pause in litigation may be explained by the absence in England, between mid-summer 1433 and July 1434, of the duke of Bedford whom Fastolf, as a household officer, would have accompanied. On 3 May 1434 it was stated in court on behalf of Thomas Gerard that Fastolf was in England (A.N., X^{1a} 4797, fo. 164v). It is clear, notably from the evidence presented on 17 September 1434, that the legal process had been moving forward in the meantime.

Et depuis Overton, pour faire finance d'argent pour soubstenir ses proces, paier controlages et autres mises neccessaires, ala au pais du Maine. Et soubz umbre de ce Fastolf, ou son procureur, a obtenu lettres royaulz et a donné a entendre que Overton se vouloit transporter en Angleterre; et par vertu desdites lettres Jehan de la Touche dist a Thomas qu'il avoit mandement pour l'emprisonner, et le faisoit prisonnier; a quoy Overton s'opposa et requist a veoir le mandement, et appella pour ce que le sergent n'en volt riens faire. Et depuis son appel les dessus nommés menerent Overton prisonnier au chastel du Mans, dont Fastolf est capitaine et gouverneur, et pour ce Overton requist estre mis es prisons du roy; et aprés requist estre amené a ses despens prisonnier en la Conciergerie par ledit sergent qui n'en volt riens faire, et dist qu'il n'en feroit riens pour ce n'estoit du consentement de Fastolf, dont Overton de rechief appella. En*a* tant que Thomas a esté iiij mois au chastel du Mans prisonnier, depuis Overton a obtenu adjournement en cas d'appel et d'attemptes et, informacion precedente sur les attemptes, ont esté adjornés les coulpables trois dessus nomméz. Et pour ce que Overton estoit tenu prisonnier pour cas civil, ainsi que a esté trouvé par l'inspecion de l'arrest de ceans, il a esté eslargi ou mis hors de prison et amené ceans. Si conclud en cas d'appel et a la reparacion des attemptes et condempnacion d'amendes honnourables et prouffitables de x^m livres ou telles que la court regardera, despens, dommages et interestz; et requiert l'adju[n]ction du procureur du roy, et que il soit delivré de prison, et que il ait ses lettres que Fastolf retient contre raison, au moins sera eslargi *quousque* ou receu par procureur.

Alia die revendront les parties a viij^e.

[12 August 1434]   [X^{1a} 4797, fo. 196v]

En la cause d'entre Thomas Overton, d'une part, et messire Jehan Fastolf, d'autre part, Overton recite le demené du proces d'entre lui et Fastolf qui l'avoit fait emprisonner; et a esté dit par arrest qu'i[l] seroit eslargi, et neantmoins Fastolf l'a fait emprisonner des le mois de decembre, dont il a appellé et a relevé en avril; si sera receu par procureur, et lui sera pourveu ainsi que autre fois il a requis.

Appoincté que Fastolf revendra a viij^e.

[30 August 1434]   [X^{1a} 4797, fo. 205v]

Messire Jehan Fastolf, chevalier, revendra^b venredi aprés disner de relevé contre Thomas Overton.

[6 September 1434]   [X^{1a} 8302, fo. 291r]

A jeudi prochain vendront Thomas Overton et messire Jehan Fastol, chevalier, et sera la premiere cause expediee.

a MS Et   *b* Followed by jeudi, *struck out*

[10 September 1434]   [X¹ᵃ 8302, fo. 293r]

En la cause d'entre Thomas Overton, escuier anglois,ᵃ appellans et
demandans en cas d'attemptas, d'une part, et messire Jehan Fastokf,
chevalier, et Jehan de la Touche, Jehan [fo. 293v] Gautier et Guillaume Riole, intimés etᵇ defendans audit cas d'attemptas, d'autre part,
qui defendent, et di[en]t que Fastokf est un grant seigneur et saige
qui n'e[n] vouldroit a Overton n'a autre; et dit que a occasion de
certains comptes que lui devoit rendre Overton des administracions
qu'il a eues pour lui, a eu proces ceans, a quoy ont esté commiz maistres
Guillaume Le Duc,ᶜ messire Giles de Clamecy, maistre Philippe de
Nanterre⁴⁷ et autres, lesquelz Fastokf a sollicitéz diligemment de avan-
cer la besoigne. Mais Overton a delayé et n'a tenu que a lui que la
chose n'ait prins fin; et au commencement de ce proces Overton estoit
prisonnier, qui depuis fu eslargi par arrest de la court donnéᵈ en
juing l'an mil iiijᶜ xxxij, parᵉ certaine condicionᶠ et par la ville de
Paris *dumtaxat quousque etc sub pena commoti et bannimenti a regnis Francie et
Anglie.*

Et ce non obstant, Overton se party de Paris et se absenta en
encourant les peines, etc; et pour ce les gensᵍ du conseil de Falsok,
veans que Overton n'estoit pas bien solvend de ce dont il lui est tenu,
empetrerent lettres royaulx adrecans au bailliʰ de Rouen⁴⁸ ou du
moins leⁱ quel, informé de ce,ʲ bailla sa commission a un sergent du
Mans pour prendre Overton, lequel il trouva au Mans, et mist la main
a lui et le fist prisonnier du roy. A quoy s'opposa Overton; mais pour
ce que le mandement ne contenoit point d'opposition, le sergent lui
dist qu'il n'avoit de cognoissance de cause et ne le pouvoit recevoir a
opposicion, et le mena en prison au chastel du Mans, qui est honneste
lieu, etᵏ si estoient les gardes du chastel bien amis de Overton et de sa
cognoissance. Et appella Overton du sergent aprés la mainmise; et
n'est recevable son appel, car aussi le sergent n'a riens excedé, et n'a
pas appellé duˡ mandement ne du bailli; aussi n'a il point relevé contre
lui.

Conclud que Overton ne [?soit]ᵐ a recevoir *alias* mal appellé, et
demande despens, et n'y a nulz attemptas. Au regard du proces, dit

---

ᵃ escuier anglois *interlined*
ᶜ *Followed by* m, *struck out*
ᵉ *Followed by* as, *struck out*
ᵍ *Followed by* de, *struck out*
ⁱ le *interlined*
ᵏ *Followed by a word, struck out*
ᵐ *MS* fait

ᵇ intimés et *interlined*
ᵈ *Followed by* le, *struck out*
ᶠ *Followed by* ceste, *struck out*
ʰ *Followed by* du Mans, *struck out*
ʲ informé de ce *interlined*
ˡ *Followed by* bailli, *struck out*

---

⁴⁷ Philippe de Nanterre served as a *conseiller* in the Parlement 1426–36.
⁴⁸ Probably Sir John Salvain.

Falstokf qu'il n'y a point d'apparrence qu'il eust voulu delayer les proces. Car Overton lui doit beaucop; et est vray que les arbitres furent commis a sa requeste pour avancier la chose.*ᵃ* Devant lesquelz on proceda longuement, et quant Clamecy se volu partir pour aler a Aucerre,⁴⁹ Fastokf requist que l'en meist un autre arbitre en son lieu; mais aucune fois disoit Overton qu'il en esté d'accort, autresfois que non. Et pour ce que Overton empeschoit que autre arbitre ne feust mis au lieu de Clamecy, Fastokf se courreca, mais pour tant ne menaca il point Overton, et ne le vouldroit grever, ce qu'il feroit bien s'il vouloit. Dit oultre que depuis ledit prisonnier eslargi, vint a la cognoissance de monseigneur le regent que Overton l'avoit injurié et dit pluseurs injurieuses paroles de sa personne. Et pour cette cause monseigneur le regent, par vertu de lettres royaux, informacion precedente, Overton*ᵇ* fu emprisonné, et se fist partie contre lui ledit monseigneur le regent. Et a ce que dit Overton, il a esté eslargi; pour tant dit Fastokf qu'il ne scet riens de cest eslargissement, et ne le croit pas. Et [fo. 294r] contient seulement le second appoinctement dont Overton s'aide, *ponetur de presenti exᶜ prisonne necᵈ reddetur episcopo Parisiensi.* Et venront parties *ad aliam diem etc,* par lequel second appoinctement ledit premier arrest n'est en riens aboly ne immué; et se Overton se feust tenu a Paris et obey a l'arrest, eust fait son devoir. Car l'entencion de la court ne fu oncques de le eslargir par tout; et ainsi*ᵉ* Overton, en soy partant de Paris, enfraigny l'appoinctement ou arrest de la court, en quoy cheoit partie de sa cause. Et pour ce que Overton se vantoit souvent de s'en aler en Angleterre, par la deliberacion du conseil de Fastok, et par lettres royaulx, Overton fu arresté, et non pas par l'ordonnance de maistre Jehan Paris⁵⁰ et J[ehan] Sac.⁵¹ Et par les deux appoinctemens pourra la court veoir se*ᶠ* Overton est eslargi par tout ou non.

Au regard de ceulx qui emprisonnerent Overton au Mans, c'est assavoir le sergent et les deux autres qu'il appella pour aide, ils ne excederent en riens et ne attempterent point. Et fut sommé Overton de se*ᵍ* amener a Paris prisonnier a ses despens; mais il ne voult et le reffusa, ce qu'il n'eust pas fait s'il eust esté durement traictié en person. Et n'empesche point Fastokf que le premier arresté ne soit executé. Et dit qu'il y a trois des arbitres a Paris, et requiert que la court y

---

ᵃ Followed by et, *struck out*   *ᵇ* Overton *interlined*
ᶜ Followed by carcar, *struck out*   *ᵈ Followed by* reddel, *struck out*
ᵉ Followed by en, *struck out*   *ᶠ Followed by* fu, *struck out*
ᵍ MS le

---

⁴⁹ Auxerre, Yonne.

⁵⁰ Jean de Paris, a leading *procureur* in the Parlement in these years, had acted for Fastolf in his suit against Denis Sauvage (n° **II,** n. 19).

⁵¹ Jean Sac had also acted as *procureur* for Fastolf in the same suit (n° **II,** n. 7).

commecte un autre en lieu de m[aistre] Guillaume Le Duc pour proceder au surplus le plus diligemment que faire se pourra. Et a la provision requise par Overton, Fastokf est d'accort qu'il soit en l'estat qu'il est par le premier appoinctement.

Thomas Overton[a] replique et dit que au regart de l'appel, il est bien fondé et y a trois griefz qui lui furent fais: *primo*, le mandement ne fu pas prins en[b] la court, sans laquelle ne devoit riens faire obstant l'appointement d'icelle, et n'y avoit cause ne delit pour quoy on deust emprisonner Overton qui estoit en l'obeissance de monseigneur le regent et de Fastokf; *secundo*, est grevé en tant que le mandement porte[c] que Overton soit amené prisonnier a ses despens; *tercio*, en le mettant es mains et en la puissance de ses adversaires et non pas en la justice et prison ordinaire. Si a bien appellé, car il n'y avoit[d] point matiere de le tenir prisonnier;[e] et requiert que ses biens et papiers, qui ont esté prins et empeschiéz, lui soient bailléz et delivréz. Et dit que Fastokf n'a point poursuy l'abregement du proces devant les commissaires, mais[f] Overton l'a poursuye diligemment et n'y a point d'apparence qu'il l'eust voulu delayer car il a rendu ses [fo. 294v] [?comptes] devant iiij auditeurs a Caen et a Rouen. Et dit Overton qu'il bailla a la court ce qu'il devoit baillier au jour assigné, mais Fastokf porta un estat et n'estoit pas signe de vouloir avancier la besoigne. Dit oultre que en plaidant du premier arrest, Fastokf disoit que Overton lui devoit, et au contraire Overton disoit que Fastolf lui devoit, et sur le champ fut demandé a Overton quelle caucion il vouldroit baillier, lequel repondi *sponte* que bailleroit voulentiers caucion sans ce qu'il ait esté a ce contraint, et ce appert par le mot contenu en l'arrest qui dit *offerens stare juri*, et ne fu[g] la chose faict[e][h] a jour de conseil.

Quant au second emprisonnement, on sait bien que[i] ce fust[j] fait, car Fastokf le menaca devant les arbitres et se courreca a Overton pour ce qu'il ne vouloit consentir que les arbitres[k] que Fastolf nommoit, lesquelz Overton ne cognoissoit, fussent commiz au lieu de Clamecy, et ne lui vouloit on [donner] delay de parler sur ce a son conseil du jour au lendemain. Et au partir du Palais au jour, maistre Loys Galet le prist prisonnier a la requeste de Fastokf, et ce fu plaidé, et[l] combien que Overton feust prisonnier de la court, et qu'il ne devoit riens a Fastokf, toutesvoyes, ne volt cesser et le mist prisonnier. Et pour ce la court, veant que Fastokf avoit presenté un estat et ne

---

[a] *Followed by* dit, *struck out*
[c] *Followed by* q, *struck out*
[e] *Followed by* et dit que, *struck out*
[g] *Followed by* lappe, *struck out*
[i] *Followed by* ce fu, *struck out*
[k] *Followed by* qu'il, *struck out*

[b] en *interlined over* a, *struck out*
[d] avoit *interlined*
[f] *Followed by* lui, *struck out*
[h] *Followed by* au conseil, *struck out*
[j] *MS* fist
[l] *Followed by* disoit, *struck out*

tendoit que a travailler Overton*a*, appoincta que Overton *poneretur extra carcerem*, et ce estoit *ad augmentum primi arresti* par lequel estoit*b* eslargi *quousque etc*; et fa[i]soit l'appointement mencion de tout et estoit tout en jeu ceans; et aprés ces motz*c* *ponetur extra carcerem de presenti nec reddetur episcopo* s'ensuivoit *et veniant partes occasione premissorum etc*, et ainsi est vraysemblable que la court, qui savoit et le premier appoinctement et l'estat de la chose, le vouloit eslargir par tout. Et est vray que maistre Jehan Paris, procureur de Fastokf, bailla une requeste pour reserver la cause, par laquelle fu octroyé que les*d* procureurs des parties se peussent presenter au jour suivant par vertu des procuracions du Parlement lors passé, ce qu'il n'eust point fallu faire au regart de Overton s'il eust esté prisonnier eslargi par Paris seulement. Et povoit Fastok demander audience en la court sans aler en la Chancellerie empetrer lettres taisans l'estat de la chose, en quoy a mal fait. Et dit Overton qu'il a appellé de mandement et du sergent et de tout, et y a attemptas. Conclud bien appellé par lui et mal procedé*e* et exploitié par Fastok et ses complices. Et requiert delivrance de sa personne et de ses biens et comptes. Et en especial y a deux petiz papiers ou journeaulx dont a besoing sur quoy fault [fo. 295r] verifier aucunes choses. Requiert qu'ilz lui soient delivréz a tel seurté et caucion que la court ordonnera. Demande despens et interestz.

Le procureur de roi dit que Jehan de la Touche, Jehan Gautier et Guillaume Riole ont grandement mesprins et attempté comme appert par les informacions, car frauduleusement firent venir Overton hors de l'eglise et le prindrent et menerent prisonnier, depuis que Overton ot appellé. Et requeroit Overton estre amené au Palais selon la teneur du mandement, mais la Touche lui dist qu'il n'en feroit riens jusques a ce qu'il eust parlé a Fastokf; et ont tenu Overton iiij mois prisonnier. Si conclud contre les trois dessus nommés et aussi contre Fastokf, s'il les veult advouer, a reparacion des attemptas et a amender honnorablement au Mans et en la court de ceans, et soient condempnéz en amendes prouffitables de ij^m saluz envers*f* le roy et a tenir prison, et chacun pour le tout.

Overton employe le propos du procureur du roy et qu'il soit le premier payé.

Fastokf duplique et dit que a bonne*g* cause a esté. Overton emprisonné; car par arrest avoit esté dit qu'il demourroit prisonnier eslargi par Paris seulement, *et sub penis etc*, et neantmoins s'est party de Paris en venant contre l'arrest; et devroient les gens du roy estre avec Fastokf; et ce requiert.

---

a *Followed by* le eslargist, *struck out*
c *Followed by* poni, *struck out*
e *Followed by* par, *struck out*
g *Followed by* a esté, *struck out*

b *Followed by* dit, *struck out*
d *Followed by* part, *struck out*
f envers *repeated and struck out*

Si*a* requierent les gens du roy que le droit du roy y soit*b* gardé, et dient que Fastokf ne son conseil ne leur parla oncques mais de ceste matiere. Et a ce que dit Overton que l'arrest et l'appointement de la court n'avoit pas esté fait *ex deliberacione curie* mais du consentement d'Overton, respond Fastok que le contraire est vray, car la chose fu faicte pluiseurs requestes baillees par Overton, et aprés plusieurs altercacions eues sur ce. Et supposé que*c* ce feust *de consensu partium*, l'arrest n'en est point moins fort; et a la court plus avant frappé que Overton n'auroit consenty, et ne povoit et ne devoit Overton interpreter l'arrest de la court a sa guise. Et n'est pas a present question des comptes ne du premier proces,*d* mais est question des*e* libelles et paroles disfamatoires dictes par Overton de monseigneur le regent et de Fastokf; et ne dit pas la court qu'elle ait eslargi par tout [fo. 295v] Overton, mais dit seulement *ponetur extra carcerem seu prisonem*, et par quoy n'est point derogué au premier appointement par lequel estoit eslargi seulement par*f* la ville de Paris; et estoit prisonnier eslargi pour une cause, mais depuis a esté*g* emprisonné pour une autre cause. Dit que*h* sur ce Overton y [a] xx*m* frans de charge ou compte qui n'est point rendu ne affiné. Si requiert Fastok que on procede au surplus au fait desdictes comptes, et soit commiz a ce*i* monseigneur le president ou autre des conseillers en lieu de maistre Guillaume Le Duc pour y entendre avec les autres trois qui sont a Paris; au regart des deux journaulx ou papiers que Overton demande, ne scet que c'est et ne lui seront pas bailléz jusques que on ait enquerist. En tant qu'il touche*j* les biens que Overton demande, Fastokf n'empesche point que Overton ne face executer*k* son arrest premier, et qu'il n'ait les biens qui, par ycellui arrest, lui ont esté delivréz, dont Overton a demandé lettre qui lui a esté octroyé.

En oultre, a la requeste de Overton, la court a signifié et dit a maistre Jehan Paris, procureur dudit Fas[t]okf, que Overton est au sauf conduit de la court. Et defend la court a Fastok, sur*l* peine de perte de*m* cause, que au contempt du proces pendant ceans, il ne mefface, ne mesdie, ne face meffaire ou mesdire a Overton. Et semblablement a defendu la court a Overton qu'il ne mesdie ne*n* parle injurieusement dudit Fastokf sur ladicte peine.

Appoinctié est que la court verra lettres, arrestz, appointemens,

---

a *Sentence begins* Si q, *struck out*
c *Followed by* l'arrest, *struck out*
e *Followed by* bel, *struck out*
g *Followed by* p, *struck out*
i a ce *interlined and underlined*
k *MS* executeur
m *Followed by* p, *struck out*

b *Followed by* gar, *struck out*
d ne du premier proces *interlined*
f par *repeated and struck out*
h *Followed by* on, *struck out*
j touche *interlined*
l *Followed by* prejud, *struck out*
n *Followed by* di, *struck out*

informacions et ce que les parties vouldront mectre par devers la court et au conseil.

[10.September 1434]   [X^{la} 68, fo. 111r]

Universis presentes litteras inspecturis, salutem. Notum facimus quod constitutis in nostra Parlamenti curia die date presencium Thoma Overton appellante et in casu attemptatorum actore, procuratore nostro generali secum quoad dicta attemptata adiuncto, ex una parte, et dilecto et fideli consiliario nostro, Johanne Fastolf, intimato, necnon Johanne de la Touche, serviente nostro, et quibusdem aliis in dicto casu attemptatorum adiornatis defensoribus, ex altera. Ipsisque de et super dictis appellacionis et attemptatorum causis ad plenum auditis, et in arresto appunctatis, prefata curia nostra, ad dicti Thome Overton instanciam, significavit et significat predicto Fastol, ad personam magistri Johannis Paris, eius procuratoris, quod idem Overton in securo et salvo conductu ipsius nostre curie existit, inhibendo eidem Fastolf, sub pena amissionis cause sue, ne in contemptum processus in nostra curia inter dictas partes pendentis, aliquid sibi forefaciat aut maledicat neque forefieri aut maledici faciat^a seu procuret. Et similiter inhibuit et inhibet ipsa curia dicto Overton, sub pena eciam perdictionis sue cause, ne in contemptum huiusmodi processus, aliqua verba iniuriosa de dicto Fastolf dicat aut proferat. Quocirca primo dicti Parlamenti nostri hostiario vel servienti nostro super hoc requirendo, committimus et mandamus quatinus salvum conductum [et] inhibiciones^b pretactas dicto Fastolf et aliis quos decebit, si opus fuerit, significet, dictam nostram curiam^c super hoc certificando competenter. Datum Parisius in Parlamento nostro decima die septembris anno domini millesimo cccc^{mo} xxxiiij°.

[15 September 1434]   [X^{la} 1481, fo. 91v]

A conseillier l'arrest d'entre Thomas Overton, d'une part, et messire Jehan Fastolf, chevalier anglois, d'autre part, sur le plaidoié du xe jour de ce mois.

Il sera dit en tant que ledit Overton a requis provision de sa personne que ycellui Overton sera receu, et le recoit la court par procureur *quousque* etc. Et en tant que ledit Overton a requis et demandé certains papiers [et] journaulz a lui estre renduz et restituéz etc, il sera dit que les parties compareront pardevant maistres Guillaume Cotin,[52] Jehan Queniat et Philippe de Nanterre, conseilliers du

---

^{a} *MS* faciet ^{b} *MS* inhibicionis ^{c} *MS* dictum nostrum cum

[52] Guillaume Cotin, canon of Notre-Dame, was a *conseiller* in the Parlement 1417–1436.

roy, ou lez deux d'iceulz, qui diront les parties faire et les appoinctmens, ainsi qu'il appartendra par raison.

[17 September 1434]   [X^{1a} 68, fo. 111r]

Universis presentes litteras inspecturis, salutem. Cum virtute certarum litterarum per dilectum et fidelem consiliarium nostrum Johannem Fastolf, militem, nona die novembris ultimo elapsi, contra
Thomam Overton, se dicentem scutiferum de regno nostro Anglie
oriundum, obtentatarum, et in eisdem content[orum] idem Overton
fuisset ad requestam dicti militis aut eius procuratoris captus, et in
castro ville Cenomacensis carceri mancipatus per Johannem de la
Touche, servientem nostrum, a quo et eius expletis^a seu aliis gravaminibus sibi, ut dicebat, [fo. 111v] in hac parte illatis, idem Overton
ad nostram Parlamenti curiam appellasset. Et deinde certas alias
litteras a nobis xviij^a die marcii tunc sequentis et ultimo preteriti a
nobis in casu appellacionis et attemptatorum, et per quas mandabatur
de elargamento provideri eidem caucione sufficienti mediante, si pro
casu civili detineretur, obtinuisset. Vigore quarum dictus Overton
suam appellacionem adversus dictum Fastolf et alios quos decebat
relevasset, dictumque de la Touche et quosdam alios infranominatos,
informacione previa,^{b} de dictis attemptatis culpabiles, ut dicebatur,
repertos, ad certam diem lapsam in nostro presenti Parlamento^c comparituros adiornari fecisset. Et insuper fuisset dictus Overton per
Johannem de Lannoy, commissarium in hac parte a baillivo nostro
Rothomagensis deputatum, ad caucionem Johannis Mordin, scutiferi,
[? de carcere]^d elargatus, promictens comparere in dicta nostra
curia personaliter prima die augusti novissime lapsi, dictam suam
appellacionis causam prosecuturus. In qua curia comparentibus
dicto Overton personaliter appellante, et in casu attemptatorum
actore, procuratore nostro generali quoad dicta attemptata secum
adiuncto, ex una parte, et dicto milite intimato, necnon prefato Johanne de la Touche, Johanne Galteri, Guillelmo Guillemin, [et] Guillelmo Riolay in dicto casu attemptatorum defensoribus, ex altera,
dictus appellans sua appellacionis et etiam attemptatorum causa proposita, factisque et petitis conclusionibus ad id pertinentibus, sibi de
et super persona sua provideri et duas papiras^e jornales et pertinentes
penes dictam nostram curiam existentes quibus neccessario se iuvare
habebat, [? ut dixit]^f eidem reddi et tradi requisiisset. Quam requestam
dictus miles pluribus racionibus impugnasset, et suas defensiones in
dictis causis appellacionis et attemptatorum proposuisset.

---

^{a} *MS* expectis ^{b} *MS* privia
^{c} *MS* Parlamenti ^{d} *MS* tenuebant
^{e} *MS* papinas ^{f} *MS* habebat dicit

Dictisque partibus auditis, predicta nostra curia ipsas ad tradendum penes eam litteras, explecta, informaciones et alia quibus eedem
partes se iuvare vellent in hac parte, et in arresto appunctasset. Notum
facimus quod visis per nostram dictam curiam litteris, explectis, informacionibus et aliis per dictas partes hinc inde ipsi curie propter hoc
traditis, et consideratis considerandis, prefata curia ordinavit et ordinat quod dictus Overton admittetur, ipsumque dicta curia admisit et
admittit ad comparendum*a* per procuratorem quousque aliud super
hoc fuerit per dictam nostram curiam ordinatum. Ordinavitque et
ordinat eadem curia in quantum tangit papiros, jornales pretactos per
dictum Overton petitos quod predicte partes comparebunt coram
dilectis et fidelibus consiliariis nostris magistro Guillermo Cotini, Johanne Queniat et Philippo Nanthodoro aut duobus [fo. 112r] ex ipsis
quos ad audiendum ipsas partes et ordinandum super hoc ipsa curia
commisit et committit. Datum Parisius in Parlamento xvijᵃ die septembris anno domini millesimo ccccᵐᵒ xxxiiijᵒ.

[9 November 1434]   [Xˡᵃ 4797, fo. 208r]

Ce jour Thomas Overton, escuier anglois, appellant du prevost de
Paris, prisonnier en la Conciergerie, requiert estre eslargi selon la
teneur dez lettres royaux par lui obtenuez.
Le procureur du roy dit qu'il n'est pas prest pour en dire.
Appoinctié que les parties revendront *alia die.*

[22 November 1434]   [Xˡᵃ 4797, fo. 210r]

Entre Thomas Overton, appellant du prevost de Paris, et d'aucuns
sergens, d'une part, et messire Jehan Fastolf, chevalier, et, se mestier
est, le procureur du roy et le procureur du duc de Bedford, d'autre
part.
L'appelant dit que autre fois il s'est entremis des besoingnes [de]
Fastolf, et a rendu ses comptes; mais Fastolf ne se veult contenter, et
a commencié trois proces pour emprisonnemens contre Overton. Et
des l'an cccc xxxj commenca et le fist emprisonne[r] a Faloise; et
depuis vint ceans et y furent apportés ses comptes, et y sont encorez; et
depuis fu parlé d'eslire arbitres, et pour ce que*b* Overton ne faisoit mie
du tout au gré de Fastolf, Fastolf le fist emprisonner par maistre Lois
Galet ou Chastellet; et depuis, par arrest de la court, Overton fu
mis hors de prison; recite le contenu de l'arrest. Depuis Overton ala
au Mans pour ses besongnes, et [fo. 210v] tantost Fastolf, qui est
capitaine du Mans, fist emprisonner Overton qui appela ceans; et
depuis fu receu par procureur, et fist diligence par deca devers lez
commissaires; mais a ung jour fu poursuy de trois sergens, qu'il
nomme, qui le menerent au prevost de Paris qui le fist emprisonner;

---

a MS comparandum   *b* Followed by fa, *struck out* et dit qu'il appella des sergens et du prevost, et ne povoit parler a ses clers. Depuis Overton a obtenu, ou temps des vacacions, une impetracion adrecant aux presidens pour avoir provision de sa personne; et a relevé son appel, et a fait faire ses explois, ainsi qu'il appert; et en tant que mestier seroit, a fait intimer le procureur du roy et du duc de Bedford; et dient que sur la provision a esté procedé par aucunes journees par devant les presidens. Si dit qu'il a esté grevé, et conclud en cas d'appel, et a despens, dommages et interestz, et requiert provision de sa personne comme dessus; et dit que l'un desdis sergens a declaré a Overton qu'ilz le menoient en prison a la requeste de messire Jehan Fastolf, qui a cuidié empeschier que Overton n'eust son adjornement en cas d'appel.

Les intiméz et appelans ont demandé delay jusquez a la venue du duc de Bedford.

Appoinctié que les parties metteront par devers la court ce que vouldront, et la court fera droit sur ladite provision, et appoinctera les parties sur le delay requiz par les intiméz et appelléz.

Au conseil. Piedefer*a*

[26 November 1434]   [X^{1a} 1481, fo. 93v]

A conseillier l'arrest d'entre Thomas Overton, appellant, d'une part, et messire Jehan Fastolf, chevalier, et le duc de Bedford, regent, et le procureur du roy, d'autre part.

Et non fuit omnino conclusum, mais a deliberé la court d'attendre encorez xv jours pour savoir se le regent et Fastolf, dont [on] attend prochainement la venue, vouldront baillier nouvelles charges contre ledit Overton; *alias*, il a semblé que on devra pourveoir d'elargissement audit Overton a caucion, s'il en puet trouver, ou qu'il soit eslargi sur peine de banissement, et sur les autres peines et submissions autresfois offertez par ledit Overton.[53]

[24 January 1435]   [X^{1a} 4797, fo. 219v]

Le procureur du roy, messire Jehan Fastolf, chevalier, et le duc de Bedford, en tant que le puet touchier, revendront jeudi contre Thomas Overton.

[11 February 1435]   [X^{1a} 4797, fo. 222v]

En la cause d'entre Thomas Overton, appellant, d'une part, et le duc de Bedford, regent, intimé, qui dit que Thomas Overton est natif d'Angleterre de petite generacion, et estoit pauvre quant il vint en ce

---

a In the margin

[53] This text is printed in *Fauquembergue*, iii, 140.

royaume, et s'est fort enrichi ou service du roy et du regent et des autres segneurs, et a esté eslevé en estas, et de tant estoit il et est de plus tenu de honnourer le prince; et y a peines contre ceulz qui mesdisent des princes *in titulo 'si quis imperii maledixit'*.[54] Oultre dit que Overton injurieusement a dit et escript qu'il n'y avoit par deca raison ne justice, qui est grant charge au roy et au regent; et a dit Overton que par faveur desordenee dudit regent il n'a peu avoir raison ne justice. Et oultre a dit ou escript que le regent, qui est *tutor reipublice*,[55] a entour lui flateurs et avaricieux par lesquelz le royaume est en aventure de perdicion; et a parlé oultrageusement et injurieusement dez conseillers de la court et de pluiseurs chevaliers et segneurs, et a ditez et reitereez par pluiseurs fois et escriptez et envoieez en Angleterre. Et sont les paroles escriptez, et lez recite et[a] tient pour repeteez; pour ces causes le regent, informé de ce, a mandé au prevost de Paris qu'il se tenist saisi de la personne dudit Overton, qui n'a raye de terre en France; et si[b] a eu Overton gerance, gouvernement et garde dez[c] seaulz de grans segneurs, et a fait pluiseurs grans indeuez exacions; ainsi l'emprisonnement a esté fait a bonne cause *ad custodiam* afin que, se Overton vouloit ou pouvoit verifier ses paroles, le roy ou le regent y voudroit remedier et pourvoir au bien du roy; et ne seroit Overton recevable d'appeller du prevost de Paris *quia ab executore non appelatur*. Et a dit Overton pluiseurs paroles qu'il recite[d] sur quoy seroit et est besoing de l'interroguer pour y remedier et pour y pourvoir ainsi que de raison. Si conclud a fin de non recevoir en cas d'appel, et requiert qu'il tiengne prison *quousque etc.*[e]

Messire Jehan Fastolf dit que Overton n'a point esté dernierement emprisonné a sa requeste; et toutesvoiez Overton l'a fait intimer et a fait propose[r] pluiseurs choses contre son honneur injurieusement. Et pour ce lui convient dire aucunes choses pour son honneur conserver. Et dit qu'il est noble, de haulte et noble lignee, et de[s] son jeune aage s'est appliqué au service du roy, et en armes, en pais d'Angleterre et Yrlande[56] [et] ou voyage de Jherusalem; et depuis, par sa vaillance, fu conquise la ville de Soubise et print le capitaine, sire de Helly;[57] et

---

[a] recite et *added in right-hand margin*
[c] MS lez
[e] *The last clause written in a different hand*

[b] *Followed by* en, *struck out*
[d] qu'il recite *interlined*

---

[54] 'Si quis imperatori maledixerit' (*Cod.*, IX, vii).

[55] 'The ruler was seen as the tutor of the kingdom, and in this function his duty was to preserve the kingdom intact and to keep it unharmed' (W. Ullmann, *Law and Politics in the Middle Ages* (London, 1975), p. 58).

[56] Fastolf served in Ireland in 1405 and 1406, and was married there in 1409 (*Dict. Nat. Biog.*, vi, 699).

[57] Soubise, Charente-Maritime, arr. Rochefort, c. Saint-Agnant. The action referred to, in which Jacques de Heilly, captain of Soubise, was captured, occurred in June and July 1413. See n° **V,** n. 12.

a la venue du roy regent[58] fu le premier qui, en descendant, sailly en
la mer jusques a la ceinture, et lui donna le roy la premiere maison
qu'il vist en France,[59] et fu capitaine a Harfleu aprés le departement
du duc d'Excestre,[60] et en champ vainquy cil qu'il lui offry gaige de
bataille en la ville de Calais, et de tout son temps a esté reputé saige,
vaillant et preux; et recite pluiseurs autres vaillances et explois honnorables. Et dit que Overton, qu'il a eslevé en office et commissions, et
qui s'est fort enrichi en son service, l'a fort chargié, et contre verité l'a
voulu diffamer en France et en Angleterre et es lieux ou Fastolf est
congneu, et l'a voulu chargier contre verité de trayson, de faulseté, de
mauvais conseil, de desloiaulté qui est la plus [?grant] charge et la plus
grant injure qu'on puist dire a ung conseiller; et a escript lettres moult
injurieuses desquelles recite le contenu; et le veult chargier du siege de
Lagny,[61] en quoy il donne charge plus grant au regent. Et a voulu [fo.
223r] chargier Overton ledit Fastolf d'estre chevalier fuitif, qui est la
plus [?grant] charge qu'on puist dire d'un chevalier; et s'est efforcié
Overton en toutes manieres de mal dire de Fastofl, et qu'il a fait faulses
et mauvaises veues et les veues de gens d'armes, et qu'il retenoit les
gaiges des gens d'armes, soldoiers du roy, et les paioit de peu de choses
qu'il leur vendoit, et lez faisoit vivre sur lez pauvres gens, et ne tenoit
mie le nombre des gens d'armes dont il avoit l'argent, et qu'il a fait
faulses quictances, mal advalué les monnaies des paiemens qu'il a fais,
et que les souldoiers se sont departy et en a esté tout perdu et a Laigny
et a Patay[62] et a Orliens[63] et par tout.

Recite en oultre le contenu des escriptures dudit Overton qui ont
esté veuez ceans; et a dit Overton que de ce il ne sera mie accuseur
mais en sera approuveur; et pour ce on voit clerement que ce touche
l'onneur de Fastolf qui a esté et [est] chevalier loyal et honnerable,
maistre d'ostel du regent; et sont lesdites escriptures atroces et plus
que atroces. Si conclud que Overton, qui a fait lesdites escriptures et
libelles diffamatoires dignes de graves peines, soit condempné a reparer
lesdites injures, et a dire en la presence du regent, des seigneurs et
chevaliers telz qu'il vouldra appeller, et aussi en la court de ceans, en
Angleterre et ailleurs, que faulsement [et] contre verité il a dit et

[58] Probably a reference to Fastolf's participation in the campaign of 1415.

[59] Cf the claim of Roger Chilton, made on 10 November 1432, to a house in Provins,
recently re-captured, on the grounds that he was 'le premier entré en l'ostel ou pend
l'enseigne de l'Eschequier en ladicte ville, et par ce lui aient appartenu les biens estans
pour lors en icelui' (A.N., JJ 175, n° 155).

[60] See above, n. 31.

[61] Lagny-sur-Marne, Seine-et-Marne, arr. Meaux. The siege began in May 1432 and
ended ignominiously for the English in August (Bourgeois, pp. 283-6).

[62] Patay, Loiret, arr. Orléans. The battle fought there on 18 June 1428 ended in defeat
for the English and the 'flight' of Fastolf.

[63] Orléans, Loiret. The siege had ended in May 1428.

escript ce que dit est, et [soit] condempné en amende prouffitable de c^m salus. Et pour ce que promptement on fera foy desdis libelles et paroles diffamatoires,^a il semble que Overton pourroit bien et devroit estre prisonnier, qui fera amendes honnourables et prouffitables telles que dessus ou autrement, selon l'ordonnance de la court, ^b a genoulz en chemises, et que representacions en soient faictes.^b

Le duc de Bedford, regent, emploie ce que dit est pour Fastolf, et dit qu'il vouldroit bien estre informé d'aucunes choses dites ou publiees par Overton afin d'y pourvoir et remedier selon raison. Et pour ce aussi que Overton, par ses lettres et^c ses paroles lui^d a voulu donner charge ainsi qu'il recite,^e conclud contre Overton en amendes honnourables; et soit condempné Overton a venir en chemise sans chaperon dire que faulsement et injurieusement il a dit et escript ce que dit est; et en lieu d'amende prouffitable soit condempné Overton en x^m salus, a convertir au prouffit de l'Ostel Dieu et autres euvres piteables en autres amendes selon l'ordonnance de la court, et que de ce soit faicte representacion. Oultre requiert que Overton soit et demeure prisonnier *quousque etc.*^f

Le procureur du roy dit qu'il n'a mie veuez les informacions, et qu'il ait delay a revenir, *et interim* il verra ce qu'il pourra.

Maistre Jehan Piedefer,[64] Guillaume Cornay,[65] advocas, donnés par distribucion au conseil de Thomas Overton *post excusaciones,* sont demouréz et donnéz de rechief au conseil dudit Overton avec telz autres advocas qu'ilz vouldront choisir en la court autres que ceulz qui sont au conseil des parties adverse[s].

Et revendront *alia die.*

[19 August 1435]   [X^la 8302, fo. 306r]

Entre^g Thomas Overton^h demandeur, d'une part, et messire Jehan Fastok, chevalier, defendeur, d'autre part.

Appoinctié est que certains biens et papiers pris sur Overton par maistre Loys Galet par main de justice, lesquel ledit Galet a prins en garde comme en main de justice, seront apportéz ceans en garde comme en main de justice, et a ce est commis Jaques de Buymont, huissier de Parlement.

---

^a *Followed by* que Overton, *struck out*
^b...b a genoulz...faictes *written in a different hand*
^c ses lettres et *written in a different hand*
^e ainsi qu'il recite *in a different hand*
^g *Followed by* m, *struck out*

^d lui *in a different hand*
^f quousque etc *in a different hand*
^h *Followed by* d'une part, *struck out*

[64] Jean Piedefer was the son of the first *président* of the Parlement.
[65] Guillaume Cornay and his wife had been jointly concerned in litigation before the Parlement in September 1432 (*Fauquembergue*, iii, 65).

Et a mardi revendront les parties sur la provision requise par Overton.

[6 September 1435]   [X^{1a} 8302, fo. 317v]

Entre Thomas Overton, d'une part, et messire Jehan Fastolf, chevalier, d'autre part.

Overton requiert provision sur ses biens arrestéz par maistre Loys Galet, examinateur du Chastellet de Paris, a la requeste dudit Fastolf, car il n'a de quoy vivre ne de mener ses causes et proces; et oultre requiert que Fastolf mecte devers la court les comptes originaulx dudit Overton, et que l'interdiction, autresfois faicte, de non aliener ses immeubles soit levee et adnullee.

Fastolf dit que les comptes originaulx sont devers la court, ou au moins devers les commissaires ou arbitres; et quant a l'interdicion qu'il requiert estre mise au neant, ne lui sera point faicte, et a eu par provision iij^c frans par an; et si^a on lui faisoit provision de^b ses heritaiges, il ne seroit jamaiz paié de ce que lui doit Overton; et requiert commissaires de la court pour oir et appoincter les parties.

Appoincté est du consentement des parties que les dictes parties compareront pardevant certains commissaires de ceans. Et seront les proces et comptes originaulx estans devers les arbitres mis devers la court. Et au seurplus ledit Overton, se bon lui semble, sur la provision par lui requise, baillera a la court une requeste par escript, qui lui pourverra ainsi qu'il appartendra par raison.

[17 November 1435]   [X^{1a} 1481, fo. 108v]

Sur le requeste de Thomas Overton requerant main levee de l'interdiction de ses heritages a l'encontre de messire Jehan Fastolf, chevalier, oyé la relacion de maistres Guillaume Cotin, Symon de Plumetot,[66] Jehan Queniat et Philippe de Nanterre, conseilliers du roy et commissaires en ceste partie, appoinctié est que ledit Fastolf procedera par ledit Floret Quarré[67] oié par autres sur le fait desdis comptes dedens lendemain de la St Andry prouchain venant,[68] pour tous delays, et sur peine de lever la main de l'interdiction faicte audit Overton de l'alienacion de ses heritages, et autrement lui pourveoir ainsi qu'il appartendra.

Dictum partibus hodie. Piedefer

---

^{a} *Followed by* so, *struck out*
^{b} de *interlined over* sur, *struck out*

[66] Simon Plumetot was a *conseiller* at the *Enquêtes* of the Parlement.
[67] Fleuret Quarré (Carré) was a *procureur*, perhaps at the *Chambre des Comptes* (Favier, *Contribuables parisiens*, p. 159, n. 1).
[68] 1 December 1435.

[1 December 1435]   [X^{1a} 4797, fo. 305r]

Messire Jehan Fastokf requiert contre Thomas Ouverton selon la requeste baillee par escript par Fastok que, pour proceder au fait des comptes d'entre lui et Ouverton, la court face appeller deux des sergens*^{a}* de la Chambre des [Comptes], ou un sergent et un clerc, pour avoir leur adviz et opinion en ce qui touche fait de compte.

Ouverton recite les debatz des parties; et dit que les comptes ont esté oyz par les commissaires de Fastokf; depuis, les parties se sont soubzmises en arbitrage d'aucuns, c'est assavoir messire Gile de Clamecy, maistre Guillaume Le Duc et autres, devant lesquelx Ouverton a diligement poursuy l'expedicion; mais Fastok a [re]quis fuittes et delay; et dit que les commissaires de ceans sauront bien faire la chose sans appeller autres, et n'est pas bien requis par Fastokf; et est d'accort que le procureur du roy soit present, se estre y veult; et se les commissaires font doubte, pourront avoir recours a la court ou appeller tels que bon leur semblera, sans ce que les parties s'en meslent, pourveu qu'ils ne soient du conseil de Fastokf ne aussi d'Overton. Et ce que Fastokf demande que les commissaires procedent a heures extraordinaires, ne se doit faire, mais procederont quant bien leur semblera.

Fastokf dit qu'il fait sa requeste pour abreger la chose, et di[t] qu'il y a des arrests et locatives qui touchent fait de comptes. Et pour ce sera expedient qu'il y ait*^{b}* des gens des Comptes pour avoir sur ce leur opinion, et non pas pour le jugement, se les commissaires ne veulent, mais pour en faire ainsi que la court en vouldra ordonner; et souffiroit bien qu'il y eust ung sergent et ung clerc de la Chambre des Comptes, et n'est point deroguer a l'onneur de la court. Et dit qu'il demande a heure extraordinaire, c'est a dire a l'eure que les sergens ne besongnent pas en la Chambre, soit aprés disner ou devant.

Appointié est que la court verra la requeste de Fastok, parlera aux commissaires, et pourverra sur ce ainsi qu'il appartendra.

[2 December 1435]   [X^{1a} 1481, fo. 109v]

A conseillier l'appoinctment d'entre messire J. Fastokf, chevalier, d'une part, et Thomas Overton, d'autre part, sur la*^{c}* requeste dudit chevalier et sur le plaid[o]ié de hier d'entre lesdites parties.

Il sera dit que la court commet maistres Robert Piedefer, president, et Jehan Vivian,[69] conseillers du roy, a l'audicion, examen et closture des comptes desdites parties, avecques les commissaires autresfoiz

---

^{a} Followed by de la, *struck out*
^{b} qu'il y ait *interlined*
^{c} la *repeated in MS*

---

[69] Jean Vivian, dean of St. Germain-l'Auxerrois, was a *conseiller* in the Parlement, then *président* of the *Enquêtes*.

commiz; tous, ou les quatre d'iceulx, procederont et vacqueront a ce le plus diligenment que faire se pourra, et se en ce faisant ilz treuvent aucunes grandes difficultéz, les rapporteront a la court qui sur ce fera et pourverra ainsi qu'il appartendra.

Dictum partibus die vᵃ mensis decembris.ᵃ

ᵃ *In the margin*

William Zeman *v.* Pierre Pitouette, Guillaume and Guiot les Lormiers, Jean le Chandelier, Jean Luillier and their wives

Rewarded for his services at the battle of Verneuil with a grant of the lands of Tuillières to the value of 60 'livres', early in 1434 William Zeman, who had already been involved in litigation over the lands, found himself sued by Guillaume and Guiot les Lormiers and Jean le Chandelier and his wife for a rent-charge of 12 'livres' which they claimed on these lands.[1] In March 1434 the Parlement, evidently after much consultation, found against Zeman who was ordered to pay several years of arrears.

A few months later, perhaps as a result of this judgment, Zeman, finding himself once again in a similar situation, was to protest that he was being prevented from collecting the full value of his grant by certain opponents who derived an advantage from his absence in the regent's service. Arguing that a judge should not form a judgment without hearing the parties, he explained his failures to appear before the court by his need to accompany Bedford to England, and by the fact that he had not been properly summoned. Nor, he insisted, had he any knowledge of the sale of a rent-charge at Vitry made by Jean de Tuillières to the late Pierre Pitouette in 1413, a rent which Jean Luillier, now married to Pitouette's widow, was claiming; for in those troubled days before 1418, Zeman argued, people bought and sold land and rents among their friends more as attempts to hedge their political bets than as serious sales or purchases of land. On these grounds it would be unjust to condemn him to the payment of arrears for the years before he had even had possession of the lands upon which the rent was charged. In an attempt to salvage at least something from the suit, and following the precedent established in earlier litigation, Luillier asked that Zeman be compelled to pay the arrears from the years 1425 and that, recognizing his obligation, he should undertake to pay the rent-charge in future.

*The proposal satisfied the court, and formed the basis of its judgment against Zeman. As was amply demonstrated by the suit brought by St Maurice at Senlis and the Sainte Chapelle against Sir John Handford (n° **III**, above), the liabilities incurred by Englishmen on the receipt of lands in France could, in some cases, be very troublesome and costly. Like Handford, Zeman had been involved in issues of importance whose outcome might have long-lasting legal repercussions. It*

---

[1] The Lormiers and Chandeliers had already tried to obtain a judgment against Jean le Clerc, a royal councillor, who had been granted lands confiscated from Robert de Tuillières for *lèse magesté* (A.N., X¹ᵃ 4796, fos. 190r, 194r, 196v–197r [March 1430] and X¹ᵃ 4797, fo. 6r [July 1432]).

*should also be noted that this suit was singled by the Parlement to exemplify its
pre-eminent authority over the Châtelet.*

[28 February 1432]   [X¹ᵃ 4796, fo. 315v]

  Guillaume Zeman²ᵃ vendra a viijᵉ contre maistre Pierre Pitoite.³

[28 February 1432]   [X¹ᵃ 4796, fo. 316r]

  Guillaume Zemant, dit Coq, d'une part, et Guillaume et Guiot lez
Lormiers⁴ [et] J. Le Chandelier⁵ et sa femme, a lundi revendront.

[11 March 1432]   [X¹ᵃ 4796, fo. 319r]

  Guillaume Zeman, dit Caq, revendra lundi pour tous delaiz a
l'encontre de Guiot et Guillaume [les] Lormiers et autres.

[20 March 1432]   [X¹ᵃ 4796, fo. 324v]

  En la cause d'entre Guiot et Guillaume dis lez Lormiers et Jehan
Chandelier et sa femme, intiméz, d'une part, et Guillaume Zeman,
anglois, appellant, d'autre part, qui dit que pour les bons services qu'il
a fait au roy on lui a donné les heritages de Tuillieres⁶ a l'estimacion
deᶜ xl livres de rente dont il a lettres verifieez, et a ce tiltre a fait
labourer les vignes et heritages dessusdis; et apréz ce qu'il ot vendengié
et fait amener le vin a Paris, partie adverse, par Henriet de Marages,
fist arrester ledit vin soubz umbre de dix ou xij livres de rente dont ilz
disoient avoir droit et sentence, la quelle sentence avoit esté donnee
contre Zeman.

[19 March 1434]   [X¹ᵃ 1481, fo. 82v]

  Venredi, xixᵉ jour de mars, furent au conseil mᵉ G. Le Duc,⁶ mᵉ
Robert Piedefer, presidens,⁷ mᵉ Jaques Branlart, mᵉ J. Vivian, mᵉ G.
Cotin, mᵉ Barthelmi Le Viste, mᵉ G. Le Breton, mᵉ Symon de Plu-
metot, mᵉ H. Le Coq, mᵉ G. de Beze, mᵉ J. de Saint Rommain, mᵉ

ᵃ MS Zoman   ᵇ MS Tuilleries   ᶜ *Followed by* lx l, *struck out*

---

  ²Nothing is known of William Zeman, a butcher in the regent's service, who had
lived in France long enough to have been at the battle of Verneuil in August 1424, for
which he was rewarded with the lands upon which the moneys sought from him were
said to be charged.
  ³Pierre Pitouette, or Pitoite, was a member of an important Parisian bourgeois
family. See Favier, *Contribuables parisiens*, p. 260.
  ⁴Guiot les Lormiers was a mercer (*ibid.*, p. 256); Guillaume was presumably his
brother.
  ⁵Perhaps the Jean Chandellier who was a *procureur* at the Châtelet in 1421 (*ibid.*, p.
215).
  ⁶Guillaume le Duc was appointed third *président* of the Parlement in February 1432.
  ⁷Robert Piedefer became first *président* in February 1433.

Toussaints Baiart, m^e J. de Voton, m^e Lucian de Croquet, m^e Mahieu Courtois, m^e J. Queniat, m^e R. Agode, m^e J. de la Porte, m^e Evrart Gherbode, m^e J. Bodeaux.[8] Et survindrent par l'ordenance de la court maistres Jehan de Longueil, lieutenant du prevost de Paris, J. Longuejoe, advocat du roy en Chastellet, G. de la Haie, Germain Rapine, advocas, J. Choart, procureur du roy oudit Chastellet, J. de Bar, procureur en ycellui Chastellet, pour estre interroguéz; et lesquelz furent interroguéz de l'usage et coustume que on disoit estre observee en la ville, prevosté et viconté de Paris, par laquelle on maintient que ung detenteur de heritages, chargiéz de rente, est tenu aux rentiers ypothecairement et personnelment des arrerages d'icelle rente escheuz de son temps.[9] Et sur l'observance d'icelle coustume en general et sur aucuns cas particuliers a eulz declaréz par la court, ont les dessus nomméz de Chastellet dit et declaré leurs advis, et atant se departirent de la chambre de Parlement. Et *illico* aprés leur departement les dessusdis presidens et conseilliers procederent a l'expedicion [fo. 83r] et jugement du proces d'entre Guillaume Zeman, dit Coq, appellant, d'une part, et Guillaume et Guiot les Lormiers, Jehan Le Chandelier et sa femme, intiméz, d'autre part, sur le plaidoié du xxe jour de mars mil cccc xxxj.

Il sera dit que la court a mis et met au neant, sans amende, ladicte appellacion et ce dont a esté appellé; et declare la court lesdiz heritages estre affect[é]z, ypothequéz et obligéz pour la rente et arrerages dessusdis; et condempne la court ledit Zeman a paier yceulz arrerages jusquez a la valeur des frais que ledit Zeman a perceuz ou peu[t] percevoir desdiz heritages depuis la demande faicte en jugement par lesdiz Lormiers et Chandelier, et a paier les despens desdiz defaulz seulement, la taxacion reservee pardevers la court. *Nota modificationem consuetudinis per quam videbatur quod detentor personaliter teneretur de omnibus arreragiis sui temporis insolidum.*[10] ^{a}

^{b}Condempne la court ledit Zeman. *Nota arrestum de modificatione consuetudinis prepositure Parisiensis.*

H. Le Coq. *Pronunciatum xxiiij [die] marcii m^o cccc xxxiij, ante Pascha.*

Le Duc^b

---

^{a} *The Latin sentence added later in the same hand*
^{b} Condempne ... Le Duc *in the margins. A finger points to the significance of this text, an exercise of authority by the Parlement over the Châtelet*

---

[8] All those listed here were *conseillers* in the Parlement.

[9] Henry V had decreed that lands given away by the crown were granted liable to debt, unless otherwise stated, but were to be regarded as free of all 'debtes mobiliaires' (B.L., Add. MS 21411, fo. 9r). See n^o **I**, n. 8, and **III**, n. 44 for other instances of this situation.

[10] This text is printed in *Fauquembergue*, iii, 119-20.

[27 August 1434]   [X¹ᵃ 8302, fo. 285v]

Entre Guillaume Zeman, anglois, appellant, d'une part, et maistre Jehan*a* Luillier, advocat en Parlement,[11] a cause de sa femme, paravant femme de maistre Pierre Pitouette.

Dit Zeman qu'il a longuement servi le roy et monseigneur le regent, et fu a la bataille de Vernoil,[12] et pour ses bons et agreables [services] qu'il leur a fais le roy lui donna, l'an mil iiij*c* et xxv, lx livres de rente a prendre sur les*b* heritages confisqués de Guillaume et maistre J. de Trullieres,[13] en quoy aucuns lui ont mis empeschement, par especial Mathieu Hola[14] qui l'a evincé*c* au regart des heritages de [Guillaume]*d* de Trullieres, et ne lui demoura que les heritages de J. de Trullieres, qui ne lui valent pas xij livres de rent. Dit oultre que en son absence,*e* lui estant en Angleterre, Pitouette obtint defaulx contre lui, et vint a lui Pitouette au mois de juing iiij*c* xxxj en lui disant qu'il avoit obtenu sentence contre lui en Chastellet,[15] par laquelle Zeman esté condempné envers lui en xij*xx* livres parisis, dont il requeroit payement; et dit qu'il ne savoit riens du proces, et tant que ce vint a sa cognoissance en appella, et a eu*f* lettres de relievement, et a bien relevé son appel. Si conclud en cas d'appel et*g* a despens.

[fo. 286r] Maistre Jehan Luillier et sa femme dient que en aoust iiij*c* xxvij s'assist proces en Chastellet entre lesdis Pitouette et Zeman a cause de certaine rente*h* et arrerages declariéz au proces, et obtint Pitouette contre Zeman vj defaulx, dont les deux adjournemens furent fais a la personne de Zeman, le tiers a la personne de sa femme, et les deux autres aux personnes de leurs voisins; et attendi Pitouette un an a lever lesdis defaulx. Et par vertu d'iceulx le penultime jour de septembre iiij*c* xxviij le prevost de Paris[16] donna sa sentence pour*i* Pitouette, dont ne fu appellé ne reclamé, et fu adjourné Zeman a sa

a Followed by Lui, struck out
c Followed by d, struck out
e Followed by Pitouette, struck out
g Followed by ades, struck out
i MS contre

b Followed by her, struck out
d There is a blank in the MS at this point
f Followed by rel, struck out
h Followed by de, struck out

---

[11] Jean Luillier was replaced as *conseiller du roi* in the *chambre des Enquêtes* in May 1403 (*Nicholas de Baye*, i, 66–7) and became a *conseiller* in the Parlement in March 1414 (*ibid.*, ii, 177–9). Later he worked as an *avocat* in the Parlement and was acting as such at the time of the expulsion of the English from Paris in April 1436 (*Fauquembergue, passim*).

[12] The battle of Verneuil was fought on 17 August 1424.

[13] One Guillaume de Tuillières, merchant, was living in Paris in March 1423 (Favier, *Contribuables parisiens*, p. 257. See also Longnon, *Paris*, pp. 24–5). The value of Zeman's grant is given here as 60 (lx) *livres*; in the entry for 20 March 1432 it is recorded as 40 (xl) *livres*. 60 *livres* is correct (see p. 278).

[14] Mathieu Hola was one of those rewarded in March 1422 for helping to deliver Paris to the Burgundians in May 1418 (Longnon, *Paris*, p. 34, and n. 1).

[15] The Châtelet was the court of the *prévôt* of Paris.

[16] Simon Morhier, *prévôt* 1422–36.

personne a veoir tauxer les despens; qui fist default, et en son absence
et contumace furent tauxéz lesdis despens*a* dont n'appella point; mais
l'an iiij*c* xxxj appella et fist executer son adjournement en cas d'appel
contre Pitouette qui depuis obtint congié en cas d'appel contre Zeman,
pourveu que se Zeman venoit dedens le xv*e* jour de juillet le congié
seroit nul. Zeman ne vi[n]t point; si couru le congié contre lui. Et
depuis les heritiers de Pitouette ont obtenu un autre congié contre
Zeman. Si dit Luillier que Zeman ne fut a recevoir comme appellant,
car il n'a pas *il*[*l*]*ico* appellé et a mal poursui sa cause d'appel, et n'a
pas relevé son appel *infra tempus debitum.* Et en tant qu'il touche les
lettres de relievement de Zeman, elles sont surreptices par pluseurs
moyens. Primo,*b* en tant qu'il dit qu'il appella tantost que la chose
vint a sa congnoissance, car la sentence vint a sa congoissance deux
ans paravant qu'il en appellast; item, en tant qu'il disoit qu'il y avoit
traictié etc, car il n'en estoit riens. Vray est que Zeman*c* dist a Pitouette
qu'il lui envoyast une charrette et qu'il lui envoyroit deux queues de
vin; il lui envoya la charrette, mais elle revint toute wide; item, n'a
pas donné a entendre le premier congié et a teu qu'il devoit venir dire sa
cause d'appel dedens le xv*me* jour de juillet. Si dient que les lettres de
Zeman sont inciviles et surreptices et n'y sera obtemperé. Conclud a ce
et a fin de non recevoir *alias* mal appellé et despens.

Appoinctié est que Zeman verra la sentence et adjournemens, et
revendra lundi.

[6 September 1434]   [X¹ª 8302, fo. 290r]

En la cause d'entre Guillaume Zeman, angloiz, appellant, d'une
part, et maistre Jehan Luillier et sa femme a cause d'elle, paravant
femme de feu maistre Pierre*d* Pitouette, d'autre [part], Zeman replique
et dit que avant que un juge puist faire*e* jugement valable ne senten-
cier, il faut appeller les parties. Ce presupposé, dit que quant la sentence
dont s'aide partie adverse fu donnee*f* il estoit au service du roy ou de
monseigneur le regent en Angleterre;[17] et dit qu'il n'a point esté adjorné
deuement n'a personne n'a domicile, car il demouroit en l'ostel de
monseigneur le regent ou il n'a point esté adjorné; et fault que eulx
serviteurs de telz seigneurs changent souvent logiz, et*g* ne dit point le
sergent en son rapport qu'il se soit transporté en tel*h* rue et en tel lieu,
et y a*i* un rapport qui porte seulement que le sergent*j* a adjorné Zeman
a la personne des voisins sans les nommer, ne en quel rue; si ne valent

---

a Followed by de, *struck out*	*b Followed by* car, *struck out*	*c Followed by* lui, *struck out*
d Followed by Pido, *struck out*	*e Followed by* juger, *struck out*	*f* fu donnee *interlined*
g Followed by dit, *struck out*	*h Followed by* ju, *struck out*	
i a *interlined*	*j Followed by* ad, *struck out*	

---

[17] A reference to the duke of Bedford's absence in England from midsummer 1433 to
July 1434.

les adjournemens; et *ex sequela* ne valent les defaulx. Dit oultre qu'il ne scet pas que maistre J. de Trullieres*ᵃ* vendesist oncques lesdites x livres de rente a Pittouete, et supposé que si*ᵇ* ce auroit esté une fiction, car l'an iiij*ᶜ* et xiij, et la environ, les choses estoient doubteuses et en grant mutacion,[18] et se pourveoint aucuns pour la conservacion de leurs*ᶜ* biens et heritages de faire vendicions de rentes et autres biens a leurs amys afin de eviter la perdicion d'iceulx biens; et*ᵈ* par ceste maniere auroit esté faite ceste vendicion desdictes x livres; et qu'il soit ainsi Tuillieres estoit riche et puissant homme et n'avoit mestier de vendre rente, et se heritoit fort a Paris et ailleurs, et ainsi n'est vraysem-blable qu'il eust voulu vendre rentes ne charger ses heritages [   ]*ᵉ* [fo. 290v] et aussi n'en fu oncques payé ne compté de nyer ne les lettres ne*ᶠ* le contiennent pas. Et aussi depuis le partement de Bourgogne, l'an iiij*ᶜ* xiij jusques a l'an iiij*ᶜ* xviij[19] Pitouete n'en parla et n'en demanda riens comme il appert par ce qu'il demande les arrerages depuis lors. A la fourme du proces, dit que tout ne vault, car les adjornemens ont esté*ᵍ* mal fais comme dessus a dit au default. Concluant dit que la*ʰ* sentence a esté donnee soubz umbre de faulse*ⁱ* affirmacion,*ʲ* pour laquelle Zeman a esté condempnées arrerages de xv ans, c'est assavoir depuis l'an iiij*ᶜ* xv. Et toutesvoyes il n'a tenu les heritages sur quoy*ᵏ* Pitouette demandoit ladite rente que depuis l'an iiij*ᶜ* xxvij, et n'en seroit tenu que de son temps personnelment, depuis que la chose seroit venue a sa cognoissance. Ainsi a esté dit par arrest de la court donné entre ledit Zeman et maistre J. Chandelier et les Lormiers qu'il employe en tant qu'il fait pour lui;[20] et ne seroit que au regart de valeur des heritages qui ont plus costé que valu en labeur. Et ainsi suppose que*ˡ* les defaulx tenissent, si a il esté grevé par la sentence. Dit oultre que la sentence ne lui fu oncques signifiee, de laquelle ne povoit pas avoir cognoissance par les adjornemens. Quant au congié que partie dit que Pittouett obtint contre Zeman, dit Zeman que il fut condicion*ᵐ* sauf que dedens viij*ᵉ* etc, et a ce jour comparu Zeman ou son procureur qui presenta lettre d'estat*ⁿ* et demoura la chose en cest

---

ᵃ maistre J. de Trullieres *interlined above a word struck out*

ᵇ MS se

ᶜ *Followed by* d, *struck out*

ᵈ *Followed by* aussi a, *struck out*

ᵉ *Part of the last line on the folio is blank*

ᶠ *Followed by* lu, *struck out*

ᵍ *Followed by* suiv, *struck out*

ʰ *Followed by* chose, *struck out*

ⁱ *Followed by* d, *struck out*

ʲ *Followed by* p, *struck out*

ᵏ *Followed by* Luillier demande sa, *struck out*

ˡ *Followed by* les f, *struck out*

ᵐ *Followed by* q, *struck out*

ⁿ *Followed by* Sur quoy, *struck out*

---

[18] The so-called 'Cabochien' experiment.

[19] Duke John of Burgundy left Paris late in August 1413; he did not return until 1418, during which time the Armagnac party was largely in control of royal government.

[20] See p. 271, above.

estat; si n'y fait ledit congié. Au regard de l'accord depuis le trespas de Pitouett obtenu par ses heriteirs,[21] il ne fu point [re]levé, et en font mencion les lettres de Zeman; et y*a* avoit assez cause de le relever, car il a esté et est continuelment occuppé au service de monseigneur le regent, et n'y fait*b* se Zeman ne s'est point presenté, car Pitouette esté trespassé et ne*c* savoit contre qui il avoit a faire. Quant a la fiction, dit qu'il est vray semblable qu'il a eu fiction comme a dit paravant.

Luillier et sa femme dient que se Zeman treuve homme notable qui vueille deposer de la fiction, il est content de se deporter, mais le contraire appert car*d* le contract fu fait et passé par devant deux notaires de Chastellet*e* et est passé soubz [?sceau] royal et l'argent nombré, et en fu content*f* l'acheteur de la rente, et est la vente faicte sur les heritages de Tuillieres estans a Vitry[22] *in particulari*, et pour sa necessité, et fu la rente vendue juste priz, car Pittouette en paya*g* vj*xx* escus d'or de bon prix, et n'est pas *in materia mutui*. Quant aux adjornemens, dit comme autresfois a dit que les iij d'iceulx*h* furent fais a la personne de Zeman, les deux a la personne de sa femme, et le vj*e i* aux personnes de ses voisins, car le sergent*j* trouva*k* l'uys cloz. Et n'y a point de fiction et n'est que chose contremue*l* pour empescher l'execucion de la sentence, et ne vient pas ce de Zeman. Et aussi Pittouette, qui esté [fo. 291r] notable et bon preudomme, affirma en sa vie la chose estre vraye sans fiction. Et *quicquid sit* des arrerages de xv ans etc, dit Luillier*m* que se Zeman veult payer les*n* arrerages depuis l'an iiij*c* xxv, duquel temps Zeman confesse estre deteneur desdis heritages, et aussi confesser l'ypotheque et*o* payer la rente doresenavant, Luillier en est content pour tous arrerages. Quant au congié, il a esté bien donné. Si conclud que Zeman ne sera receu comme appellant, *alioquin* mal appellé et despens.

Appoinctié etc que les parties mettront devers la court sentence de faulx adjornemens et tout ce dont ils se vouldront aider, et au conseil.

---

a *Followed by* a, *struck out*
b *Followed by* s'il, *struck out*
c *Followed by* font sceu, *struck out*
d le contraire appert car *interlined*
e de Chastellet *interlined*
f *Followed by* le vendeur, *struck out*
g *Followed by* vj*xx* l.t., *struck out*
h d'iceulx *interlined*
i *Followed by* a lui, *interlined*
j *Followed by* huis clos, *struck out*
k *Followed by* lus, *struck out*
l contremue *interlined over* coustumee, *struck out*
m *Followed by* et sa f, *struck out*
n *Followed by* arrest depu, *struck out*
o aussi confesser l'ypotheque et *interlined*

---

[21] It is not clear when Pierre Pitouette died; he was still alive at the end of February 1432 (see the first entry in this suit). The *accord* referred to has not been found.

[22] Vitry-sur-Seine, Val-de-Marne. arr. Créteil.

[22 March 1435]   [X¹ᵃ 1481, fo. 97v]

A conseillier l'arrest d'entre Guillaume Zeman, d'une part, et maistre Jehan Luillier, d'autre part, [fo. 98r] sur le plaidoié du xxvij^e jour d'aoust m cccc xxxiiij aprés disner.

Il sera dit que en obtemperant a la requeste civile impetree par le dit Zeman, la court a mis et met au neant, sans amende, ladite appellacion et ce dont a esté appellé, en refendant par ledit Zeman les despens de tous lez defaulz dessusdiz. Et oultre la court condempne ledit Zeman a paier les arrerages de ladite rente escheuz ou temps qu'il a esté detenteur desdiz heritages. Et aussi le condempne la court es despens de ceste cause d'appel, la taxacion reservee, et a paier doresenavant ladite [rente] tant qu'il en sera detenteur d'iceulz heritages.ᵃ

[24 March 1435]   [X¹ᵃ 68, fo. 155v]

Cum ad requestam Guioti et Guillemi dictorum les Lormiers et Johannis Chandelier et eius uxoris ad causam ipsius certus serviens noster Guillelmum Zeman dictum Coqᵇ, carnificem anglicum, coram preposito nostro Parisiensi in actione personali et ypothecaria processurum ad certam diem adiornasset, qua die aut alia inde dependente procurator [fo. 156r] dictorum les Lormiers et coniugum contra dictum Guillelmum Zeman defectum obtinuisset et eius contumacia idem procurator suam peticionem fecisset, tendens et concludens idem procurator ad finem seu fines inter cetera quod dictus Zeman personnaliter ad solvendum dictis les Lormiers et coniugibus decem libras parisiensium redditus annui et perpetui quamdiu ipse trium peciarum terre in territorio Vitriaci prope Parisius situatarum quondam magistro Roberto de Tullieres²³ spectancium, videlicet trium quarteriorum et dimidii terre situatorum in prato grandi, ex una parte pro presenti Guillelmo de Castenayo et ex alia Theobaldo Vie,²⁴ et antiquitus Simon[i] de Martayo, ex parte una, ac heredibus aut causam habentibus defuncti Micaelis Decani, ex altera, tenencium; item, unius quarterii cum dimidio terre situati in Longua Riga²⁵ pro pre-

---

ᵃ *The last clause was added later*   ᵇ *MS* quot

²³ Robert de Tuillières, royal councillor, brother of Guillaume, had been a strong supporter of the Orléanist party. He was *lieutenant-criminel* of the *prévôt* of Paris by 1404, and took part with Pierre l'Orfèvre in the enquiry into the death of Louis of Orléans in 1407. He was treasurer of France 1409-15, and was among those murdered by Burgundian supporters in Paris on 12 June 1418 (*Bourgeois*, p. 93, n. 1; *Chroniques du roi Charles VII*, p. 23 and n. 4).

²⁴ There was a butcher named Thibault Vie living in Paris in 1438 (Favier, *Contribuables parisiens*, p. 297).

²⁵ Perhaps Longues Raies, Val-de-Marne, arr. Créteil, com. Ivry-sur-Seine, not far from Vitry.

senti Gileto Bezon, ex una parte, et curato Sancti Germani de Vitry-
aco, ex altera, antiquitus vero ex una parte Simoni Bezon[26] et ex alia
uxori defuncti Ludovici de Castenayo tenentis; item, unius quarterii
terre situati in loco dicto aux Ormeteaulx ex una parte de presenti
Philippoto Blanchien[27] et vie Secane ex alia; et antiquitus Johanni
Dutrou tenentis, quarum trium peciarum terre dictus Zeman, ut
dicebatur, aut alicuius portionis earum detentor et proprietarius existebat. Necnon certa hereditagia dicti redditus ad summam septies
viginti librarum parisiensium vel circiter ascendencia aut saltem talem
porcionem qualem racio suaderet, habito respectu ad tempus quo ipse
fuerat detentor et proprietarius dictarum trium peciarum terre, per
sentenciam dicti prepositi condemnaretur, et quod per eandem sentenciam declararetur dictas tres pecias terre affectas, obligatas et
ypothecatas fore erga dictos les Lormiers et coniuges in et pro dictis
decem libris redditualibus, et quod dictus Zeman in expensis dictorum
les Lormiers et coniugum condemnaretur. Postmodumque vigore dicti
defectus et aliorum trium defectuum successive per dictos les Lormiers
et coniuges contra dictum Zeman obtentorum, dictus prepositus per
suam sentenciam predictis les Lormiers et coniugibus suas demandam,
requestam et conclusiones predictas adiudicasset. Et quia longe post
dicte sentencie pronunciacionem quidem serviens noster, pro execucione dicte sentencie et taxacionis expensarum predictarum, quasdam
vineas ad dictum Zeman, ut dicebat, spectantes necnon certam quantitatem vinorum in eisdem vineis collectorum ad requestam dictorum
les Lormiers et coniugum [fo. 156v] arrestaverat et expletaverat ipsumque Zeman ad opposicionem admittere recusaverat, idem Zeman
ad nostram Parlamenti curiam appellasset; et quia dictus Zeman illico
a tempore date sentencie et taxacionis expensarum predictarum non
appellaverat et quod super dicta appellacione servientem qui dictas
vineas arrestaverat in dicta nostra curia adiornari[a] non fecerat, sepe-
dictus Zeman certam requestam in scriptis dicte nostre curie ad finem
quod super obmissionibus seu defectibus predictis eadem curia ipsum
Zeman relevaret appellacionemque seu appellaciones predictas et id
de quo appellatum fuerat absque emenda adnullaret et partes predictas super principali prout rationis foret procedere facere, omnibus
expensis in diffinitiva reservatis, presentasset, ipsius integracionem
requirendo. Constitutis igitur propter hoc in dicta nostra curia partibus antedictis, pro parte dicti appellantis propositum extitisset inter

---

[a] *MS* adiournari

[26] One Gilet Beson lived in Paris not far from Thibault Vie in 1438 (Favier, *Contribuables parisiens*, p. 297).
[27] Philippot Blanchien lived in Vitry in 1421 (*ibid.*, p. 100).

alia quod propter bona et grata servicia nobis per eum impensa nos
eidem hereditagia quondam magistris Johanni et Guillelmo de Tuillieres pertinentia nobis tunc confiscata eidem appellanti usque ad
valorem sexaginta librarum parisiensium redditus anni donaveramus.
Et quamvis dictus appellans in cultura vinearum et hereditagiorum
predictorum plures sumptus et expensas fecisset, et fructus eorundem
sibi pertinerent, nichilominus dicti les Lormiers et coniuges virtute
cuiusdam sentencie per eos contra ipsum absentem et indefensum
nulliter obtente fecerant certam vinorum quantitatem eidem Zeman
spectantem per certum servientem arrestari. A quo serviente et eius
expleto ac eciam a dictis sentencia et expensarum taxacione, dictus
Zeman quamcicius ad sui noticiam devenerant ad nostram Parlamenti
curiam appellaverat. Quare dictus appellans ad finem quod ipsum
bene appellasse diceretur et eius requeste predicte obtemperaretur et
ad expensarum condemnacionem conclusisset, prefatis les Lormiers et
coniugibus ex adverso dicentibus quod dicte tres pecie terre fuerant et
erant erga ipsos in dictis decem libris parisiensium annui et perpetui
redditus onerate, obligate et ypothecate de ipsis terris dictus appellans
detentor et proprietarius extiterat et existebat, et quod de consuetudine generali in villa, prepositura et vicecomitatu Parisiensibus notorie
observata detentores et proprietarii aliquorum hereditagiorum pro
censibus, reddditibus et aliis oneribus ypothecatoriis huiusmodi census,
redditus et onera realia et arreragia eorundem personaliter solvere
tenebantur, et ob hoc predictus appellans dictarum peciarum vinee et
terre detentor census redditus cum arreragiis quibus dicte tres pecie
terre ypothecate existebant, et presertim dictum redditum decem
librarum parisiensium eisdem les Lormiers et coniugibus personaliter
solvere tenebatur. Ulterius dicebant dicti les Lormiers et coniuges
quod pro solucione de dictis redditu et arreragiis [fo. 157r] obtinenda
a dicto appellante, eum fecerant coram dicto preposito nostro Parisiensi adiornari. Coram quo tantum fuerat processum quod virtute
quatuor defectuum debite per ipsos contra dictum appellantem
obtentorum, dictus prepositus per suam sentenciam iuxta stilum no-
torium dicti Castelleti predictis les Lormiers et coniugibus suas conclusiones adiudicaverat. Cui sentencie et etiam predicte expensarum
taxacioni dictus Zeman acquieverat nec illico aut infra tempus debitum appellaverat. Quare dicti les Lormiers et coniuges ad finem quod
dictus appellans ad sua proposita non admitteretur, et si admitteretur
ipsum male appellasse diceretur, et in eorum expensis condemnaretur
conclusissent. Supradicto appellante replicante dicente quod dicta
vina arrestata de vineis que pertinuerant dicto magistro Guillelmo de
Tuillieres et non de vineis dicti magistri Roberti de Tuillieres collecta
fuerant, nec in vineis dicti Roberti de Tuillieres dictus appellans
aliquod jus pretendebat neque eas detinebat, et quod dicti les Lormiers

et coniuges falso affirmantes vineas predictas dicto magistro Roberto de Tuillieres pertinuisse, et eas ipsum appellantem tenuisse predictos defectus et sentenciam nulliter obtinuerant. Ulterius dicebat prefatus appellans quod ipse supranominatis les Lormiers et coniugibus nullatenus obligatus fuerat, nec eisdem dictas pecias terre ypothecaverat; et esto quod dicte tres pecie terre essent pro dicto redditu decem librarum ypothecate aut obligate, constabat quod obligacione et ypothequa generali cum aliis plurimis hereditagiis magis fructuosis, quorum possessor seu detentor non erat, fuerant obligate et ypothecate ne fructus dictarum trium peciarum toto tempore quo dictus appellans easdem possiderat, deductis sumptibus singulis annis summam decem solidorum valuerant aut valere poterant, et ob hoc de tanto onere seu redditu decem librarum parisiensium cum tantis arreragiis ultra valorem dictorum fructuum per ipsum perceptorum teneri aut conveniri racionabiliter non debuerat, et quod consuetudo predicta iniqua, irracionabilis et incivilis foret, si per eam detentores et possessores hereditagiorum, racione seu per medium sue possessionis et detentacionis, ultra valorem fructuum hereditagiorum detentorum personaliter [fo. 157v] de redditibus et arreragiis eorundem tenerentur; nec dicta consuetudo in hoc et similibus casibus foret observanda sed penitus abolenda, aut saltim racionabiliter moderanda; quapropter dictam sentenciam et defectus retractari et adnullari requisiisset, ad hoc et ut supra concludendo. Duplicantibus antedictis les Lormiers et coniugibus et dicentibus quod supradicta consuetudo generalis notorie in villa, prepositura et vicecomitatu Parisiensibus observabatur, et quod per illam consuetudinem detentores hereditagiorum pro redditu specialiter aut generaliter eciam cum aliis plurimis hereditagiis ypothecatorum personaliter de omnibus arreragiis eiusdem redditus quantiscumque tempore sue possessionis aut detencionis obvenientibus tenebantur.

Tandem partibus memoratis ad plenum auditis, dicta curia easdem partes ad tradendum penes eam processum, sentenciam, litteras et alia quibus ipse partes in hac parte se iuvare intendebant, et in arresto appunctasset. Et deinde eadem curia ex suo officio super observancia consuetudinum materiam pretactam concernencium amplius se informasset. Omnibus visis, cum matura deliberacione, attentis attendendis, prefata curia nostra, per suum arrestum, appellacionem predictam et id a quo appellatum extiterat adnullavit et adnullat absque emenda, et per idem arrestum ipsa curia heriditagia predicta affecta, ypothecata et obligata esse pro dictis redditu et arreragiis declaravit et declarat. Predictumque Zeman ad solvendum ipsa arreragia usque ad valorem fructuum per dictum Zeman perceptorum aut quod ipse percipere potuisset de dictis hereditagiis a tempore peticionis facte in judicio per dictos les Lormiers et coniuges, necnon ad solvendas expensas dictorum defectuum dumtaxat, earum taxacione dicte nostre curie reservata, condemnavit et condemnat.

Pronunciatum xxiiii^a die marcii, anno domini m° cccc° xxx[ii]ij°, ante pascha.

Le Duc

Appendix I

Parties	Date	Description	Reference
John Grasse, English merchant v. heirs of the late Stephen Valery, English merchant	Dec. 1420		X^{1a} 4793, fo. 2r
Sir John Herle v. Girart de Paray et al.	June–Aug. 1421	Disputed jurisdictions on the Seine between the crown and Saint Germain-des-Prés	X^{1a} 4793, fos. 75v, 77r, 85r, 86v–87r, 87v–88r, 104r–104v
William Cressenare et al. v. André Clement	May–July 1422	Appeal from the prévôt of Paris	X^{1a} 4793, fo. 183r; X^{1a} 63, fo. 402v
Hector Hubert v. Earl of Salisbury	Aug. 1424	Appeal against dismissal by the earl, governor of Champagne	X^{1a} 4793, fo. 477r
Sir John de Montgomery v. Grand Chamberlain of France	Dec. 1424	Furs confiscated from Montgomery by the Chamberlain	X^{1a} 4794, fos. 8r, 9v–10r
Jean Tiphaine v. John Chepstowe	Dec. 1424–June 1425	Disputed cure of Hérouville, nr. Caen	X^{1a} 4794, fos. 11r–11v, 33r–33v, 58r–58v, 62v, 87v; X^{1a} 148o, fos. 326r–326v; X^{1a} 64, fo. 197v
Isabelle de Torcy v. Edward Makewill	Jan. 1425	Control of the castle of Beynes, nr. Rambouillet	X^{1a} 4794, fos. 23v–24r; X^{1a} 64, fo. 134v
Thomas, Lord Scales v. bishop of Paris	May 1425	Dispute concerning prisoner detained at the Châtelet	X^{1a} 4794, fo. 83v
Thomas Dring v. Sir Robert Harling	Oct. 1425–Feb. 1426	Seizure by distraint of Dring's cattle by Harling	X^{1a} 4794, fos. 147v, 153r–153v, 158r, 159r, 187r, 223v
Jean du Val v. Thomas Dring	Apr. 1426	Not proceeded with	X^{1a} 4794, fo. 223v
John Bury v. Galiache Bouchier	Nov.–Dec. 1425	Disputed prebend at Evreux	X^{1a} 4794, fo. 152r; X^{1c} 130, n° 79
William Bromblay v. Robert Hympne	Nov. 1425		X^{1a} 4794, fo. 156r
Guillaume de Montquin v. Earl of Suffolk	Jan.–May 1426	Montquin reclaims lands granted to Suffolk as assignment on debts	X^{1a} 4794, fos. 170r, 244v

Inhabitants of Noisy-le-Sec v. Sir John Handford	Jan. 1426	Guet et garde at Vincennes	X^{1a} 4794, fo. 175v
Giles Ferières v. Hamon de Grantval, bishop of Lisieux and Duke of Bedford as Duke of Alençon	Jan.–Mar. 1426	Rights of clerical patronage	X^{1a} 4794, fos. 176r, 187v, 198v, 199r–199v; X^{1a} 1480, fo. 344r
Bishop of Chartres v. Earl of Salisbury as count of Perche	July 1426–Aug. 1428	Bishop claims homage for Loigny	X^{1a} 4794, fo. 283v; X^{1a} 4795, fos. 38v, 40r, 236r, 237r, 276v, 280r, 281v, 287v, 319v; X^{1a} 8302, fo. 201r; X^{1a} 65, fos. 164v–165r
Guillaume Gente v. Sir John Handford et al.	Mar.–May 1427	Exemption from tolls claimed by notaries royal	X^{1a} 4795, fos. 67r, 74r, 93r–93v, 183r; X^{1a} 65, fo. 150v
Hugues Carrel v. Alan Kirketon	Mar.–May 1427	Disputed prebend at Lisieux	X^{1a} 4795, fos. 72r, 74v, 81v, 83v, 87v; X^{1c} 133, n° 70
J. Stalkin v. Sir Robert Harling	Mar. 1427	Stalkin charged with rendering false accounts for the guet to Harling	X^{1a} 4795, fos. 61r–61v
Jean Dole v. Thomas Maisterson	Apr. 1427	Accord recorded (but not found)	X^{1a} 4795, fo. 85v
Alan Kirketon v. Roger Maurin	June 1427	Disputed chapel: regalian case	X^{1a} 4795, fo. 103v
Procureur du roi v. Sir Richard Merbury	June 1427	Referred to Parlement criminel	X^{1a} 4795, fo. 109v
Mayor and eschevins v. Duke of Bedford, lord of Mantes	July 1427	Municipal v. seignorial jurisdictions	X^{1a} 4795, fos. 120r–120v
Sir Edmund Heron v. Edward Gand & Robert Amoure	July–Aug. 1427	Dispute over moveable property and the guard of the bridge at Samois. Sir Richard Merbury involved	X^{1a} 4795, fo. 129r; X^{1a} 8302, fos. 195v–196r, 197v, 200v, 202v; X^{1a} 65, fo. 172r

Henry Lancaster v. Guillaume Willequin	July 1427	'Asseurement' given by Lancaster to Willequin	X^{1a} 4795, fo. 129r
Guillaume Sominc, *anglois, v.* Philippe Goseste & Simon de Belestre	Dec. 1427–Aug. 1428	Usurious contract	X^{1a} 4795, fos. 182r, 183r, 185v, 225r-225v; X^{1a} 1480, fo. 392r; X^{1a} 66, fo. 158r
Jean Dieupart v. John Misery, English merchant	Jan. 1428	Received 'pour jugier *an bene vel male*'	X^{1a} 4795, fo. 190v
Jean Evrart v. Sir Richard Merbury & his wife, Katherine de Fontenay	Feb. 1428–Jan. 1429	False contract	X^{1a} 4795, fos. 208v–209r; X^{1a} 4796, fo. 3r; X^{1a} 8302, fo. 233r; X^{1a} 66, fos. 235v–236v
Thomas Dring v. *bailli* of Mantes for Duke of Bedford	Feb. 1428	Dring appeals against imprisonment by the *bailli*	X^{1a} 4795, fos. 212v–213r
Simon Chevestre v. William Hebenge	Apr. 1428–June 1430	Disputed prebend at Evreux	X^{1a} 4795, fos. 238v, 282r; X^{1a} 4796, fos. 84v, 169r, 201v; X^{1a} 8302, fos. 220v, 230r, 231v; X^{1a} 1481, fo. 27v; X^{1a} 67, fo. 45r–45v
John Drotton v. Guillaume de la Croix	Apr. 1428–Jan. 1429	Appeal from the *prévôt* of Paris: settlement of debt	X^{1a} 4795, fos. 238v, 246r; X^{1a} 8302, fo. 216v; X^{1a} 1481, fo. 5r
Richard de Laillier v. Richard Lelain, *anglois*	May–July 1428	Appeal against confiscation of *rentes* at Plailly	X^{1a} 4795, fos. 265v, 292r, 301r, 304r
Richard Ruault v. Duke of Bedford	July 1428	Wrongful dismissal settled by *accord* demanded by Bedford	X^{1a} 4795, fos. 289r, 292v; X^{1a} 1480, fo. 406r
Jean de Vaux v. Sir Robert Harling	Aug. 1428	Not proceeded with	X^{1a} 8302, fo. 233r
Sir John Quidro (?Kiderowe) v. Marie de Langlentier	Dec. 1428	Appeal from Amiens over land granted to Quidro	X^{1a} 4796, fo. 18v
Sire de Chateauvillain v. Duke of Bedford	Dec. 1428–Jan. 1429	A political case (fealty)	X^{1a} 4796, fos. 20r–20v, 22r–22v, 29r

Guillette Bertrand *v.* John Vasteton (?Atherton)	Feb.–Mar. 1429	Concerns property near Nogent and Vasteton's needs to pay a ransom	X^{1a} 4796, fo. 43v; x^{1a} 1481, fo. 10r–10v
Roland Scott *v.* Girard & Ysabel Longperier	Mar. 1429	Scott claims rent-charge worth 50 *l.t.*	X^{1a} 4796, fo. 71r
William Brinsy *v.* Marie de Haquellus	May 1429	Received 'pour jugier *an bene vel male*'	X^{1a} 4796, fo. 95v
John Bury, Reginald Brezingham & *procureur du roi v.* Jean Sac, Sir John Fastolf et al.	June 1429	Patronage of Plasnes	X^{1a} 4796, fos. 98v–99r, 99v–100r, 102r–102v, 103r–103v; X^{1a} 1481, fos. 13r, 17v–18r
John Bury & Jaquet Rat *v.* Jean Crespin	July 1429–July 1430	Farm at Rouvray-lès-Peuthin	X^{1a} 4796, fos. 122r, 128v, 129r, 206r, 212r, 231v
Thomas Mansel, *anglois, v.* Jean Denis	Nov. 1429–Apr. 1431	False imprisonment by Denis for removal of goods belonging to a cousin presumed dead	X^{1a} 4796, fos. 137v, 138v, 139r, 179v, 187v, 188v, 291v; X^{2a} 20, fos. 185v–186v
Jean de Parois *v.* John Turnbull & his wife	Jan.–Feb. 1430	Appeal by Parois from the marshals' *table de marbre* seeking restitution of three-year-old son seized as hostage for an inheritance	X^{1a} 4796, fos. 162v, 170v; X^{1a} 1481, fos. 21r, 23v; X^{1a} 67, fos. 2r–2v; X^{2a} 20, fos. 181v–182r
Thomas Warre & John Gonys *v.* Josset de Damart	May 1430	Received 'pour jugier *an bene vel male*'	X^{1a} 4796, fo. 205v
Edward Revergues *v.* Thomas Burgh	Jan. 1429–June 1430	Appeal from the marshals' court concerning a prisoner	X^{1a} 4796, fo. 33v; X^{1a} 67, fo. 105r
Jenkin Ripley *v. prévôt des marchands* at Paris	June–Sept. 1430	Dispute regarding boat laden with supplies captured by the garrison at Pontoise	X^{1a} 4796, fos. 225v, 226v, 229r; X^{2a} 20, fos. 182r–182v, 193v–194r

Geoffrey Lilter v. Roger Maurin	July 1430	Regalian dispute	X^{1a} 67, fos. 51r–51v
Stephen Jordan, Stephen Palmer et al.	Aug. 1430	Settlement, involving Duke of Bedford, about property at Le Mans	X^{1a} 67, fos. 124r–124v
Jean Nicolas v. Jean Gosse & Earl of Suffolk and Dreux	Aug. 1430	Appeal from *bailli* of Dreux; not proceeded with	X^{1a} 8302, fo. 244v
Pierre des Landes, Jean Piedefer & wives v. Duke of Bedford	Sept. 1430	Not proceeded with	X^{1a} 8302, fo. 248r
John Turnbull v. Nicolas du Ru	Feb. 1431	Turnbull contumacious	X^{1a} 4796, fo. 267r
Bishop of Le Mans v. *bailli* of Alençon for Duke of Bedford	Apr. 1431	Dispute over prisoner in clerical orders	X^{1a} 4796, fos. 293r–293v
John Harbottel v. Guillaume Vignier	Jan.–Apr. 1432	Division of property	X^{1a} 4796, fo. 295v; X^{1a} 67, fo. 239r
Hugues Saubertier v. John Fubey	Jan. 1432	Appeal from the *Chambre des Comptes* over land first granted to Saubertier and then to Fubey	X^{1a} 4796, fo. 296r–296v
Duke of Burgundy & Louis Bournel v. Sir John Dedham	Jan. 1432	Arrest of Bournel in possession of the Duke's safeconduct	X^{1a} 4796, fos. 298v–299r, 301v–302v
Cardinal of Rouen (Jean de la Rochetaillée) v. John Bury	Mar. 1432	Audit of accounts	X^{1a} 4796, fo. 321r
Godefroy de Wisterwic v. Sir John Fastolf	May 1432	Fastolf appeals unsuccessfully from the *prévôt* of Paris	X^{1a} 67, fos. 244r–244v
Thomas Overton v. Philippe le Cloctier	Aug. 1432	Abandoned	X^{1a} 4797, fo. 24v

Thomas, Lord Scales v. William Huschier (?Ussher, Hutcher)	Aug. 1432–Aug. 1433	Ransom money; appeal by Huschier; jurisdiction of the Duke of Brittany excluded by the Parlement	X^{1a} 4797, fo. 33r; X^{2a} 20, fos. 202r–202v, 207v
John Pulmond v. Jean Guillaume	Feb.–Sep. 1433	Dispute over ecclesiastical benefice, involving the 'alternative' system	X^{1a} 4797, fos. 42r, 54r–54v; X^{1a} 1481, fo. 74v (twice); X^{1a} 68, fos. 57r–57v
Jean Quintin v. Sir William Chamberlain	May 1433	Referred to Parlement *criminel*	X^{1a} 4797, fos. 66v, 68v
Thierry de Robessart et al. v. the convent of St. Sauveur	Nov.–Dec. 1433	Referred to Parlement *criminel*	X^{1a} 4797, fos. 120r (twice), 120v
Jean Marcel v. Sir John Handford	Dec. 1433–Mar. 1436	Unsuccessful appeal by Handford from the court of the Marshal	X^{1a} 4797, fo. 122v; X^{1a} 1481, fo. 116v; X^{1a} 68, fos. 293r–293v
Jean de Greves v. Thomas More	Feb. 1434	Disputed rent on the church of St. Jacques in Paris	X^{1a} 4797, fo. 138r
Robert Rich	Feb. 1434	Sought as a prisoner by the bishop of Paris	X^{1a} 4797, fo. 144r
John Basset v. Thomas Massey & Henry Chambers, his archers	Feb. 1434–Jan. 1435		X^{1a} 1481, fo. 95v; X^{1a} 68, fos. 201r–202r
J. Fortier & R. Climent v. Thomas Gerard et al.	Mar. 1434–July 1435	Claim against Gerard for seizing salt to pay the garrison at Montereau	X^{1a} 4797, fos. 148v, 183r–183v, 272r, 273r
Sir John Fastolf v. Thomas Gerard	June 1434–Mar. 1436	Alleged maladministration by Gerard	X^{1a} 4797, fos. 4r, 5v, 164v, 326v; X^{1a} 68, 83r–83v
Jean de Fontaines & his wife v. John Bury et al.	July 1434		X^{1a} 8302, fo. 269r
Hubert & Geoffrey Wicton & Nicholas 'de Bosco' v. Jean Darquene et al.	July 1434	Infringement of safeconduct near Laval	X^{2a} 20, fos. 72r–73r

William Bukton v. Guillaume Dorot	Dec. 1434–Feb. 1436	Prisoners	X^{1a} 4797, fos. 214v, 215r–216v, 218r, 322r–322v; X^{1a} 1481, fo. 115v
J. Le Marcant v. Thomas Gerard & F. Fanuche	Apr.–May 1434	Exchange of a prisoner	X^{1a} 4797, fos. 156v, 162r; X^{1a} 1481, fo. 85v
Pierre Larchevesque v. Thomas Harling & Richard Merbury	June 1435	False imprisonment: referred to the Parlement *criminel*	X^{1a} 4797, fos. 262v, 267r, 271r
Jean du Puis v. William Kirkeby	July–Sept. 1435	du Puis appealing from the regent's household court	X^{1a} 4797, fos. 271v, 284r, 291r; X^{1a} 1481, fo. 105r; X^{1a} 68, fos. 267v–268r
Richard Ruault v. Thomas Overton	Aug.–Nov. 1435	Financial dealings between the two. Ruault in debt to Overton	X^{1a} 4797, fos. 285r–285v, 302r
Inhabitants of Bellême-en-Perche v. Jaquet Abot & the count of Perche (Humphrey Stafford)	Sept. 1435	Appeal from the *bailli* of Perche; a case of long standing concerning the non-payment of *appatis* at La Ferté–Bernard	X^{1a} 8302, fos. 313r, 317r–317v
Jean Piquet, student at Paris, v. John Belknap	Apr. 1436	Clerical appointment in the diocese of Evreux	X^{1a} 68, fo. 295v
Thomas, Lord Scales v. Galobier de Pannesac	Jan. 1438	Appeal from the Marshal of France on pleadings of July–Nov. 1437. Scales loses his appeal without cost	X^{1a} 1482, fo. 60r

Other suits with an 'English' interest

Bishop of Paris v. *Procureur du roi*	July–Oct. 1425	Bishop claims English prisoner, John Chanterton, esquire, as a clerk	X^{1a} 4794, fos. 108v, 146v–147r, 147v

Florent Brunel v. Estienne de Gournay	July 1426–July 1428	Rights of Thomas, Lord Scales, to prisoners (Follows on from case involving him, listed above, May 1425)	X^{1a} 4794, fos. 284r, 286r; X^{1a} 1480, fo. 407v; X^{1a} 66, fos. 148v–150v
Jean Godefroy v. Guillaume le Fevre, dit Forget, *receveur* for Earl of Salisbury	May 1427–May 1428	Concerns valuables stolen from Salisbury at the siege of Milly-en-Gâtinais	X^{1a} 4795, fos. 87v, 89r, 130v, 265r; X^{1a} 1480, fos. 373r, 399r; X^{1a} 65, fos. 150r–150v; X^{1a} 66, fos. 111r–112v

Accords with no recorded pleadings

Nicolas Bigot, the Earl of Salisbury's receiver in Perche, with the Earl v. Jeanne, widow of Jean Chaulx	Aug. 1427	Salisbury's rights over the widow's son, a minor	X^{1c} 134, n°s 57, 58
Alan Kirketon v. Richard Portefais	Aug. 1427–Aug. 1430	Dispute over benefice leads to exchange	X^{1c} 140, n°s 38, 39, 40
Alan Kirketon v. Jacques Jacques	Aug. 1430	Disputed benefice in diocese of Bayeux	X^{1c} 140, n°s 43, 44, 45
Alan Kirketon v. Philippe de Canteleu, also involving John Bury	Sept. 1432		X^{1c} 144, n° 45
Alan Kirketon v. John Bury	Oct. 1432	Disputed benefice	X^{1c} 144, n° 62
Nicolas Burdet v. Jean Spifame	Oct. 1432	Dispute over a house involving a minor	X^{1c} 144, n°s 65, 66

Suits concerning Englishmen
Parlement of Poitiers

Duke of Alençon & Philip Go[ugh] v. Jacques de Dinan	Dec. 1432–Aug. 1436	Ransom of Sir Walter Hungerford	X^{2a} 21, fos. 199r–199v, 202v, 305r–305v; X^{1a} 9200, fo. 154r; X^{1a} 9201, fos. 145r–145v; X^{1a} 9193, fos. 157r–158v; X^{1a} 9194, fo. 144r
Bos de Commarques v. André de Laval, Jean de Bueil et al.	Aug. 1436	Litigation over two prisoners, Matthew Go[ugh] and Sir Thomas Kyriel	X^{1a} 9193, fos. 156v–157r
Pierre, dit 'Le Porc' v. Perrinet Vaussart	Sept. 1436	Concerning the ransom of Thomas Aulton, anglicus, taken prisoner by 'Le Porc'	X^{1a} 9193, fos. 177r–177v

Appendix II

Biographical details of English litigants

(In these summary biographies attention is mainly directed
to the individual's activities in France.)

Sir Alan Buxhill

Sir Alan Buxhill, as he reminded the court on 27 May 1426, was a
half-brother, through his mother Maud, of Thomas, earl of Salisbury,
with whom he was associated in military commands. In January 1414
Buxhill was serving in the retinue of the duke of Clarence, in that of
the earl of Salisbury in June 1416, and under the Earl Marshal in
April 1417 (*D.K.R.*, xliv, 550, 580, 590). On 25 February 1419 he was
at the capitulation of Honfleur (Bréquigny, *Rôles normands*, n° 313) and
was appointed captain of Château-Gaillard on 3 April 1421 (*D.K.R.*,
xlii, 410). By June 1422 he was captain of Fresnay-le-Vicomte (*ibid.*,
xlii, 442), becoming captain of Mantes by the end of the year (B.N.,
Pièces Originales 483, Buxhill, n° 2). At the time of his suit against
Thomas Lound in 1426 (n° **VIII**) he styled himself lord of Clinchamp
which had been granted to him in April 1419 (*D.K.R.*, xli, 770). In
March 1425 he was a mounted 'lance' in Salisbury's company at the
siege of La Ferté-Bernard (B.L., Add.Ch. 94). By his own testimony,
given on 9 December 1427, Salisbury had appointed him lieutenant
to the captain of the bridge of Meulan where, his opponent, Henry
Brancaster, claimed, although a married man, he kept a mistress. Like
a number of those whose litigation is printed here, Buxhill was at
Verneuil in August 1424 (*Letters and Papers*, II, ii, 394), and took part
in the expedition into Anjou and Maine in the following year (*ibid.*,
II, ii, 412). In the years which followed, he served in the retinues of
the duke of Bedford in 1427–29 (*ibid.*, II, ii, 437; *D.K.R.*, xlviii, 251,
262); of Robert Lord Willoughby in 1428 (Arch. Seine-Mme., Fonds
Danquin, *carton* 3, *liasse* 3, n° 23); of the earl of Suffolk (Arch. Eure,
IIF 4069); of the earl of Huntingdon in 1430 and 1433 (*D.K.R.*, xlviii,
271, 291); and of Richard earl of Salisbury in 1436 (*ibid.*, xlviii, 310).

John Chepstowe

John Chepstowe, who admitted illegitimate birth (A.N.,X¹ᵃ 4794,
fo. 58r; Arch. Vat., Reg. Lat. 353, fo. 291r) was appointed to the
Norman *Chambre des Comptes* in 1420, and was serving as an *auditeur*
there in 1422 at 100 *l.t.* a year (P.R.O., E 101/187/15/33; B.N., MS fr.
26044/5783). On 12 January 1421 he was named to the chapel of St.
Stephen in the castle at Pont de l'Arche (*D.K.R.*, xlii, 399) and to the

cure of Hérouville, near Caen, in August 1423 (A.N., X^{1a} 4794, fo. 11r). In October 1425 he sold two adjacent houses in Caen (Arch. Seine-Mme., Tabellionnage de Rouen, 1424–25, fo. 423v); in 1429 he had a house in Caen next to property owned by other Englishmen (A.N., X^{1a} 66, fo. 266v; Arch. Calvados, 7E 5(i), fo. 24r).

Chepstowe was a student at Paris (A.N., X^{1a} 4795, fo. 14v). In June 1427 he was admitted B. Can.L., and was teaching there in 1428 and 1432 (M. Fournier, *La faculté de décret à l'université de Paris au XVe siècle*, i, (Paris, 1896), 297, 312, 328, 342, 391). He was involved in two suits before the Parlement, both being decided in his favour. The first was against Jean Tiphaine over the church of Hérouville (see appendix I); the second, against Raoul le Houdin, concerned property in Caen (n° **XIII**). Chepstowe had other interests in the region; by April 1437 he was a canon of the church of the Holy Sepulchre in Caen (Arch. Vat., Reg. Lat. 353, fo. 291r; *Cal. Pap. Lett.*, viii, 648) and in July 1436 he held a canonry and prebend at Bayeux (Arch. Vat., Lib. Annat. 6, fo. 248v). In May 1443, described as rector of Arkesy, Yorkshire, he was serving in the duke of Somerset's retinue (*D.K.R.*, xlviii, 357).

Sir Thomas Dring

Thomas Dring served in France under Henry V but first comes to notice in January 1424 when he was given the lordship of Vaux and other lands confiscated from Jean de Lignières and his wife in the *bailliages* of Rouen, Caux, Mantes, Meulan and Senlis, and in the *prévôté* of Paris, valued at 300 *salus d'or* (Coll. Lenoir, 3, p. 150). Dring was to be involved in four suits before the Parlement. In the autumn of 1425 and the spring of 1426, styling himself 'seigneur de Vaux', he was in litigation against Sir Robert Harling, captain of Meulan (see appendix I); of the suit against Jean du Val nothing is known. But his suit against Jean de Dynadam over the grant of Vaux, in which he called himself Bedford's 'escuier d'honneur', lasted for many years (n° **XIV**). In February 1428 he initiated a short-lived suit against the *bailli* of Mantes (see appendix I).

As a soldier, he served at the long siege of Mont-Aimé and was on other 'expedicions pour la chose publique' under the earl of Salisbury. He was taken prisoner at Jargeau in June 1429, and may have been knighted before 1433. In the 1430s Dring served in a number of garrisons. He was a mounted man-at-arms at Meulan under Richard Merbury in 1434 (A.N., K 63/34/5), and may have been captain of Les Andelys in March 1436 (Arch. Eure, IIF 4069). He mustered troops at Gisors in March 1437 (B.N., n.a.fr. 1482/141, 142) and served Talbot at the siege of Tancarville in September 1437 (B.L., Add. Ch. 137). In October 1438 he was a mounted man-at-arms in the garrison at Lisieux under Sir William Bukton (A.N., K 64/23/9). Between 1437 and 1439 he three times received delays for giving details (*aveux de denombrement*) of the lands he held in the *bailliages* of Mantes and Meulan and in the *prévôté* of Pontoise (Coll. Lenoir, 4, pp. 399, 315; B.N., Pièces Originales 1030, Dring, n° 2). He may have been away for some time; in September 1442 he was an absentee member of the garrison at Alençon under Sir Richard Woodville (A.N., K 67/12/80). On 24 December 1444 the receiver-general of Normandy was ordered to pay him 600 *l.t.* (Bodleian Library, Oxford, MSS ch. foreign, n° 430).

In July 1446 it was said that he had served 'in oure werres of Fraunce this xxx yere where v tymes he hath be take prisoner, and yit standith prisoner rausomed to CCC livres' which he had pledged to pay, but 'for the paiement of the which he hath solde his lyvelode and yet over that there is unpaied of the same raunsom the somme of C marc, as he saith, the which C marc he is not of power to paie withoute oure aide on this behalf.' In order that he should not have to surrender himself again, the king ordered that the sum be paid for him (P.R.O., E 404/62/217).

In September 1449 Dring agreed to serve in France and Normandy for six months with thirty men-at-arms and 100 archers (P.R.O., E 404/66/28; E 101/71/4/925), being one of a number of captains ordered to Normandy late that autumn to defend fading English hopes in the duchy (*Letters and Papers*, II, ii, [765]; *D.K.R.*, xlviii, 382). He was made prisoner at the battle of Formigny on 15 April 1450 (*Letters and Papers*, II, ii, [630]). It was probably the sixth time he had known the inside of a French prison.

Sir John Fastolf

John Fastolf was born in 1380, and in the reign of Henry IV served in Ireland. Late in the reign and early in that of Henry V he was in Guyenne, where he acted as deputy-constable of Bordeaux and was present at the capture of Soubise in June 1413 (Vale, *English Gascony*, pp. 67–8, 247). As an esquire he was retained by the king for the expedition of 1415; by the following January he had been knighted, and was soon to act as lieutenant of Harfleur for the duke of Exeter, his old commander in Guyenne. Early in 1416 he also received the first of many grants of property in France from the king (*D.K.R.*, xliv, 577). In 1421 he was captain of the Bastide in Paris (*ibid.*, xlii, 407), and William Worcestre claims that he was left as the king's lieutenant in Normandy after Henry V's death (Magdalen College, Oxford, Fastolf Papers, 69, m.4).

Fastolf was present at the battle of Verneuil, was created a knight-banneret and reaped a harvest of some 20,000 marks in ransoms. He was also accumulating other grants of confiscated lordships: Bec-Crespin, Aurichier, Criquetot l'Esneval and others on 15 January 1419 (*D.K.R.*, xli, 745) and Bréteuil in July 1423 (A.N., JJ 172, n° 345); with the conquest of Maine he was to become baron of Sillé-le-Guillaume. Fastolf was also to act as captain of a number of places, including Fécamp, Meulan, Fresnay-le-Vicomte and Alençon, where he obtained some property. In 1429, however, such were the complaints of extortion against him and his men in 1427 that their wages for Alençon were withheld for some time (B.N., MS fr. 26052/1148; Arch. Orne, A 416).

For most of his years in France Fastolf was closely associated with the duke of Bedford whose *grand maître d'hôtel* and councillor he was, and whom he served in a general capacity, but with particular regard to his lands in Maine and Anjou, and as captain of Le Mans. The Orléans campaign is sometimes thought of in terms of Fastolf's success at the battle of the Herrings, on 12 February 1429, and of his flight from the field of Patay on 18 June 1429, an action which may have cost him the Garter given him in 1426. Fastolf was also associated with Caen, where he was for some time captain, being joined in the garrison in April 1432 by one John Fastolf, esquire (B.N., MS fr. 25770/686, 695).

After Bedford's death in 1435, Fastolf appears to have attached himself to the duke of York whose counsels he entered. The author of a memorandum on how to pursue the war, Fastolf expressed himself as forcibly on this matter as he seems to have done on others. His attitude to the maintenance of Lancastrian rule was considerably influenced by the level of profitability of land. By December 1433 he was already selling his lordships of Aurichier and Angerville (A.N., JJ 175, n°s 286, 287), and in the years which followed he disposed of other property which he had acquired in the *bailliages* of Caen and Alençon (Allmand, 'Lancastrian Land Settlement', 475). The fact that he had lands in two areas, Maine and the *bailliage* of Caux, which were to prove particularly susceptible to the ravages of war meant that his French revenues were depreciating considerably by the time he returned to England for the last time in 1439.[1]

Walter, Lord FitzWalter

FitzWalter, of Woodham Walter in Essex, born in June 1400 or 1401, was descended from the Norman counts of Brionne. His father had played a prominent role in the events of the last years of Richard

[1] See K. B. McFarlane, 'The Investment of Sir John Fastolf's Profits of War', *T.R.Hist.S.*, Fifth Series, vii (1957), 91-116; *Dict. Nat. Biog.*, vi, 1099-1104.

II. FitzWalter first appears in France on 9 July 1420 as the guardian of lands, in both Normandy and England, of the late Sir John Chesne during the minority of his son (Coll. Lenoir, 42, p. 375); on 20 September 1420 he was granted these same lands in tail male (*ibid.*, 42, p. 384; Charma, 'Parties des dons', p. 9). Having served at the long siege of Melun, FitzWalter fought and was captured at Baugé. Between 1420 and 1422 he was captain of Vire, in western Normandy (*Gallia Regia*, i, 532, 534). In June 1424, in a confirmation of the grant of the lands of Sir John Chesne it was said that he had been imprisoned for four years, and that the lands were much disturbed (B.L., Add. Ch. 1422; Coll. Lenoir, 26, p. 61). It is not clear whether this period was spent as a French prisoner or in a prison of the Lancastrian authority; the latter is more likely, for in 1428 FitzWalter received a pardon for murder and rape, as well as for having surrendered the castle of Saint-Laurent-des-Mortiers in Anjou (A.N., JJ 174, n° 114). In 1425 he took part in the conquest of Maine, and he was serving with a retinue in 1426 (B.L., Add. Ch. 95; A.N., K 64/18/14; Arch. Orne, A 411).

In January 1426 as 'le souverain capittaine' of the duke of Glouces-ter (Waurin, *Recueil, 1422–1431*, pp. 200–203), he commanded the duke's expedition to Holland and Zeeland, 'preualed nothing' and was defeated by Philip 'the Good' at Brouwershaven (*The Brut*, ed. F. W. D. Brie, ii, 498; R. Vaughan, *Philip the Good* (London, 1970), pp. 42–4).

Styling himself lord of La-Haye-du-Puits (not far from Vire) in 1424 (Arch. Seine-Mme., Échiquier, 1424, fo. 104v) and of La Roche-Tesson in 1425 (B.L., Add. Ch. 95), late in November 1431 he sold lands which had belonged to Henri de Colombières to Richard Welton (Arch. Seine-Mme., Tabellionnage de Rouen, 1431–32, fo. 49r). In 1429 and 1430 he was summoned to Parliament (W. Bartlett, *The History and Topography of the County of Essex* (London, 1835), ii, 658n). At Easter 1431 he led a retinue into France; he made his will at Canterbury on 10 April. He was returning to England late in 1431 when he was drowned in a storm at sea, his will being proved on 10 November 1432 (V.C.H., *Essex*, ii, 151). FitzWalter, who had married Elizabeth, widow of William Massey, was buried at Little Dunmow, Essex, where his effigy is the finest alabaster monument in the county (N. Pevsner, *The Buildings of England: Essex*, pp. 32–3 and pl. 33a).[1]

William Glasdale

In November 1420 William Glasdale was *maître d'hôtel* to the earl of Salisbury in Normandy (B.N., Pièces Originales 1338, Glasdale, n° 3).

[1] See G.E.C., *Complete Peerage*, v, 482–4.

On 8 August 1421, he received the lordship of Gacé from Henry V (*D.K.R.*, xlii, 414). Present at the battle of Cravant in July 1423 (*Letters and Papers*, II, ii, 385), he was appointed Salisbury's lieutenant in the Mâconnais in 1424 (*Bourgeois*, 237, n. 1). In August 1424 he took part in the battle of Verneuil and in the expedition into Anjou in the following year (*Letters and Papers*, II, ii, 394, 411; A.N., K 62/18/20; B.N., MS fr. 25767/143). By 1425, already lord of Merlerault, he was *bailli* of Alençon (Arch. Orne, H. 1402) and, at about the same time, captain of Fresnay-le-Vicomte. In 1426 he served under the earl of Warwick (B.N., MS fr. 25767/155) and in April 1427 he was at the siege of Pontorson (B.N., MS fr. 25768/227). In 1428 he was in the duke of Bedford's service and his wife appears to have been in France with him (*D.K.R.*, xlviii, 254, 258). It was, however, under Talbot's command that he took part in the dramatic recovery of Le Mans on 28 May 1428 (n° **XVII**). At the end of that year he was engaged in the siege of Orléans where, on the death of the earl of Salisbury, he was left as one of the senior commanders. It was on 7 May 1429, when a wooden bridge between the 'bastille des Tourelles' and the bulwarks of the city collapsed, that he and many Englishmen were drowned. His body was recovered and boiled before being taken to Paris where it lay for over a week in the church of Saint-Merry surrounded by burning tapers (*Bourgeois*, p. 237). Then the bones of this man, 'moult renommé en fait d'armes' and whose name appears in more than one contemporary chronicle, were taken back to England for burial.

Sir John Handford

John Handford, born probably in 1391, came from near Macclesfield in Cheshire, one of a number of soldiers from that part of the country who served in the wars of the Lancastrian kings in France, and one of the most successful.

Late in the reign of Henry V, or very soon afterwards, Handford became attached to the duke of Bedford, whose service he entered. He fought at Verneuil (J. P. Earwaker, *East Cheshire*, i (London, 1877), 241, and was probably knighted on that occasion. Between 1423 and 1427/8 he was captain of Montjoie and Saint-Germain-en-Laye, from 1425 to 1428 captain of Bois de Vincennes, and in February 1428 he was appointed captain of Marly-le-Chastel, to the west of Paris (*Gallia Regia*, iv, 391, 399, 404). From 1429 to 1435 he was *bailli* of Mantes, and captain in 1430 (*ibid.*, iv, 55–6; B.N., MS. fr. 26052/1215). From at least 1433 he was captain of the bridge at Rouen, and for some time he held the position of lieutenant in charge of the security of the city, in which he was joined by his brother, Richard, and his nephew of the same name. From 1439 to 1440 Handford also served as *bailli* of Evreux (*Gallia Regia*, iii, 284). In October 1441 he contracted to serve Humphrey Stafford, count of Perche (Nat. Lib. Wales, Aberystwyth, Peniarth 280, fo. 18r), and he spent much of the next eight years in France, although he also returned to his native Cheshire during this time.

Handford received a number of grants of land, including those of La Rivière Bourdet in April 1419 (Bréquigny, *Rôles normands*, n° 357), but it was the grant of the lordship of Maisons-sur-Seine, situated conveniently close to Paris, Saint-Germain and Mantes which gave him the trouble which led to his long suit against Jean de Gaucourt, the community of Saint Maurice at Senlis and the chapter of the Sainte Chapelle in Paris (n° **III**), a suit which was of considerable constitutional importance for the issues which it raised regarding the authority of the Parlement and the judicial claims of the council in Rouen.

Most of Handford's career was spent in places on or near to the Seine, mostly between Paris and Rouen, the Norman capital (in which he had property) (Arch. Seine-Mme., Tabellionnage de Rouen, 1430-31, fo. 108v; 1433-34, fos. 169v-170r, 339v) becoming his home during the last fifteen years or so of English rule. As the war in Normandy drew to a close, Handford was to be engaged in considerable diplomatic activity, together with Jean Lenfant, with the English and French courts (B.L., Add. MS 11509; *Letters and Papers*, I, 251, 252, 265). He was at Rouen at the time it fell into the hands of Charles VII in November 1449, and was a hostage for the fulfilment of the terms of surrender of the city.

Richard Handford

Richard Handford was the brother of Sir John Handford, but he never achieved the latter's high position, being still an esquire when last heard of in 1443. Like so many, he claimed to have been present at the battle of Verneuil in August 1424, at the action by Saint-James-de-Beuvron in March 1426, 'et ailleurs'. At some too, like his brother, he was a prisoner of the French.

Again, like his brother, Richard Handford spent a number of years in Rouen. In January 1433 the garrison there included Sir John Handford, Richard Handford 'l'aisné' and Richard Handford 'le jeune', presumably his son (B.N., MS fr. 25770/751). In April 1435 the three Handfords were again in positions of military responsibility, John as lieutenant for the duke of Bedford, while the two Richards, father and son, were each 'quartenier' of the Porte Beauvoisine and the Porte Saint Hilaire respectively (B.L., Add. Ch. 11818). By June 1440 Richard Handford was the 'chief et conduiseur' of a part of the garrison of Rouen which served with Talbot against Harfleur (B.N., Clairambault, 166/31, with seal). In 1442 he was constable of the castle at Rouen (*Gallia Regia*, v, 231).

Thomas Key

Evidence of the presence of Thomas Key in France can be found for a period of more than twenty years. The suit against Guillaume des Brosses (n° **VII**) began with his nomination to a canonry and prebend at Chartres in 1425. As a canon, he appointed his representatives *ad lites* there in August 1429 (Arch. Eure et Loir, G. 168, fo. 37v). It was probably when Chartres was lost to the French in 1432 that Key, as chaplain to the earl of Suffolk and count of Dreux, found some compensation as one of four chaplains in the chapel of St. Nicholas within the castle of that town, about twenty miles to the north of Chartres (B.N., MS fr. 26056/1920). As a canon (of a collegiate?) at Dreux, Key was responsible for mustering soldiers there in the summer of 1435 and early in 1436 (B.N., MS fr. 25772/1000, 1004; 25773/1069), and he was among the men-at-arms serving in the retinue of the *bailli* of Dreux in February 1436 (B.N., MS fr. 25773/1061). In September 1442 William 'des Clefs', priest, canon of Chartres, together with two 'freres et compagnons' of whom Thomas, likewise a canon of Chartres, was one, received 90 *l.t.* from the duke of York (B.N., MS fr. 26070/4634). In April 1446 Thomas Key, still styling himself canon of Chartres and Dreux, but then living in the parish of St Jean in Caen, bought a house and garden in that town from William Smyth for the sum of 39 *l.t.* (Arch. Calvados, 7E 90, fos. 268v–269r; B.N., MS lat. 10066, fo. 161v).

Marquin Key, then aged twenty-seven, was also living in Caen in 1442 (B.N., MS fr. 26069/4602). It is possible that he was related, and that they formed part of a larger family grouping which may have included William Key, already mentioned, and Robert Key who acted as royal secretary in the duke of York's service in the 1440s.

Thomas Lound

Little, other than the information contained in the pleadings, is known about this man. Coming from knightly stock (testimony of 6 June 1426 and 17 November 1427) he served in the duke of Bedford's retinue; the regent, it was alleged on 17 November 1427, had 'grant confidence en lui'. Lound took part in the battle of Verneuil in August 1424 (*Letters and Papers*, II, ii, 436, 437, 394). In testimony given on his behalf in the course of his suit against Sir Alan Buxhill it was said that he went with Sir John Fastolf to the action before Dinan in

Brittany. Some days later it was said that he had served on the southern frontier of Normandy, had been taken prisoner three times (most recently at Saint-Malo, his release costing him 4,000 *écus* and more) and had served in several places in the war in Maine, where he was captain of Le Touvois, having already been given charge of the castle of Clinchamp by Sir Alan Buxhill, an appointment which led to the suit between them in the Parlement (n° **VIII**). In May 1427 he was said to be 'in expedicione causa rei publice' at the siege of Pontorson, on the Breton border; his presence there, as a mounted man-at-arms in the company of Thomas Burgh, is independently attested (B.L., Add. Ch. 11573). It is not known when he was knighted; in November 1427 he was still described as 'armiger'.

Sir William Oldhall

William Oldhall is one of the best examples of a man from the shires (in his case, Norfolk) who benefited himself and his family through active participation in the French wars. On 1 May 1415 he contracted to serve in the retinue of the earl of Dorset, and he continued to serve him for some years (P.R.O., E 101/69/7/503; William Worcestre, *Itinerarium*, ed. J. Nasmith, p. 370). Although at the siege of Rouen (1418–19) (*ibid.*, p. 374) and present in France in 1421, it was not until 1423 that his career there really got under way. Oldhall fought at Cravant in July 1423 (*Letters and Papers*, II, ii, 385) and was knighted there. In 1424, now as in the previous year attached to the earl of Salisbury, he was on campaign on the eastern border of Normandy, but he also fought at Verneuil in August (*ibid.*, II, ii, 394). In November he was appointed seneschal of Normandy, an office he held until late 1425 (*Gallia Regia*, iv, 253). In 1425 he joined the expedition into Maine and Anjou (*Letters and Papers*, II, ii, 412, [553]), but in the following year, presumably having gained the regent's confidence, he was to be involved in diplomacy with the duke of Burgundy. In May 1428 he was involved in the exploit of the recovery of Le Mans (n° **XVII**).

Both his military ability and the high regard in which he was held are reflected in the captaincies to which he was appointed: Essay (1425–29, 1434–38, 1444–45); Saint-Laurent-des-Mortiers (briefly in 1427); Fresnay-le-Vicomte (1430); Alençon (1430); Argentan (1435); Bayeux (1438–39); Coutances (through a lieutenant, 1441–42); Regnéville (1443–44); Pont-l'Evêque (1444–45); Orbec (1445); and Lisieux (1445–46). Oldhall also acted as *bailli* of Alençon from 1433 to 1439. Having been a member of the royal council for both the duke of York, during his first period of command, and then for the earl of Warwick, Oldhall came to assume high responsibilities during York's second period of office, being his chamberlain by October 1445 (B.N., MS fr. 26068/4400). His visits to the seat of power in Rouen were frequent (none of the last three captaincies he exercised was far from Rouen) and he acted in a number of different capacities, military and judicial (as a member of the court of requests in Rouen (C. de Beau-repaire, 'Fondations pieuses du duc de Bedford', *Bibliothèque de l'Ecole des Chartes*, xxxiv (1873), 36)), his experience as seneschal doubtless standing him in good stead. It is evident that in the 1440s the personal links between Oldhall and York became very close, Oldhall acting as general overseer of York's estates in France (B.L., Add.Ch. 610, 6970), for which he received a pension (B.L., Add. Ch. 147) but, on one occasion at least, he found himself lending money to the duke (B.N., Clairambault, 187/16).

Oldhall also acquired land in France, in some cases lordships previously granted to others which had reverted to the crown. In October 1428 he received properties which had been held by Richard Harrington in the *bailliages* of Rouen, Caen and Evreux (A.N., JJ 174, n° 230); in February 1437, the perpetual gift of lands previously granted to Hartung van Clux, on condition that Oldhall and his heirs should live continually in France (B.L., Add. Ch. 128); in September 1437 the barony of Roncheville and a house in Honfleur which had belonged to Raoul le Sage (Coll. Lenoir, 4, p. 401); and in July 1445 the lands and castles which had belonged to the late John Grey, lord of La Ferté-Frênel (*ibid.*, 4, p. 193; *Letters and Papers*, II, ii, [622]), in addition to the lordship of Saint-Julien-le-Faucon by 1445 (Coll. Lenoir, 4, p. 191).

Like a number of others, Oldhall was connected through marriage to other families involved in the English wars in France. His wife, Margaret, was the sister of Robert, Lord Willoughby who served for many years in France and who had himself married, as his first wife, the sister of Thomas Montague, earl of Salisbury. Oldhall's daughter, Mary, moreover, was to become the wife of Walter des Gorges who with his father, Theobald, a knight from Somerset, served in Nor-mandy for a number of years (Arch. Seine-Mme., Echiquier, 1448, fo. 46r). Through such family links the connections between England and France were built and maintained.[1]

---

[1] For Oldhall's later career, see J. S. Roskell, 'Sir William Oldhall, Speaker in the Parliament of 1450-1', *Nottingham Medieval Studies*, v (1961), 87-112, and his *The Commons and their Speakers in English Parliaments 1376-1523* (Manchester, 1965), pp. 242-4; *Dict. Nat. Biog.*, xiv, 999.

Thomas Overton

Since most of the evidence we have concerning Thomas Overton comes from his major trial of strength against his master, Sir John Fastolf, a suit in which each was trying to present a different picture of Overton, it is difficult to tell what is true, what could be true, or what is perhaps downright untrue.

Fastolf presented his receiver as a gambler ('qui joue hardiement aux deis') a man of low birth who, through service to Fastolf, had achieved social advancement. Not only was he dishonest, thus becoming 'fort enrichi', but he was a man who composed 'libelles diffamatoires' and 'ecritures atroces et plus que atroces' to attack the authority of the regent and the honour of his master.

Overton's view of himself and his career, less moralistic in tone, is historically more interesting. Overton came from an armigerous Yorkshire family, and was educated at Winchester College between 1405 and 1409 (T. F. Kirby, *Winchester Scholars: a list of Wardens, Fellows and Scholars of St Mary College, Winchester* (London, 1888), p. 33). He was, he said, 'bien herité et bien monté', 'riche de ij^m salus', with land in both England and France, not the poor man raised from the dust by Fastolf. Coming to Normandy with Henry V, he had some experience of serving the great, including the earl of Salisbury and Ralph Cromwell, and he had had charge of a number of men-at-arms, although estimates differed as to how many. Overton must have impressed Fastolf, who was no fool in matters financial, and he served Fastolf as receiver-general and as treasurer at Alençon and Le Mans. Overton was a mounted man-at-arms in the garrison at Falaise in March 1420 and May 1423 (B.L., Egerton Ch. 146: Add. Ch. 89), a position it is unlikely he would have either reached or maintained without some training and financial backing to sustain it. The fact that, in October 1420, together with Sir William Huddleston, he was ordered to array the men of Sir John Montgomery, captain of Domfront (*D.K.R.*, xlii, 391) suggests, too, that neither his professional competence nor his honesty was then in doubt. Overton was also to claim that he had a house in Falaise, and it becomes clear that he regarded himself as linked with that place, a pattern to be repeated in the career of others who acquired property in, or close to, the place in which they were garrisoned. He also claimed to have been present at the recovery of Le Mans in May 1428. His account of his career, and his interpretation of it, is one which is not improbable, and can be mirrored in those of others of his rank and social standing in Normandy in these years.

He was not alone among members of his family to have come to France. Clement Overton, who was probably his brother, received lands in the *bailliages* of Caux and Rouen from Henry V in April 1419, and was appointed captain of Montivilliers in April 1420 (*D.K.R.*, xli, 774; xlii, 316, 367; *Letters and Papers*, II, ii, [545]).

Sir John Popham

John Popham, a Hampshire man, was present at the battle of Agincourt in the retinue of Edward, duke of York. In 1416, he indented to serve in the defence of Harfleur with 40 men (*Cal. Pat. R.*, *1416-22*, p. 75). Appointed *bailli* of Caen in December 1417 (Coll. Lenoir, 3, pp. 158, 230), an office which he held probably until October 1422, Popham's links with western Normandy were strengthened by the grant made to him of the lordship of Torigni and Planquery (south of Bayeux) on 5 May 1418 (Coll. Lenoir, 4, p. 686), a house in both Bayeux and Caen (Bréquigny, *Rôles normands*, n° 132) and the office of captain of Bayeux late in 1420, which he held probably until 1423.

By 6 November 1422, Popham had been appointed chancellor of Normandy, a sure sign of favour. In 1425 he took part in the expedition into Maine; in 1426 he was at Sainte-Suzanne, of which he was [to become] captain (*Letters and Papers*, II, ii, 435), and his troops, intended for service in Warwick's army in the marches of Brittany, Anjou and Maine, were reviewed there (B.N., Clairambault, 186/45-7). In May 1428, perhaps as chancellor of Anjou and Maine, he took part in the recovery of Le Mans (n° **XVII**); in December, together with Sir John Handford, he was mustering troops at Orléans; on 4 April 1429 he mustered the nobility of Normandy at Vernon, and three weeks later he was reviewing troops in Paris (B.N., MS fr. 25768/328, 370, 389). During much of 1429 he acted as lieutenant of the castle at Rouen; he was also described as chamberlain to the regent (A.N., K 63/7/4; B.N., n.a.fr. 1482/83). He took part in the so-called 'coronation' expedition into France in 1430 (P.R.O., E 101/70/4/675).

Although a member of the expedition to Normandy in 1436, Popham's main contribution was now to be of a diplomatic character. He attended the peace congress at Arras in 1435 (Dickinson, *Congress of Arras*); in 1438 he was engaged with establishing relations with the duke of Brittany (*Letters and Papers*, II, ii, 295); and he was on the embassy which negotiated with the French in 1439 (C. T. Allmand, 'The Anglo-French Negotiations, 1439', *B.I.H.R.*, xl (1967)). From April 1437 to April 1439 Popham acted as Treasurer for War; he was also becoming increasingly close to the duke of York, on whose council in Normandy he served in 1436-37 and again in the winter 1441-42.

By some contemporary standards, Popham appears to have acquired relatively little land in France. He was, however, accustomed to using the title 'seigneur et baron de Thorigny' which he appears to have kept to the end. On 3 May 1429, when he was in Paris, he obtained the formal grant of the 'ostel de Thorigny' there (A.N., JJ 174, n° 291; Longnon, *Paris*, pp. 297-8 for the text). In June 1436 he was letting out estates near Torigni, and he probably possessed property in Caen at this time (Arch. Calvados, 7E 89, fo. 89v).

Popham sat for Hampshire in the Parliament of 1439-40, and he would have brought to it a wealth of practical experience of French affairs. In 1447 he was proposed for the Garter, but was not elected. His standing, however, was high, and it must form the background, together with the critical military situation in Normandy at the time, for Popham's election as Speaker of the Commons at the Parliament which met in London in November 1449. He asked to be excused, on the grounds of ill-health and the effects of old age, the result of service to both the king and his father in their wars in France. Exceptionally, his request was granted. He none the less survived until 1463.[1]

Sir Thomas Rampston

Thomas Rampston, already a knight, was present at Agincourt and took part in the naval action of August 1416. He crossed to France in 1417 (*D.K.R.*, xliv, 602), was in France in 1418, being appointed captain of Bellencombre on 12 February 1419 and of Meulan on 22 November following (*ibid.*, xli, 730, 807). In 1423-24 he served in the north-east, and it was while Rampston was besieging Guise that the duke of Bedford wrote to him of the victory won at Verneuil in August 1424 (R. A. Newhall, *The English Conquest of Normandy 1416-1424* (Yale, 1924), 319-20). In 1426 he took part in an expedition into Brittany, and it was probably at this time that he was captain of Saint-James-de-Beuvron (*Letters and Papers*, II, ii, 434). In May 1428 he took part in the recovery of Le Mans (n° **XVII**). Rampston served at the siege of Orléans (B.L., Add. Ch. 11628; B.N., MS fr. 25768/388) but was captured at Patay on 18 June 1429 (*Fauquembergue*, ii, 312-13); it is likely that he remained a prisoner for some years (Coll. Lenoir, 4, pp. 351, 365).

Rampston was also captain of Argentan, probably from 1423, for a number of years (A.N., K 62/7/11). From 1437/38 he served as lieutenant in Calais; in 1439 he was in the retinue of the earl of Huntingdon in Guyenne, where, from 1440 to 1442, Rampston was seneschal (Vale, *English Gascony*, p. 23), but again became a French prisoner in July 1442 (*ibid.*, p. 245).

---

[1] See also J. S. Roskell, 'Sir John Popham, knight-banneret, of Charford', *Proceedings of the Hampshire Field Club*, xxi (i), 38-52, and his *Commons and their Speakers*, pp. 235-7; *Dict. Nat. Biog.*, xvi, 146-7.

Rampston held lands in Normandy, in the *bailliages* of Caen, Cotentin, and Alençon, as well as in Maine (B.L., Add. Ch. 14433). The lordship of Bellencombre was still in the family hands in 1450 (*Letters and Papers*, II, ii, [622]), and he also held that of Gacé, previously granted to William Glasdale (*ibid.*, II, ii, [623]). In November 1441 he was reported to have suffered illness in England (B.L., Add. Ch. 14433), and it may be noted that his son probably exercised the captaincy of Bellencombre in 1449 (P.R.O., C 67/39, m. 9). He died in 1458.[1]

Edward Russell

Little is known of this man. On 19 April 1419 he was granted, in tail male, the lands in Gisors, Evreux, St. Lô and Mantes confiscated from the Dame du Boulay, absent from the obedience of Henry V and who was to die later that same year (*D.K.R.*, xli, 771; Charma, 'Partie des dons', p. 4; A.N., X^{1a} 8302, fo. 205v). From October 1420 to April 1421 Russell was a mounted man-at-arms at Gisors, where he was described as the constable of the garrison (P.R.O., E 101/49/37, mm. 1, 2, 4, 5). On 3 August 1423, in the suit brought against him by Hugues Ferret (n° I) Russell was described as captain of Gisors. In January 1429 he was serving in the retinue of Sir John Salvain, *bailli* of Rouen (B.N., MS fr. 25768/332), while early in April he was 'chef de montre' of the nobles of the *bailliage* of Gisors mustered at Vernon for the escort of the army going to the siege at Orléans (B.L., Add. Ch. 3643).

In April 1419 Russell was paid 50 *livres* as his share of the farm of Sotteville-sur-Mer which belonged to the chapter of Saint-Quentin (Arch. Seine-Mme., Tabellionnage de Rouen, 1418-19, fo. 240v), and in September he received protection for himself and his lordships in the Vexin Français (*D.K.R.*, xli, 799). In November 1438 he was given a delay of six months to present the *aveu* of the lands in the bailliage of Gisors which had belonged to the Dame de Boulay, for some of these, in spite of his renunciation of the lands of Margny, were still in his hands (Coll. Lenoir, 4, p. 291).

Earl of Salisbury

Together with Lord Talbot, who in certain respects was to take his place, Thomas Montague, earl of Salisbury, was England's most

[1] See *Dict. Nat. Biog.*, xvi, 895.

famous commander in the wars of this period. His experience went
back to the end of Henry IV's reign, for he served in France in 1412
and was to negotiate with the French in 1414. In the following year
he was at the siege of Harfleur and at Agincourt, and took part in the
naval battle 'of the Seine' on 15 August 1416. Early in 1417 he
contracted to send 106 men to help in the defence of Harfleur (P.R.O.,
E 101/70/2/618, 619; Bréquigny, *Rôles normands*, n°s 71, 72). Later in the
year he was at the siege of Caen, then at that of Falaise in the winter
1417/18, and at the long siege of Rouen which ended in January 1419.
On 13 November 1420 he was appointed captain of Alençon and royal
lieutenant in Henry V's forthcoming absence in England (*D.K.R.*,
xlii, 381). After the duke of Clarence's defeat and death at Baugé on 22
March 1421, Salisbury averted further disaster by achieving, with
skill, the retreat of the English army. An aggressive commander,
Salisbury served in Maine and Anjou in 1421-22; recaptured the
strategic bridge at Meulan in April 1422; attempted to extend Lancastrian authority south-eastwards in 1423, and was one of the leaders
at the successful battle fought at Cravant on 31 July 1423. In the
spring of 1424 he was again active; he took part in the battle of
Verneuil in August, and in the campaign into Anjou and Maine in
1425, capturing Le Mans on 10 August. When Bedford left France for
England at the end of 1425, he left the war in the charge of Salisbury
as 'cappitaine general de par le roy et lieutenant sur le fait de la
guerre' (B.N., MS fr. 26049/554). Late in 1426 Salisbury was himself
able to return to England, where he collected an army for which he
was to contract on 24 March 1428 (P.R.O., E 101/71/2/825; the
subindentures are in E 101/71/2/826-853; 3/854-868). He sailed for
France in July and almost at once directed his effort towards the line
of the Loire and to the besieging of Orléans. It was there that he
received the fatal wound from which he died on 3 November 1428.

Salisbury reaped his reward in terms of both reputation and
material gain. He was accorded the title of governor of Champagne,
Brie and the Mâconnais without appeal from his jurisdiction (see above,
pp. 5-6), as well as other military titles. The recipient of the lordship of
Auvilliers in 1417, that of Neubourg and La Rivière-Thibouville in
1418, he was granted the county of Perche and the barony of Loigny
in 1419 (Coll. Lenoir, 41, pp. 698, 772, 803). In June 1423 he obtained
the lordship of La Ferté-Frênel (A.N., JJ 172, n° 269); in July 1424 100
l.t. of *rente* on the fief of La Vallée (*ibid.*, n° 578); in November 1425 the
lordship of Courville, near Chartres (*ibid.*, JJ 173, n° 293) and in April
1427 a large share in lands confiscated from the duke of Brittany (*ibid.*,
n° 645; Longnon, *Paris*, pp. 248-50). In addition to the captaincy of
Alençon he was also to hold those of Exmes, Bonsmoulins, Verneuil,
Essay, Fresnay-le-Vicomte and Argentan.

Salisbury's second wife was Alice, daughter of Thomas Chaucer, third wife of Sir John Philip who had died at Harfleur in 1415. She was later to marry another veteran of the French war, William de la Pole, earl of Suffolk.[1]

Robert Stafford

The early presence of Robert Stafford in Normandy is attested by the grant, in May 1419, of lands in the *bailliages* of Rouen and Caen confiscated from the late Guynart de Plessis (Coll. Lenoir, 3, p. 114; 75, p. 285; Charma, 'Parties des dons', p. 7). Late in 1424 Stafford mustered the troops of Sir William Oldhall at Essay (B.N., MS fr. 25767/110), and was on the expedition into Anjou in 1425 (*Letters and Papers*, II, ii, 412). In 1426 he twice mustered the garrison of Fresnay-le-Vicomte under William Glasdale (A.N., K 62/25/2; B.N., n.a.fr., 8605/105); it is evident that he was now mainly concerned with this area of the southern frontier of Normandy. In March 1425 he purchased some property in Fresnay, and in February 1426 he was appointed captain of La Ferté-Bernard. It was his command of this place which gave him the troubles described in his suit against Talbot (n° **XIX**) and which led to the grant of lands confiscated from him for negligence to Talbot and to John de St. Lo (A.N., JJ 173, n° 644).

Stafford and Talbot appear to have been reconciled and Stafford was later to serve in Talbot's retinues. He was a member of the garrison at Rouen under Talbot and the duke of York, and from February 1437 until 1449 he was probably Talbot's paymaster, frequently signing acquittances for wages received (B.N., Clairambault, 201/66; Pièces Originales 2725, Stafford, 5). During the years 1439–41 he was often employed as musterer of troops in the field under Talbot's command (A.N., K 67/1/23–27), in which he acted as deputy to Talbot as marshal. As such he served at the siege of Harfleur in 1440, before Louviers and Conches later in the year, at the relief of Pontoise in August 1441, and before Dieppe in 1442 (A.N., K 66/1/32, 34; B.N., MS fr. 25775/1455; 25776/1596). By August he was *vicomte* 'de l'Eaue' at Rouen (Coll. Lenoir, 27, p. 175; B.N., Pièces Originales 2725, Stafford, 7, 8; *Gallia Regia*, v, 188).

Under Talbot, Stafford appears to have been based on Rouen, where he was a *vicomte*, although he went to England in 1442 to collect troops. Granted more property in May 1443 he was obliged to sell it in May 1444 for the sum of 300 *livres* to help pay the ransom he had incurred when captured at Dieppe in August 1443 (Arch. Seine-Mme., Tabellionnage de Rouen, 1443–45, fo. 98v), but in October

---

[1] *See Dict. Nat. Biog.*, xiii, 655–8; G.E.C., *Complete Peerage*, xi, 393–5.

1444 he was given property in Harfleur which the prior of Graville-Ste-Honorine had been granted by the king (*ibid.*, fo. 162v). Stafford, referred to significantly as 'l'aisné' in 1448, continued to serve in Talbot's personal retinue (A.N., K 68/29/6; B.N., n.a.fr. 8606/102). After the fall of Rouen in November 1449 he was among those held hostage with Talbot and was held jointly responsible for repaying his master's debts to the citizens (A.N., J 1038/9; *Chroniques du roi Charles VII*, p. 322). After Talbot's death at Castillon in 1453, Stafford was to serve the second earl of Shrewsbury.

Earl of Suffolk

Whatever may be thought about the later controversial career of William de la Pole, earl of Suffolk, his commitment to the war in his early years can scarcely be in doubt. Nor was that of his family, for he lost his father at the siege of Harfleur in 1415 and his brother at Agincourt a few weeks later. Returning to France with Henry V on the king's second expedition, he was at the major sieges of Cherbourg and Rouen, being appointed admiral of Normandy on 19 May 1419 (*D.K.R.*, xli, 775). On 12 June 1419 he was named captain of Pontorson, of Avranches on 27 August 1419, and he was later to become captain of Coutances and St. Lô (*ibid.*, xli, 788, 794). On 13 March 1418 he had been granted the lordships of Hambye and Bricquebec in tail male, lands which consolidated his authority as a military commander and landlowner in western Normandy.

Suffolk was made a Knight of the Garter in May 1421 in place of the duke of Clarence, recently killed at Baugé. His military activity in the 1420s was considerable, since he served not only as governor of the marches of lower Normandy from September 1421, but was also active with Salisbury extending Lancastrian authority in Champagne in 1423. In 1424 he besieged Ivry and took part in the battle of Verneuil. His reward for this activity had been the grant, made on 27 July 1424, of the important frontier county of Dreux (A.N., JJ 172, n° 571), part of the Orléans inheritance. In 1425, as lieutenant general of the *bailliages* of Caen, Cotentin and of the marches of lower Normandy, constable of Salisbury's army and 'capitaine general sur le fait de la guerre au royaume de France', he besieged the Mont-Saint-Michel by sea, and led a raid into Brittany in 1425–26. After the death of Salisbury at the siege of Orléans in November 1428, the main command fell upon Suffolk's shoulders. On 12 June 1429, however, he was captured at Jargeau, as was his brother, John, while another brother, Alexander, was killed there and yet another, Thomas, was to die a hostage in French hands by July 1433.

Suffolk was a prisoner of the French captain, Dunois, by whom he was released in March 1430 in exchange for a large ransom, the payment of which compelled Suffolk to sell his lordship of Bricquebec, by special permission, to the Lancashire esquire, Bertram Entwistle. His soldiering days were now largely behind him. Although he took Aumale in July 1430, the captaincies which he was to hold, including Tombelaine and Regnéville in south-western Normandy, were placed in the hands of lieutenants, although since 1427 he had held the lordships of Chanteloup and Créances, all in the same area (A.N., JJ 173, n° 634). From the time of the congress of Arras in 1435, a meeting which he attended, Suffolk was to play an increasing role in diplomacy and as a councillor; his part as such in the 1440s is well known. He married, in 1430, Alice countess of Salisbury, widow of the late earl, whose first husband had been Sir John Philip, who had died at Harfleur in 1415.[1]

John, Lord Talbot

Born c. 1384, Talbot was present with Prince Henry at the surrender of Aberystwyth in September 1407. In February 1414 he was named king's lieutenant in Ireland with power to nominate a deputy. In 1420, Talbot was at the siege of Melun and at that of Meaux in the following year. In August 1424 he took part in the English victory at Verneuil. His career in France was now beginning in earnest. By 1428, the year in which he took Laval 'et prindrent les Englois moult d'avoir et de richesses' (*Chroniques du roi Charles VII*, p. 128) the year, too, of the recapture of Le Mans (n° **XVII**) he was captain of Coutances, Pont-de-l'Arche and Falaise; late that year, too, he was appointed governor of Anjou and Maine. He received, in addition, the grant of the lands of Jean, lord of Amboise, and the lordship of Heugleville and Pont-Saint-Pierre formerly in the hands of Reginald Grey, now deceased (A.N., JJ 174, n°s 112, 150). Having taken part in the siege of Orléans, Talbot was captured at Patay on 18 June 1429. He was not released until 1433 when an exchange with the French captain, Poton de Xaintrailles, was arranged.

Once freed, Talbot continued the war with renewed energy. In 1434 he campaigned with success in the Oise valley, and in August was granted the county of Clermont-en-Beauvaisis (A.N., JJ 175, n° 318). In 1435 he was engaged around Saint-Denis, and in February 1437, now a marshal of France and king's lieutenant in Normandy, he took Pontoise with Lord Fauconberg. In 1437, with Scales and Fauconberg, he campaigned on the Somme; in 1438, in the Caux region; and in 1439, as governor and lieutenant-general of France, he

[1] See *Dict. Nat. Biog.*, xvi, 50–6; G.E.C., *Complete Peerage*, xii, 443–8.

revictualled Meaux, of which he was captain (B.L., Add. Ch. 12009). In 1441, in the company of the duke of York, he raised the siege of Pontoise. Returning to England, he was appointed earl of Shrewsbury on 20 May 1442, but his attempts to regain Dieppe from the French in the next months failed. In 1445 he came back to England but, now sole Lancastrian marshal of France since 1447, he returned there in 1448. When Rouen surrendered in November 1449, Talbot was taken as a hostage and kept at Dreux (*Chroniques du roi Charles VII*, p. 350). Released in July 1450, he later campaigned in Gascony, but was killed at the battle of Castillon on 17 July 1453.

In addition to the great lordships appropriate to his rank, Talbot was also the recipient of other, smaller grants in France (e.g., Coll. Lenoir, 26, p. 187; 24, p. 23). He held some eighteen captaincies during his career in northern France. Ready to take the place of the earl of Salisbury when he died in 1428, Talbot came to be associated with a succession of English leaders in France, notably the dukes of Bedford and York and, in between, Richard Beauchamp, earl of Warwick, whose daughter, Margaret, he married in 1433. Respected by both friend and foe for his dashing leadership, he passed into legend as an outstanding military leader who never won a notable victory in the field.[1]

Henry Tilleman

In the suit brought against him by Caries Carbonnel (n° **VI**) who asserted that the office of verderer of the forest of Valognes had been granted to him by Henry V, the Englishman made the claim that he was 'bon homme d'armes' who had accompanied the prince of Wales 'ou voiage d'Espaigne', presumably a reference to the Black Prince's expedition to Spain in the spring and summer of 1367. If such a claim were true, then Tilleman was no longer a young man. But there was nothing inconsistent in his claim to have served Henry V and his predecessors, presumably as far back as Richard II and possibly even Edward III. His claim to have carried the regent's standard at the battle of Verneuil less than a year earlier was probably also true.

Little else is known about him. On 16 February 1418 Tilleman was granted the land of Sommervieu, in the *vicomté* of Bayeux, in tail male (Charma, 'Parties des dons', p. 1). On 18 June 1422, the king issued a mandate to the treasurer-general of Normandy to restore to Henry Tilleman the lands in the *bailliage* of Caen recently confiscated by the crown. What such a confiscation was for, or why it was improperly made, is not known. In the summer of 1425 Tilleman lost his suit

[1] See A. J. Pollard, *John Talbot and the War in France, 1427-1453* (Royal Historical Society, London, 1982), for a full treatment of his career.

against Carbonnel, and the lands of Sommervieu were soon to be granted to the king's secretary, Jean de Rinel (Charma, 'Partie des dons', p. 1). By this time Tilleman had disappeared from the record.

John Winter

John Winter, esquire, made an agreement to be brother-in-arms with Nicholas Molyneux at Harfleur on 12 July 1421 (K. B. McFarlane, 'A Business-partnership in War and Administration, 1421–1445', *E.H.R.*, lxxviii (1963), 290–310). Present at the exploit of the recapture of Le Mans on 28 August 1428, Winter was to be associated with Talbot in the ensuing lawsuit (n° **XVII**), and in December 1428, as a mounted man-at-arms, he was listed as a member, although absent, of Talbot's personal retinue (B.N., MS fr. 25768/318). Although he was also to be associated with Fastolf—as collector of his French debts he was to be harried by the master on his deathbed—his links with Talbot were maintained, as Winter served under him, as the duke of York's lieutenant, at Tancarville in 1437 (B.L., Add Ch. 137). His career after that year is to be followed mainly in England, where he acted as Fastolf's feofee on several occasions and invested, largely in manors south of London and in Surrey, moneys sent home to him from France. He died in 1445, when his agreement with Molyneux was still being honoured.

Appendix III

Glossary

absolucion	dismissal, but not acquittal, of a charge
action hypothequee	suit relating to mortgage or *rente*
action personelle	private action
a caucion	on bail, on remand (*Cf* 'caucion bourgeoise')
acensement	letting out on farm
a consequence	important as a possible precedent
adeneré	officially valued for public auction
adjonction a, s'adjoindre avec	making common cause with one party; the *procureur du roi* joining sides with plaintiff or defendant
adjornement	summons served to appear or be represented on a fixed date
adjudication	settlement or legal sentence awarding a disputed chattel or land
advertissements	publication giving legal notice
affecté	assigned to a defined use
affuturs (*affuturi*)	absent; (of witnesses) aged, infirm
alienacion	renunciation by sale or other act
amende honourable	formal apology to the court begging pardon
amende proprietaire	fine to be raised on chattels or land
amende proufitable	monetary fine
appointment, appointer les parties	sentence assigning possession of disputed property, but often indicating the need for more time and evidence prior to judgment
arcte	restricted (in time); short notice
asseurement	undertaking not to molest an individual, his servants or his property
attemptas	attempt made against persons or property contrary to public order
benefice dimientoire	a tenth of revenues from an estate
cas civil	non-criminal suit
cas de brief	case brought under a writ
caucion bourgeoise	bail for prisoner granted on the security of a Parisian bourgeois
cens	any charge on land
cessacion	stay of execution
charges reelles	existing liabilities, such as rent or mortgage, on land
conclusions	final demands of parties to the court
congié	default obtained by defendant against plaintiff not present after summons

congnoistre d'une cause	to accept, take note of a lawsuit
contractation	illegal handling
contredis, lettres de	submission by either party to modify the results of an inquisition ordered by the court
convenance sans saisine	agreement unfulfilled as regards transfer of property
criee (*cridum*)	auction of land or goods seized by the crown
decret	order passed in court for the sale of seized property
delai declinatoire	any preliminary delay allowed prior to *litis contestatio*
demande articulee	itemized petition made prior to start of a suit
denegacion	denial of a claim or fact
depositaire (*depositarius*)	depositary, trustee
devolucion	grant of a benefice lapsed by failure of the patron to present
diligence	urgent demand
distribution de conseil	allocation of counsel by the court to litigants unable to secure immediately the services of one
doleance	complaint
enterinement	legal ratification and registration
escript, proces par	suit brought from a subordinate court in writing
escripture grosse	larger court hand in which records were transcribed
estat	annual or periodical account of an estate
estrangier	foreigner without possessions in France
estre relevé	case taken up, answered before the court
evangeliser un proces	verify facts of an appeal by referring to original submissions made to the court
evocation	removal, usually by royal command, of a case from a subordinate to a superior jurisdiction
exces	violence
exploit	execution of a sentence and seizure of goods or lands arising from it
exploit de cour	fine imposed on litigant failing to appear
exploit d'huissier, de sergent	report to the court of adjournment, arrest or seizure of goods
exploits, les derniers	peaceful possession before claim is challenged
fiction	deceit
fol appel	frivolous appeal
garand	warrantor
garnir	provide surety
habile	capable, in the eyes of the law, of undertaking an action
illusoire	deceptive
impetracion	request for royal letters, or for presentation to a benefice
incivile	incompatible with legal procedure

insolidum	jointly
intimé	defendant against an appeal
jour de garand	delay allowed for producing a warrantor
lesion (*lesio*)	injury
lettres de certification	passport
lettres de relievement, de relief d'appel	letters of the chancery permitting the hearing of an appeal after the expiry of the customary delay for hearing such an appeal
lettres d'estat	royal letters secured by litigants engaged in the royal service halting legal proceedings at a particular 'state' in the suit
lettres obligatoires	bonds
lettres royaux	emanating from the chancery
lettres testimoniales	letter from the university authenticating the status of a student
lettres de tonsure	ecclesiastical authentication of holy orders
litiscontestacion (*litis contestacio*)	the real lawsuit after the clearing of preliminaries
mainmise	seizure by the crown or other authority
mandement	court order to carry out a sentence
memoires	drawing up of an itemized memorandum
memorial	record, register
mesprendre, se garder de	to take note of but to decline to take sides in a suit
obreptices, lettres	*suggestio falsi*
obtemperer	to obey (in a judicial matter)
petitoire, (action)	claim, writ of right
port d'armes	illegal carrying of weapons
prefiger, prefixion	to appoint a date in advance, especially a delay in court
presentation	personally present or represented in court
principal	the original issue between the parties, but not necessarily the basis for an appeal
provision	release from prison; return of property held in legal custody
recours	redress, relief
recreance (*recredentia*)	in canon law, provisional enjoyment of a benefice in dispute; in common law, provisional liberty
revendication	reopening of a claim already disposed of by judicial sentence
relevé, relever un appel	sue out an appeal
rente infeodee	a sub-let rent on an estate
reproches (*reprobationes*)	objections which might be brought against an inquisition
requeste civile	letters of the chancery to appeal against sentence of the Châtelet or Parlement
reseant	resident with possessions in France
salvacions	reply to 'contredis'

stile	legal procedure, or protocol, of the Parlement or Châtelet
surreptices, lettres	*suppressio veri*
surrogié	substituted
transport	assignment, conveyance
ultremarin	English clerk
ultremontain	Italian clerk
ypotheque	mortgage

Index

QUEEN MARY
COLLEGE
LIBRARY

WITHDRAWN
FROM STOCK
QMUL LIBRARY

QUEEN MARY
UNIVERSITY OF LONDON
LIBRARY